PLAZA & JANES

P & J

LITERARIA

En diciembre llegaban las brisas

Marvel Moreno

Plaza & Janés Editores, S.A.

Portada de
JORDI SANCHEZ

Primera edición: Febrero, 1987

Editado por PLAZA & JANES EDITORES, S. A.
Virgen de Guadalupe, 21-33. Esplugues de Llobregat (Barcelona)

Printed in Spain   —   Impreso en España
ISBN: 84-01-38092-8   —   Depósito Legal: B. 3945-1987

A Carla y Camila

UNO

I

«Yo soy el Señor Dios tuyo, el fuerte, el celoso, que castiga la maldad de los padres en los hijos hasta la tercera y cuarta generación.»

Porque la Biblia, libro que a ojos de su abuela encerraba todos los prejuicios capaces de hacer avergonzar al hombre de su origen, y no sólo de su origen, sino además, de las pulsiones, deseos, instintos o como se llame, inherentes a su naturaleza, convirtiendo el instante que dura su vida en un infierno de culpabilidad y remordimiento, de frustración y agresividad, contenía también la sabiduría propia al mundo que había ayudado a crear desde los tiempos en que fue escrito, razón por la cual había que leerlo cuidadosamente y reflexionar en sus afirmaciones por arbitrarias que pareciesen hasta comprender a fondo el cómo y el porqué de la miseria personal y de la ajena. Así que cuando un acontecimiento cualquiera agitaba la empañada, aunque a primera vista serena superficie de existencias iguales que hacía más de ciento cincuenta años formaba la élite de la ciudad, su abuela, sentada en una mecedora de mimbre, entre la algarabía de las chicharras y el aire denso, amodorrado de las dos de la tarde, le recordaba la maldición bíblica al explicarle que el suceso, o mejor dicho, su origen, se remontaba a un siglo atrás, o a varios siglos atrás, y que ella, su abuela, lo había estado esperando desde que tuvo uso de razón y fue capaz de establecer una relación de causa a efecto.

Aquel fatalismo provocaba en Lina una reacción de miedo, no sorpresa —ya a los catorce años había perdido la facultad de asombrarse ante las cosas que su abuela y sus tías decían— sino un oscuro temor

que le hormigueaba en las manos mientras se preguntaba por enésima
vez a qué calamidad la habría condenado ya el destino. Viendo a su
abuela sentada frente a ella, pequeñita, frágil como una niña de siete
años, con los blancos cabellos peinados hacia atrás y recogidos en un
discreto moño sobre la nuca, tenía la impresión de oír hablar a una
Casandra milenaria, no excitada ni histérica, ni siquiera realmente Casandra puesto que no se lamentaba de su suerte ni de la de los demás,
pero cuyas predicciones debían cumplirse inexorablemente. Alguien que
llevaba el pasado guardado en su memoria y de él, de su asimilación
y comprensión, deducía el presente y hasta el futuro con una imprecisa
tristeza, como una diosa bondadosa, pero ajena a la creación, y en consecuencia, incapaz de detener el error y el sufrimiento de los hombres.
Por eso, porque siempre había creído que de antemano todo había sido
jugado, que una fuerza secreta nos impulsaba a dar cada paso en la
vida, ese paso y no otro, se negaría a intervenir cuando ella se lo pidió
para salvar a Dora de casarse con Benito Suárez, aunque teóricamente
podía hacerlo, pues a nadie en el mundo la madre de Dora respetaba
tanto como a su abuela.

Lina pensaba que una sola llamada telefónica, un simple recado
haría salir a doña Eulalia del Valle de su encierro y atravesar a pie las
cuatro cuadras que la separaban de la casa donde ella y su abuela
vivían; creía, también, que apenas doña Eulalia le hubiese contado a su
abuela esa larga jeremiada que llamaba el calvario de su vida, es decir,
cuando imaginara haber conmovido con sus lamentaciones, no ya a su
hija y a sus sirvientas, sino a una persona a quien admiraba por su
alcurnia y su conducta ejemplar —términos que siempre empleaba
al referirse a su abuela— aceptaría cualquier consejo, hasta el de rechazar el matrimonio de Dora, su purificación, pensaba, con un loco semejante como Benito Suárez. Pero su abuela no había querido acercarse
al teléfono diciéndole a ella, Lina, si no es Benito Suárez será otro
parecido, porque a mi entender tu amiga Dora está destinada a dejarse
escoger por un hombre capaz de quitarle el cinturón a su pantalón
para darle latigazos la primera vez que haga el amor con ella.

Muchos años más tarde, en el otoño de su vida, después de haber
conocido aquí o allá otras historias semejantes, de haber aprendido a
escuchar y escucharse sin rebeldía, sin pretensiones, Lina, acordándose
de repente de Dora mientras veía pasar a una mujer desde la terraza
del «Café Bonaparte», llegaría a preguntarse sonriendo si a lo mejor
su abuela no había tenido razón: razón al decir que Dora debía unirse
a cualquier hombre que la hubiese fueteado cuando hicieron el amor,
primero por hacerlo, y luego, por haberlo hecho antes con otro hombre.
Pero no entonces. Entonces acababa de cumplir catorce años y nadie,
ni siquiera su abuela, podía convencerla de que Dora era arrastrada
por una fuerza oscura hacia el hombre que sin lugar a dudas iba a
causar su perdición, tan inexplicablemente como el instinto lleva a un
gato a arriesgar su vida sobre las quebradizas ramas de un guayabo
sólo porque un pájaro revolotea entre las hojas, a sabiendas de que no
va a atraparlo y a pesar de haber terminado de comer las sobras del
almuerzo y encontrarse ahíto.

Las fuerzas que invocaba su abuela —y cuyo nombre apropiado des-

cubriría Lina leyendo a Freud no sin un cierto escepticismo— le parecían por el momento uno de esos enemigos que acechan al hombre
como la enfermedad y la locura, y contra los cuales es preciso defenderse por dignidad, es decir, para llegar al final de la vida con un cierto
decoro evitando en lo posible molestar a la gente, lo mismo que un
periódico debe ser cerrado en el estado en que lo abrimos, más mano-
seado si se quiere, pero de ninguna manera deshojado o destruido.
Y no en consideración a nadie, puesto que nadie nos lo dio ni a nadie
debemos devolverlo, sino en la medida en que siempre es preferible
luchar contra la negligencia, así se nos diga que a la larga perdemos
inexorablemente, porque hasta el mismo periódico irá a parar al tacho
de la basura. En otras palabras, ya entonces, y a su manera, Lina
consideraba imperdonable ceder a toda forma de abandono, por mucho
que su abuela aludiera a la intervención de aquellas fuerzas misteriosas,
especialmente si el abandono conducía a casarse con un hombre como
Benito Suárez.

Porque Lina lo conocía. Lo había conocido un sábado de Carnaval
en circunstancias más bien insólitas, aunque este adjetivo, utilizado
por Lina deliberadamente al referirle después lo sucedido a su abuela
con el fin de no verse acusada de exageración, ni de lejos ni de cerca
correspondía a la escandalosa manera como Benito Suárez había surgido ante ella, irrumpiendo en su vida y allí instalándose, pues a partir
de ese momento, y dada su amistad con Dora, a Lina no le cupo la
menor duda de que aquel hombre iba a cruzar más de una vez su
camino y siempre para provocarle el mismo asombro, y a veces, la
misma helada rabia que sintió al verle detener su «Studebaker» en
la esquina, y salir de él, y perseguir a Dora que ya había descendido
con la cara llena de sangre y corría ciegamente hacia la puerta principal
de su casa. A Lina le llevó mucho tiempo comprender el alcance de lo
ocurrido, en fin, no supo que el simple hecho de haber sido testigo
de aquella escena la había cambiado, o más precisamente, había puesto en marcha el mecanismo que de manera irrevocable iba a cambiarla.
Fue algo que intuyó después, con los años, al advertir que su memoria
conservaba hasta el último detalle de aquel sábado de Carnaval en que
vio por primera vez a Benito Suárez: el «Studebaker» azul frenado bruscamente en la esquina de su casa, ella mirándolo aturdida desde la ventana del comedor, sentada frente a la mesa de caoba donde podían comer doce personas y sobre la cual había sus cuadernos, el rollo de papel pergamino que acababa de cortar para dibujar el mapa de Colombia
con sus ríos y montañas; había también un gomero y un frasco de tinta
china, y el montoncito de arena que pensaba pegar allí donde las cumbres se abrían en volcanes: recordaría siempre el plumero saltando de
sus manos y manchando la encerada superficie de la mesa, la enloquecida, vacilante carrera de Dora, Benito Suárez alcanzándola en el jardín
y dándole otra bofetada en aquella cara que la sangre casi impedía
reconocer, y luego ambas, Dora y ella precipitándose a la puerta de
entrada, Dora todavía por el jardín y ella atravesando la galería y
abriendo la puerta y, de repente, golpeando con una de las sillas del
corredor a Benito Suárez para impedirle, no entrar, ya había fran-
queado el vestíbulo y mostraba tanta determinación en su mirada que

parecía imposible hacerlo retroceder, sino detenerlo. Sí. El asombro de verla a ella, la niña de trece años que acababa de reventarle en el hombro una silla Luis XVI mientras le decía: solté al perro y viene a destrozarlo. El asombro y el golpe, quizás el dolor, eso lo detuvo. Los segundos, se acordaría Lina, en que pudo coger la mano de Dora y arrastrarla por la galería hasta el comedor y allí esconderse con ella detrás del saibor donde se ocultaba de niña cuando su abuela la perseguía llevando en la mano el aborrecido frasco de Magnesia. Jadeando, de imprevisto bañada en sudor, la cara de Dora recostada sobre sus piernas y aquella sangre pegajosa que le manchaba el blue-jean; diciéndole a Dora en voz baja: deja de llorar o nos matará a las dos. Porque Benito Suárez quería matarlas: así lo gritaba mientras recorría la casa desierta dándole puntapiés a los muebles y tratándola a ella, Lina, de criatura malparida. Se lo había oído gritar cuando entró al comedor y de un manotazo tiró al suelo sus cuadernos; había escuchado su respiración jadeante, esa entonación de su voz desprovista de toda cualidad humana, que era, le pareció, el gemido de un animal tratando rabiosamente de producir sonidos susceptibles de transformarse en frases. Fue tal vez aquel tono desarticulado a fuerza de ira, lo que trajo a la mente de Iina la imagen del perro; no el recuerdo de los setters que sin embargo estaban ladrando histéricamente en el patio: el perro, que no tenía raza ni nombre, jamás ladraba: pero había en su silencio la misma capacidad de odio, el mismo impulso asesino del hombre que pateaba el saibor detrás del cual ella apretaba la boca de Dora para impedirle gritar. Así que pensó en el perro, y no de la manera atolondrada en que lo hizo al reventarle a Benito Suárez aquella silla en el hombro, sino con frialdad, con una repentina astucia que más tarde la asombraría a sí misma; es decir, cuando le contó a su abuela cómo se había deslizado por la galería apenas dejó de oír el balbuceo disparatado de los insultos, y se acercó al árbol donde el perro estaba amarrado, y, llevándolo sujeto por la argolla del collar, buscó a Benito Suárez hasta encontrarlo en el corredor, junto a la silla caída en el suelo. Sorprendida, más sorprendida aún cuando su abuela le comentó: yo, en cambio, te imagino muy bien trayendo a ese condenado perro para echárselo a Benito Suárez.

Sin embargo, mucho antes de lo que llamaría la primera escaramuza (habría tantas otras que Lina terminaría acostumbrándose a reconocer en aquel hombre un enemigo natural, casi inofensivo a fuerza de prever sus reacciones y, cosa para ella inexplicable, de quererlo sin dejar por ello de considerarlo un enemigo) Lina había comenzado a hacerse una idea sobre la clase de individuo que era Benito Suárez. Había seguido paso a paso sus atormentadas relaciones con Dora pues le servía a ésta de confidente desde los tiempos en que entró al colegio de «La Enseñanza» y Dora, llevada tal vez por un precoz instinto maternal, resolvió tomarla bajo su protección: todo un año la había defendido como una gallina clueca —en el bus del colegio le guardaba religiosamente un puesto junto a cualquier ventana o la sentaba en sus rodillas— y luego las cosas empezaron a cambiar porque mientras ella avanzaba a primero, segundo y tercero de primaria, Dora seguía repitiendo el cuarto, y allí se encontraron, ella de ocho años y Dora de once, invirtiéndose definitivamente la relación que hasta entonces las había unido cuando Lina comprendió que si quería sacarla de aquel atolladero debería soplarle en los exámenes y escribir sus redacciones, además de explicarle una y otra vez la división y llamarla por teléfono para comprobar si había hecho bien sus tareas. Pero lo logró, en fin, consiguió a punta de trampas y tenacidad arrastrarla hasta el segundo de bachillerato, año en el cual sus esfuerzos se fueron a pique porque Dora fue expulsada de «La Enseñanza» por haber recogido un bombón que un muchacho le había tirado desde el muro del colegio.

Dora le había parecido a Lina demasiado quieta: no jugaba en los recreos ni participaba en las travesuras que Catalina, ella y sus amigas planeaban minuciosamente para provocar cualquier desorden capaz de sacar de quicio a las monjas y romper la monotonía de los cursos. En realidad, Dora nunca había intervenido en nada que implicara acción o movimiento: había sido una niña tranquila, casi vegetal, con la indolente apariencia de un organismo absorto en algo que ocurre dentro de sí mismo y siente latir en sus células. Tantas vitaminas le dieron en su infancia que a los nueve años se desarrolló y a los catorce —cuando la expulsaron del colegio por la historia del bombón— estaba formada del todo y tenía ese aire lánguido, ese balanceo al caminar que empujaba a los muchachos del «Biffi» a treparse al muro del colegio, coronado por un verdadero zarzal de vidrios de botellas, dejando en el cemento la piel de sus rodillas y el sudor de sus ansias con tal de mirarla un minuto a la hora del recreo. No era bella como Catalina y carecía del refinamiento de Beatriz. No podía hablarse de gracia al verla, ni siquiera de seducción. No. Tenía algo más remoto y profundo; algo que debió de permitirle a la primera molécula reproducirse o al primer organismo fecundarse a sí mismo; eso que palpitaba al fondo del mar antes de que cualquier forma de vida asomara a la tierra, y palpitando sorbía, chupaba, creaba otros seres, los expulsaba de sí: la vida en estado bruto y, más tarde, la hembra primitiva; no necesariamente la humana, sino cualquier hembra capaz de atraer a su cueva al díscolo y alborotado macho y por un instante calmar su agresividad con el fin, no sólo de hacerle realizar el acto que ante la naturaleza, y aparentemente, lo justifica, sino también, para recordarle que existe un placer más intenso y quizá más antiguo que el de matar.

Eso, Dora no parecía saberlo, aunque bien hubiera podido sospecharlo: sentía siempre sobre ella la mirada de los hombres y ya de niña advertía que le era imposible salir sola al jardín de su casa sin provocar en cualquier mendigo o vagabundo que cruzara el sardinel el frenético deseo de abrirse la bragueta y masturbarse ante sus ojos. Por su lado, Lina se sentía tentada a pensar que Dora había sido marcada en el momento de nacer, o, como su abuela se había empeñado en explicárselo, al instante de comenzar a existir, por el mismo signo que determinaba la naturaleza de su perra *Ofelia*, o más bien, el comportamiento de los perros que codiciosamente la rodeaban. La rodeaban, no la seguían: *Ofelia* no tenía necesidad de desplazarse o de hacer el menor movimiento para mantenerlos junto a ella en una desesperada expectativa. Nada de especial había en su aspecto, al menos en apariencia no se distinguía de las otras setters que habían ido naciendo y creciendo en su casa y llevaban los nombres de aquellas heroínas de Shakespeare cuya historia su abuela le había referido muchas veces antes de dormir; era sólo un animal soñoliento con un ondulado pelo color canela, que odiaba el sol y pasaba el día entero descansando sobre las frescas baldosas de la galería. Pero cuando entraba en celo un brillo de avidez le aparecía en los ojos y de repente despabilada se erguía frente a los enardecidos *Brutus* y *Macbeths* que entre lastimeros ladridos solicitaban sus favores olvidando a las otras perras en celo —cuyos calores eran provocados invariablemente por los de *Ofelia*— y perdiendo toda aquella distinción de setters traídos de Inglaterra, con tanto pedigree, precisaba su abuela, no sin orgullo, como puede haberlo en el árbol genealógico de un Borbón. Teniendo en cuenta la inconmovible fidelidad de *Ofelia*, que siempre escogía al mismo compañero, toda aquella energía consumida en acecho, y luego, en piruetas y ladridos, habría podido considerarse un despilfarro si no fuera porque una vez la elección realizada los setters se volvían ansiosamente hacia las otras hembras y todas, hasta las que a duras penas se sostenían sobre sus patas, eran objeto de sus apremios y atenciones. O sea que Ofelia parecía destinada por la naturaleza a concentrar en sí misma el incentivo, motivación o anzuelo que lleva a los seres a reproducirse y eso, al margen de su voluntad y, por supuesto, de cualquier forma de conocimiento.

Observando a Dora habría podido afirmarse que una ignorancia similar le impedía darse cuenta de lo poco que tenía en común con la mayoría de las mujeres. Dora encontraba natural saberse deseada y se habría quedado boquiabierta si alguien se hubiese tomado el trabajo de explicarle que era sobre todo con el fin de verla que los muchachos del «Biffi» se encaramaban sobre el muro del colegio corriendo el riesgo de dejar las manos en aquella barrera de vidrios. Para Dora eso, como los vagabundos que abrían su bragueta apenas la veían sola en el jardín de su casa, estaba en el orden natural de las cosas, más aún, debía de corresponder al pie de la letra a lo que su madre le decía sobre la naturaleza masculina por esencia corrompida y encaminada a sumir a las mujeres en la abyección. Pero hasta los catorce años, limitada a moverse entre su casa y el colegio, no había tenido oportunidad de conocer de cerca a ninguno de los individuos decididos a atentar contra su pudor, como tampoco, se diría más tarde Lina, le había sido posible precisar el origen de aquella turbación que la mantenía adormilada frente al pupitre mientras una monja escribía signos en un tablero y a sus oídos llegaba el enervante zumbido de las abejas. Sentada siempre junto a la ventana de la clase se distraía contemplando el patio con sus árboles inmóviles frente a una franja de cielo metálico y su mirada parecía nublarse, extraviarse entre imágenes que a lo mejor ni siquiera eran imágenes, sino algo que vagamente significaba espera y, en cierto modo, confusión. Su conducta, empero, no dejaba nada que desear: se mantenía en la postura correcta, copiaba con cuidado los garabatos que la monja de turno escribía en la pizarra, se levantaba en silencio cuando tocaba la campana y seguía la fila de alumnas en orden. En orden entraba en el refectorio y comía, iba a la capilla y rezaba: en orden y ausente. No estaba allí y hasta cabía preguntarse si había estado alguna vez en un lugar determinado. Parecía existir de otro modo, dentro de ella, escuchando, no una voz —sólo de tanto en tanto se tenía la impresión de que un sonido definido la alcanzaba— sino un murmullo quizás anterior al lenguaje humano, en el cual cada nuevo ruido era prolongación del precedente, y al paso de un avión en el cielo se sucedía un repentino soplo de brisa entre los árboles, una ráfaga de lluvia o simplemente algo más inaudible, más impreciso, como el crujido de una vaina reventando en el calor o la caída de una hoja que el sol quebraba.

Su abuela explicaba a Lina cómo Dora habría podido continuar así, no revelada, no descubierta, en aquel limbo de sensaciones que probablemente ninguna palabra conocida por ella lograba definir, hasta cuando doña Eulalia hubiese conseguido casarla, o sea, realizar la ceremonia a través de la cual le entregaría a un hombre su hija y su terror, como una granada destapada que con alivio se hace saltar a otras manos, si las monjas hubieran sido menos estúpidas y si la propia doña Eulalia, angustiada por la presencia de aquella criatura nebulosa y quieta, lo demasiado quieta y lo bastante nebulosa como para imaginar que su castidad podría ser resguardada mucho tiempo a pesar de su vigilancia, no hubiese tomado la decisión de hacerla trabajar en un kinder garten dirigido por una parienta suya, repitiéndose quizás, en medio de su consternada vacilación, que finalmente el ocio es la madre de todos los vicios. Y no era raro que así lo pensara, porque doña Eulalia pertenecía a una familia en la cual nadie había trabajado desde hacía quinientos años, siempre y cuando se entienda por trabajo utilizar las manos para sembrar, recolectar o manejar cualquier instrumento destinado a transformar una cosa en otra con el fin de ganarse la vida. Ella y todos sus antepasados creían formar parte de una categoría especial de personas que por derecho propio y mandato divino estaban encargadas de hacer reinar el orden, con su ejemplo en tiempos de paz, y a fuerza de espadas y cañones si disturbios había. Tenían muy presente en la memoria haber venido de España, no como aventureros, ni siquiera como guerreros: ya en la época de la Conquista habían utilizado tanto las armas que gozaban de ciertos privilegios en la Corte y pudieron llegar o enviar desdeñosamente a sus segundones y bastardos a administrar las caóticas provincias de ultramar. Sí, fue a título de Inquisidores y Oidores como desembarcaron en las ciudades más importantes de la Costa, y sus hijos adquirieron o se adjudicaron tierras labradas por esclavos, y sus nietos, durante los funestos días de la Independencia, debieron huir a Curaçao y allí permanecer hasta que la presencia de mejores vientos les permitió regresar a ocupar sus desvastadas plantaciones después de haberse cambiado o alterado precavidamente el apellido. Pero tampoco entonces trabajaron. No por carecer de fuerza: aunque enjutos y dados a la meditación, casi al misticismo, conservaban la capacidad de hacerse obedecer de los hombres y a lo largo de dos o tres generaciones lograron conservar intacto su patrimonio. El problema era que el mundo se transformaba y ellos no podían adaptarse a nada que significara evolución o cambio, a ninguna situación en la cual se alterasen los valores que desde mucho tiempo atrás les servían de punto de referencia, de espejo donde

encontraban y recomponían su identidad. Uno de esos valores los alejaba instintivamente del trabajo, siempre envilecedor, pero que en aquellas despiadadas tierras de sol, aguaceros y alimañas parecía disminuir
a los hombres hasta consumir en ellos toda forma de inteligencia y
dignidad. Y con tal de no traicionar sus principios, cedieron, poco a
poco, de padres a hijos, se fueron preparando a declararse vencidos
sin librar batalla. Cuando los cambios que sufría la economía del país
los colocó frente a la necesidad de competir con comerciantes, políticos y contrabandistas presentaron silenciosamente su renuncia; silenciosamente y con orgullo, es decir, sin echar de menos en apariencia
sus caserones abandonados ni las plantaciones que parcela a parcela
iban vendiendo. Les quedó el recuerdo, no la nostalgia, y el recuerdo
parecía suficiente para hacerlos caminar erguidos, mientras aquel mundo que sólo ellos veían desaparecía en el polvo, se derrumbaba a sus
pies: eran señores. Por lo menos así lo creía doña Eulalia del Valle y
así se lo había oído repetir más de mil veces Lina. De allí la imposibilidad de imaginarla haciendo trabajar a su hija en un kinder garten
para disponer de unos pesos de más, aun si prácticamente bordeaba la
miseria, porque doña Eulalia, por principio y tradición, consideraba
la miseria preferible a cualquier forma de trabajo.

Su decisión debía estar asociada a la personalidad de Dora, aquella
hija de sangre dudosa contaminada por siglos de desenfreno, por re-
motas lujurias de bailes y tambores y olores fuertes, que le negaba a
ella —su pálida, ascética, desdibujada figura— y en la cual, sin embargo, ella se había proyectado apenas la vio cumplir nueve años y empezar a florecer, a abrirse como una planta capaz de resistir la violencia
de cualquier intemperie porque tiene las raíces clavadas en lo más
profundo de la tierra. Al principio intentó con horror sofocar, contener
o destruir aquella cosa inaudita que Dora rezumaba por cada poro de
su piel; al no lograrlo, pues a pesar de fajas y vendajes los senos de
su hija se erguían y sus caderas se redondeaban y la cabellera que le
crecía a borbotones rompía las cintas de trenzas y colas de caballo, trató fascinada de hacerla suya: como una enredadera se le trepó al cuerpo y quiso respirar con sus pulmones, mirar a través de sus ojos, latir
al ritmo de su corazón: escudriñó su cerebro con la misma enervada
obstinación con la que registraba las gavetas de su tocador y leía las
páginas de sus libros y cuadernos: la obligó a pensar en voz alta, a contarle sus secretos, a revelarle sus deseos: terminó por poseerla antes
que ningún hombre, abriéndole a todo hombre el camino de su posesión.

Sí, no había aparecido todavía el «Studebaker» azul de Benito Suárez, cuando ya Lina había advertido en doña Eulalia el deseo de aca-
parar a su hija, un deseo tan violento que su rostro se descomponía
a la menor sospecha de engaño o disimulo: a Dora le estaba prohibido jugar fuera de los límites del jardín de su casa —encuadrados por
una paredilla de piedras de dos metros de alto a lo largo de la cual crecían matas de hojas hirientes y puntiagudas— y la sola presencia de
los primos y amigos de Lina hacía surgir instantáneamente, como el
mago de la lámpara de Aladino, una doña Eulalia de expresión alerta y pupilas dilatadas que, sin contemplaciones y violando las más
elementales reglas de la hospitalidad, ordenaba a Dora entrar en la

casa y sentarse durante horas en una silla como castigo. Eso, Lina lo sabía, pero lo que por primera vez la hizo reflexionar sobre las intenciones de doña Eulalia, fue descubrir un veinticuatro de diciembre que Dora había recibido una bicicleta en la cual podía pasear siempre y cuando no saliera de los cincuenta metros que constituían el sardinel de su casa; limitarse a esos cincuenta metros disminuía el placer ofrecido por la bicicleta: no era posible disputarse en las carreras el primer puesto, ni bajar a toda velocidad las pendientes, ni vencer día a día el cansancio de los músculos y sentir como una recompensa el sudor, los cabellos en desorden, la brisa en la cara. Aquel regalo y la restricción impuesta a su uso, le oiría explicar Lina a su abuela una tarde, simbolizaba la contradicción en la cual doña Eulalia se debatía, empeñada por un lado, en hacer de Dora una niña parecida a las otras, y, por el otro, en impedirle que lo fuera, neciamente, pues si bien en esa sociedad de locos se daba por sentado que ninguna muchacha de buena familia cometería la imprudencia de perder la membrana cuya conservación le permitiría contraer un matrimonio conveniente, y si se comprendía que la vigilancia de los padres tendiera a preservar la membrana en cuestión, nadie imaginaba que pasear en bicicleta por las calles del Prado constituyera un peligro para la doncellez de su hija, porque de ser así, a nadie se le habría ocurrido la tontería de regalarle una bicicleta.

Fue así como a partir de aquellas Navidades Lina empezó a observar con curiosidad a doña Eulalia del Valle, estableciendo una relación más o menos confusa entre su presencia en el pórtico —desde el cual sus ojos angustiados podían controlar los cincuenta metros de sardinel— y su manera de introducirse en la mente de Dora violando constantemente su intimidad. Lina había escuchado con asombro aquellos diálogos que ante ella se cruzaban cuando, de regreso del «Country» o de una fiesta, doña Eulalia interrogaba a Dora sonsacándole, no sólo lo que había visto, sino también, lo que había pensado o sentido en el momento de verlo. Había en su actitud algo de inquisidor; y algo de impúdico y hambriento en sus preguntas insistentes que iban acorralando a Dora yendo y viniendo al mismo punto como en el cielo da vueltas un ave de presa. Frente a la penetración de su madre, Dora adoptaba una táctica igual a la que en el colegio le permitía evadir el dominio de las monjas: no discutía nada, no protestaba contra nada; su resistencia, comprendería después Lina, había que buscarla en el escandaloso silencio de su sumisión. Como si lo supiera, como si de pronto hubiese adivinado que ni siquiera encerrando a su hija entre los muros de una casa, ni siquiera dejándole poseer un solo pensamiento, un solo deseo que fuese realmente suyo le sería posible dominarla del todo, puesto que habría siempre una parte de Dora que biológicamente le escaparía, doña Eulalia trató de enfrentarse al demonio escondido en aquella sumisión utilizando el único instrumento a su alcance: la palabra. Un procedimiento calificado más tarde por Lina de lavado de cerebro obsesivo y demencial, que la dejó estupefacta no obstante saber que existía y constituía uno de los peores lastres de la Humanidad, como su abuela se lo había explicado apenas comenzó a ir al colegio; su abuela le había contado todo cuanto las monjas le iban a decir acon-

sejándole prestar tanta atención a sus delirios como al ulular de las
lechuzas: habría muertos y resucitados, infierno y purgatorio, lamentos y ruidos de cadenas arrastradas por almas en pena. Y en nada de
eso, ella, Lina, debería creer. Porque eso se llamaba adoctrinamiento,
y en toda doctrina había más mentira que verdad.

Así que lo que desconcertó a Lina oyendo el discurso de doña Eulalia del Valle, no fue tanto su estilo de sermón, sino el objetivo de la
prédica en sí. Pues algo debía de perseguir doña Eulalia cuando todos
los días hacía sentar a Dora frente a ella y le hablaba en términos soe-
ces de los hombres comparando su esperma al excremento y su sexo
al inmundo falo de los burros que todavía en esa época se veían por
las calles del Prado; sin contar con las babas de la lascivia, el fétido
aliento de las bocas, los supuestos cuescos de la incontinencia sexual.
Había un carácter tan escatológico en lo que decía como perversión
en lo que callaba o dejaba insinuar, que nunca, ni siquiera pasando
frente a las vitrinas de la calle Pigalle, ni siquiera mirando las películas de cine rojo que años más tarde le sería dado ver, Lina lograría
encontrar tanta depravación. Pensando en eso llegaría a decirse incluso
que para alcanzar las cumbres aún no descubiertas de la obscenidad, los
inefables directores suecos y holandeses harían mejor en recurrir a los
fantasmas de las más virtuosas mujeres latinoamericanas. Pero eso sería después.

Cuando Lina escuchó por primera vez el increíble monólogo de doña
Eulalia tendría a lo sumo unos diez años; muchas veces la había visto
hablándole a su hija, pero guardaba silencio apenas ella llegaba a la
casa; esa tarde, se unió a su curiosidad la suerte de encontrar la puerta del servicio abierta y pudo penetrar en el patio sin que nadie advirtiera su presencia y, caminando en puntillas, acercarse al extremo de la
terraza donde doña Eulalia solía acorralar a Dora: allí estaba enuncian-
do con una especie de rabioso júbilo todas las artimañas que empleaban
las mujeres honestas para escapar a la tentación y que iban, desde imaginar al hombre deseado haciendo sus heces en un water hasta colocarse una bolita de alcanfor cerca del pubis. Como Lina ignoraba el
sentido de buena parte de las palabras que oía, se vio obligada a co-
piarlas en su cuaderno de borrador, pero ni siquiera después, cuando
regresó a su casa y consultó un diccionario, le fue posible entender la
razón por la cual Dora se veía endilgar un discurso semejante. Su abuela le explicó que doña Eulalia perseguía a ciencia y paciencia el objetivo que ella, Lina, había buscado en la ignorancia cuando espantaba
furibunda a los gallos del patio al encontrarlos sobre las gallinas creyendo que sólo por agresividad les picoteaban el pescuezo, hasta el día
que Berenice, la cocinera, le gritó que se dejara de pendejadas porque
nada podía poner más contentas a las gallinas. Avergonzada de la comparación y acordándose de que a pesar de su necedad los gallos no
habían cambiado de comportamiento, Lina se limitó a comentar: de
todos modos eso nunca sirvió de nada, a lo que su abuela respondió
sonriendo: en mi opinión tampoco lo que oíste hoy servirá de nada.

Así fue como Lina sospechó muy pronto, pero sin comprender claramente todas las implicaciones del asunto, que una amenaza planeaba sobre eso que el azar había concentrado en Dora colocándola en

desventaja, aunque en principio y siguiendo la lógica oculta de las afirmaciones de su abuela, habría podido ser su bien, su propiedad, el centro de su equilibrio, contribuyendo a su felicidad y de paso a la del hombre o de los hombres que cruzaran su vida, si hubiera nacido en otro espacio y tiempo, pero sobre todo, si hubiese tenido por madre a una mujer diferente de doña Eulalia del Valle. Sin embargo, ni siquiera doña Eulalia del Valle podía considerarse la sola responsable de que Dora reconociera su sexualidad como una falta tan abominable que justificaba y hasta merecía los latigazos recibidos de Benito Suárez el día que por primera vez hizo el amor con él en el asiento trasero de su «Studebaker» azul, frente al solar donde se construiría poco después la gigantesca estatua del Sagrado Sorazón destinada a vigilar a la ciudad desde el punto más alto de su única colina.

Aceptando el implacable fatalismo de su abuela habría sido necesario reconocer que el origen de aquella sumisión de Dora ante el cinturón que azotaba su espalda cuando, todavía desnuda, sentía correr entre sus piernas el ácido esperma de Benito Suárez, no podía en buena lógica atribuirse a la única influencia de doña Eulalia del Valle, pues eso sería tan insuficiente como afirmar que llueve porque el cielo está nublado. Debíase recordar la maldición bíblica e ir mucho más lejos, al día, entre todos aciago, en el que aquel que sería el padre de doña Eulalia, un samario de aire esquivo, con la enlutada mirada del hombre que si no se encerró en un convento nació o fue formado para encerrarse en él, apareció en la ciudad y levantando la arena de las calles bajo los cascos de su caballo se dirigió a la casa de los Álvarez de la Vega, donde lo primero que vio al apearse fue una niña de cabellos rubios jugando en el patio con su muñeca. Pues aquel encuentro, el del hombre que de tanto flagelarse y ayunar había perdido a los treinta años la fuerza de sus ingles, y el de la niña recién formada, pero todavía adormecida en la niebla de los cuentos infantiles, fue, no la causa primera —ya que ésta se remontaba a la época en la cual los hombres descubrieron que explotar a una mujer era el primer paso a dar para explotarse unos a otros— sino la causa más próxima de cuya existencia su abuela podía dar razón: la niña de doce años, cedida al hombre que la solicitó en matrimonio la misma tarde de su encuentro y que, asombrada, como en una prolongación de sus juegos de infancia, se hallaría vestida de blanco seis meses más tarde saliendo de la iglesia de San Nicolás del brazo de un desconocido con el que seguramente nunca había hablado. Un hombre cuyo tío abuelo había sido Inquisidor General de Cartagena, descendiente por parte de madre de un Grande de España y heredero de un título menos rimbombante, pero de todas maneras título, que esa misma noche violaría la regla admitida tácitamente por los suyos y, según la cual, debía esperar tres años antes de hacer valer frente a la niña sus derechos conyugales, desarmado ante el inexplicable, diabólico deseo que por primera y última vez lograría endurecer la flaccidez de sus muslos destrozando el sexo de la niña hasta el punto de provocarle una hemorragia y encontrarse en la necesidad de aceptar los oficios del primer curandero topado por su sirvienta a esas horas de la noche, un pobre veterinario que remendó la herida a rejo seco mientras el asombro de la niña, transformado ya en horror y expresado en gritos que se oyeron en cada casa y cuyo eco fue recogido como un insulto por las quince familias que formaban entonces la aristocracia de la Costa, destruía para siempre su honor justificando de paso su ruina.

No de inmediato, más tarde. La dote entregada por los Álvarez de la Vega y su propia fortuna lograron mantenerlo a flote varios años, quince exactamente: el tiempo de consumir aquel patrimonio sentado todo el día frente a los naranjos de su patio, imponiendo un silencio de tumba a su alrededor, mirando fijamente los mismos árboles hasta que de tanto contemplar lo inmóvil fue poco a poco dejándolo de percibir: en sus pupilas se desdibujaron los troncos, de su retina desaparecieron las ramas, en la neblina se fundieron las hojas, y una mañana comprendió al fin que se había quedado ciego.

Porque no quería ver, explicaba a Lina su abuela. No su ignominia: eso había creído pagarlo durante años al recluirse y consumir sin mover un dedo su fortuna, aunque en realidad, ignominia o no, jamás hubiese movido un dedo para preservarla. Pero estaba la hija engendrada la noche en que pisoteó, traicionó y reventó los preceptos en cuyo nombre se había flagelado desde la adolescencia, sin explicación o justificación alguna ante sí mismo, ya que, entre el momento en que vio a la niña jugando con su muñeca y la mañana en que la sacó del brazo de la iglesia de San Nicolás, durante todo ese tiempo, sí, había pensado que su único interés consistía en desposar a la heredera de los Álvarez de la Vega y asegurar su doncellez mientras esperaba el paso de aquellos tres años al cabo de los cuales, y según el uso, podría preñarla en la certeza de que el hijo sería suyo. Así que la explicación de su ceguera debía buscarse en otra parte, en algo asociado probablemente a la nueva figura de cabellos dorados que de pronto había empezado a circular entre los naranjos despidiendo el inquietante olor de las niñas de quince años. Al permitir que sus ojos se nublaran, concluía su abuela, mató dos pájaros de un solo tiro, la visión de su hija, presumible fuente de tentación e inevitable recuerdo de su deshonra, y el dolor de verla encaminarse por ley natural a los abismos de los cuales él había intentado escapar a la fuerza de flagelo, frenando aquella inevitable marcha pues así su hija, doña Eulalia del Valle, estaría obligada a servirle de lazarillo.

Desatino que la abuela de Lina atribuía al hecho de haber pasado quince años mirando los naranjos de su patio: sólo un hombre enfermo del miedo que le inspiraba su propio cuerpo podía imaginar a doña Eulalia destinada a cualquier forma de concupiscencia, ni siquiera a la que muy teóricamente era susceptible de surgir entre las sábanas de un lecho conyugal. Doña Eulalia había sido educada por su madre, aquella niña que en su noche de boda fue violada por su marido, remendada por un veterinario y preñada de una criatura que nueve meses después arrastraría al salir de su vientre su matriz y sus ovarios haciendo de ella una mujer que sin transición pasó de la infancia al ocaso. Durante los tres años que permaneció en una cama saltando de una enfermedad a otra, oscilando entre súbitas oleadas de calor y temblores de delirio, la madre de doña Eulalia del Valle aprendió a odiar a los hombres. Fríamente. Lúcidamente. Y con la misma lucidez y frialdad comunicó aquel odio a su hija.

II

Si Darwin no se había equivocado y había en efecto un proceso de selección natural, parecía acertado pensar que los hombres actualmente en vida eran descendientes de aquellos cuya violencia o crueldad —hoy defectos, ayer virtudes— les había permitido masacrar convenientemente a sus adversarios transmitiendo así a sus hijos un patrimonio genético susceptible de despertar en las mujeres la más sana desconfianza: que apedrearan a los pájaros, arrancaran las alas de las moscas o descuartizaran el cuerpo de las lagartijas correspondía pues a tendencias estimuladas por la selección en el pasado que la sociedad presente no había encontrado el modo de inhibir, pues seguía tolerando el dominio del más fuerte y aceptaba que la arbitrariedad y la injusticia fuesen el pan de cada día. Sin embargo a los hombres se podía domesticarlos, es decir, enseñarles con el concurso de cualquier religión o ideología, o incluso —y esto, aunque utópico, parecía a su abuela preferible— con la simple demostración que la solidaridad se justifica en la medida en que todos hemos partido del mismo principio y vamos a reventarnos contra el mismo final, a ser menos agresivos haciendo de ellos, de algunos al menos, esos inofensivos soñadores que se enamoran, escriben libros, componen música o descubren la penicilina. Pero no odiarlos. Odiarlos no tenía sentido. No se detesta al puma que mata a la vaca o al gato que ataca al ratón. Se le comprende tratando de meterse en su piel de puma o de gato, de compartir con él en la medida de lo posible un espacio y un tiempo de vida: sólo se le destruye si intenta destruirnos.

Como para su abuela el odio excluía la comprensión y la comprensión era la condición *sine quan non* del equilibrio, resultaba fácil explicarse la falta de cordura que siempre había caracterizado la conducta de doña Eulalia del Valle, obligada desde niña a volverse rabiosamente contra los hombres, al menos desde que supo que existían, pues con excepción de aquel padre que pasaba todo el día mirando fijamente los naranjos del patio, doña Eulalia no había conocido hombre alguno en su infancia. Quizá cuando hizo tardíamente su Primera Comunión y empezó a acompañar a su madre a la misa de cinco de la mañana, descubrió que a pesar de estar vestidos de otro modo, los hombres caminaban por las calles, cargaban sacos y conducían carretas en lugar de aislarse frente a un patio de naranjos. Y quizá también entonces su madre comenzó a ponerla en guardia, es decir, a transformar verbalmente, con afirmaciones y anécdotas aquel clima de odio que doña Eulalia habría más que resentido en una casa donde sus progenitores no se hablaban, ni dormían juntos, ni recibían visitas, y en la cual no existía nada que ni de lejos ni de cerca recordara el principio masculino. Pues cuando la madre de doña Eulalia del Valle se levantó por primera vez de la cama después de haber pasado tres años oscilando entre súbitas oleadas de calor que le empapaban de sudor el cuerpo y ráfagas de frío que la hacían temblar y estremecerse, pálida, terrosa, con aquella cara de niña pasmada a los doce años que conservaría hasta el momento de su muerte, recorrió lentamente las habitaciones de su casa apoyada en el brazo de una sirvienta y sin decir palabra alguna, de un simple gesto, señaló los cuadros que debían ser retirados al instante, aquellos óleos donde nueve generaciones de antepasados de su marido se erguían entre los fúnebres atavíos de la corte española, todos hombres, todos altaneros y desde siglos atrás marcados por la decisión de envolverse en el sudario de la abstinencia. Aquellos cuadros, repartidos a lomo de mula entre los parientes del padre de doña Eulalia, algunos ennoblecidos por la rúbrica de grandes maestros, estuvieron varios años recogiendo el polvo de abandonadas casas coloniales antes de llegar a las iglesias donde algún piadoso pincel entristeció los insolentes rostros y transformó en hábitos las enlutadas vestiduras remplazando sombreros y dagas por aureolas y escapularios para personificar a los santos europeos en cuya existencia el pueblo costeño a duras penas creía. No contenta con desembarazarse de los vestigios de un pasado que había influido o determinado el infame comportamiento de su marido, la madre de doña Eulalia del Valle siguió aquel día condenando como un fantasma rencoroso libros, estatuas y porcelanas hasta que en el colmo de su silencioso furor descendió los cinco peldaños que conducían al patio, llamó al jardinero y una hora antes de despedirlo le hizo decapitar a todos los animales machos que allí vivían, sin excluir de la masacre ni siquiera a los primorosos loros ni a los tímidos canarios. Nunca más hombre alguno cruzó la puerta de su casa: su padre ya había muerto y hermanos no tenía. Se dedicó a vigilar a sus sirvientas y a coser frenéticamente blusas y faldas para las huérfanas del Buen Pastor inculcándole a su hija el respeto a la Virgen de una manera tan singular que san José era apenas mencionado y Jesucristo resultaba una figura secundaria; del rosario, que ella y sus sirvientas rezaban de rodillas a las seis de la tarde frente a una estatua de la Inmaculada, el Padrenuestro estaba excluido, como descubrió con espanto el viejo cura llamado para enseñarle a doña Eulalia el Catecismo cuando su madre resolvió ampliar su educación, hasta entonces a cargo de honestas solteronas cuyo modelo de vida le había sido ofrecido de ejemplo y que muy probablemente ella se proponía seguir.

Aunque algo debió de descomponer las cosas, en fin, alguna vez una sombra de desasosiego agritó la sólida muralla erigida con rosarios sin Padrenuestros y loras, gatas y gallinas condenadas a la más estricta castidad en un patio donde el único hombre de la casa se adormecía en la contemplación de los naranjos, pues mucho tiempo después Lina descubriría perpleja, hojeando al azar los enormes tomos de revistas argentinas coleccionadas y empastadas (a lo mejor en secreto) desde los veinte años por doña Eulalia, que aquellos volúmenes se abrían solos como si una mano invisible guiara al lector a ciertas páginas, más manoseadas que las otras y a veces con manchas de dedos aparentemente sucios de chocolate, justo en los párrafos donde las novelas de amor alcanzaban el punto máximo de erotismo permitido por la época, besos de mano y miradas tenebrosas que hacían languidecer a la heroína y también seguramente a doña Eulalia del Valle poblando sus tardes de ocio, aquellas tardes que durante horas agonizaban de calor y morían en un breve estallido naranja, de sueños truncos y deseos inquietantes a la espera del Sheik, príncipe ruso en el exilio o almirante de la flota británica que vendría a descubrirla en Barranquilla, a raptarla o solicitarla en matrimonio, a cubrir de besos sus pies en una noche de invierno, a caer con ella en el túnel de una mina abandonada y allí, entre la oscuridad y el hambre, domeñarla por la fuerza de su carácter y su pasión devoradora (pero contenida) enseñándole a renunciar a su independencia de mujer moderna y plegarse a la voluntad masculina en una entrega sublime que la conduciría al altar y la llenaría de hijos.

Cosa que la propia doña Eulalia del Valle no podía imaginar que ocurriera, pues hasta ella debía saber que los fantasmas están hechos para ser soñados, pero no vividos. Lo malo del asunto fue que lo que aceptó, o mejor dicho, se vio obligada a admitir cuando la pobreza en la cual su madre y ella estaban confinadas se convirtió definitivamente en hambre, no sólo no se parecía a los personajes de Elynor Gleen, ni había llevado jamás un turbante de Sheik ni recorrido nunca las heladas noches de las estepas rusas, sino que ni siquiera tenía la prestancia suficiente para presentarlo con orgullo a su familia, un médico salido vaya a saberse de dónde, de piel no lo bastante clara y cabellos más bien rizados, que empero se había ganado el aprecio de la gente del Prado por haber sido el primer pediatra de confianza en instalarse en la ciudad. Respondía al anónimo nombre de Juan Palos Pérez y, aunque todo el mundo lo ignoraba, tenía una madre de armas tomar que sin haber salido nunca de Usiacurí ni haber calzado jamás zapatos se propuso sacar a su hijo adelante mandándolo a estudiar a Bogotá y vendiendo año tras año una incierta herencia de vacas hasta que él terminó su carrera de Medicina y pudo instalar su consultorio después de haberse especializado en la muy selecta clínica de los gringos, cuyo lema era —y fue el suyo de ahí en adelante— hervir: pañales, teteros, agua, leche, carne, legumbres; todo, absolutamente todo debía ser hervido antes de llegar a la boca del niño, así perdiera su acción nutritiva, pues para eso estaban las vitaminas multicolores que el doctor Juan Palos Pérez se encargaba de prescribir junto con la asepsia más rigurosa —nada de andar descalzo ni de bañarse en los aguaceros— suministrando así a los hijos de la burguesía barranquillera el hermoso aspecto de los bebés norteamericanos.

Lo que le obtuvo la simpatía general. Cuando los gringos vendieron su clínica y se fueron, él era el único pediatra como tal reconocido y su consultorio de 20 de julio veía desfilar cada día a las señoras acostumbradas a contar el dinero en pesos y no en centavos, más o menos enamoradas de él, de su bata blanca, su sonrisa cordial, su «Ford» último modelo —aunque su madre seguía en Usiacurí negándose a calzar zapatos porque insistía en ser lo que era y las apariencias le importaban un comino— atendiendo a las señoras y a sus bebés durante el día y, de noche, discutiendo de política con sus maridos en los burdeles, discutiendo nada más, la asepsia de los gringos le había comunicado un secreto horror por las putas, virtudes que fueron exaltadas ante doña Eulalia del Valle cuando empezó a recibir aquellas cajas de chocolate acompañadas de una tarjeta cuyo membrete con la mención médico pediatra dejaba entrever una casa en el Prado, el «Ford» y tres comidas al día, sin contar el confuso sentimiento de desconfianza y atracción que debía producirle encontrar a aquel hombre cada domingo en la misa de once del Carmen a la cual había comenzado a asistir desde que alguien, una parienta probablemente, la convenció de que, a pesar de los polvorientos rencores de su madre, más valía un matrimonio que el asilo de caridad; en fin, por instigación de la parienta o cualquier otra razón, doña Eulalia se había hecho a los treinta años la primera permanente de su vida, había comprado su primer lápiz de labios y asistía los domingos a la misa que servía de identificación social, esperando a lo mejor ver aparecer de pronto una troika rodando hacia el altar mayor, o descubrir entre los rostros de hombres sofocados por sacos y corbatas y mujeres agobiadas entre sombreros y medias de seda, el inquietante turbante, la pérfida mirada, la insidiosa sonrisa que dominando su aversión haría de ella una esclava, pero de ninguna manera a aquel médico de aire falsamente desenvuelto y aspecto más bien común, si no vulgar, que no obstante tenía como clientela a los niños ricos de Barranquilla y un «Ford» aguardándolo a la salida de la iglesia.

Lina le oiría contar a doña Eulalia del Valle en la época de su gran depresión, por los días en que Dora, arrojada de su casa a puntapiés por Benito Suárez, intentaba ansiosamente obtener la custodia de su hijo, cómo se había deslizado en aquel noviazgo de cajas de chocolate y visitas presididas por su madre, sin saber nada del hombre que iba a ser su marido ni de la mujer que lo había dado a luz en Usiacurí con su reveladora aversión por los zapatos, incapaz sobre todo de adivinar detrás de su aparente cortesía al zafio individuo que se embriagaría el día de su matrimonio por no estar acostumbrado a la bebida y que des-

pués condujo torpemente el «Ford» al chalet que un amigo suyo le había
prestado en Puerto Colombia y se echó a la cama mientras ella, trémula
en su bata de seda blanca con lacitos rosados, terminaba de arreglarse en
el baño para, después de muchas vacilaciones, salir a resistir el apasionado asedio del Sheik de sus sueños y encontrarse un borracho que roncaba
como un bendito.

Desde ese instante empezó a odiarlo, es decir, tuvo la primera justificación de aquel odio para el cual su madre la había acondicionado,
y que unas horas después alcanzaría su clímax definitivo e irremediable
cuando el doctor Juan Palos Pérez se levantó a vomitar y sin lavarse la
boca regresó a la cama, se acostó sobre ella y le hizo el amor con la
ligereza de un gallo. En realidad, y esto fue quizá lo que más envenenó
a doña Eulalia, su marido era un amante malicioso que gozaba excitando a las mujeres y sabía tocarlas y acariciarlas el tiempo necesario
para provocarles el placer, aparentemente con la condición de que fueran
sirvientas. De ello, doña Eulalia tuvo la prueba a los cuarenta días del
nacimiento de Dora, cuando después de haber pasado un embarazo
infernal y un parto a través de cuyos dolores pagó lo hecho y lo por
hacer, se levantó de su lecho, tomó una ducha, se puso un vestido de
anchas hombreras y una peineta en el pelo, y esperó a que el ruido del
motor en el garaje anunciara la llegada de su marido para atravesar
la galería en puntas de pie y darle la sorpresa de verla levantada. Lo
más probable era que el sigilo con que recorrió la galería correspondiera
a otra razón, pues, presionada por Lina, doña Eulalia admitiría, en
efecto, que durante la cuarentena le había asombrado comprobar la
media hora transcurrida desde que se oía el ruido del motor y el momento en que su marido entraba al cuarto a saludarla, pero en todo
caso, y esto a Lina le pareció verdad, no había imaginado, ni siquiera
sospechado el espectáculo que se ofreció a sus ojos al acercarse a la
puerta interior del garaje: el doctor Juan Palos Pérez, aquel marido
que la había embarazado sin miramientos, en un dos por tres, y alegando
la protección del bebé se había abstenido de tocarla a lo largo de
nueve meses, tirado en el suelo, junto al «Ford», sobre la sirvienta y,
oh, infamia, vergüenza, humillación, acariciándola con el alevoso ritmo,
la perversa insistencia, la irresistible tenacidad de la cual es capaz la
mano de un hombre cuando se propone descorrer el último velo del
recato femenino —aunque en opinión de doña Eulalia aquella sirvienta
no tuviera por supuesto recato alguno— yendo y viniendo, dándole
que te dándole mientras ella contemplaba la escena hipnotizada, con
las vísceras contraídas, pero incapaz de moverse, consciente de descubrir por primera vez el pecado en su forma original y absoluta, pero
fijada al suelo, clavada, le diría entre lágrimas a Lina, hasta que con
el último espasmo de la sirvienta recordó que no en balde se llamaba
Eulalia del Valle Álvarez de la Vega y lentamente regresó a su cuarto
y estalló en sollozos jurando irse (¿adónde?), trabajar (¿cómo?), hacer
su vida (¿cuál?), secuencia que terminó con lamentos de tango cuando,
temiendo la perspectiva de colocar otra vez a su madre ante la amenaza del asilo, cayó de rodillas junto a la cuna de su hija y le juró
sacrificarse.

Que había habido sacrificio Lina lo sabía, aunque ignoraba las circunstancias de su origen, pues a esa palabra acudía siempre doña Eulalia cuando hablaba de sus años de matrimonio con el doctor Juan Palos Pérez. Lina recordaba al doctor, su médico de infancia, como un hombre simpático que le adormecía de un pequeño golpe el brazo al ponerle una inyección y le regalaba en seguida una colombina aconsejándole lavarse los dientes después de comerla. Para su abuela, enterada como todo el mundo de sus no muy ortodoxas relaciones con mujeres del pueblo, el doctor Juan Palos Pérez había seguido la trayectoria natural de un hombre decidido a escalar la jerarquía social a costa de estudios y esfuerzos, y aquel matrimonio debía de ser considerado por él como el coronamiento de su carrera, la manera más eficaz de hacerse admitir socio del «Country» y de participar en todas las prestigiosas juntas de beneficencia de la ciudad: partiendo de Usiacurí había estudiado en la Javeriana, se había especializado en la clínica de los gringos consiguiendo una clientela honorable y se había casado con una solterona de buena familia arreglándole la vida a ella y a su madre. En otras palabras, se había limitado a seguir las reglas de un juego cuyo origen y finalidad probablemente desconocía, y su interés por las sirvientas correspondía a una dicotomía asociada al mismo juego y sobre la cual tampoco a lo mejor se había preguntado nunca nada. De arribistas como él estaba llena la ciudad. Si alguien había trampeado allí, o más bien, se había dejado embaucar era, en opinión de su abuela, la propia doña Eulalia del Valle, puesto que casada sin amor y, en consecuencia, cómplice de todo el andamiaje social, le había exigido al médico no sólo lo que podía darle —la casa estilo español californiano con su terraza y su jardín y el «Ford» a la puerta— sino lo que ningún hombre podía ofrecerle a menos de encontrar una cierta colaboración, reprochándole encima de todo sus inclinaciones eróticas en lugar de sacar partido de ellas (sabido es que una mujer encuentra siempre lo que busca si tiene la lucidez necesaria para reconocerlo y el no menos necesario coraje para aceptarlo cuando lo encuentra), o si no podía, en fin, si su educación le impedía en nombre del pudor o cualquier otro eufemismo de tontería canalizar hacia el lugar debido las inclinaciones en cuestión, entonces ignorarlas, olvidarlas o lo que fuera, pero de ningún modo hacerlas del dominio público cayendo de sorpresa en el consultorio de 20 de julio y, delante de las clientes, una ceja alzada en señal de soberbia ira, decirle a la secretaria de turno que de allí en adelante el doctor prescindiría de sus servicios.

Porque eso empezó a hacer doña Eulalia del Valle después de haber remplazado sus sirvientas por unas viejas andrajosas que habrían podido atravesar como el aire las celdas de cincuenta hombres condenados a cadena perpetua; eso y, como Dora se lo contaría a Lina, la ironía, las frases hirientes, los estallidos de una cólera que se nutría en el aburrimiento de los días y en la ignorada, inconfesada, ni siquiera supuesta frustración de las noches, provocando en el doctor Juan Palos Pérez aquella especie de exasperación que lo fue invadiendo gradualmente y que se tradujo, no en ruptura —la sola separación conyugal era impensable en esos días, mucho más para un hombre que tanto había sacrificado a las conveniencias— sino en helado mutismo frente a las agresiones verbales de doña Eulalia y, quizá como compensación, en desenfreno, es decir, con una orgía continua de amores clandestinos con secretarias, sirvientas y enfermeras elevadas por instantes cada vez más breves a la categoría de queridas y de las cuales doña Eulalia no sabía nada, pues el doctor seguía regresando a su casa a las siete en punto de la noche y si desaparecía de la ciudad durante los fines de semana era con el pretexto de ir a ver a su madre a Usiacurí, cosa que ni ella podía reprocharle.

Pero una mujer que tenía todo el día por delante para reflexionar en su desdicha no podía ser engañada mucho tiempo: sola, entre sirvientas harapientas, sentada en una mecedora frente a los árboles de su patio —como durante quince años lo había hecho su padre— doña Eulalia llegó, no a descubrir la verdad, sino, lo que fue aún peor, a adivinarla sin poder encontrar nunca una prueba capaz de liberarla de la duda, de la impresión de estarse volviendo loca, le diría llorando a Lina, pues contra todas sus hipótesis se erguía la burlona, desarmante realidad del «Ford» entrando en el garaje a las siete de la noche y de los huevos y gallinas traídos de Usiacurí cada domingo. Sin embargo, y a eso se agarró febrilmente doña Eulalia, no tanto para justificar sus enconadas injurias, como para preservar un mínimo de confianza en su salud mental, a los cinco años de matrimonio el doctor Juan Palos Pérez había resuelto asociarse a un pediatra recién llegado del interior, desafiando con escarnio toda lógica, toda prudencia y sentido común, pues para entonces, no sólo su clientela había disminuido, sino también, su situación económica empezaba a degradarse a ojos vista —desde hacía muchos meses no cambiaba de «Ford», ni pintaba las paredes de su casa, ni pagaba con puntualidad la cuota del «Country»— lo cual sugería que, o bien se gastaba el dinero con otra mujer, o quería aprovechar la presencia del nuevo pediatra para pasar más tiempo a su lado, o ambas cosas a la vez. Y esto último era verdad, aunque la verdad total doña Eulalia nunca la supo porque nunca llegó a descubrir la identidad de la otra mujer. Por supuesto que hubo otra, en fin, una, alguna que pudo atraer la atención del doctor Juan Palos Pérez hasta el punto de hacerle olvidar sus inconstantes, y en el fondo, inconsistentes galanteos para fijarlo en una pasión tan exigente que por ella preferiría compartir su clientela y en ella gastaría el dinero que en otras circunstancias hubiera destinado a su familia. Pero si doña Eulalia lo intuyó, jamás quiso admitirlo; incluso el día que le habló de ello a Lina prefirió referirse a una puta, tal y como quedó anotado en el acta levantada por la Policía cuando se encontró el cadaver del doctor Juan Palos Pérez flotando con la boca llena de hierbas al capricho de las olas frente a una playa de Puerto Colombia, muy cerca del lugar donde se descubrieron sus vestidos y una botella de whisky vacía, aunque no estaba realmente borracho cuando murió, en fin, no fue el whisky lo que provocó su muerte, sino el haberse puesto a hacer el amor a pleno sol, después de comer dos raciones de arroz con lisa en un restaurante de los alrededores cuya ubicación permaneció ignorada pues ningún propietario de restaurante admitió haber

preparado o servido arroz con lisa aquel once de agosto en que el mar
devolvió a la playa el cuerpo del doctor Juan Palos Pérez, amoratado,
inflado, vomitando algas y caracolitos, como lo vería doña Eulalia del
Valle en una mesa del hospital adonde lo condujo la Policía, una hora
antes de que el médico legista practicara la autopsia declarando que la
causa de la muerte había sido una congestión producida por cópula en
plena digestión a la una de la tarde, cuando se sabe que los rayos del
sol caen perpendicularmente y la única actividad razonable es dormir
la siesta, en otras palabras, que el doctor se había ido de este mundo
en una playa solitaria, entre un calor de infierno y sobre el cuerpo de
una mujer, la cual, probablemente en un movimiento de pánico, lo
arrastró al mar con la intención de refrescarle la cara o reanimarlo al
contacto del agua, y después, al comprender la situación, prefirió que
se lo llevaran las olas para tener el tiempo de vestirse apresuradamente
y regresar a la ciudad sin que nadie la viera.

Al menos ésa era la explicación que Lina le había oído a su abuela
cuando especulaba sobre las circunstancias de la muerte del doctor
Juan Palos Pérez, y que le sería confirmada años después por el doctor
Ignacio Agudelo (el pediatra asociado al padre de Dora), en los días
en que era su amante permitiéndole así realizar el más incestuoso
de sus sueños. Pero oyendo hablar a doña Eulalia del Valle, Lina comprendió que no debía sugerir la menor duda sobre su versión de la
prostituta desalmada que además de provocar la muerte de su marido
lo había arrojado al mar como un perro, porque algo le hizo intuir
que a pesar de su odio y del tiempo transcurrido, doña Eulalia no habría podido soportar la revelación de haber sido suplantada por una
mujer de su misma clase, y para colmos, con su mismo apellido.

En aquella ocasión, doña Eulalia le inspiró lástima a Lina. La vio
como un actor condenado a repetir sin descanso el mismo monólogo de
una misma tragedia, tantas veces que su propia vida había perdido
sustancia, cuerpo o realidad para limitarse a la del patético personaje
que representaba, menos aún, a su mínima expresión de existencia con-
densada en aquel monólogo obstinado y febril, los segundos o minutos
en que refería con idénticos gestos y frases su infancia solitaria, su juventud reducida a acompañar a un ciego y aquel matrimonio comenzado en la humillación y terminado en el más escandaloso ultraje. Ya
entonces para doña Eulalia el tiempo transcurría de otra manera, no
corría ni pasaba, ni era el fondo sobre el cual los seres y las cosas
parecían cambiar; en su memoria cada episodio de su vida se había
fijado para siempre, ajeno a cualquier cronología o relación alguna de
causalidad, pero cristalizando, la injusticia de haber ocurrido, y por lo
tanto, de haberse podido transformar en recuerdo. Lina pensaba que
el episodio en sí le había permitido al menos expresarse, reaccionar,
luchar contra algo que por banal que pareciese era concreto, como irse
en taxi al consultorio de 20 de julio y despedir a las sucesivas secretarias de su marido. Pero después, al encontrarse sola, sin nadie a quien
oponerse —Dora seguía allí, pero era una sombra, y Benito Suárez,
que nada tenía de sombra, estaba ausente— sus recuerdos, a fuerza de
girar sobre ellos mismos, habían comenzado a quemarse, a apagarse

como ciertas estrellas, disminuyendo quizás en dimensión, pero aumentando vertiginosamente su densidad hasta parecer bolas de plomo rebotando sin piedad en el cerebro de un niño.

Por supuesto que el peor de esos recuerdos se centraba alrededor de la muerte del doctor Juan Palos Pérez, última villanía que resumía las anteriores, comenzando por aquella escena que tuvo lugar en el garaje cuarenta días después del nacimiento de Dora, cuando doña Eulalia no sólo descubrió de golpe el significado de las palabras abstinencia y tentación —hasta entonces más bien confuso y asociado exclusivamente a la prohibición de comer carne durante la Cuaresma y los primeros viernes de cada mes— sino además, el verdadero origen del color de aquella piel de su marido, atribuido en un inicial y generoso impulso de conciliación, quizá también de reconocimiento, a la acción del sol que como una maldición caía el año entero sobre la ciudad y bien podía atravesar los vidrios de cualquier «Ford», descubrimiento, que dejó anonadada a doña Eulalia del Valle pues constituía una prueba más de cómo el destino se había ensañado con ella al llevarla a mezclar su sangre a la de una raza condenada por la Biblia, transmitiéndole a su única descendiente los oscuros y lascivos demonios contra los cuales de nada servía la religión, la vigilancia o su propio ejemplo, porque allí estarían siempre esperando la primera brecha, el primer descuido para salir insidiosamente arrastrando a Dora a la perdición y, de paso, borrando el escaso honor que aún quedaba asociado a su apellido.

Lo extraño del asunto —y eso Lina pudo comprobarlo en varias ocasiones— era que doña Eulalia tenía una actitud más bien ambigua frente a lo que podía llamarse las manifestaciones del demonio incubado en Dora: en principio la horrorizaban, pero a veces mostraba a su sujeto, no exactamente tolerancia, sino una especie de enervada admiración, y hasta de envidia expresada en frases que se le escapaban sin querer y que aludían al deseo que despertaría en los hombres a causa de la sensualidad de sus labios, la redondez de sus formas o la abundancia de sus cabellos.

Si esta ambigüedad influyó de algún modo en Dora, Lina nunca se lo preguntó a sí misma: durante mucho tiempo creyó su temperamento indestructible, cerrado a toda influencia, algo así como una fuerza venida del más remoto pasado y del todo consciente de su objetivo, que aguardaba, no la primera oportunidad, según creía doña Eulalia en su temor, sino la hora, el momento, el instante fijado por ella de antemano para tomar lo que deseaba llevándose de cuajo las frágiles barreras creadas por cualquier forma de consejo o vigilancia; aquella cosa tenía un carácter infinitamente tenaz, pero además, descubriría Lina, podía comunicarle a Dora una astucia de la cual nadie la habría imaginado capaz viéndola en el colegio, frente al pupitre, abrumada de calor y entontecida por aquellos ruidos que al parecer sólo ella oía.

Lina acogía con una cierta reserva la afirmación de su abuela según la cual otra habría sido la canción si doña Eulalia no hubiese cometido la imprudencia de mandar a Dora a trabajar en un kinder garten dirigido por una parienta suya, aunque reconocía que el kinder garten había facilitado las cosas lo mismo que la ingenuidad de la parienta, solterona innata, dotada, por una de esas paradojas de la naturaleza, de un insaciable instinto maternal, quien después de haber pasado buena parte de su vida lidiando a los hijos de sus hermanas resolvió convertir su casa en escuela de críos, menos por razones económicas que para darse al placer de limpiar fundillos, preparar meriendas y afanarse el día entero en medio de un bochinche infernal; tan incapaz de malicia en todo caso, que fue con asombro como le contó a Lina que doña Eulalia la había estado telefoneando durante una semana pues quería saber si empleaba jardineros o sirvientes, si eran las propias madres de los niños quienes los conducían al kinder garten y, sobre todo, cómo había arreglado el salón donde su hija iba a trabajar. Sin lugar a dudas, la parienta captaba el sentido de las preguntas relativas a la presencia o ausencia de un jardinero de cuya rectitud moral nadie habría podido asegurar gran cosa; lo que le parecía encontrar extraño, casi ofensivo, era la insistencia en la descripción del recibidor —una sala de paredes pintadas de rosa pálido, con un sofá y un escritorio— y dado su candor, en las características de las personas que conducían a los niños al kinder garten. Mientras la parienta hablaba, Lina iba comprendiendo gradualmente la asociación establecida por doña Eulalia entre el recibidor (o su contenido) y las características en cuestión; la imaginaba, rígida en su mecedora, tratando de enumerar ansiosamente todos los peligros que acechaban a su hija, convertida por su propio miedo en secretaria de un kinder garten, donde, a Dios gracias, no había jardineros ni sirvientes, pero al cual los niños podían llegar acompañados de sus padres. Detalle que lo cambiaba todo convirtiendo aquel lugar por naturaleza impoluto —una vieja y unos cuantos críos— en posible teatro de la temida tragedia, temida y quizás anhelada, como Lina le oiría decir a su abuela, puesto que todo horror excesivo hacia una cosa oculta casi siempre el turbio deseo de que suceda, primero, con el fin de darle salida al deseo, y luego, para liberarse definitivamente del miedo que lo encubre como un velo más o menos espeso según la intensidad de su violencia.

El caso fue que cuando Lina terminó de conversar con la parienta tenía una idea bastante precisa de los problemas que la aguardaban por haber aceptado convertirse en cómplice de Dora, dado que doña Eulalia iba a obstinarse en preguntarle exactamente lo que media hora antes ella había jurado callar, a saber, que en aquel salón de paredes rosadas había sí un escritorio, pero no el sofá sobre el cual estaba sentada mientras hacía la promesa. Al comienzo a Lina le había parecido indiscutible la necesidad de ocultarle a doña Eulalia la existencia de todas aquellas botellitas guardadas por Dora en una gaveta; incluso le había divertido observar cómo Dora se transformaba a medida que las botellitas iban apareciendo, y hasta le pidió que le pusiera a ella un poco de color en las mejillas y se untó en la boca el naranja de lápiz de labios. Pero lo del sofá la desconcertó: que Dora le dijera, cierra los ojos y describe el salón, y luego, interrumpiéndola, no, recuerda que no has visto sofá alguno, jura que no vas a decirlo si te lo preguntan.

Como le comentaría Lina a su abuela con admiración, Dora había tenido la malicia de no aludir en ese momento al sexo de las personas que entraban al salón llevando de la mano a un niño perfumado de agua de colonia; de allí su asombro y la facilidad con que se comprometió en un juramento que aparentemente, y por absurdo que fuera, se limitaba a negar la presencia de un mueble en un salón. Pero ni siquiera después de haber oído hablar a la parienta y ver mejor las cosas, logró sacar a Dora de su aplomo, es decir, cuando fue a buscaria al escritorio donde estaba apoyando con infinita precaución un dedo sobre las teclas de la máquina de escribir y le dijo: supongo que además no debo mencionar a los papás. ¿Cuáles papás?, le preguntó Dora sin inmutarse. Digo, que a veces es el papá quien trae al niño al kinder garten, insistió Lina observando que Dora empezaba a sonreír.

Sin embargo, Lina pensaba para sus adentros que el lugar y el hombre no habían determinado nada. Por alta que fuera la paredilla de la casa de Doña Eulalia cualquiera habría podido treparla y su jardín, trillado apenas dos veces al año, abandonado al coquito y a las malas hierbas que crecían con ferocidad después de cada lluvia, era conocido por las sirvientas del barrio en busca de escondrijos para amores nocturnos. En lo que respecta al hombre, ya había reparado en Dora cuando la veía entrar al «Country», y si no se había atrevido a abordarla allí hasta la fecha, lo habría hecho a la primera oportunidad mientras Catalina y ella jugaban tenis y Dora las observaba desde las gradas paralelas a la cancha. Él u otro, seguramente él primero que otro, porque pocos hombres parecían haber contrariado tanto su naturaleza en aras a la más amorfa respetabilidad: una mujer rica, pero tonta, cuatro hijos y un puesto de director comercial en las empresas de su padre donde sus hermanos se creían los cruzados del desarrollo industrial y él, le confiara una vez a Dora, se aburría a muerte. La verdad era que Andrés Larosca (Labrowska, Slobrowska en un principio) no parecía destinado al oficio que le habían impuesto los intereses de su familia —eslava, católica y con un sentido del clan que sobrevivía a quién sabe que oscura y ya olvidada tragedia— y mucho menos a la mujer a quienes esos mismos intereses habían unido: tenía una bella cara de facciones enérgicas que le recordaban a Lina los reyes vikingos dibujados en su libro de historia: aunque de una estricta cortesía, sus ademanes revelaban de pronto una energía contrariada, como si fuera un caballo salvaje obligado a hacer piruetas en un circo. Lina había advertido su mirada codiciosa seguir a Dora y no sin asombro lo había observado jugar frenéticamente en las canchas de tenis blandiendo su raqueta a la manera de una lanza y devolviendo bola tras bola con un ímpetu que parecía destinado no tanto a vencer a su adversario como a decapitarlo.

Que el tenis le servía de desahogo, al menos de sustituto, quedó confirmado cuando sedujo a Dora, pues durante el año y medio que duraron sus relaciones no se le volvió a encontrar por los corredores, con el musculoso pecho forrado en una franela blanca, raqueta en mano, el aire avieso; no era cuestión de hora: a Dora la veía entre las doce del día y la una de la tarde, mientras la pariente y los niños del kinder garten hacían la siesta, y él acostumbraba pasar al «Country» después de las seis. No, era más bien el caballo escapando en el monte, el alerta, frustrado cazador que de repente descubre el rastro de su

presa, un despertar, un reconocimiento, un impulso que al fin define
su objetivo. Sin embargo se mantenía prudente: llegaba al kinder
garten en taxi o dejaba su automóvil en un surtidor de gasolina cer-
cano y Lina, desde el bus del colegio, lo divisó varias veces caminando
a pleno sol o corriendo con el saco en la cabeza para protegerse de
la lluvia. Luego todo le sería más fácil, es decir, cuando puso en *El He-*
raldo un anuncio solicitando una secretaria competente y Dora lo leyó
en voz alta delante de su madre pidiéndole que le dejara tentar la suerte, cosa que, por supuesto, doña Eulalia rechazó indignada, hasta que
las súplicas de Dora y los consejos de sus parientes terminaron por
convencerla. Pero entre un trabajo y otro, durante las vacaciones de
diciembre, Lina descubriría la turbación del amor, la complejidad de
su fuerza.

Lo descubriría gracias a Dora, puesto que Dora y Andrés Larosca
serían los protagonistas, pero además, porque todo fue planeado por
ella, calculado y medido, desde el comienzo hasta el final, del anuncio
en *El Heraldo* a la idea de irse a pasar vacaciones con Catalina y Lina
al viejo caserón que la madre de Catalina poseía aún en Puerto Colombia, mejor dicho, de hacerse invitar, ya que ellas partían cada diciembre en compañía de Berenice, cuyo oficio era el de prepararles la
comida y, por terquedad, por su propia iniciativa, el de limpiar neuró-
ticamente el polvo acumulado en doce meses refunfuñando el día entero a causa de un tambor que decía sentir sonando en su cabeza y que
se calmaba a la llegada de la noche, cuando sentada en el destartalado
pórtico con un pañuelo empapado de «Menticol» en la frente, se ponía
a contarles en voz baja los más insólitos secretos de las antiguas familias de la ciudad.

Dora había comprendido que ese año doña Eulalia no iría a alegar
que la simple presencia de una cocinera negra, en su opinión medio chi-
flada, pudiera constituir una verdadera defensa de su honor, así como
unos días antes no había rechazado las afirmaciones de sus parientes
sobre la respetabilidad de los industriales Larosca. Porque aquella
astucia que se había deslizado en ella apenas decidió quitarse de encima la tutela de su madre, con ligereza y determinación, como un
pájaro sacude el agua de sus plumas agitando las alas, le había permitido medir el alcance de la nueva inquietud de doña Eulalia del Valle,
asociada no ya a su doncellez, sino a algo quizá tan importante, la
posición que ella, Dora, iría a ocupar en la alta sociedad de Barranquilla, de por sí en entre dicho a causa de los dudosos orígenes de su
padre y de la nunca mentada, aborrecida abuela de Usiacurí que tuvo el
mal gusto de vivir y morir sin haberse puesto algo en los pies; había
eso, pero también, el descrédito que suponía para una niña de buena
familia trabajar como una pobretona cuando sus amigas seguían en el
colegio y algunas, las más adineradas empezaban a ser enviadas a los
Estados Unidos dizque a perfeccionar un inglés que no habían aprendido ni aprenderían jamás, en el fondo, con el fin de preservarlas de
toda tentación en un internado de monjas y hacerlas regresar envueltas en una aureola de elegancia destinada a aguijonear el interés de los
mejores partidos de la ciudad. Fue esa inquietud, le confiaría Dora a
Lina, burlonamente —no tenía necesidad de valorizarse con ningún or-

gullo de casta y la idea de figurar en sociedad la hacía entonces reír—
lo que finalmente decidió a su madre a dejarla trabajar en las oficinas
de Andrés Larosca, pensando, sin reconocerlo, por supuesto, que el
elevado, casi exorbitante salario ofrecido le permitiría ahorrar el dinero necesario para presentarla en sociedad, es decir, comprar el vestido de baile y ofrecer dos o tres recepciones de las cuales hablaría
la Prensa recordándole a los entendidos que detrás del oscuro Palos
había un Del Valle Álvarez de la Vega a la espera de quien tuviera en
cuenta el prestigio de los dorados apellidos que en aquel mundo de
descomposición y ruina habían constituido el único, aunque a veces
averiado, baluarte de la tradición. Y sería el mismo móvil, la conservación de buenas relaciones, lo que indujo a doña Eulalia a dejarla partir
con Lina y Catalina a Puerto Colombia, no obstante sus dudas en la
capacidad de Berenice de ejercer sobre ella un control eficaz.

Dudas que se revelarían justificadas. Berenice, después de haber pasado cuarenta años de su vida trabajando para la gente del Prado, conocía como la palma de su mano la historia de cada familia, sus vicios
y debilidades, hasta sus crímenes, pero amaba a Lina con la misma pasión que odiaba al resto de la gente y estaba dispuesta a extender su
benevolencia a cualquiera de sus amigas, especialmente a Dora que tenía a sus ojos, primero el mérito de asumirse como mujer —aunque
naturalmente Berenice no lo habría expresado así, sino diciendo: ésa al
menos sabe dónde lo guarda y para qué le sirve— y luego, todo el encanto de la adolescencia con su cuerpo de formas ya insolentes y su
dorado pelo enredado en bucles hasta la cintura, serena, centro y eje
de su deseo, no pesada ni apremiante, sino inmóvil, tan densa, pensaba Lina, que le habría bastado girar alrededor de sí misma para imponerle al mundo un movimiento diferente.

Esa Dora embriagada de placer, impregnando de sensualidad cada
palabra, incluso el silencio, iba a adormecer sin mayor esfuerzo las reticencias de Berenice. Entre la enorme negra cuyo cuerpo se había re-
vestido de grasa al contacto de los blancos, como el de las focas obligadas a defenderse de la agresión del frío, y la Dora de aquellas vacaciones de diciembre, se estableció de inmediato una corriente de
complicidad. Berenice la tomó bajo su protección: la protegió entonces
y después, callando lo ocurrido en el caserón de Puerto Colombia, olvidando los ruidos que se oían de noche en el jardín y los faros del automóvil que de repente perforaban la oscuridad, olvidándolo todo, o mejor dicho, remplazando en su memoria aquel recuerdo por una absurda
historia de caballos a la cual se aferró con su acostumbrada habilidad
para darle vueltas a la misma anécdota y de ella sacar una interminable
cadena de incidentes de los cuales se decía víctima, ella y sus nervios
destrozados como siempre a causa de la irresponsabilidad de Lina y
Catalina que, esa vez, y con el expreso fin de mortificarla, habían resuelto montar a caballo, no cualquier bestia de cuatro patas enseñada
a tolerar silla, brida, estribo y jinete, sino los únicos rocines que podían conseguirse en Puerto Colombia, dos animales grandes y aviesos
que odiaban abiertamente a todo el género humano después de haber
sufrido durante diez años un trato infernal acarreando ganado entre
montes y piedras calcinadas por el sol, y sometidos a la crueldad de peo-

nes de mala ley, como lo atestiguaban sus cuerpos cubiertos de cicatrices y aquellos ojos suyos desorbitados que relampagueaban de desconfianza y malignidad.

Resabiados, explicó con un aire de conocedor el propietario al traerlos por primera vez al caserón; asesinos, gritó Berenice al verlos desde la ventana del segundo piso, razón por la cual Catalina y Lina se apresuraron a montar y picar espuelas mientras Berenice terminaba de descender por la escalera la informe y voluminosa masa de su cuerpo para afrontar a aquel sinvergüenza que exponía la vida de dos criaturas con tal de ganar ocho miserables pesos —precio convenido por la hora el día anterior— a ciencia y paciencia, pues era evidente que ese par de bestias iba a reventarlas contra la primera cerca o paredilla que encontraran a su paso, expulsarlas de mala manera de la montura, correr violentamente sin responder a las riendas, pararse de golpe, morderles las piernas, cosas todas que por supuesto ocurrieron y Berenice registró minuciosamente, es decir, encerraría en su memoria para reprochárselos hasta el fin de sus vidas como ya lo hacía cada noche al untarles yodo en las rodillas o vendarles las amoratadas piernas con gasas rociadas de espíritu del carmen.

No era que Berenice no tuviera razón: si ellas sobrevivieron a los dos caballos de Puerto Colombia fue porque su juventud y una excelente alimentación les había permitido mantener los huesos sólidos, o quizás, a causa de la rapidez de sus reflejos, o simplemente del destino. Pero Lina había advertido que las lágrimas y lamentaciones de Berenice aumentaban a medida que las ausencias de Dora se iban prolongando, más aún, que exageraba la injusticia de su suerte —recoger algún día el cadáver de una niña confiada a su cuidado— cuando ya los caballos no constituían en sí mayor peligro, no porque hubieran perdido sus vicios, o resabios, como decía el propietario, sino porque ellas dos habían aprendido a conocerlos y por un movimiento del cuello, un casi imperceptible temblor en las orejas, la contracción de un músculo o el repentino e injustificado cambio del paso, podían prever sus intenciones y controlarlas, o saltar de la silla a tiempo en el peor de los casos, en fin, que habían logrado establecer con ellos un modus vivendi, sobre todo desde que descubrieron el único lugar donde aquellas bestias olvidaban su odio a la Humanidad, una larga, lisa, angosta playa de arena blanca, una franja de tierra que parecía extenderse al infinito internándose en el mar y abriéndolo en dos, surgida de repente, no pisada nunca por un hombre, que los caballos recorrían al galope alborotando la espuma de las olas y respirando con las narices dilatadas el espeso olor de sal y yodo que traía la brisa.

Ninguno de aquellos argumentos convencía a Berenice, ni sutiles entendimientos ni playas privilegiadas. En realidad, Lina lo vería claro después, Berenice tenía miedo de que Dora quedara encinta, de que alguien la descubriera, o tal vez, muy probablemente, de que aquella pasión terminara en el desastre. Porque Berenice sabía por experiencia que cuando los blancos se ponían a amar rondaba en el aire la tragedia, incapaces como eran de aceptar las cosas más simples de la vida y tan dados a complicarlas con ideas completamente ajenas al súbito, mágico, efímero deseo de acostarse junto a alguien y reír y tocar y dejarse tocar hasta que el cuerpo se prendía como un fogón y la sangre estallaba en burbujas de alivio. Así lo decía cada noche, cuando sentada en las gradas del pórtico con su pañuelo apestando «Menticol» en la frente, veía a Dora alejarse por el camino que conducía a la playa, no hablándoles, ellas a duras penas si la entendían, sino convirtiéndolas en el soporte del fantasma a quien solía dirigirse en la soledad de la cocina, y cuyos consejos parecían conducirla esa vez a la decisión de terminar las vacaciones tomando cuanto antes el bus a Barranquilla, amenazas que ellas acogían con inquietud y Dora sonriendo, pues nada parecía alterarla ni desviarla de su objetivo, de aquella actitud de Buda inmóvil y satisfecho, pero alerta, una cosa que devoraba por las noches, dormía todo el día y se despertaba a la caída de la tarde con el fin de lavarse, cepillar sus cabellos y tirarse en una hamaca del segundo piso esperando el automóvil cuyos faros vería en la última curva de la carretera, en lo alto de la pendiente, para entonces levantarse y gravemente descender la escalera, los ojos brillantes y ya ausentes, incapaces de fijarse en nada, de reparar en nadie, concentrados en el recuerdo que conducía sus pasos a la playa y acortaba su respiración como si su cuerpo se fuera preparando a vibrar a otro ritmo y latir a otra cadencia.

A la pálida luz del bombillo suspendido del cielo raso de la sala, y entre aquel olor a «Flit» que Berenice rociaba con una bomba roja apenas se anunciaban en el atardecer las primeras nubes de mosquitos, Catalina y Lina la observaban en silencio, conscientes de la distancia que las separaba a ellas dos, sus sucios *blue-jeans*, sus cabellos llenos de arena, de aquella figura inmaculada que avanzaba con los pezones erguidos bajo la popelina de la blusa y las piernas blancas y desafiantes en la desnudez del short, despidiendo un olor almizclado, perfume y emanación de la piel al mismo tiempo, después de haber dormido y ayunado todo el día obedeciendo quizás a un instinto, a un ritual, a una confusa ceremonia de preparación cuyo sentido captaba Berenice cuando servía a la hora de la comida un plato y lo ponía junto a las brasas del fogón sin dar explicaciones.   ·

Ellas habrían podido seguir a Dora, pero no lo hicieron. Habrían podido incluso caminar a su lado en la seguridad de que Dora ni siquiera las vería, como si ellas, Catalina y Lina, fueran parte del paisaje, piedra, nube, tronco, brisa, no conciencia, y aun así, tampoco a Dora le habría importado; no por impudor o exhibicionismo, sino porque entonces existía dentro de una órbita en la cual sólo captaba la energía del mundo de un cierto modo, que alguien habría podido calificar de amor, pero que no obstante trascendía este concepto en la medida en que era comunicación total con el universo, puesto que al acoplarse, le diría años después a Lina, sentía cada cosa acoplarse junto a ella, sentía, diría con angustia, buscando laboriosamente las palabras, que tu acto era repetido al infinito, le sugirió Lina, y ella asentiría aliviada, casi feliz, sí, dijo, repetido por las gaviotas que cruzaban el cielo, hasta por los granos de arena que se unían en la playa.

Normal pues que no se ocultara ni fingiera, y normal también que no sintiera remordimientos a pesar de los anatemas de doña Eulalia, porque en esos días Dora no encontraba ningún rasgo de similitud entre ella y su madre y por el alboroto de su sangre le habría sido imposible identificarse a aquella anacoreta atrincherada en su rencor, envejeciendo en una mecedora al margen de la vida, que sin embargo le inspiraba ternura, la suficiente al menos para haberla escuchado pacientemente desde los nueve años y haberse dejado poseer, absorber, dominar por ella, hasta que el llamado de su cuerpo fue más fuerte que su palabra, y se retiró, la dejó de lado, sin herirla, simplemente no escuchándola, no prestándole más atención, y quizá también para no herirla, ocultándole cuidadosamente aquellas relaciones que no pretendía disimular a nadie, pues cualquiera de las personas que habitaban con ella el viejo caserón habría podido sin rechazo de su parte seguirla, acompañarla o precederla cuando se dirigía a la playa, cosa que Catalina y Lina jamás hicieron porque una voz, un presentimiento les anunciaba que seguirla era tomar el camino donde moría la infancia.

Así que no la siguieron, pero la encontraron, mejor dicho, los vieron, a Dora y Andrés Larosca haciendo el amor. Un sábado al atardecer, un extraño atardecer en el que la luna y el sol brillaban juntos en el cielo y ellas cabalgaban por la angosta franja de arena blanca siguiendo sorprendidas las huellas de un automóvil que había osado penetrar aquel lugar inviolado, aventurándose mucho más lejos de donde solían llegar hasta descubrirlo, el automóvil, y al fondo, dos figuras desnudas regresando del mar hacia la playa. No se apearon, incluso a caballo y a veinte metros no fueron vistas. Pero vieron: Dora con la cabeza abandonada en el hombro de Andrés Larosca, las manos de él recorriendo su cuerpo: Dora resbalando sobre la arena, el miembro de Andrés Larosca irguiéndose contra el dorado reflejo del mar. Y vieron a Dora tomar aquel miembro entre sus dedos, jugar con él, acercarlo al más recóndito secreto de sus piernas y allí apoyarlo, una y otra vez, siguiendo el ritmo de las olas que remontaba la marea, rápido, cada vez más rápido hasta que su cuerpo se fue endureciendo como un alambre, curvándose como la cuerda de un arco para de pronto caer inerte sobre la arena profiriendo un quejido de gaviota herida, de sirena surgida del océano, mientras aquello que tenía entre sus dedos entraba en ella y Lina y Catalina, erguidas sobre sus caballos, contemplaban deslumbradas aquellas dos siluetas que ya eran una sola, un sólo movimiento de flujo y de reflujo entre la luz insólita de un cielo donde la luna avanzaba con la oscuridad y el sol se hundía en el horizonte.

III

Al principio no había sido el verbo, decía su abuela, porque antes del verbo había habido la acción y antes de la acción el deseo. En su origen cualquier deseo era y sería siempre puro, anterior a la palabra, ajeno a toda consideración de orden moral; tenía en sí mismo la facultad de equilibrarse, poseía de manera natural un preciso y certero mecanismo de regulación. Pero como para sobrevivir el hombre había debido tolerar la vida en comunidad, y como la vida en comunidad suponía la existencia de deseos individuales convergentes y divergentes, es decir, capaces de asociar o disociar, de construir o destruir, de hacer reinar la armonía o provocar el caos, había sido necesario inventar una estructura de valores adecuada a cada circunstancia, y el deseo, perdiendo su primitiva inocencia, entraba así dentro de las categorías del bien y del mal. Por eso el hombre sólo podía inspirar lástima, porque era el único ser que para vivir moría dos veces; porque de una de sus muertes tenía la más terrible conciencia, y de la otra, el más insensato olvido: empezaba a morir antes de nacer y lo sabía, moría al empezar a vivir y lo ignoraba: ignoraba que su vergüenza ante el deseo vislumbrado, su dolor frente al deseo reprimido, aquella intolerable sensación de vacío que acompañaba su diaria, repetida, infinita frustración, era un precio y nada más que un precio; un simple trueque, un intercambio; no tenía más valor que el acto de comer o de beber, y como la vida, carecía de sentido, puesto que el sentido de la vida no nos sería nunca revelado. Pero si a pesar de todo uno se empeñaba en seguir viviendo, mejor comprender entonces que los problemas surgidos al enfrentar el deseo a la realidad social podían superarse si no se perdía de vista el carácter relativo de sus preceptos, las ventajas que muchas veces su represión ofrecía, y sobre todo, si se lograba nadar con una cierta habilidad para deslizarse entre las aguas prohibidas sin irse de bruces contra las sanciones ni dejarse alienar por la propia rebeldía. En otras palabras, que cada individuo, según su vitalidad, su avidez, su temperamento o su capacidad de afrontar el riesgo, estaba obligado a encontrar un nuevo equilibrio entre las exigencias de sus deseos y los imperativos de la realidad. Y era allí donde se jugaba todo. Pero eso casi nadie lo sabía.

No sabía probablemente Andrés Larosca, que al comer del fruto llamado prohibido habría encontrado en él el conocimiento de su propia sexualidad, y por lo tanto, un primer destello de sí mismo, una primera puerta entreabierta ante la personalidad ignorada, olvidada día tras día en la repetición de actos que escapando a su autonomía le daban sin embargo una sensación de coherencia con el mundo en el cual le había tocado nacer y vivir, aunque en ello le fuera la libertad, vislumbrando de pronto aquella libertad y al mismo tiempo, la posibilidad de asumirla asumiéndose, con todo lo que esto conllevaba de soledad, conflicto y riesgo; y entonces cerrando la puerta. Nada más fácil cuando todo había sido dispuesto para impedirle abrirla. Le bastaba muy poco, retroceder, dejar de encontrar en Dora su reflejo cortando por lo sano aquellas relaciones, o más sutilmente, aceptando el juicio que sobre Dora podían hacer su padre y sus hermanos: el juicio de los hombres, el de la ciudad. A partir de ese momento Dora quedaba desvalida: no tenía ningún elemento de análisis que le permitiera comprender lo que pasaba por la mente de Andrés Larosca —suponiendo que algo de aquello pasara por su mente o marcara de algún modo su conciencia— y estaría sujeta a sus cambios de humor, a sus contradicciones y caprichos.

Aunque Lina no entendía por entonces mayor cosa de las explicaciones de su abuela, y aunque le resultaba intolerable imaginar que el rey vikingo, el hombre desnudo visto desde un caballo contra el reflejo del mar cayera en la banalidad de despreciar a una mujer sólo por habérsele entregado, era consciente de que las relaciones entre Dora y Andrés Larosca se deterioraban y se sentía inerme cuando le veía entrar a su casa cada anochecer y sentarse en la terraza a esperar a que ella hiciera sus tareas, para no decirle nada, pues de repente Dora se había aislado del mundo, se había replegado sobre sí misma y pasaba horas frente a la terraza a oscuras, en silencio, mirando con una dolorosa perplejidad los árboles del jardín. Finalmente una noche habló, una noche entró al comedor donde Lina estudiaba y abriendo la mano dejó caer sobre la mesa un puñado de anillos y pulseras: de metal, con aguamarinas y corales. Fíjate, dijo, se ha puesto a regalarme eso. Entonces se echó a llorar.

De haber sabido lo que estaba ocurriendo, doña Eulalia habría podido celebrar en esos días su triunfo y su derrota: todo se ordenaba de acuerdo a su esquema, tenía razón, Dora al menos le concedía razón: el sexo era sucio, los hombres innobles: innobles puesto que se empeñaban en conducir a la mujer al acto por el cual iban a despreciarla, acto que si provocaba su desprecio tenía evidentemente que ser sucio. No había más vuelta que darle. En vano Lina trataba de explicarle que el verdadero problema se reducía a la opinión que ella, Dora, se estaba formando de sí misma. No porque Lina advirtiera entonces el proceso que asocia el sentimiento de falta a la necesidad de castigo, ni por haber comprendido las reflexiones de su abuela cuando hablaba de la insensatez de convertir la mirada de los otros en espejo. Pero aquel le parecía el mejor argumento a su alcance, convencer a Dora que no merecía la humillación, el vejamen, el desprecio, que no estaba perdida, como lo afirmaba llorando en un rincón del comedor, y bien podía devolverle a Andrés Larosca sus anillos de pacotilla y su empleo de secretaria dejando en aquella historia unas cuantas plumas, cierto, pero no necesariamente su dignidad.

La palabra dignidad sería para Lina la primera señal de alerta, la revelación de su incapacidad de llegar a la mente de Dora a través de conceptos que parecían resultarle extraños, y hasta inquietantes. Fue así como descubrió que durante meses había estado hablándole al viento, porque Dora, fingiendo comprenderla, asintiendo con un movimiento de cabeza a sus afirmaciones, no la había escuchado nunca, y no a causa de una secreta mala fe o hipocresía, sino de la más sencilla ineptitud para aprehender el sentido de ciertas palabras que dejaba extraviar en sus oídos y luego olvidaba como olvidaba en el colegio las lecciones aprendidas de memoria, reduciendo su vocabulario a los nombres esenciales al vivir más inmediato, pero estableciendo entre ellos el menor número de relaciones posibles, por pereza mental, o quizá, por una forma de resistencia desarrollada al principio con el fin de escapar a la voracidad de doña Eulalia, y luego, aplicada automáticamente, utilizada a la manera de un reflejo condicionado frente a cualquier conversación, convirtiendo todo diálogo en monólogo que creaba entre ella y su interlocutor un muro invisible, impalpable, hecho de gentileza y pasividad, pero muro y como tal impenetrable, descubriría Lina tratando de hacerle comprender que ni la reacción de Andrés Larosca, ni las condenaciones de doña Eulalia, ni los asépticos personajes del cine norteamericano, los Tyrone Power y John Wayne que sólo con los ojos tocaban a sus no menos inmateriales compañeras, debían obligarla a proyectar de sí y ante sí aquella imagen abyecta en la cual aceptaba reconocerse, pues todo era relativo —otra palabra que la haría parpadear, aunque Lina, adivinando su desconcierto, hablara de ancianos esquimales abandonados en la nieve y de campesinos franceses a quienes la muerte de una vaca importaba más que la de un hijo— relativo, insistía consciente de la inutilidad de su discurso, conservando a duras penas la paciencia cuando a pesar de sus ejemplos los ojos de Dora se nublaban, de asombro y rechazo a salir del único y amurallado rectángulo de su cerebro, y luego, de lágrimas que no buscaban despertar solidaridad ni compasión alguna, sino que eran duelo cerril ante la catástrofe definitiva, más definitiva mientras más se prolongaba y Dora se iba hundiendo, deslizando en aquella situación que había tomado un giro sin lugar a dudas degradante desde el día que encontraron a Andrés Larosca en el «Country» y ella le habló ingenuamente de dignidad.

Pasó un veinte de julio que por muchas razones quedaría grabado en la mente de Lina, entre otras, por haber recibido el tan envidiado *blue-jean* americano de Catalina, pues así comenzó la mañana, con Catalina entrando en su casa llevando en una bolsa de papel su viejo *blue-jean* desteñido y enfundada en otro igual, pero nuevo, yéndose después las dos a buscar a pie a Isabel y a Dora para divertirse en lo que parecía ser un veinte de julio como los otros, una de esas fiestas del «Country» que empezaban con carreras de burros, de saltos, de obstáculos, continuaba con un descomunal almuerzo de terneras puestas a asar sobre brasas desde la noche anterior y terminaba en la pista de baile, cuando a eso de las siete el micrófono de la orquesta anunciaba que los coca-colos se debían retirar.

A Andrés Larosca no le habría costado el menor trabajo suponer la presencia de Dora en la fiesta y si tanto le molestaba encontrarla delante de su familia, entonces abstenerse de ir enviando solos a su mujer y a sus hijos, en lugar de poner aquella cara cuando las vio aparecer después del almuerzo y sentarse en la mesa vecina en compañía de otros amigos. Saludó a Dora con un gesto glacial y a ellas apenas sí se dignó mirarlas. Aparentemente su indiferencia respondía a una prudencia elemental destinada a ahuyentar cualquier sospecha de la mente de su esposa, pero en realidad, descubriría Lina unas horas más tarde, Andrés Larosca estaba furioso. Ver a Dora allí, en la mesa de al lado, junto a su familia, le resultaba intolerable. Quizá por haber aceptado ya el juicio de los hombres, y entonces después de varios meses de relaciones continuas y remuneradas (aquel salario habría pagado tres secretarias capaces al menos de teclear en la máquina de escribir sin faltas de ortografía), Dora no era más que el pájaro apresado, la seducida quinceañera, la aventura, la emoción, el riesgo, sino una simple querida. Y la querida, estando asociada allí a la mujer de color, mulata-negra-sirvienta-puta, y perteneciendo así a la clase inferior de modo visible, no había tenido nunca el estatuto social de la hetera o de la *maitresse*, le había oído comentar Lina a su abuela varias veces, sobre todo cuando cerraba uno de aquellos novelones que se hacía enviar regularmente de Francia y a través de los cuales parecía encontrar la nostalgia de remotos amores ya olvidados. Lina había advertido que la palabra querida variaba de carácter según fuera pronunciada por su abuela o por su padre, y desde hacía un tiempo sospechaba que la interpretación de su padre correspondía a la de la gente, en especial, a la de Andrés Larosca, dado su extraño comportamiento, pero no obstante las lágrimas de Dora en el comedor de su casa le era imposible imaginar que un sentimiento cualquiera, el desdén inclusive, pudiera traducirse en la aversión que expresaba el tono de Andrés Larosca cuando se puso a injuriar a Dora en los *lockers* del «Country» aquel veinte de julio, reprochándole el atrevimiento de asistir a una fiesta sabiendo que su señora podía encontrarla, no el riesgo de traicionar o poner en evidencia sus relaciones, sino el insulto de imponerle su presencia a la esposa, como si perteneciera a otra especie y hubiera tenido los cuatro hijos por partogénesis, pensaba Lina oyéndolo hablar desde la galería, sin verlo —los *lockers* estaban a oscuras y allí había llevado Andrés Larosca a Dora después de hacerle un discreto signo con los ojos apenas la esposa regresó a la casa —divisando tan sólo la puerta entreabierta, con ganas de empujarla de un golpe, de patear el suelo, de callar de algún modo aquella voz hiriente sacando a Dora de su sumisión, puesto que a Dora no se le ocurría otra cosa que excusarse y pedir perdón y lloriquear su inocencia hasta que Lina no pudo más y retrocediendo en puntillas empezó a llamarla desde el jardín, se escondió detrás de una palmera y esperó, cinco, seis minutos en que no se oyó nada, y luego la sombra de Andrés Larosca cruzó frente a la palmera al deslizarse éste sigilosamente por el sardinel que subía a la puerta principal del «Country», dejándole al fin el campo libre para ir a rescatar a Dora, pues ésa fue la impresión que tuvo, de salvarla, de liberarla de la humillación cuando la encontró acurrucada en el suelo frente al *locker* de Catalina estremecida de llanto, y se puso a explicarle que ni Andrés Larosca tenía derecho a hablarle de aquel modo, ni ella, Dora, razón alguna para soportarlo, si consideraba que en fin de cuentas no estaba obligada a compartir sus opiniones, las cuales podían hacerla sufrir de reflejar una ausencia de amor o de ternura, pero no de producirle vergüenza, insistía secándole las lágrimas con su pañuelo, y le bastaba dejar la oficina y no verlo más nunca para recobrar intacta su dignidad. Fue entonces cuando Dora la miró fijamente, como si por primera vez estuviera asimilando lo que oía, y sus ojos tomaron una expresión incrédula: Lina, murmuró, eso que dices es completamente inmoral.

De modo que doña Eulalia habría podido celebrar su triunfo: definitivo de haberse detenido Dora allí y como su abuelo flagelarse, o recluirse en un convento, o buscar cualquier otra forma de purificación. Pero, no obstante admitir su falta, Dora parecía incapaz de poner fin a sus relaciones con Andrés Larosca y siguió trabajando en sus oficinas hasta que él mismo tomó la decisión de despedirla. Ya entonces había aceptado sufrir, recibir un trato humillante en calidad de expiación —aunque habría sido imposible saber a ciencia cierta si fue el castigo lo que originó en ella el sentimiento de falta, o si su propio sentimiento de culpabilidad provocó el comportamiento de Andrés Larosca, es decir, el castigo. En todo caso, y sin ningún cinismo de su parte, cualquier humillación le venía a Dora como anillo al dedo porque en esa época, le diría años después a Lina, tenía necesidad de un hombre, de sus manos, su boca, sus caricias, y por ello estaba dispuesta a pagar el precio que le pidieran. Pero todo pecado exigía ser redimido: de allí, que además de su triunfo, doña Eulalia hubiera podido celebrar al mismo tiempo su derrota.

El pecado tenía un carácter indeleble y por caminos torcidos buscaba su expiación. Nadie sabía lo que había ocurrido entre Dora y Andrés Larosca: ella, Lina, sólo se lo había contado a su abuela y su abuela tenía el hermetismo de una piedra; Catalina guardaba para sí celosamente aquel recuerdo de la playa; Berenice se espantaba aún con la visión de los caballos. Y sin embargo Dora creía que su nombre corría de boca en boca y negándose a volver al «Country» decía perdida su reputación. Una reputación en la que nunca había pensado y cuyo valor cobraba de pronto las dimensiones que le atribuía doña Eulalia

del Valle, para quien el matrimonio era la única salvación en la vida
y la virginidad el único acceso al matrimonio. Desde luego que al perder su virginidad Dora no podía pretender casarse con ninguno de los
muchachos que iban al «Country» a menos de encontrar a un médico
dispuesto a remediar el entuerto con una operación. Podía hacer eso
o esperar la llegada de un gringo providencial, pero ambas soluciones
exigían un cierto estado de ánimo, la voluntad de hacerle frente a las
cosas y así mismo, de controlar o poner en sordina durante un tiempo las exigencias de su cuerpo recurriendo a aquellas extravagancias
que aconsejaba Doña Eulalia, los alcanfores, por ejemplo. Enfocado
así, el problema parecía corresponder a la versión de Dora, es decir,
a lo que Dora le decía a Lina en esos días como explicación a su rechazo a volver al «Country», la vergüenza de encontrar allí a Andrés Larosca, a él y a todos los hombres que lo frecuentaban, dando por sentado que el desprecio de un miembro de una casta suponía el de la
casta entera, e incluso lo justificaba. Dicho de otro modo, Dora parecía
dispuesta a perder los derechos inherentes a su apellido —el del Valle
Álvarez de la Vega continuaba siendo a pesar del Palos una buena carta y su calidad de huérfana de socio le permitía ir al «Country» hasta
su matrimonio— creyendo así, o sintiendo, o imaginando, que descender a la clase media, donde centenares de muchachas seguían con envidia su vida de niña bien a través de la página social de los periódicos,
formaba parte del ostracismo que merecía su falta. Y quizá fuera cierto, en fin, tal vez Dora lo creía sinceramente, y entonces se explicaba
todo, su decisión de no presentarse en sociedad seis meses más tarde
en el gran baile del 31 de diciembre, su repetida ausencia de los tés y
costureros, y hasta su amistad con Annie.

Pero cuando Lina empezaba a ver un poco claro en todo aquello
creyendo comprender mejor las implicaciones del concepto complejo
de inferioridad, tan en boga en el colegio para explicar las conductas
agresivas de ciertas alumnas, su abuela se puso a elaborar una interpretación diferente que la dejó estupefacta entonces y durante años,
pues sólo logró precisar con exactitud el sentido de sus palabras mucho
tiempo después, y a visualizarlas, a encontrar su eco, en París, un día
de primavera de 1978 saliendo del «Balzac», luego de haber visto el
film. A la derecha de Mr. Goodbar, no porque la personalidad de Dora
se pareciera en lo más mínimo a la de la heroína, sino porque ambas
sabían más o menos instintivamente donde podían encontrar al hombre que buscaban, o en todo caso, donde no podrían jamás encontrarlo, ya que para su abuela el rechazo de Dora a frecuentar el «Country»
no llegaba a explicarse en términos de vergüenza o complejo de inferioridad, incluso aceptando que así lo creyera, sino de olfato, de un
perfecto sentido de orientación similar al que guía a los animales en
la época del celo y que la conducía sin pérdida de tiempo a la clase
media, a esos hombres ambiciosos o resignados, brillantes o mediocres,
pero en fin de cuentas menos pulidos, menos domesticados por el ejercicio de la cortesía, entre los cuales daría tarde o temprano con el único especimen capaz de tomar el relevo de Andrés Larosca, o mejor
dicho, de satisfacer las necesidades que la experiencia de Andrés Larosca le habría creado.

Lina intuía oscuramente que los matices de aquel razonamiento no estaban aún al alcance de su comprensión, y como siempre que su abuela se adentraba en el espacio donde, inexorables y secretas, imperaban las fuerzas que regían el comportamiento de la gente, perdía la capacidad de reflexionar y se quedaba mirando angustiada aquella figura inefable, diminuta como una niña de siete años, que lentamente se balanceaba en la mecedora mientras el futuro se iba desplegando ante sus ojos y con seis meses de anticipación empezaba a perfilarse la sombra de Benito Suárez, precedida, anunciada, implícita en Annie, aquella amiga de Dora surgida de la nada, pues Annie fue un meteorito que cruzó sus vidas con la luz y la violencia de una piedra venida del cielo y trayendo en sí la misma intención de fundirse y desintegrarse, dejándoles un recuerdo impreciso, vago como todo lo que la rodeaba, tres tías en un pueblo del Magdalena encerradas en una casa habitada por fantasmas y un padre de nombre y profesión desconocidos que vivía aparentemente en la ciudad y a cuya protección se había confiado Annie huyendo de las tías, en fin, había eso, su cuerpo pequeño y frágil y dos enormes ojos parpadeando asombrados frente al mundo, eso y su amor por el doctor Jerónimo Vargas que acababa de terminar sus estudios de psiquiatría y era el mejor amigo de Benito Suárez.

Doña Eulalia vio llegar a Annie un día con el mismo horror que habría sentido observando deslizarse por la rendija de su puerta una alimaña y sin dejarle deshacer su maleta la puso de inmediato en la calle, razón por la cual Annie fue a parar a casa de Lina, es decir, su abuela le dijo a Berenice que arreglara un cuarto y allí se instaló Annie durante una semana, no comió ni durmió, sino que colocó su maleta sobre la cama y vino dos o tres veces a bañarse trayéndole bombones a Berenice para agradecerle la lavada y planchada de sus pantalones negros estilo torero y sus camisas de cuadritos, el atuendo con el que solía tomar un bus en la 72, caminar por las calles comprando en las tiendas coca-colas y helados, su único alimento, y pasar horas a pleno sol frente al consultorio del doctor Jerónimo Vargas a la espera de que él aceptara recibirla, llamarla con un gesto desde la ventana, para entonces cruzar la calle, entrar, desvestirse y hacer el amor, o, si tenía suerte, en fin, si el doctor Jerónimo Vargas así lo decidía, acompañarlo a bares ruidosos frecuentados por putas y pendencieros, donde Annie, parpadeando, lo vería de pronto arrastrarla a un cuarto y echarla sobre un catre hediendo a esperma, a orina, a sudor, sin protestar, sin manifestar nada distinto del agradecimiento, porque el doctor Jerónimo Vargas había sido su primer psiquiatra, su primer amante y ella decía amarlo, siguió diciéndolo incluso cuando él ya no quiso verla más y Dora trató de recogerla en su casa, y a lo mejor eso fue lo que le dijo la noche en que después de haberse tomado todos los frascos de somníferos y tranquilizantes que él le había dado lo llamó desde el teléfono público donde la Policía la encontró al día siguiente con la bocina en la mano, lo que permitió localizar el número de la persona con la cual Annie había estado hablando antes de quedarse para siempre dormida.

Así que fue a través de Annie como Dora conoció a Benito Suárez, y lo mismo que a Annie empezó a verlo a escondidas valiéndose de diferentes pretextos, ir al «Country», visitar a Lina, pasar por donde la costurera, y con la complicidad de una tal Armanda que entonces doña Eulalia tenía de sirvienta, heredera de todos los anillos de aguamarina y de coral regalados por el ya olvidado Andrés Larosca, una hermosa india de ojos amarillos, amante de varios soldados y probablemente enamorada de Dora.

Porque Dora en esos días era más que una mujer: blanda, pulposa, indolente, sus ojos parecían acariciar cuanto tocaban y en el abandono de su cuerpo había algo que pedía a gritos ser tomado, que resentían hombres y mujeres, hasta los animales, había advertido Lina cuando la veía entrar a su casa y alguno de los setters se le abalanzaba encima tratando de masturbarse contra su pierna. Si a aquella sensualidad se añadía el severo control de doña Eulalia, sus complicaciones para salir a la calle, resultaba fácil comprender la fascinación de un Benito Suárez que nunca había tenido oportunidad de conocer a ninguna de las herederas de los viejos apellidos, siempre envueltas en el misterio de lo vedado, de lo no accesible, las hermanas y futuras esposas de sus distantes compañeros de Universidad que podían estudiar menos y no afanarse tanto, con la seguridad de encontrar a su regreso las influencias y complicidades necesarias para obtener una posición a la cual él, Benito Suárez, ni con años y años de trabajo podría jamás aspirar.

A lo que sí aspiraba era a encontrar una virgen, una mujer que le hubiera sido fiel incluso antes de haber nacido para nunca ver su nombre arrastrado al fango, murmurado burlonamente por otros hombres, motivo de escarnio en la ciudad, y eso, no obstante haber digerido Nietzsche desde los veinte años y estar convencido de que la humanidad entera constituía el resto, y él, Benito Suárez, le era superior por la fuerza, la nobleza de alma y el desprecio. Pero sus contradicciones no parecían inquietarlo demasiado: se limitaba a vivirlas separadamente desdoblándose en infinitos personajes antagónicos y fue así como después de haber abrumado durante dos meses a Dora con la teoría según la cual un espíritu superior es necesariamente escéptico, no limitado por morales o ideologías, terminó dándole latigazos por la historia de su perdida virginidad. La más sorprendida del cambio fue Lina, pues Lina, en calidad de confidente de Dora, había estado al corriente de todos los discursos de Benito Suárez sobre la idiotez propia a la mujer y al pueblo, los imbéciles que necesitan aferrarse a una religión, buscar un absoluto, definirse en función de un sí o un no, y había hecho lo imposible por traducirle aquel lenguaje a Dora cada vez que ésta llegaba aturdida a su casa después de haber pasado una hora oyendo hablar a Benito Suárez en cualquier heladería, comprendiendo de antemano la inutilidad de su esfuerzo, pero diciéndose a sí misma que a lo mejor era aquél el hombre providencial, el único dispuesto a morirse de risa de los prejuicios de Barranquilla, pues apenas Lina leyó los dos libros de Nietzsche que su abuela le pasó rápidamente al descubrir (su abuela) de donde provenían las teorías de Benito Suárez, no le quedó la menor duda de que un individuo tan seguro de su desprecio por la sociedad, tan por encima de escrúpulos y convencionalismos podía muy bien amar a Dora tal como era, en fin, tal como había quedado luego de pasar por las manos de Andrés Larosca, y se puso a esperar el mejor desenlace posible sin prestar atención a las reservas de su abuela, la cual, desde el plácido balanceo de su mecedora, insistía en que el Nietzsche de Benito Suárez tenía la misma razón de ser de su bastón, que no se trataba de superchería sino de apoyo, y probablemente de cosa asida con desesperación, porque Benito Suárez era hijo de doña Giovanna Mantini y ella, su abuela, había conocido a doña Giovanna Mantini cuando llegó de Turín casada por poder con José Vicente Suárez, en los días en que Mussolini organizaba la marcha sobre Roma y el hermano de doña Giovanna dirigía el primer periódico fascista de Turín.

Años después de muerta su abuela le sería dado a Lina encontrar varias veces a aquella dama italiana que a pesar de su edad conservaba la furiosa energía de un caudillo decidido a transformar el mundo, convencida aún de la necesidad de educar a la juventud bajo la divisa creer, obedecer, combatir, y repitiendo de memoria los discursos del *Duce*, aquel genio capaz de concebir la creación de un hombre nuevo al tomarlo desde la cuna y sólo devolvérselo al Papa después de su muerte. Instrucciones que doña Giovanna Mantini había seguido al pie de la letra aplicándolas sobre el único hijo varón que tuvo, Benito Suárez. Aplicándolas con ferocidad, pues doña Giovanna había comprendido desde el primer momento que no sólo tendría que luchar contra la perversión natural del hombre, sino además, contra la inferioridad genética que aquel hijo había heredado de su padre y a cuyo desarrollo se prestaba como un caldo de cultivo el laxismo de la ciudad. La ideología fascista de doña Giovanna explicaba en parte sus métodos pedagógicos —que se hubiera hecho fabricar, por ejemplo, un fuete y dos esposas de cuero con las cuales sujetaba a su hijo, ya a los cuatro años, para darle latigazos hasta hacerlo sangrar cuando cometía una falta— pero no aclaraba en absoluto su decisión de desposar al abogado José Vicente Suárez contra la voluntad de su familia, teniendo en cuenta que José Vicente Suárez era mulato y el racismo de doña Giovanna parecía estar impreso en sus cromosomas, en fin, la inferioridad de la raza negra ni siquiera la discutía tanto la dama por sentado, por evidente, así que habría sido necesario hacerla retroceder en su memoria a aquel Turín de sus veinticinco años, cuando a través de sus hermanos conoció a José Vicente Suárez, un exótico latinoamericano llegado a Europa con el fin de especializarse en derecho internacional, seducido por el fascismo y como sus hermanos llevando la camisa negra y proclamando a gritos su adhesión al *Duce* en las manifestaciones, preguntarle por qué ella, doña Giovanna, tan rubia, con sus ojos tan azules, había aceptado unir su vida a la de aquel mulato, qué rebeldía ocultaba su resolución, qué venganza o desencanto, pues la sola explicación ofrecida, su creencia de que todos los latinoamericanos eran así, no resultaba convincente y de amor habría sido incongruente hablarle. No, nunca hubo amor entre ella y José Vicente Suárez. Quizá pasión, es decir, un repentino deseo sexual reconocido en la vergüenza y como tal canalizado con más facilidad hacia un hombre considerado inferior. Pero de ser así, aquel sentimiento no sobrevivió a la llegada de doña Giovanna Mantini a Barranquilla. Porque cuando el barco que la traía atracó en el puerto y doña Giovanna vio a los cuarenta y cinco parientes de José Vicente Suárez esperándola en el muelle en medio de una borrachera descomunal y junto a ellos, otros hombres y mujeres de piel blanca y pelo liso, no ñatos, no bembones y, sobre todo, no borrachos ni saludando con risotadas a sus compañeros de travesía, doña Giovanna sintió horror: ella había dejado un Turín envuelto en las brumas del otoño y una casa de mármoles austeros situada a la orilla derecha del Po: frente a sus ojos se extendía ahora un río color de fango, inmenso, despidiendo un tufo podrido de caimán, de animal muerto, de mangles descomponiéndose desde el comienzo de los siglos. Pensó que allí, en aquellas riberas, no podrían nunca elevarse los muros de un palacio ni las agujas de una catedral. Pensó que en aquel cielo de vidrio derretido no volarían jamás las golondrinas, sino aquellos rapaces de alas polvorientas que parecían vivir solamente de lo que moría y se descomponía bajo el sol. Pero no lloró, le diría a Lina secándose rabiosamente una insólita lágrima la tarde aquella en que le contó cómo había llegado a la ciudad. Ni entonces, ni atravesando el camellón de Barranquilla en el hirviente resplandor de la mañana, entre un enjambre de vendedores y mendigos; ni lloró tampoco durante las ocho horas que duró el viaje a Sabanalarga, el pueblo donde vivía su marido, en los seis automóviles alquilados para la ocasión, que saltaban sobre los baches despiadados de la carretera descubriéndole un paisaje de rastrojos y vacas mustias y como abrumadas de calor, y se detenían cada diez minutos a causa de los apremios urinarios de sus ocupantes, más borrachos y ruidosos a medida que las botellas de ron blanco seguían circulando junto con arepas, chicharrones y huevos de iguana, alimentos tildados de bárbaros por doña Giovanna, como bárbara le parecería Sabanalarga con aquellas casas de bahareque alumbradas por lámparas de kerosene y el aire de las calles ya oscuro, pero todavía caliente e irrespirable y lleno de mosquitos. Justo al entrar al pueblo, doña Giovanna vio algo que contaría con risa loca años después al referírselo a Lina, y sin embargo, observando la infinita precisión con que lo recordaba, Lina tuvo una idea de lo mucho que aquello la había afectado: vio una procesión de la Virgen. Aunque hija de socialista, doña Giovanna había tenido una madre que supo inculcarle el respeto ancestral de los italianos por los simbólos religiosos, y la Virgen, ya fuese representación de una idea, objeto de culto de los iletrados o inspiración de los grandes maestros, constituía para ella una imagen ante la cual se conmovía involuntariamente su corazón. Así que encontrarse de pronto entre la polvareda de las calles y aquel perenne, material, irremediable calor de Sabanalarga, una Virgen conducida en andas por borrachos, a punto de caerse a cada movimiento, pintarrajeada, con un vestido descotado de raso carmesí y llevando a manera de banda cruzada en el pecho un letrero, «Egalité de juissance», que había surgido quién sabe de donde y que el pobre cura del pueblo tomaba por una piadosa invocación en latín, fue, le diría a Lina, más de lo que podía resistir, el punto final. Final se traduciría en una especie de no comienzo, en la rotunda negativa a acostarse con su esposo mientras vivieran en Sabanalarga, así que José Vicente Suárez se vio obligado a instalarse en Barranquilla abandonando parientes y amigos por una mujer cuyos ojos azules relampagueaban de desprecio por él, su familia y sus prerrogativas de hijo de gamonal, para abrirse paso en una ciudad donde siempre sería considerado un pueblerino, un abogado de segundo orden a quien toda ascensión le sería imposible, dado su falta de relaciones y el color de su piel, no obteniendo por ello nada distinto al incierto privilegio de hacer el amor con la mujer que en buena lógica le pertenecía lo mismo que una mula o una ternera, pero que enferma de insolencia se permitía oponerse a sus deseos, y no a la manera de las hembras, es decir, con lágrimas, súplicas o mojigaterías, sino a punta de insultos y golpes, pues desde el principio y durante años las relaciones entre José Vicente Suárez y doña Giovanna Mantini se desarrollaron como una batalla campal en la que ambos se arrojaban sillas, floreros y cuadros, y en la cual José Vicente Suárez no llevaría siempre la mejor parte: dos veces fue descalabrado y en una ocasión fue necesario practicarle de urgencia un lavado de estómago, cuando doña Giovanna, después de haber recibido una paliza que la dejó en cama cuatro días, se acordó de pronto de los métodos de cierta compatriota suya y resolvió echarle raticida al café que la sirvienta le servía por la mañana a su marido, procedimiento que si no lo mató, lo dejó al menos curado de espanto, pues desde entonces, le contaría doña Giovanna a Lina con sus ojos azules radiantes de malicia, aquel infeliz se abstuvo de abofetearla, insultarla, romperle sus muebles y demás patanerías, dejándole a ella sola la educación de sus hijos, una niña y Benito Suárez.

Lina nunca supo por qué doña Giovanna no había intentado regresar a Turín. La Italia que evocaban sus recuerdos tenía la desesperante y fugitiva nostalgia de una tarjeta postal: había iglesias y palacios, calles tortuosas y oscuras, campos bañados por una luz rosada y transparente. A veces, oyéndola hablar, Lina pensaba que su ideología constituía un modo de acercarse a aquel pasado y, quizá, también, de sobrevivir en una ciudad a la que ni siquiera había intentado adaptarse. En todo caso, de los efímeros principios socializantes del fascismo, doña Giovanna no parecía haber retenido gran cosa. De la religión de su madre, ninguna otra: los hombres se dividían en fuertes y débiles, distinción, hacía notar, establecida por la naturaleza, y a la cual toda sociedad debía plegarse para obtener civilización y orden, incluso, le oiría decir estupefacta Lina, para obtener algo tan agradable de mirar como sus manos. Aquello de las manos vino a cuento después de una larga discusión que Lina sostuvo con ella a propósito de la injusticia implícita en la política de Mussolini, cuando colocada ante la necesidad de admitir que el fascismo había traicionado las esperanzas obreras, doña Giovanna afirmó tranquilamente que la injusticia social era condición del arte, la ciencia y la belleza, pues millones de hombres habían sido sacrificados a la construcción de la gran pirámide, al ocio indispensable a la actividad de escritores y filósofos, y también de aquellas manos suyas preservadas desde siglos atrás del trabajo, el calor y el frío. Argumento que no sólo haría a Lina mirar inquietamente sus manos hasta el fin de sus días, sino que además la convenció de la imposibilidad de volver a discutir de política con doña Giovanna. Porque, dada aquella absoluta falta de escrúpulos, resultaba pueril buscar un terreno de entendimiento o tratar de hacerle modificar sus ideas; pero también, porque en el fondo, los escrúpulos de Lina se lo impedían: doña Giovanna tenía entonces muchos años, y no era a su edad, cuando todo había sido jugado, ganado o perdido, el mejor momento de poner en tela de juicio los principios que habían determinado una vida. Una vida concebida, en efecto, como batalla despiadada desde que doña Giovanna llegó a Barranquilla y decidió ser fuerte, luchar y vencer asumiendo aquel matrimonio y todas sus secuelas: el anonimato, cuando a pesar del deplorado desenlace de Mussolini, su hermano seguía dirigiendo el periódico neofascista más importante de Turín; el empobrecimiento intelectual, en un continente que nunca había elaborado una sola idea limitándose a copiar, remedar y llevar caóticamente a la práctica las teorías concebidas por los pensadores europeos; asumiendo sobre todo a su hijo, aquel hijo, Benito Suárez: blanco, al menos, pero lo mismo que su padre sometido a la herencia de una raza cuyas taras debían salir del cuerpo como habían entrado, por la sangre, y que ella, doña Giovanna, se propuso extirpar a cualquier precio así le fuera en ello la vida, mejor dicho, aceptando que su vida se redujera a un solo combate contra la naturaleza de su hijo, día tras día, año tras año azotándolo, injuriándolo —por robar una fruta, insultar a un profesor, manosear a la sirvienta— hasta hacer de él lo más parecido a un italiano en Barranquilla, un hombre capaz de apreciar las óperas de Scarlatti y Monteverdi, obtener en la capital un diploma de cirujano y regresar con las felicitaciones de sus profesores y en la cabeza la idea de que el sentimiento de poder, la voluntad de poder, el poder mismo, era la única nobleza a la cual debía aspirar el ser humano.

Y sin embargo Benito Suárez se enamoró de Dora, justamente de Dora, o se interesó en ella, o fue subyugado por ella, o como se quiera. La cosa es que después de hacerle el amor en el asiento posterior de su «Studebaker» descubriendo que otro hombre había mancillado su pureza, diría, le dio latigazos para obligarla a arrepentirse y confiarle el nombre de aquel otro hombre, y en lugar de abandonarla y no verla más nunca manteniendo así una conducta consecuente con aquellas teorías de fuerza de carácter y desprecio de la mujer, que tan caras le eran, Benito Suárez siguió buscando a Dora desesperadamente, gozándola y haciéndola gozar en medio de escenas turbulentas, empezando a dar muestras de lo que ya Lina llamaba su desequilibrio, pues sólo a un loco podía ocurrírsele colocar su honor, no en el sexo de una mujer —eso era todavía moneda corriente entre los hombres de Barranquilla— sino en lo que aquel sexo había hecho seis meses antes de ser penetrado por él, conocido, imaginado, incluso, resolviendo lavar la ofensa recibida yendo a afrontar a Andrés Larosca con el revólver que siempre guardaba en el estuche de su «Studebaker», lo cual suponía ni más ni menos que una persona puede recibir un agravio con seis meses de anticipación sin ser conocida por quien la insulta y sin que el ofensor haya tenido la menor intención de insultarla.

Aunque insostenible, aquel razonamiento se había ido consolidando en la mente de Benito Suárez a medida que los interrogatorios a los cuales sometía a Dora le revelaban los pormenores de sus amores con Andrés Larosca, no pudiendo nunca Dora sustraerse a sus preguntas so pena de desencadenar en él una reacción brutal, pues a la menor evasiva o imprecisión la cólera de Benito Suárez se traducía en latigazos

o bofetadas como ocurrió la vez aquella en que Lina vio frenar bruscamente el «Studebaker» azul en la esquina de su casa y descender a
Dora con la cara llena de sangre. Para entonces, Dora no tenía nada
más que decir, en fin, le constaba a Lina, no guardaba ningún recuerdo,
ningún secreto en la intimidad de su memoria que no hubiera sido revelado, expuesto, sometido al minucioso análisis de Benito Suárez, librada a su morbosidad con la misma inercia que se había entregado a la
de doña Eulalia su infancia, y por la misma razón quizá, complacer,
obteniendo la tranquilidad en un caso, y en el otro, el placer que aquel
hombre le procuraba, sin preguntarse qué motivos perseguían sus interrogatorios ni adonde podían conducir, ya que en ningún momento
Dora creyó capaz a Benito Suarez de realizar sus amenazas y fue sorprendida, aterrada, le diría a Lina, como una noche, sentada junto a
él en el automóvil, le oyó afirmar rotundamente que iba a matar a
Andrés Larosca. Eso, Dora se lo había oído decir antes muchas veces,
pero de otro modo, no con la rabiosa decisión que tenía su voz cuando
después de mirarla aseguró haber visto en sus ojos una sombra de incredulidad, y empezó a gritar que iba a matarlo esa misma noche, repitiéndolo como si quisiera convencerse a sí mismo de la necesidad de
hacerlo, mientras Dora, que para calmarlo no encontraba nada más eficaz que el simple juramento de creerle lo que fuera, lo veía dirigir el
automóvil a la casa de Andrés Larosca y ponerse a dar vueltas a la
manzana a toda velocidad doblando las esquinas en dos ruedas, hasta
que al fin detuvo el «Studebaker» de un frenazo, sacó el revólver del
estuche y echó a andar por el jardín llamando a gritos a Andrés Larosca. Encogida en el asiento, temblando de miedo y de vergüenza,
Dora lo observó alejarse: su cabeza de cabellos apretados, un poco
aplastada en la parte de atrás: su cuerpo, no grueso, sino ancho y fuerte, con aquellos omoplatos de remero que le estiraban el inmaculado
saco blanco y lo hacían parecer metido en un traje de talla más pequeña. Oía el alboroto de sus gritos en el jardín esperando ver surgir de
un momento a otro a Andrés Larosca en la puerta, pero cuando la
puerta se abrió, lo que apareció fue un pequeño fox-terrier tan alborotado como Benito Suárez, y siguiéndolo, una figura envuelta en una
bata rosada con la cabeza llena de rizadores, la esposa de Andrés Larosca alarmada, creyendo, explicaría después, que alguien había venido
a anunciarle una desgracia porque hacía media hora su marido había partido a Cartagena. El diálogo que se cruzó entre ellos, Dora
no alcanzó a oírlo: veía tan sólo a Benito Suárez hablando con grandes ademanes, blandiendo a diestra y siniestra el revólver, y a la esposa moviéndose de un lado a otro en dirección contraria a la del cañón:
veía las luces del vecindario que se encendían de casa en casa, aquellas
luces que eran el ojo de la ciudad, siempre alerta y excitado, fijando
ya como el lente de una cámara los detalles de la escena, Benito Suarez en el momento de revelarle las andanzas de Andrés Larosca a su
esposa jurando perseguirlo al fin del mundo si era necesario para acri-
billarlo a tiros por corruptor de menores, la esposa en lágrimas, cayendo de rodillas frente a él, suplicándole piedad en nombre de sus cuatro
hijos, y de repente Benito Suárez magnánimo, con un aire solemne,
casi teatral, como si detrás de aquella mujer no estuviera simplemente

el perrito que ladraba, sino una vasta platea de sobrecogidos espectadores, diciéndole: levántese señora, ese miserable no merece una mujer como usted, pero por usted y sus hijos le perdono la vida.

Las luces siguieron encendidas después de que Benito Suárez, enrojecido de satisfacción, regresara al «Studebaker» y se alejara a la misma velocidad que había venido. En las casas vecinas las puertas se abrían y se cerraban, y los curiosos iban y venían por el sardinel vacilando entre comentar el incidente o precipitarse de inmediato a los teléfonos. Era tarde, casi medianoche. Sin embargo la historia se desplazaba ya como las ondas de un estanque tocado en su centro por una piedra, y al amanecer, cuando los faroles languidecían entre la claridad del alba y por las calles empezaban a circular los camiones de leche, todo el mundo sabía que durante año y medio Dora había sido la amante de Andrés Larosca.

En realidad, Benito Suárez le había hecho un regalo a la ciudad, aquella ciudad que tenía necesidad de tan poca cosa para hervir de maledicencia. Porque allí todo se sabía. Siempre. O casi siempre. Lo que ocurría en la intimidad de las casas y en el secreto de los corazones, lo que se callaba o se decía, incluso, lo que en los confesionarios se susurraba. Para murmurar cada quien encontraba razones pues la crítica servía de exorcismo o de venganza, sobre todo de paliativo. Su abuela le decía a Lina que la maledicencia comenzaba cuando una persona descubría que alguien había hecho lo que ella había querido siempre hacer (sin aceptarlo), o lo que temía querer hacer (sin saberlo), por lo cual, todo acusador condenaba en el otro su propio reflejo como todo inquisidor se perseguía ciegamente a sí mismo. Si era así, aquella explicación permitía comprender a mucha gente, en particular a doña Eulalia del Valle que había pasado su vida criticando enconadamente a los demás: no veía casi a nadie y sólo paseaba de noche por el sardinel, pero el teléfono y sus parientas le permitían divulgar los secretos ajenos interpretándolos a su manera, con arbitrariedad y mala fe, con toda la mala fe de una mujer solitaria que sentada en una mecedora sentía los días sucederse a los días mientras elucubraba entre fantasmas probablemente inconfesables. Torva, amargada, capaz si acaso de apiadarse de sí misma, tenía a su activo la pérdida de más de una reputación, habiéndose atribuido el derecho de juzgar como si fuera una prerrogativa divina asociada a la antigüedad de su apellido y a aquella terrible, inquebrantable virtud de la cual sacaba buena parte de su orgullo y toda, o casi toda su frustración, aunque no supiera que frustración se llamaba pasarse leyendo novelas de amor en una terraza, vivir agobiada por las jaquecas y salir de noche con un rosario en la mano a caminar por las calles del Prado, su mirada desconfiada cayendo sobre las fachadas a oscuras, el oído atento a los rumores, hasta a los diálogos que de un jardín a otro se cruzaban entre las sirvientas. Y de pronto, un desconocido, un tal Benito Suárez cuyo nombre, ella, doña Eulalia del Valle, no había oído nunca mencionar, revelaba a los cuatro vientos que su hija era una perdida, perdida como aquellas mujeres a quienes ella tanto había criticado y que ahora, cual un enjambre de vengativas avispas, la atacaban con anónimos por el teléfono.

Eso, lo de los anónimos, fue lo primero que Lina le oyó comentar a Armanda cuando llegó a buscarla diciéndole que doña Eulalia quería verla de inmediato. Durante el trayecto, Armanda le contó que Dora había salido a eso de las diez, media hora antes de que el teléfono comenzara a repicar. Lina encontró a doña Eulalia en su cuarto, sollozando con la cabeza hundida en una almohada. Las ventanas estaban cerradas y olía a alcanfor, a animal sudado y enfermo. Avanzando a tientas en la oscuridad tuvo la impresión de caminar sobre un montón de papeles; con precaución corrió la cortina y la luz, filtrándose por la celosía de la ventana, le descubrió un increíble número de fotografías de Dora desgarrada sen pedacitos y todos los recortes de Prensa donde figuraba su nombre o su retrato rotos o apelotonados por una mano iracunda y seguramente enloquecida; estaba recogiendo la única fotografía de Dora que aparentemente había sobrevivido a la hecatombe, cuando de repente doña Eulalia saltó de la cama y tirándosele encima la abalanzó contra la pared. El violento golpe que recibió en la cabeza le produjo a Lina una sensación de vértigo; por un momento creyó que iba a desvanecerse a causa del dolor y del olor rancio, húmedo y rancio que despedía el cuerpo de doña Eulalia. La miró a los ojos y tuvo de inmediato la certeza de estar en peligro: aquella mujer pálida, de huesos agudos y con unas pupilas tranquilas y brillantes de loca, parecía dispuesta a matarla. Antes de ser golpeada de nuevo contra la pared, Lina alcanzó a decir, hay que salvar a Dora, y mientras resbalaba al suelo entontecida, vio a doña Eulalia girar lentamente, quedarse mirando su esmirriada figura en el espejo del tocador y romper otra vez a sollozar.

Cuando Armanda entró al cuarto anunciando la llegada de Dora y Benito Suárez, ya doña Eulalia había vuelto a la razón y lloraba con amargura sentada en el borde de la cama. Toda despelucada y envuelta en una levantadora averaguada y llena de quemaduras de cigarrillos, le había presentado excusas a Lina rogándole recoger las fotos y recortes de Dora que no habían sido destruidos o podían arreglarse con papel pegante. Pero al oír a Armanda se levantó de un salto y un viento de desvarío volvió a aparecer en su expresión. Lina la vio encaminarse resueltamente hacia la puerta para encontrar un Benito Suárez que arrastrando a Dora del brazo cruzaba ya el vestíbulo y se dirigía hacia ella con la cara contraída por una especie de furia helada. Ambos se detuvieron al tiempo dejando entre ellos una distancia de metro y medio, como dos animales que fijan la línea invisible a partir de la cual entrarán irremediablemente en combate. Pero la determinación de Benito Suárez, el iracundo demonio que lo habitaba parecía ser más fuerte que todos los sentimientos de doña Eulalia. Fue él quien dio el primer paso hacia delante, el primero que habló. Y habló para decirle: vengo a traerle a su hija, usted no ha sabido cuidarla, no ha sabido cuidármela. Ni más ni menos.

Los hechos que ocurrieron después, Lina los vivió como si hubiera sido proyectada fuera de la realidad, a un mundo paralelo, pero diferente, inaprehensible a la palabra, incluso al pensamiento. Porque la lógica de todos los días, la que permite comprender y expresar las cosas, había desaparecido simplemente: anulada, sofocada por una voluntad que no sólo no ofrecía otro sistema de explicación, sino que ni siquiera intentaba buscarlo, la escueta y rabiosa voluntad de Benito Suárez. Lo que más alarmaba a Lina no era tanto que aquel hombre actuara en función de impulsos ajenos a cualquier forma conocida de razonamiento —locos había habido siempre en su familia y a Lina le habían enseñado a respetarlos—. No. La inquietaba sobre todo el magnetismo de su personalidad, aquel extraño poder de someter a los otros a su delirio, pues todos, doña Eulalia y Dora, y luego, las personas que habían ido llegando a la casa a medida que Benito Suárez las llamaba por teléfono, doña Giovanna Mantini, su hija y su yerno, aquel psiquiatra de barbas rojas que Lina veía por primera vez, Jerónimo Vargas, todos se habían ido plegando a sus disparatadas órdenes sin reserva, sin el menor signo de asombro o contrariedad. Comenzando por doña Eulalia, quien pareció perder el uso de la palabra desde que Benito Suárez le reprochó en un tono iracundo —a ella, la burlada, la ofendida— no haber cuidado adecuadamente a su hija, y estupefacta, con los ojos desorbitados y el pelo en desorden, apretando contra su pecho los pliegues de aquella bata agujereada por innumerables cigarrillos, había aceptado seguirlo al salón y allí encerrarse a hablar con él, mejor dicho, a oírlo hablar, mientras Dora contestaba las preguntas de los parientes de Benito Suárez sobre el escándalo de la noche anterior. Cuando salieron a la galería, doña Eulalia en lágrimas, pero con el aire de quien ha recibido satisfacción, y Benito Suárez anunciando pomposamente: sepan que Dora será mi esposa, que de ahora en adelante su madre la protegerá de todos, incluso de mí, Lina se dijo con calma que debía descubrir, o inventar, en el caso de no existir, los parámetros que permitían comprender la conducta de aquel hombre. Fue más tarde, mientras se dirigían en tres automóviles a Puerto Colombia, donde Benito Suárez tenía un amigo cura con el cual quería confesarse y confesar a Dora, cuando Lina recordó de pronto las palabras de su abuela.

Porque ya entonces su abuela conocía a Benito Suárez, en fin, lo había visto una vez, poco tiempo después de aquel sábado de carnaval en que Benito Suárez irrumpió en su casa persiguiendo a Dora y tratándola a ella, Lina, de criatura malparida. En aquella ocasión su abuela había llamado a un carpintero para que hiciera el presupuesto de la reparación de los muebles estropeados por los puntapiés de Benito Suárez, y luego, le había enviado a éste una esquela invitándolo a venir a verla un jueves a las seis de la tarde, a fin, escribió, de permitirle presentar sus excusas y al mismo tiempo entenderse directamente con el carpintero. La misiva, redactada sobre aquel hermoso papel blanco que su abuela se hacía enviar de Inglaterra con sus iniciales grabadas en letras de oro, era bastante escueta y bajo la estricta cortesía de sus términos insinuaba una orden más que una invitación. Sin embargo, Benito Suárez llegó puntualmente el día de la cita.

Desde la mesa del comedor donde hacía sus tareas, Lina vio avanzar por el sardinel un descomunal ramo de gladiolos, rosas, claveles y siemprevivas, y debajo, un irreprochable pantalón blanco, y dos zapatos, blancos también, sobre espesas suelas de caucho. Al abrir la puerta de par en par a fin de dejar paso a aquel presente, la radiante cara de Benito Suárez apareció entre las flores. Sin darle tiempo de pronunciar una palabra la saludó con un vigoroso apretón de manos, se inclinó ante su abuela deshaciéndose en disculpas, giró un cheque a la orden del carpintero mirando apenas la factura y se sentó en una mecedora a conversar con ellas.

Daba la impresión de estar feliz. Se veía recién afeitado y olía a colonia. En su bella cara de mandíbulas duras los ojos chispeaban inteligencia. Durante dos horas habló apasionadamente de su trabajo de cirujano y de las novelas de D'Annunzio. Habló también de política, de filosofía, de música. Con frecuencia empleaba la expresión hacerse respetar. Su abuela se limitaba a escucharlo y de tanto en tanto le hacía una de esas preguntas casuales, en apariencia inofensivas, que sin embargo la ayudaban por un mecanismo sólo de ella conocido a fijar el carácter de una persona. Cuando se despidió, Lina lo acompañó a la puerta y de regreso encontró a su abuela meditabunda. Es inteligente, ¿verdad?, le comentó. Su abuela tardó un buen rato en contestar. Parecía estar muy lejos y como si viniera de muy lejos dijo al fin: ¿inteligente? Sí. Pero es sobre todo un asesino.

IV

Aunque ninguna definición de las conocidas por su abuela lograba expresar la verdadera esencia del instinto, ni las diferentes etapas a través de las cuales iba modificando la percepción, la sensibilidad y el comportamiento hasta transformarse en acción, parecía sensato suponer que las pulsiones venían de muy lejos cumpliendo con la simple misión de mantener la vida, lo cual explicaba su fuerza, la secreta energía que las hacía surgir violentamente cuando ya no eran necesarias dentro del contexto social y sólo podía inspirar horror o perplejidad. Para su abuela había instintos antagónicos, repartidos desigualmente entre la gente, acentuados o inhibidos por las circunstancias o la experiencia. Pero si cada quien estaba en su derecho al distribuirlos sobre una escala de valores condenando los asociales o prefiriéndoles aquellos que formaban la base de un comportamiento altruista, no era inteligente valorarse en función de los que nos habían tocado en suerte, pues no correspondían a ningún mérito personal o designación divina, sino al más arbitrario capricho del azar. El corolario se desprendía sin esfuerzo: resultaba poco serio y hasta pueril despreciar a una persona cuando siguiendo sus pulsiones actuaba en forma contraria a como nuestros propios instintos de sociabilidad y solidaridad humana nos disponían a reaccionar, ya que eso, el juicio y el castigo, correspondían a los órganos de represión que la sociedad se hubiera dado, pero no a los particulares, en todo caso, no a ella, su abuela, que aparentemente no había sido programada para perseguir a nadie ni meterse en la piel de ningún inquisidor, y a quien un sano pesimismo llevaba a creer que casi siempre la razón servía al instinto poniendo a su servicio un arsenal de ideas destinadas a justificar su satisfacción. Se abrogaba, en cambio, el derecho de observar a la gente, de oírla hablar y prever su conducta, llegando a decir, como en el caso de Benito Suárez, es un asesino, sin insultarlo, pues en aquella afirmación no había ninguna connotación moral, sólo el simple reconocimiento de un hecho visible para ella, la percepción de una serie de indicios que asociándose a sus recuerdos le permitían advertir en Benito Suárez al hombre, no dispuesto a matar si las circunstancias lo obligaban, sino predispuesto inconscientemente al asesinato. A partir de aquella impresión, que sin tener el carácter de certeza trascendía la sola hipótesis, razón por la cual Lina prefería referirse con prudencia al incierto concepto de premonición, su abuela intuía el camino que Benito Suárez iba a tomar basándose en lo que llamaba la reacción de búsqueda, o más escuetamente, la búsqueda cuyo mecanismo podía comprenderse observando la conducta de los setters, que si bien se alborotaban en la playa y ladraban con estrépito apenas se les abría la puerta del automóvil y olían el mar, actuaban de modo muy diferente cuando estaban en el campo, en la finca del tío Miguel, por ejemplo, adonde llegaban trémulos de excitación, deslizándose sigilosamente entre los arbustos, hocico en tierra y rabo tieso, buscando la huella, el rastro, el orín que despertaría en ellos el instinto de captura aunque supieran por experiencia que la finca del tío Miguel era un desierto y no había conejo ni gallinácea que no hubiera sucumbido en su aburrimiento a los tiros de su fusil.

Así que Benito Suárez iba a encontrar un día las razones necesarias para matar a un hombre, pero entretanto, como los setters, andaría persiguiendo, azuzando, rastreando el estímulo capaz de permitirle aquella acción, prefigurada ya en el tosco espectáculo que le brindó a la ciudad cuando fue a escandalizar en el jardín de Andrés Larosca con un revólver. Esa extravagancia su abuela no sólo nunca la olvidó, ni la tomó como un acto aislado, dependiente de circunstancias específicas, sino que durante los doce años que duró el matrimonio de Dora la utilizó frecuentemente en sus comentarios sobre Benito Suárez a la manera de referencia pertinaz, suerte de *Ceterum cenceo delendum esse Carthaginem* contra el cual se fundían las explicaciones de Lina cuando después de enterarse de un nuevo problema de Dora regresaba desorientada a comentarle el incidente a su abuela intentando reducirlo a sus causas inmediatas, en fin, a las que parecían haberlo provocado, hasta que callaba en el mismo estado de desorientación en que había comenzado a hablar y su abuela se ponía a desenredar sin impaciencia el hilo de sus interpretaciones desembocando invariablemente en el jardín de Andrés Larosca, no para insistir en el hecho en sí, sino en la aparente facilidad con la cual Benito Suárez había dado cuenta de todo mecanismo de inhibición ante la necesidad de probarse a sí mismo cualquier cosa, llamárase honor, coraje, desprecio o lo que fuera, facilidad que suponía la existencia de un instinto incontrolable cuya percepción, no exactamente conocimiento, sino el hecho de advertirlo, tenerlo en cuenta o contar con él, aproximaba al esquema capaz de aclarar una conducta que no podía simplemente calificarse de cruel, como la llamaba doña Eulalia del Valle, ni de sádica, terminaría comprendiendo Lina, pues el sadismo implicaba placer en el reconocimiento del dolor del otro y era indudable que Benito Suárez no obtenía ningún placer haciendo sufrir a Dora, aun en el caso de haber aceptado que sufría.

En realidad, a Dora no parecía atribuirle sentimiento ni consistencia, si acaso la consistencia de una muñeca de plástico que llora si se le aprieta un botón o cierra los ojos cuando se la acuesta. Quizás al principio de su matrimonio había sido para él un incentivo más, y quizá por eso se había casado con ella, porque habiéndose entregado antes a otro hombre constituía una ofensa perfecta a su dignidad, un insulto vivo, permanente, visible, que justificaba cualquier afirmación o desplante colérico. Pero el matrimonio santificaba con sus embarazos y fiestas de familia, y Benito Suárez se había obstinado en reducir a Dora a un cuerpo sin vida como si la excitación que ella representaba le resultase demasiado excesiva o enervante, o tal vez, por haber caído sin darse cuenta en la gran contradicción del hombre que no puede respetar a la mujer deseada, ni se atreve a desear a la mujer amada, o más precisamente, a la que pasa ante los otros por su esposa y madre de sus hijos. El proceso destinado a suprimir a Dora todo erotismo o veleidad sexual se manifestó por primera vez a través de aquella espectacular confesión a la cual se sometieron ambos con el cura de Puerto Colombia, que contó entre sus testigos a una Lina atontada por el asombro desde el momento en que las personas reunidas en casa de doña Eulalia del Valle se subieron en los tres automóviles aparcados frente al jardín, Benito Suárez abriendo la marcha con doña Eulalia y Dora en su «Studebaker» azul, Jerónimo Vargas, el psiquiatra de las barbas color fuego, siguiéndolo en compañía de Lina, y un poco más atrás doña Giovanna Mantini y el resto de su familia, todos rodando hacia la carretera a gran velocidad mientras ayas y jardineros se volteaban a mirarlos o como los chinos que trabajaban en el kilómetro dos una hortaliza alzaban de los azadones unos ojos perplejos ante el espectáculo de aquella caravana precedida por un hombre de pelo negro que conducía un «Studebaker» azul con una determinación feroz, y detrás, en otro «Studebaker», pero verde, otro conductor de barbas encendidas cuya cara tenía la misma obstinación airada, sin que ninguno de los dos diera la impresión de haber comprendido que se dirigían simplemente a un pequeño pueblo de pescadores donde no podían encontrar nada que mereciera tanto empeño y resolución, excepto el cura, es decir, el compañero de pandilla destinado al seminario sólo Dios sabía por qué razón, a quien su endiablado carácter, de todo el mundo conocido, le había valido seguramente aquella parroquia de miseria y la amistad de los dos hombres que esa tarde aceleraban sus automóviles por la carretera sin hacer caso de las escasas señales de tráfico, pitando en cada curva, frenéticamente como si sus bocinas fueran las trompetas de Josué frente a los muros de Jericó.

Lina, que pasaba todos los años un mes de vacaciones en Puerto Colombia, sabía más de cuatro cosas sobre aquel cura y sus tempestuosos sermones, pero sólo viéndolo en la plaza del pueblo junto a Benito Suárez y Jerónimo Vargas comprendió el parentesco que a ellos

lo unía, o más precisamente, tuvo la impresión de que formaban parte
de la misma especie de hombres, pues los tres eran fuertes, no robustos,
sino anchos y musculosos, y bellos, y aparentemente dispuestos a realizar cualquier extravagancia que les cruzara por la mente así hubieran
de llevarse de cuajo lo que fuera. Como cada uno debía reconocerse
en el otro, no parecían tener necesidad de muchas palabras para entenderse, secundarse o entrar en complicidad, así que sin mayor demora
el cura aceptó recibirlos en la iglesia, cerrar la puerta y confesar públicamente a Dora y a Benito Suárez, mejor dicho, hacerle contar a Dora
en voz alta los secretos de su vida sexual, revelándoles a los allí presentes, al menos a ella, Lina, que la humillación de un individuo es
sobre todo humillación de los demás, los que la provocan o la observan,
o como dijo doña Giovanna Mantini interrumpiendo aquella masca-
rada, de quienes de algún modo participan en ella. Pues fue doña
Givanna Mantini la que puso fin a la escena al avanzar hacia el grupo
formado por Dora, el cura y Benito Suárez, quienes se encontraban
a la derecha del altar, no muy lejos del confesionario, amenazando al
cura con denunciarlo ante el obispo por violar los principios de la
confesión cristiana, si confesión podía llamarse obligar a alguien a
revelar su intimidad delante de nueve personas, de las cuales apenas
una tenía derecho a oírla, y eso, en el más absoluto secreto. Solamente
entonces descubrió Lina que aquella mujer pequeña y redonda, de
penetrantes ojos azules, a quien veía por primera vez, no había estado
en ningún momento intimidada por la arbitrariedad de su hijo, como
tampoco le había dado mayor importancia al cura, a quien llamó por
su nombre de pila diciéndole que con sacerdocio o sin él seguía siendo
el mismo sinvergüenza que ella había conocido diez años atrás.

De modo que aquella confesión terminada sin absolución ni penitencia fue un fracaso para Benito Suárez, pero habría otras, sobre
todo, durante el primer año de matrimonio, pues una vez casado, Benito Suárez empezó a sentir escrúpulos de hacer gozar sexualmente
a Dora y por tal motivo la llevaba a Puerto Colombia cada dos meses a
confesarse con el cura, sin que las amonestaciones de este último —basadas en la convicción de que el cuerpo de la esposa no debía ser destinado a la concupiscencia sino a la reproducción y, a lo sumo, a sofocar
las tentaciones masculinas— dieran el menor resultado, antes bien, le
contaría Dora a Lina, parecían servirle a ambos de estímulo, ya que
después, regresando a la ciudad, no podían resistir al deseo de hacer
el amor y entonces dejaban el «Studebaker» parado en la cuneta, se
adentraban por el monte y se buscaban ansiosamente entre los arbustos, contra el tronco de un matarratón o a la orilla de la ciénaga.

Las dificultades comenzaron cuando les nació el niño, llamado Renato en honor de aquel hermano de doña Giovanna Mantini que dirigía el más influyente periódico neofascista de Turín, pues a partir de
ese momento, y con la arbitraria tenacidad que caracterizaba sus decisiones, Benito Suárez se negó a permitirle el placer a Dora alegando
que su manera de provocárselo —utilizando su miembro para excitar
su clítoris— era fundamentalmente perversa, aparte de que la madre
de su hijo no debía regodearse en el lecho conyugal como cualquier
ramera. Fue especialmente un conflicto para Dora, pues con aque-

lla decisión desaparecía el único elemento capaz de compensar la pesadilla de su matrimonio: no sólo le estaba prohibido discutir la menor orden de su marido, responder al teléfono, asomarse a la ventana —y con el fin de someterla a prueba Benito Suárez telefoneaba varias veces al día y hacía sonar la bocina de su carro antes de entrar en el garaje— sino que tampoco tenía derecho de ir al cine o visitar a sus amigas, ni siquiera de dirigirse a casa de doña Eulalia del Valle, que vivía a tres cuadras de ella, sin la compañía de una vieja sirvienta.

Quizá porque no hacían más que repetir el esquema de vigilancia de su madre, las limitaciones impuestas por la desconfianza de Benito Suárez no contrariaban mayormente a Dora. Hasta era posible que encontrara en ellas una referencia a su entrega, a su estado de cosa tomada y poseída, constituyendo así la continuación y el preludio de su placer. Pero incluso cuando el placer le fue suprimido no se quejó nunca de aquel encierro y soledad: sólo le hablaba a Lina de vacío y de su impresión de vivir como sonámbula en una casa donde únicamente le estaba permitido ocuparse del bebé. En apariencia su desazón provenía menos del ostracismo que de la pérdida de toda esperanza, entendiendo por ello la posibilidad de imaginar que las circunstancias la llevarían a encontrar al hombre que salvando los obstáculos erigidos contra su libertad —las monjas, doña Eulalia, por ejemplo— haría vibrar a la mujer que sin conocerlo lo aguardaba, a él, cualquiera de ellos, abogado, jardinero o chófer de camión, el hombre simplemente, el que podía existir como promesa o realidad, pero que desaparecía sin remedio cuando un cura pronunciaba unas fórmulas en latín que según el acuerdo general encadenaban al matrimonio para siempre. Aquella pérdida, Dora la vivió con resignación, pero algo murió definitivamente en ella. Si al principio fue consciente de haber quedado convertida en un zombi limitado a lidiar a un bebé, a medida que pasaba el tiempo pareció irse conformando a su situación sin buscar definiciones ni respuestas, sus sentidos empezaron a atrofiarse, su interés, su curiosidad, y al cabo de unos años era una mujer amorfa y marchita que comía poco, dormía mucho y vivía atontada por los tranquilizantes y las jaquecas.

Las jaquecas se manifestaron poco después del nacimiento de Renato, cuando Benito Suárez la obligó a renunciar al placer. Dora las creía asociadas al dolor que sentía en el sexo, provocado por unos extraños nudos o pólipos que en dos ocasiones hubo necesidad de operar y atribuibles, según el ginecólogo, a la excitación reprimida y no desahogada en orgasmo. Después los nudos no volvieron a presentarse, pero las jaquecas continuaron y los médicos encontraban siempre la manera de explicarlas, ya fuese por la sífilis que le contagió Benito Suárez obligándola a guardar cama casi un año para levantarse definitivamente estéril, o por la operación nasal a la cual el mismo Benito Suárez la hizo someterse pretextando que sus ronquidos le impedían dormir, o por sus desarreglos menstruales, hemorragias, corizas intermitentes, fiebres vespertinas y así sucesivamente, en fin, que de especialista en especialista, de tratamiento en tratamiento, el cuerpo de Dora fue analizado, cortado, amputado, pinchado, drogado, sin que las jaquecas desaparecieran. Sobre todo, sin que Dora se preguntara nunca su razón

de ser. Por su parte, Lina no se aventuraba a avanzar ninguna interpretación porque a su entender aquellas jaquecas tenían nombre y
apellido y sabía que nadie, y mucho menos Dora, era capaz de afrontar
a Benito Suárez; mejor dicho, podía hacérsele frente siempre y cuando
se estuviera dispuesto a declararle una guerra sin cuartel utilizando sus
mismas armas, puños o revólver, o si se lograba inhibir su agresividad
ganando como su abuela su respeto. Pues desde la vez aquella que su
abuela le había enviado una nota ordenándole pasar a la casa un jueves
al atardecer a fin de presentarle excusas y pagar la factura del carpintero, Benito Suárez había quedado favorablemente impresionado por
ella, por su elegancia y su cultura, le había dicho a Lina, y cada aniversario iba a visitarla llevándole enormes ramos de flores e instalándose
en la terraza hasta la hora de cenar para discurrir sobre los temas que
le interesaban y escuchar las opiniones de su abuela, con deferencia,
sin atreverse ni siquiera a discutirlas. De la misma consideración gozaba en parte Lina, por ser la nieta de doña Jimena, claro, pero también,
porque Benito Suárez, el hombre de las afirmaciones insensatas y los
gestos destemplados era sensible a la cultura, en fin, a quienes la
poseían o se interesaban en ella, y como Lina leía cuanto le caía en
sus manos le había tomado un cierto aprecio, el suficiente para admi-
tirla en calidad de interlocutor, y más tarde, de confidente de su más
caro y vergonzoso secreto, su ambición de convertirse en poeta. Sí,
Benito Suárez escribía versos a la manera de Julio Flores y cada estrofa
le costaba un penoso esfuerzo de tensión, emoción y lucha contra un
idioma que irreverentemente pervertía o limitaba la expresión de sus
sentimientos. Era allí donde Lina entraba a jugar un papel sugiriéndole adjetivos y metáforas, sin mofarse nunca, ni siquiera en su fuero
interno, de su incapacidad para acordar la rima a sus ideas, quizá
porque aquella inquietud por la poesía era uno de los pocos rasgos
amables en el carácter de Benito Suárez. De todos modos a causa del
trato que le daba a Dora, Lina y él se disputarían muchas veces, abiertamente y con hostilidad, cruzando insultos y amenazas que los dis-
tanciaban durante meses, pues si Lina seguía yendo a su casa por solidaridad con Dora, hacía en esos entreactos como si Benito Suárez no
existiera pasando frente a él sin saludarlo o despidiéndose apenas lo
veía llegar. Siempre, y ese detalle conmovía a Lina, era él quien tomaba
la iniciativa de hacer las paces, y entonces, por una inexplicable reacción, llevaba a Dora al «Sears» y le compraba cuanto quisiera, vestidos
o abalorios, o un nuevo juego de sala o adornos para su cuarto.

Sin embargo, no por el hecho de haber desposeído a Dora de su
cualidad de estímulo —y hasta habría podido hablarse al referirse a
ella de contraestímulo en la medida en que había perdido no sólo su
primitiva sensualidad, sino también, todo asomo de gracia desde que
sus cabellos quedaron ralos a fuerza de medicinas y su nariz como en-
tumecida y definitivamente deformada por la operación— Benito Suárez había renunciado a su busca de seres y de cosas sobre las cuales
descargar su agresividad, o según pensaba a veces Lina, de entrenarse
en función del acto al cual su abuela lo creía destinado, con la perseverancia del atleta que se prepara años enteros para competir una hora
o menos aun sabiendo que de ese ejercicio de sus músculos y reflejos

dependerá el triunfo o la derrota, pero a diferencia del atleta, ignorante de su objetivo, simplemente encaminándose a él en la más completa oscuridad. Porque Benito Suárez no tenía costumbre de hacer balances de ninguna clase ni parecía advertir que su conducta podía definirse en términos de repetición, continuidad y aceleración en la gravedad de los actos a través de los cuales se expresaba su violencia, negándose por orgullo o miedo a admitir los elementos irracionales que contenía, si acaso, ofreciendo una explicación medio fantástica, en la que al principio no creía del todo, pero que terminaba por aceptar sin reservas y defender empecinadamente, es decir, buscando para sustentarla unos argumentos incomprensibles, a veces esotéricos, relacionados con supuestas teorías científicas de cuya veracidad sólo él se decía en medida de dar razón. Lina no aceptaba nunca seguirlo a ese terreno prefiriendo observar los atropellos de su dialéctica desde una cierta distancia, justo en la frontera donde el buen juicio servía de freno a aquellas galimatías dejando su acto, el que fuera, al desnudo, escueto, intacto y conteniendo en sí la lógica que habría permitido situarlo en un plano como un punto determinado en las abscisas por la intensidad de su violencia, y en las ordenadas, por la fuerza que empujaba a Benito Suárez a perderse a sí mismo, a destruir al cirujano respetable, instruido y perfectamente adaptado a la sociedad, con su casa en el Prado, su «Studebaker» azul y aquella esposa sumisa que languidecía de frustración y abotagaban las jaquecas. Desde esa frontera, Lina comprobaba que había en la línea de sus arrebatos una progresión aparentemente ineluctable, y si la aceptaba con el fatalismo de quien ve sucederse las nubes, el trueno, la lluvia y el rayo, sentía verdadero temor por Dora, en fin, no por lo que Dora debía soportar cotidianamente de aquel hombre, sus insultos, bofetadas o patadas en el vientre, a todo eso parecía haberse acostumbrado, sino por lo que podía ocurrirle el día que Benito Suárez orientara o desviara hacia ella su agresividad tomándola como blanco de su odio y, naturalmente, encontrando sin mayor esfuerzo los pretextos que le permitieran aceptarlo. Pues allí estaba el problema, mejor dicho, lo que a Lina le parecía constituir entonces el mayor problema, en la infatigable habilidad de Benito Suárez para escamotear el sentido de sus reacciones a través de aquella especie de verborrea delirante que Lina, a pesar de su desconfianza, escuchaba atentamente tratando de grabar en su memoria frases, lapsus y encadenamientos, fascinada como lo estaba ya por la intención de trampear que escondían los discursos de la gente y consciente de que Benito Suárez le suministraba el mejor ejemplo del hombre que huye de sí mismo en las palabras, o se niega, se oculta, se disfraza, provocándole al final, a ella, Lina, un absurdo, inconfesable sentimiento de compasión, aun si su solidaridad se desplazaba primero e intintivamente hacia las víctimas de Benito Suárez como ocurrió la vez que le vio herir a machetazos a un viejo campesino por los montes aledaños de Sabanalarga.

Pues eso Lina lo presenció: iba con Dora, Renato y Benito Suárez en el jeep que éste había comprado para no maltratar su «Studebaker» en la polvorienta trocha que conducía a una finca heredada recientemente de un tío suyo, y el campesino surgió de pronto al doblar un recodo, montado en una vieja mula y llevando amarrada tras de sí una

vaca macilenta y asediada de moscas. Era obvio que la mula debía ce-
derles el paso puesto que le resultaba más fácil internarse entre los
matorrales y comprendiendo la situación el campesino empezó a tirar
las riendas hacia la derecha golpeando los ijares de la mula y azuzán-
dola con su voz. Como la bestia resistía a alejarse de la vereda por donde seguramente estaba acostumbrada a transitar, el campesino saltó
a tierra para mejor dominarla, justo en el momento en que Benito Suárez se ponía a injuriarlo sin justificación alguna gritándole que él, su
mula y su vaca habían sido paridos por la misma puta y que si no salían al instante de la trocha iba a reventarles encima el jeep. Entonces
el campesino soltó las bridas y se volteó a mirarlos: era un hombre-
cito huesudo, con la cara surcada de oscuras arrugas bajo su sombrero de jipijai; probablemente no sabía leer ni escribir, pero en sus ojos
había una cierta dignidad, no orgullo, sino la gravedad tranquila de los
viejos que han tenido el tiempo de reflexionar en las cosas y darle a
cada una su justa medida. Así que miró imperturbable a Benito Suárez
y le dijo: ten paciencia, muchacho, la mula es resabiada. Eso fue todo,
pero eso, la desenvoltura del campesino y su tuteo, bastó para que
Benito Suárez lo atacara con el machete que le llevaba al capataz de
su finca saltando del jeep con tanta rapidez que Lina ni siquiera alcanzó a verle sacar el machete de su funda, en fin, vino a verlo un
segundo después, alzado en el aire y cayendo sobre el campesino, y
una y otra vez en el aire cubierto de sangre, mientras Dora gritaba y
ella buscaba desesperadamente a su alrededor algún objeto contun-
dente hasta que se le ocurrió levantar la tapa del cofre sobre el cual
había venido sentada, encontró el gato y corrió a donde Benito Suárez
seguía macheteando al campesino y le dio con el gato en la cabeza. Después todo le parecería a Lina una pesadilla, obligar a Dora a ayudarla
a meter los dos cuerpos en el jeep, sujetar a Renato que corría y se agitaba como un poseído, regresar a la carretera en retroceso y conducir
el jeep a Barranquilla, hasta el hospital grande, donde los mejores
especialistas de la ciudad, reanimadores, anestesistas, cirujanos, cardió-
logos, acudieron en el acto para remendar en la sala de cirugía al viejo
campesino y evitarle así a Benito Suárez la cárcel y el escándalo. Cuando volvieron a casa de Dora, Renato adormecido por una inyección y
Benito Suárez con un vendaje en la cabeza, Lina se sentía al borde de
una crisis de nervios. Tomó una ducha para limpiarse la sangre y el
polvo, le hizo traer a Berenice ropa limpia y por primera vez le pidió
a Dora uno de esos comprimidos que le permitían vivir.

Pero entre tanto Benito Suárez, que con una especie de concentración sombría meditaba en el sofá del salón, había descubierto que
dada su edad, el campesino debía de ejercer una influencia importante
sobre la gente pobre de Sabanalarga, es decir, sobre todo ese mundo
de desposeídos al acecho de la primera ocasión para apropiarse las
tierras ajenas bautizándose colonos con la complicidad de cualquier
curita demagogo o liberaloide, y él, Benito Suárez, cuya intención era
convertir su finca en un inmenso criadero de perros de raza, se habría visto expuesto a repetidos atropellos e invasiones de no haber
respondido enérgicamente al campesino cuando tuvo la audacia de
tratarlo como a su igual, pues incluso si no lo denunciaba gracias a la

indemnización que se proponía pagarle (y que en efecto, pagó con largueza) contaría a sus allegados lo ocurrido infundiendo respeto en torno al nombre de su agresor. Del bárbaro impulso que lo había llevado a saltar del jeep y machetear a un viejo indefenso, Benito Suárez hacía abstracción total como si lo diera por incluido naturalmente entre las reacciones humanas, o a lo mejor, entre esas cualidades viriles que su madre le había enseñado a admirar desde niño, cuando lo azotaba hasta la sangre exigiéndole una actitud estoica —ni gritos, ni súplicas, sino el coraje, el alma templada de los fieros guerreros que en Roma, Nápoles y Turín vaciaban aceite de ricino en las gargantas de sus adversarios entonando el himno fascista entre banderolas negras—. Además, y como para cerrar el círculo, dos horas después de estar reflexionando en el sofá del salón— el campesino seguía aún en cirugía y allí permanecería hasta el día siguiente— Benito Suárez había elaborado la teoría de las emanaciones, según la cual su cuerpo habría resentido una onda de animosidad proveniente de aquel hombre que al impedirle el paso hacia su finca no hacía más que intuir, captar y canalizar la oposición que a él, Benito Suárez, iban a enfrentarle los habitantes de Sabanalarga, quienes no podrían nunca perdonarle el haberse elevado socialmente cuando tenían un origen común, y que condenados a la miseria por su pereza, cobardía o mala fe, tenderían a creerle, como ellos, propenso a la debilidad e incapaz de defender sus intereses.

De emanaciones corporales transmitidas por el inconsciente colectivo, Lina estaría oyendo hablar a Benito Suárez casi un año, el tiempo que el campesino pasó en el hospital, el tiempo, también, en que la hermosa perra boxer traída de Medellín con toda clase de certificados sobre la nobleza de sus orígenes y destinada a ser la primera matriz reproductora en los proyectos de Benito Suárez, entrara en su segundo período de celo pudiendo entonces unirse al único animal de la ciudad capaz de igualarla en pedigree, un boxer corpulento, pero sin mayores apetitos, que se obstinó en esconderse bajo la cama de Dora, mientras la perra, *Penélope* se llamaba, trotaba ansiosamente por el patio rasguñando la puerta del servicio, hasta que una tarde descorrió el cerrojo a punta de embestidas, salió al sardinel y se acopló con el primer sato que por allí pasaba.

Lina y Dora conversaban en el salón cuando oyeron frenar el «Studebaker» y casi al instante los gritos de Benito Suárez llamando a Antonia, la vecina propietaria de la farmacia de al lado, pues el sato en cuestión le pertenecía y Benito Suárez le reprochaba mil cosas a la vez, mejor dicho, intentaba reprochárselas, porque de su garganta sólo salían sonidos confusos y palabras entrecortadas por una suerte de hipo mientras corría en círculo buscando la manera de patear a los dos animales —ya habían copulado, pero seguían unidos uno a otro con ojos taciturnos y como avergonzados por la gritería— que Antonia protegía interponiéndose entre ellos y sus zapatos blancos, de espesas suelas de caucho, y los curiosos se agrupaban, vecinos, jardineros, algunos chóferes de taxi, celebrando la situación con risotadas y obscenidades sin que Benito Suárez pareciera advertirlo, aislado en la ira que sólo le permitía balbucir insultos contra Antonia. De pronto se detuvo, miró a su alrededor y observando la brusca contracción de sus mandíbulas Lina presintió que aquella historia iba a terminar con algún gesto destinado a callar risas y burlas de mala manera, así que no la sorprendió verlo dirigirse al «Studebaker», sacar el revólver y empuñándolo empezar a girar lentamente recorriendo con los ojos entrecerrados la concurrencia que de repente enmudecida se ponía a retroceder, uno, dos metros hasta que hubo un amago de desbandada y sólo quedaron en el sardinel Antonia, Lina y la perra ya liberada del sato, Lina preguntándose sobre quién iría a disparar puesto que únicamente el tiro podría salvarlo a sus ojos del ridículo, y la perra, demasiado noble y bien nutrida para tener mayor sensibilidad, contenta de verlo, moviendo hacia la izquierda la cadera y alzando ya las patas, su último movimiento antes de caer al sardinel con una bala que le atravesó el hocico y se enterró en la paredilla reventando en fragmentos una piedra.

Ese incidente sería el origen, o mejor dicho, estaría al origen de una nueva tesis, la impregnación, desarrollada ampliamente por Benito Suárez a fin de demostrarle a Lina y a quien quisiera escucharle que los espermatozoides de un macho marcaban a la hembra de manera indeleble, o sea, que le bastaba a ésta haber sido preñada una vez para seguir pariendo hijos con las mismas características genéticas de los primeros aunque fuese otro el progenitor, invención que si bien tendía a justificar, como la de las emanaciones, un acto incoherente, le serviría a Lina de señal de alarma porque ya entonces los poemas de Benito Suárez le habían revelado sus relaciones con una mujer casada y aparentemente encinta a quien le había dedicado una oda titulada «Amor imposible» que aludía a su marido, hermano de pesares y recuerdos, de sombría juventud vivida en anfiteatros, entre muertos, dejando suponer así una vieja amistad entre colegas, en total desacuerdo con la realidad, pues el marido resultó ser un estudiante de derecho que jamás había pisado un anfiteatro ni visto muerto alguno, operado ya dos veces de úlceras en la «Clínica Las Tres Marías», de la cual Benito Suárez era socio en compañía de nueve médicos más.

Así que fue aquel disparate de la impregnación lo primero que inquietó a Lina. En fin, sabía a Benito Suárez enamorado, y enamorado seriamente. Toda su vida lo recordaría tal como lo encontró una tarde, en lágrimas frente al tocadiscos, oyendo una lamentable grabación de versos de Rubén Darío, o más bien, asociaría en su memoria aquel momento a la frase, ¿te acuerdas que querías ser una Margarita Gauthier? En lágrimas y diciéndole, hay otro ser en mi existencia, con una voz estrangulada por la emoción mientras el tocadisco, le parecería a Lina años después, repetía y repetía: ¿te acuerdas que querías ser una Margarita Gauthier? Días más tarde le había enviado por correo una hojarasca de poemas en versos pequeños, de cuatro sílabas cada uno y musicalidad. más que dudosa, que Lina le había corregido y comentado sin referirse a su contenido y sin darle tampoco mucha importancia. Pero otra cosa fue descubrir de pronto que su amante, la Enriqueta de los anagramas, estaba embarazada de él —de lo contrario no habría insistido tanto en la impregnación— pues Benito Suárez quería un hijo, otro, un verdadero descendiente suyo que no llorara como Renato cuando lo llevaba al matadero municipal a ver degollar las vacas a fin de endurecer su carácter, ni tuviera crisis de nervios si a él se le antojaba patear a Dora, machetear a un campesino o disparar sobre una perra. Mal que bien, Lina contaba con el marido, a quien imaginaba médico y en consecuencia, al menos en principio, gozando de la misma cuota de poder otorgada por la sociedad a Benito Suárez, y esperaba que la dificultad de disolver dos matrimonios o escoger entre dos hijos le aportara a este último un poco de sensatez mientras el tiempo se encargaba de resolver las cosas, sin imaginar ni remotamente que ya Benito Suárez había decidido arreglarlas a su manera, con brutalidad, se diría, en el caso del marido, y más sutilmente en cuanto a Dora, a quien había obligado, justo cuando empezó a escribir los poemas inspirados por Enriqueta, a hacerse analizar con Jerónimo Vargas, el psiquiatra de las barcas coloradas. Aquel psicoanálisis no podía tomarse en serio, primero porque Jerónimo Vargas no era psicoanalista, pero también, y de eso Dora parecía consciente, porque una mal asimilada lectura de Reich había dado cuenta del escaso juicio que tenía, aceptando que en cualquier momento hubiera tenido alguno, y desde su matrimonio con una desconocida muchacha del interior, larga y esquelética, de piel lechosa y maquillada como la Greco de los años cincuenta, Jerónimo Vargas había comenzado a poner en práctica una confusa idea del orgasmo liberador, o mejor dicho, del orgasmo permanente que en su opinión conducía a desatar en el hombre las fuerzas creadoras del universo exigiendo, entre otras cosas, la participación incondicional de la mujer, por lo cual, su esposa, la muchacha de expresión hambrienta y párpados sombreados de verde, debía permanecer desnuda todo el día en la casa y someterse cada tres o cuatro horas a los llamados deberes conyugales que él, Jerónimo Vargas, cumplía con cronométrica regularidad hasta el punto de suspender las sesiones psicoanalíticas de Dora pretextando su necesidad de ir a hacer el amor y regresar un poco más tarde, la camisa sudada, y a veces, una mancha verde muy cerca de la línea donde comenzaban a crecer sus barbas rojas. En otras palabras, el psicoanálisis de Dora (en el cual ella se limitaba casi siempre a escuchar las caóticas interpretaciones de Jerónimo Vargas) habría podido ser un motivo de diversión de no haber coincidido con aquellos amores de Benito Suárez, y sobre todo, de no venir acompañado de dosis masivas de tranquilizantes que de repente, por los días en que la tal Enriqueta debía estar a punto de dar a luz, dejaron paso a una prescripción de drogas destinadas a los grandes agitados, guardada por Lina precavidamente al sospechar, no la verdad —a pesar de conocer a Benito Suárez le repugnaba imaginar un episodio de novela radiada— sino más simplemente una intención de debilitar la voluntad de Dora para obligarla a renunciar a Renato o cualquier cosa por el estilo.

Aquella prescripción terminaría formando parte del enorme sumario presentado por el abogado de Dora ante la Curia cuando Benito Suárez huía de la justicia después de haber escondido a Renato en casa de su hermana, pero de inmediato no prestó mayor utilidad pues Benito Suárez se batió en retirada apenas se descubrió su propósito de encerrar a Dora en un asilo, exactamente a la hora de que la cocinera de Dora lo sorprendiera hablando del asunto con Jerónimo Vargas y pusiera al corriente a Berenice, quien como de costumbre recorría esa tarde las calles del vecindario recogiendo de labios de jardineros y srivientas los chismes que le permitían seguir las vicisitudes de la gente del Prado. De ordinario a Berenice le regocijaba cualquier incidente que viniera a confirmar la pésima opinión en la cual tenía a los blancos, pero como Dora gozaba de su simpatía la noticia la llenó de horror y echó a correr hacia la casa quitándose las chancletas para mejor sostener la considerable carga de su cuerpo. Así la vio llegar Lina, descalza y jadeando, sus senos, grandes como melones, sacudidos por espasmos bajo la blusa de florecitas y en sus ojos, no en sus pupilas, sino en ese globo blanco de los ojos que gira y se extravía cuando los negros tienen miedo, una expresión despavorida, nublada por las lágrimas apenas logró recuperar la voz y se puso a hablarle a Lina de locos, asilos y ambulancias, atropelladamente, en medio de gritos y requiebros que su abuela cortó por lo sano al entrar en el salón y pedirle que se explicara con serenidad. De su relato se desprendía que Jerónimo Vargas había solicitado ya la admisión de Dora en la clínica «El Reposo» para el día siguiente a las nueve de la mañana cuando Renato hubiera partido a la escuela. Su abuela escuchó a Berenice sin interrumpirla, agitando ligeramente una mano en el aire a fin de calmarla, y luego, de un ademán similar y sin hacer todavía el menor comentario, le indicó que se fuera a la cocina y las dejara solas. Lina observó que se había quedado pensativa: parada a su lado, menuda y férrea, tan pequeña que apenas si le sobrepasaba la cintura, parecía meditar contemplando absorta la cabeza de su bastón. Quizá se había puesto a examinar las palabras de Berenice no obstante su ancestral, irreductible desconfianza ante un chisme de sirvientas. O quizás —y al momento de pensarlo Lina volvió a sentir como en su infancia la angustia de no poder acceder a una cierta forma de comprensión— su abuela empezaba a romper secretamente el esquema que hasta ese día le había permitido analizar las reacciones de Benito Suárez y se deslizaba ya hacia un nivel más complejo de reflexión siguiendo la metamorfosis que el propio Benito Suárez habría sufrido para dejar atrás al iracundo, elemental y en fin de cuentas previsible marido despótico, agresor de ancianos, asesino de perras, hacedor de malos versos, y entrar en los laberintos de un hombre calculador que organizaba su violencia con perfidias de cortesano florentino. O nunca hubo tal esquema, sino que sabiendo aquel cambio en el orden de las cosas, su abuela se concedía el tiempo de considerarlo mientras ella, Lina, esperaba pacientemente sus conclusiones a pesar de los mil proyectos que cruzaban por su mente, desde esconder a Dora en su casa hasta amenazar a Jerónimo Vargas con un escándalo en la Prensa, todo en medio de cierta confusión, pues aun en esos instantes y por inconfesable afecto hacia un individuo en quien confiaba tanto como en un alacrán buscaba sin darse cuenta los aspectos dudosos de aquel asunto, una falla, una grieta, un asidero, y empezaba a preguntarse si Berenice no habría exagerado por su inclinación al drama o desvirtuado el sentido de alguna conversación anodina, mal interpretada a su turno por la cocinera de Dora, cuando le oyó decir a su abuela en un tono tranquilo, pero inquebrantable: debes avisarle a tu padre de inmediato.

Su padre era justamente la última persona en el mundo a la cual Lina le hubiera ido a contar que Benito Suárez se proponía encerrar a Dora en un asilo de alienados. No porque a su padre le fuese indiferente la suerte de Dora: aun si nunca hablaba de ello, el tema solía encerrarlo en un silencio crispado o le hacía retirarse de las conversaciones de sobremesa. Lina había notado que se las ingeniaba para llegar tarde de la oficina cuando Benito Suárez celebraba el aniversario de su primer encuentro con su abuela presentándose a la casa sin invitación, detrás de un aparatoso ramo de flores. Pero el humor de su padre, su inaudita indiferencia ante los desastres de la vida habían llevado ya a Lina a dejarlo al margen de sus problemas, como si en aquel gigante despreocupado y jovial que veía caer sin parpadear los muros de su casa y conducía plácidamente su «Dodge» destartalado a diez kilómetros por hora, pudiera ella encontrar todos los personajes a la vez, el amigo, el erudito, el profesor de historia, salvo el hombre capaz de darle una sola instrucción adecuada si sus ropas empezaban a arder o cualquier otra calamidad venía a ocurrirle. Así que mientras bajaba al centro de la ciudad en un bus cogido apresuradamente en la esquina de la 72, Lina, ajena al calor y a la algarabía de los pasajeros, en su bolso la prescripción de Jerónimo Vargas, a la cual echaba ojo de vez en cuando para cerciorarse por manía de no haberla perdido, iba eligiendo las palabras que le permitirían exponerle a su padre la situación de Dora en toda su gravedad sin darle tiempo a interrumpirla con una de sus habituales chanzas o cualquier afirmación socarrona sobre la insensatez de Berenice. Eso, su escepticismo, Lina lo veía asomarse, hacer una pirueta y barrer con todo a medida que consideraba las posibilidades de expresar una historia truculenta, basada en indicios que a ojos de su padre no podían tener ningún valor, un psicoanálisis, unos versos, el comadreo de unas sirvientas, contándoselo a sí misma una y otra vez entre el traqueteo del bus y el olor de gasolina quemada, y luego, media hora más tarde, esperando a su padre en su oficina de la calle San Blas que como de costumbre él había dejado abierta a riesgo de perder su único bien, si bien podía llamarse su vieja «Remington» negra, de teclas duras, en la cual escribía actas y memoriales a una velocidad asombrosa con dos dedos. Allí iría a jugarse la suerte de Dora, y en cierto modo, el destino de Benito Suárez, en aquella oficina polvorienta que años después Lina recordaría vacilando entre el asombro y la ternura, la «Remington», y sobre la pared, junto a la enmarcada fotografía de sus manos que un día ella había recortado y botado a la basura, el óleo de aquel bisabuelo hijo de rabino y diplomático, noveno pretendiente, según su padre, a la corona de Israel (de haber habido en Israel monarquía) y a causa del cual Cartagena de Indias había estado a punto de ser destruida por la flota holandesa. Instalada en la ventana de esa oficina adonde ningún hombre que cargara más de cien pesos en el bolsillo había entrado jamás, Lina vería a su padre remontar la calle San Blas en su blanco vestido de lino, milagrosamente limpio, milagrosamente fresco entre aquel calor de plomo que derretía el asfalto, sonriéndole a mendigos, emboladores y vendedores de chucherías y seguramente a todos llamándolos Lucho porque eran demasiados sus nombres para poder todos recordarlos. Oiría el jadeo del ascensor que lo subía a la oficina, el tono alegre de su voz, al saludarla, el chirrido de la silla giratoria cuando tomó asiento en su escritorio bajo el quejumbroso aleteo de un ventilador suspendido del cielo-raso, y sorprendida, casi perpleja, observaría su expresión de gravedad a medida que ella le contaba lo que sabía sacando de su bolso la prescripción de Jerónimo Vargas. Pues esa vez no hubo bromas, ni burlas, ni el menor asomo de escepticismo. La cara de su padre se había cerrado en un gesto duro, que sólo tres veces Lina le vería y que siempre vería con miedo: una especie de fijeza, los músculos tensos, los ojos achicándose peligrosamente hasta convertirse en puros destellos de ira. Sin pronunciar una palabra ni detenerse a mirar la prescripción desplegada por ella sobre el escritorio, su padre se puso a marcar con lentitud un número en el teléfono y cuando la voz de Benito Suárez apareció al otro lado de la línea, Lina le oyó decir en un tono que la cólera hacía reposado: mire, Benito Suárez, si usted mete a Dora en la casa de los locos, yo lo meto a usted en la cárcel. Usted sabe que puedo hacerlo. Y ahí quedó todo pues su padre colgó la bocina sin tomarse ni siquiera el trabajo de esperar una respuesta. Lina estaba simplemente estupefacta. Por un lado tenía la impresión de haber descubierto en un instante el significado, trascendencia y gravedad de la palabra Ley, ese concepto en nombre del cual un hombre pacífico como su padre, que jamás había sentido en sus manos el peso de un arma, se permitía desafiar a Benito Suárez desde una modesta oficina de la calle San Blas. Por el otro, había advertido en sus términos una amenaza irrevocable, la alusión a algo que aparentemente, y sin ella saberlo, su propio relato había venido a confirmar. Sin embargo, conociendo la reserva de su padre ante todo lo que de un modo u otro tocara el ejercicio de su profesión, se abstuvo de preguntarle nada y hasta salió de su despacho con un sentimiento de alivio, no de triunfo —pensaba que a la larga Benito Suárez llevaba las de ganar y aquella tregua sería como tantas otras una cuestión de meses— sino la tranquilidad de poder imaginar a Dora en su casa, atiborrada de calmantes, sí, pero con su razón a salvo, olvidando su aburrimiento en el cuidado de Renato y de los dos cachorros boxer traídos de Medellín para remplazar a *Penélope*.

La inquietud vino después, cuando Lina le contó a Berenice la entrevista con su padre y Berenice enmudeció como si hubiera oído galopar los caballos del apocalipsis. Porque realmente enmudeció. No sólo calló en el momento sus reflexiones, tan inútil le parecía expresarlas, sino que durante una semana guardó un silencio consternado, reminiscencia probable de otros tiempos, de oscuras noches en que el murmullo de la selva era cortado por lamentos, y al golpe de las olas respondían metálicos sonidos de cadenas, y entre la repentina, fulgurante luz de un puerto nunca visto, silbaban en el aire los rebenques. Durante una semana Lina la sorprendería atisbando ansiosamente desde las ventanas apenas empezaba a oscurecer, sus manos, tan diminutas en relación con el rotundo volumen de su cuerpo, crispadas entre los pliegues de una cortina, la espalda sacudida por sollozos sofocados seguramente para no llamar la atención de su abue-

la. Vería sus ojos enrojecidos cuando toda vestida de negro con un
delantal de organza blanca servía la comida a la hora de la cena mostrando en su expresión el más desesperado fatalismo. La oiría atran-
car de noche las puertas, suspirar el día entero en la cocina, y al final
ella misma, Lina, por contagio, o quizá, se decía, por ese indeterminado
porcentaje de sangre negra que corría en sus venas, se encontraría mirando furtivamente hacia la calle, más o menos pendiente de los automóviles que la cruzaban, más o menos segura de que tarde o temprano Benito Suárez daría señales de vida.

Naturalmente que las dio, en fin, apareció una noche en que Lina,
su abuela y su padre cenaban, y como era de esperarse Berenice fue
la primera en verlo. Antes de que su funesto «Studebaker» azul doblara
la esquina, Berenice se había precipitado al comedor con la cara descompuesta gritando, ahí llegó, niña Jimena, ahí llegó ese loco. De nada
sirvió que su abuela le indicara hacerlo seguir adelante: Berenice no se
encontraba en estado de ejecutar aquella orden ni ninguna otra. Así
que fue a Lina a quien le tocó ir a abrir la puerta para encontrarse a un
Benito Suárez esponjado de satisfacción, sosteniendo entre los brazos
una gran canasta de botellas de champaña y acompañado de Dora,
que aparecía a su lado más opacada que nunca, con su eterno atuendo de blusa y falda comprado en el «Sears» y una cartera blanca es-
trenada probablemente para la ocasión. Precedidos por Lina cruzaron
la galería y entraron en el comedor donde su padre y su abuela seguían cenando imperturbables y Berenice se apretujaba contra el saibor detrás del cual, ella, Lina, había escondido a Dora años antes, después de haberla visto cruzar el jardín con la cara llena de sangre.
Y mientras Berenice se aventuraba a avanzar sobre la mesa una mano
cautelosa recogiendo los cuchillos uno a uno, y las pupilas de su abuela
y de su padre se cristalizaban en una misma mirada neutra, desprovista de expresión, Benito Suárez inició uno de aquellos discursos
grandilocuentes que parecían ensayados frente al espejo, o más bien,
encima de un estrado iluminado por reflectores, donde era cuestión
de su honor pisoteado por la más infame calumnia, de la envidia que
su personalidad despertaba en las almas mezquinas, pues allí estaba
su esposa sana y salva, la muy digna madre de su hijo y señora suya,
que había sido tratada científicamente por un médico a causa de esas
depresiones que con frecuencia atacaban la frágil naturaleza femenina.
Pero ya está curada, dijo señalando a Dora con el dedo, como si se
dirigiera a internos de hospital en una sala de conferencias. Y para
celebrarlo, y celebrar la disipación de viles equívocos, me he permitido ofrecerles hoy esta champaña. Usted, continuó dirigiéndose a Berenice que ocultando los cuchillos bajo su delantal contemplaba so-
brecogida la inmensa canasta de botellas adornadas con cintas de colores, tráigase usted cuatro copas. Cinco, añadió echando una ojeada
a Dora cuya presencia parecía haber olvidado.

Pues Dora tenía para él la curiosa propiedad de existir a medias,
y por momentos, de no existir en absoluto. Más que alguien, era algo
que aparecía y desaparecía según su humor, recibiendo sus golpes y
gritos pasivamente, cumpliendo sus órdenes como autómata, sin oponerle jamás la menor resistencia. Quizá, pensaba entonces Lina, porque

resistir implicaba forzosamente reflexionar, al menos decirse que los valores impuestos por la sociedad podían ser discutidos o negados, y eso a Dora no se le ocurría. Ella había aceptado el matrimonio con el mismo desorientado abandono que su madre, doña Eulalia del Valle, había admitido el suyo, aunque por diferentes razones, atribuyéndole el carácter sagrado que enseñaba el catecismo, reconocía la sociedad y afirmaba enfáticamente aquel cura de Puerto Colombia, amigo de Benito Suárez, que la había casado. Y a partir de esa premisa ninguna acción de rechazo era posible, más aún, ninguna pregunta, examen o vacilación, ya que invariablemente cualquier razonamiento conducía a poner en tela de juicio las bases de una unión concebida a priori como eterna e inviolable. Su situación, evocada por centenares de novelas de finales y comienzos de siglo, parecida a la de casi todas las mujeres casadas que Lina conocía, no podía sin embargo explicarse del mismo modo, en la medida en que ni la vanidad social ni el dinero interesaban a Dora; además era atea, no exactamente atea de convicción, sino irreligiosa por indiferencia, en fin, no le había inquietado nunca saber por qué el día seguía a la noche, ni cómo existía el bien y el mal, ni de dónde surgía el milagro de la vida y el escándalo de la muerte. A Lina le constaba que sus pensamientos giraban alrededor de lo inmediato y se detenían al nivel mismo de sus sensaciones con la dejadez de una planta que se reseca bajo el efecto del sol y se estremece al contacto del viento. Después de once años de vida en común con Benito Suárez su capacidad de reaccionar se había embotado, carecía incluso de instinto de defensa, ese mecanismo ciego, químico, elemental que lleva a un simple gato a erizar su pelambre y plegar sus orejas ante la presencia del peligro. Dora aceptaba, cedía, se dejaba atropellar como quien sabe su voluntad quebrada y para siempre perdida, o menos aún, pues la conciencia de esa pérdida suponía la posibilidad de pensarla, y por lo tanto, de nombrar la autoridad de Benito Suárez consiguiendo aislarla como algo que existía contra ella, pero fuera de ella, que podía ser reducido, limitado a una palabra. Pero en esa autoridad Dora se sumergía lo mismo que si formara parte del aire, de los seres y cosas que veía en torno suyo, menos por miedo, aunque naturalmente el miedo debía de haber contribuido a su docilidad, que por una especie de agradecimiento pueril hacia el hombre que la había desposado dándole una casa, un hijo, un apellido, a pesar de haberla encontrado deshonrada. En realidad, su deshonra no se refería al desprecio que la sociedad podía sentir por ella, sino al desprecio que ella sentía por sí misma. Sí, al cabo del tiempo, Dora había repudiado su juventud, ese impulso de vida que le había permitido abrir su cuerpo al deseo y entregar su sensualidad sin recompensa, u obteniendo solamente a cambio el placer que al dar ella sentía, para acoquinarse en una vergüenza cerril que a juicio de Lina se había formado como un reflejo condicionado, ya que los golpes, gritos y patadas de Benito Suárez venían siempre acompañados de la referencia a su pervertida relación con Andrés Larosca y a la no menos descarada sexualidad que había exhibido cuando él la conoció. A eso se unía la cantaleta de su madre, doña Eulalia del Valle, a quien el pecado original de Dora servía de justificación a su propia cobardía frente a Benito Suárez, es decir, a limitar su protesta a jeremiadas sobre la infelicidad de tener una hija que se había perdido desoyendo sus advertencias, desdeñando su ejemplo, enfangando su apellido, lo cual convertía todo dolor o humillación de Dora en una razón de más para apiadarse de sí misma. Y luego había el medio ambiente, lo que Dora había visto y oído desde que nació, lo aprendido en el colegio, lo enseñado por la religión, lo leído en las novelas, lo insinuado en las películas, en fin, toda aquella moral de represiones vencida un instante por el calor de su cuerpo adolescente, que había terminado abriéndose paso en su mente y allí instalándose de modo definitivo, modificándose hasta formar, no un concentrado de máximas teñidas de religión, superstición o filosofía, sino la más formidable aglomeración de lugares comunes, elementales e irreductibles, que la dejaban perfectamente inerme ante las invectivas de Benito Suárez en las cuales parecía encontrar el eco de su propia reprobación. Sin embargo, ese mismo Benito Suárez le había devuelto al casarse con ella la dignidad perdida sirviéndole de protector y al mismo tiempo de contacto, de acceso a la realidad, pues aparte de su madre, doña Eulalia del Valle, sombra quejumbrosa envejeciendo frente a los árboles de su patio, y de ella, Lina, que en fin de cuentas no le aportaba mayor cosa, sólo con Benito Suárez, Dora podía contar. De esa dependencia (del miedo también) había surgido un sentimiento que Lina nunca llegó a definir, algo parecido al respeto, a la veneración de los hombres que acuclillados en una cueva, el alma oprimida de terror, buscaban aplacar la ferocidad de sus dioses, y como ellos, los acobardados, temerosos hombres primitivos, explorando a tientas las conductas que no irritaban al dios, o ganaban sus favores u obtenían su perdón. Aquel culto constituía también el único punto de referencia en un mundo hostil e incomprensible que sólo él, Benito Suárez, conocía, gobernaba: su voz era estrella polar en la noche, posición del sol en el día, faro, indicación, recuerdo, guía. La duda, la más simple interrogación podía conducir al extravío absoluto. Por eso, tal vez, Dora no escuchaba con reservas sus discursos ni recelaba de sus intenciones; por eso, quizás, habría sido demasiado pedirle desconfiar del hombre que tenía un poder total sobre ella aceptando, así fuera en calidad de hipótesis, que aquel hombre había planeado soterradamente internarla en un asilo.

Si hubiera dependido de Lina, Dora no lo habría sabido nunca. Las escasas personas que la frecuentaban, doña Eulalia del Valle, Antonia, la vecina, su suegra, su cuñada y sus sirvientas, tuvieron el mismo reflejo, callar la verdad o deformarla de tal modo que todo se redujo a un mal entendido entre Benito Suárez y Jerónimo Vargas. Curiosamente aquella historia del mal entendido abrió una brecha en la amistad que los unía a los dos, como si la necesidad de fingir la discordia los incitara a crearla, o a lo mejor, porque una vez al margen de sus habituales relaciones de compadrazgo, es decir, de los comportamientos que les permitían apaciguarse mutuamente, se descubrieran capaces de embestirse el uno al otro y no vieran razón alguna para privarse de hacerlo. Ellos se habían conocido de niños en el Colegio de los Hermanos Cristianos y al cabo de la primera semana se habían batido a puños a la hora del recreo bajo la mirada satisfecha del Prefecto de disciplina, un gallego torvo, cuadrado y macizo como el campesino que era, encargado de meter en cintura a los alumnos a fuerza de pescozones, que debía de haberse olido el peligro apenas los vio descender del bus el día de reapertura del curso escolar, aun si sólo tenían diez años y llegaban al Biffi con la ofuscación de dos cachorros lanzados abruptamente a una jaula de adultos. Toda la semana el gallego les estuvo observando desde el corredor, contaba Benito Suárez, sin que ninguno de los dos advirtiera que sólo ellos constituían su centro de interés, porque a su turno se encontraban bastante ocupados en medir, sopesar y poner a prueba la resistencia psíquica de los profesores que pasaban por la clase armando el más descomunal despelote con hondas, flechitas, motes, muecas, insultos y cuanta plebeyada habían aprendido a hacer capitaneando a sus respectivas pandillas de vecindario, unidos, él y Jerónimo Vargas, en la perfecta complicidad de quienes se saben iguales o programados para idéntico fin, hasta la mañana aquella que el gallego los incitó a pelearse en el patio de recreo intentando terminar su alianza de compinches sin conseguirlo, pues al primer cambio de golpes los cachorros comprendieron que más les valía volverse contra el enemigo común en el momento indicado, que no podía ser entonces so pena de arriesgar la expulsión del colegio, sino más tarde, cuando con el diploma en el bolsillo, saliendo del teatro adonde había tenido lugar la ceremonia de graduación, encontraron al gallego en una callejuela y le dieron la paliza por él temida desde que les viera descender del bus seis años antes.

Así pues, habían superado juntos la prueba del colegio, y juntos había visitado por primera vez un burdel y habían tomado el mismo avión para irse a estudiar medicina a Bogotá. Dos fieras conscientes de todo lo que las asemejaba entre sí y las distinguía de las otras, pensaba Lina, y por eso mismo dispuestas a ayudarse cada vez que una de ellas estuviera en dificultad, pero cuya asociación se volvía vulnerable si el azar las colocaba en campos opuestos haciéndoles perder el sutil mecanismo de reconocimiento y solidaridad a través del cual evitaban agredirse. Porque sólo hablando de algo tan inadecuado como olor, color, disposición de plumas o comportamiento ritual podía comprenderse que siguieran siendo amigos y que de pronto, sin causa precisa, empezaran a disputarse a propósito de cualquier cosa, en especial, de la idea que se hacían sobre el mejor modo de tratar a una mujer. De acuerdo, Nietzche y Reich no tenían la misma opinión al respecto, y Jerónimo Vargas parecía en verdad enamorado de la muchacha esquelética que vagaba desnuda todo el día por la casa. Pero después de meses de encierro, de calor, de soledad, de cortinas corridas mañana y tarde para no escandalizar al vecindario, la muchacha empezaba a aburrirse, aun si pocas mujeres podían jactarse en la ciudad de estar tan bien servidas y aspiraba a una vida más equilibrada amenazando a Jerónimo Vargas con hacer sus maletas y regresar a Tunja, Sogamoso, Ramiriquí o de donde hubiese venido, perspectiva que aterrorizaba a este último y le había llevado a solicitar los consejos de Benito Suárez, para quien una mujer se domesticaba como un perro, nada de tener en cuenta sus opiniones, ni temer sus amenazas, ni ceder a sus caprichos, sino imponerle la voluntad del hombre de acuerdo con las leyes humanas y divinas. Animado por tales propósitos Jerónimo Vargas había proseguido su cotidiana orgía conyugal hasta que la muchacha, exasperada, encontró el modo de contenerlo: dejarse hacer un niño y rechazar todo contacto sexual durante el embarazo, dejándolo frustrado e iracundo y predispuesto contra Benito Suárez, a quien injurió la noche mismo en que se enteró del acontecimiento de una manera tan extraña que la propia Dora se interrogaría después sobre su salud mental: porque ella y Benito Suárez habían sido invitados a su casa por primera vez, y cuando llegaron Jerónimo Vargas les abrió la puerta y un minuto antes de cerrrársela en sus narices les preguntó destempladamente qué carajo habían ido a hacer allí, desenterrando así el hacha de la guerra que años atrás un prefecto de disciplina había buscado en vano provocar y que alcanzaría su apoteosis dos meses más tarde, en casa de Dora, con Benito Suárez y Jerónimo Vargas batiéndose a puño limpio, rompiendo cuanta porcelana había en el salón y manchando de sangre un tapiz acabado de comprar. Pasó un lunes o un martes de carnaval. La víspera Benito Suárez se había disfrazado de negro untándose betún en la cara y después de haber bebido toda la tarde había ido a buscar a Jerónimo Vargas dizque a fin de hacer las paces, pero en la casa sólo encontró a la esposa famélica, más huesuda y ojerosa con sus dos meses de embarazo, y asustada, del carnaval que su marido y su sirvienta se habían apresurado a correr dejándola sola, de aquellos hombres y mujeres vislumbrados en la batalla de flores, todos pintorreados, echando Maizena y bebiendo a pico de botella, del alboroto, las danzas, el tremendo desorden en el cual desaparecía por cuatro días la indolencia de una ciudad que ella, la muchacha de Tunja o Sogamoso, había conocido hasta entonces adormecida y calcinada por el sol, en fin, las veces que su marido le había permitido ponerse algo sobre el cuerpo y dar una vuelta por las calles. Así que al abrir la puerta y encontrarse a Benito Suárez embadurnado tuvo miedo; quizá le había temido siempre y Benito Suárez lo sabía o lo captó en ese instante y mirándola fijamente se puso a imitar un loco, es decir, a hacer las muecas y sonidos que en los locos había observado, caminando con un aire amenazador mientras ella retrocedía y luego subía las escaleras resbalando y al fin dando gritos que se convirtieron en quejidos cuando empezó a sentir los dolores del aborto. Benito Suárez alcanzó a llamar a una ambulancia, pero ya el niño estaba perdido. Fue por esa razón que él y Jerónimo Vargas se arremetieron a pescozones sacando a relucir sus respectivos secretos mientras Dora, que se había escondido con Renato en el baño, descubría la existencia de Enriqueta y el propósito de su psicoanálisis. Entonces se derrumbó: aterrada, vencida, terminó de hundirse en aquella inercia suya como un animal que se repliega y cede al peso de su cuerpo en la oscuridad del refugio que ha buscado para morir.

V

Si Lina le hubiera preguntado a su abuela cual era el mejor modo de controlar un instinto, seguramente le habría oído responder que las pulsiones operaban en regiones adonde nadie había sabido nunca aventurarse sugiriéndole así una cierta desconfianza ante cualquier veleidad de intervención. Porque su abuela creía que el instinto se regulaba a su manera y podía encontrar en una misma persona tendencias contrarias, capaces de amortiguar su violencia o desviarlo de su objetivo, permitiéndole una readaptación de acuerdo con las leyes establecidas por la sociedad. Oponerle condenaciones definitivas o imperativos morales asociados a una utópica libertad de elección, era a los ojos de su abuela agravar en el hombre el sentimiento de culpa, y en consecuencia, fustigar una agresividad que a lo mejor sólo pedía expresarse un instante para caer de nuevo en la somnolencia. Era, sobre todo, confinarlo en su singularidad cortando los puentes destinados a identificarlo con todos los hombres, a encontrar en ellos su reflejo, que fuese en la felicidad o en la desdicha, en la grandeza o la miseria. Una vez aislado, o bien se desmoralizaba perdiendo todo respeto de sí mismo, o bien se protegía detrás de un orgullo delirante que buscaba a través de nuevos desatinos la confirmación de su legitimidad. Pero en ningún caso el instinto desaparecía: seguía allí, al acecho, más incoercible que nunca, y si durante un tiempo había sido duramente reprimido, menos importante sería el estímulo que iba a permitirle desencadenarse.

Quizá, guiada por esa reflexión, su abuela fue la única persona que observó sin optimismo la conducta de Benito Suárez durante los ocho meses que siguieron a su estruendosa discusión con Jerónimo Vargas un día de carnaval. Pues en aquellos ocho meses la personalidad de Benito Suárez pareció sufrir un cambio inesperado: de irascible y despótico se transformó en un hombre comedido que buscaba la sociedad de la gente y escribía versos en abundancia expresando un desencanto filosófico ante los avatares del destino. En efecto, y como lo afirmaba en sus poemas de entonces influenciado probablemente por la lectura de autores griegos, el destino se burlaba cual despiadada deidad de los proyectos humanos reduciendo a polvo sus esperanzas y aprisionando su existencia en un dédalo de designios insondables. Aquel sentimiento de impotencia tenía causas bien precisas: el niño de Enriqueta había nacido muerto un mes después de que su marido, el estudiante de derecho Antonio Hidalgo, sucumbiera misteriosamente en la clínica «Las Tres Marías». Por otra parte, Jerónimo Vargas, que basándose en sus recién adquiridos conocimientos psicoanalíticos había atribuido a Benito Suárez el deseo inconsciente de hacer abortar a su esposa porque la muerte del hijo de Enriqueta había frustrado su paternidad, difundió con insidia ciertos rumores que de confirmarse pondrían en entredicho su derecho mismo a ejercer su profesión. Y luego estaba Dora, el problema de Dora. En realidad, de un modo u otro, siempre le había resultado un problema, pero mal que bien había podido presentarla como su esposa, es decir, una mujer apagada que cumplía a la perfección sus deberes conyugales ocupándose de su casa y siguiendo paso a paso la sombra de su marido. De repente ese objeto de plastilina se resistía a tomar la forma que exigían sus manos, dejaba de ser exhibible, mostrable, no por un acto de decisión, voluntad o rebeldía, sino por todo lo contrario, por un exceso de flexibilidad que pervertía paradójicamente su naturaleza de cosa maleable. Dora no era nada, en fin, desde el día que descubrió las maniobras de Benito Suárez para encerrarla en un asilo de locos, pareció dejar de vivir. Replegándose sobre sí misma, negándose a tomar aquellas drogas a las cuales su cuerpo se había acostumbrado, cayó en un estado de postración inviolable cuyo objetivo, si objetivo tenía, era la evasión en el silencio y la inercia, tal vez en la muerte. Lina iba a su casa todos los días a eso de las doce en compañía de Berenice. Entre ambas la sacaban del lecho, la llevaban al baño, la sentaban en un taburete de madera bajo la ducha y lavaban aquel cuerpo flaco, ligeramente contraído, que se dejaba mover como el de una muñeca. Luego la acomodaban en un mecedor envolviendo sus piernas en una manta roja, y pacientemente, cucharada tras cucharada, le hacían comer un poco de puré con carne molida dejando a su lado antes de irse un vaso de agua de panela. Al anochecer Lina regresaba para acompañarla al water y meterla nuevamente en la cama, donde al parecer no dormía, ni soñaba, ni pensaba en nada.

Por supuesto que en semejante estado no podía aparecer públicamente tal y como Benito Suárez lo deseaba para dar un mentís a quienes insistían en que la había encerrado en un asilo o reducido a la alienación (lo cual se aproximaba más a la verdad) a fin de casarse con una mujer cuyo marido había asesinado cuando ya recuperado

de una operación sin importancia dormía en un cuarto de la clínica
Las Tres Marías. Hasta donde Lina sabía no había nada decisivo que
permitiera afirmarlo, ni siquiera se había abierto al respecto la investigación que originó más tarde el drama, pero se lo comentaba, murmuraba, transmitía excitadamente de boca en boca, cosa que resultaba
igual, por no decir peor. Todas las tentativas de Benito Suárez para
sacar a Dora de aquella inercia habían fracasado; en vano ensayaba
razones, promesas, regalos, en vano utilizaba la verdad y la mentira,
la seducción y la amenaza. Un día, por exasperación, quizás, trató de
hacerle tragar a la fuerza unos comprimidos y al ver que ella los es-
cupía le partió la boca de un pescozón y amarrándola a la mecedora
le inyectó en las venas un supuesto euforizante consiguiendo tan sólo
producirle un síncope que la dejó sin conocimiento durante quince
horas. Esa vez Lina reaccionó con el mismo odio, la misma decisión
tranquila, pero incontenible, que años atrás la había impulsado a deslizarse por los corredores de su casa hasta el patio donde estaba amarrado el perro que no tenía nombre ni raza esperando silenciosamente la oportunidad de despedazar al primer hombre que le dejaran a su
alcance, y llevándolo sujeto del collar echárselo a Benito Suárez quien,
empezó a correr, encima de él un perro que hacía jirones sus pantalones, desgarraba la piel de sus brazos y clavaba los colmillos en sus
nalgas, tirándolo al suelo, atacándolo a pesar de sus puños y patadas,
embistiendo incluso la puerta del «Studebaker» cuando al fin logró
ponerse a salvo.

Quizá fue en aquella historia del perro en lo que pensó Benito
Suárez al verla entrar en el cuarto donde estaba tratando de reanimar
a Dora y apuntarlo con el revólver, el suyo, el que siempre guardaba
en el estuche de su «Studebaker» azul. La idea de tomar el revólver
le vino a Lina apenas llegó a casa de Dora, y Antonia, la vecina, le
indicó acercarse para contarle que Benito Suárez le había comprado
un mejunje de drogas utilizadas en reanimación. Aun antes de que
Antonia empezara a hablar, por la expresión de su cara, tal vez, Lina
había asociado el revólver al «Studebaker» que había visto aparca-
do en el garaje. Pero no supo en qué momento lo sacó del estuche, ni
cómo cruzó la puerta del servicio apoyando el índice en el gatillo ante
la mirada espantada de la cocinera de Dora. En fin, recordaría haber
hecho la asociación y haber percibido la mirada como un brillo de
cocuyos en la oscuridad. El lapso de tiempo transcurrido entre el
momento en que oyó hablar a Antonia y el instante en que penetró
al cuarto de Dora desapareció de su mente. Y nunca, ni años después,
volvería a su memoria. Se acordaría sí, más tarde, cuando Benito
Suárez había puesto pies en polvorosa y ella hacía trasladar a Dora
a su propia casa, que al entrar al cuarto llevaba el revólver en la
mano. Benito Suárez se volteó a mirarla. Ella vió a Dora tendida en
el lecho, con la boca partida, floreada como la de un boxeador después de un *knock-out*, y cuatro hilos de sangre coagulada ya, pegados
a su barbilla. Parecía muerta, la creyó muerta. De pronto percibió a
Benito Suárez recordando haber leído alguna vez que las mujeres
fallaban siempre al tirar porque apuntaban a la cabeza en lugar de hacerlo al vientre, y eso le dijo. Le dijo bajando el revólver: no voy a dis-

pararle a la cabeza sino al vientre. Entonces Benito Suárez echó a correr.

Muchas veces Lina se preguntaría aterrada si finalmente habría sido capaz de disparar destruyendo una vida, la vida, lo único que con certeza veneraba en el mundo, ese principio inexplicable que su abuela le había enseñado a respetar en los hombres y animales, incluso en las plantas. Quizá no habría matado a Benito Suárez porque un segundo antes de verlo huir pensó que mejor debía dispararle a las piernas. Pero el hecho de haberlo amenazado a muerte fue para ella la revelación de un oscuro aspecto de sí misma, y también, una terrible lección de humildad. En todo caso aquel exabrupto le permitió llevar a Dora a su casa y ponerla al cuidado del doctor Ignacio Agudelo mientras se preparaba a recibir la visita de Benito Suárez tratando de imaginar su reacción, o mejor dicho, la actitud a través de la cual su reacción se iba a expresar, segura de que toda demostración de sumisión o deferencia sería esa vez descartada pues la simple razón de haber huído delante de una mujer que empuñaba además su propio revólver, debía de constituir para él el summun de la humillación. Así que se puso a aguardarlo en calma, bueno, en relativa calma si comparaba su estado de ánimo al de Berenice que día y noche montaba la guardia junto a la cama de Dora con un cuchillo de cocina oculto entre los pliegues de su delantal almidonado. Pero reflexionando tranquilamente hasta delinear la silueta del personaje que ayudaría a Benito Suárez a parapetar su amor propio, el hombre ultrajado y sin embargo dispuesto a perdonar en vista de que su agresor (ella, Lina) había actuado impulsivamente bajo la impresión de haber encontrado a Dora sin conocimiento. Intuía también que Benito Suárez iba a elegir a su padre como interlocutor, en parte por represalia de aquella llamada telefónica que tanto le habría mortificado, pero además, para darle a su protesta un carácter particularmente solemne. De modo que cuando al fin apareció por la casa y ella le abrió la puerta de la calle no la sorprendió en lo más mínimo verlo inclinar la cabeza a guisa de saludo y cruzar rápidamente la galería hacia la habitación donde su padre leía tomando el fresco de la noche junto a la gran reja de hierro que comunicaba al patio. Lo que la inquietó fue su aspecto, es decir, no su aire de ofendida dignidad, eso entraba en el programa; tampoco su palidez, ni la barba de tres días que evocaba noches de insomnio y, según la cocinera de Dora le había informado a Berenice, una total inapetencia y un fuerte consumo de whisky. No, era más bien algo nuevo en su expresión, algo que surgiendo de la farsa la trascendía convirtiéndose en fatalismo irreversible, en decisión desesperada, como si al fin hubiera aceptado reconciliarse con el demonio que en él dormía. Y sin embargo eso —el reconocimiento, adaptación, abandono— que parecía haberse instalado en su conciencia, no se refería a Dora, pensaba Lina siguiéndolo por la galería y viéndolo tropezar con la corbata que su padre guindaba en la puerta de su cuarto para despistar a los murciélagos: Dora en aquel instante servía apenas de pretexto de una nueva interpretación interrumpida momentáneamente por la inverosímil corbata que se agitaba frente a sus ojos y de la cual se apartó con un gesto brusco como si fuera el murciélago mismo a cuya confusión es-

taba destinada sin él saberlo. Y siguió siendo un pretexto a lo largo de
la escena que tuvo lugar cuando se dirigió a su padre, quien sin moverse de su mecedora había colocado en una mesa el libro entreabierto y encima de él sus lentes, sopesando de una mirada el estado de
Benito Suárez y echando hacia atrás la cabeza para mejor oír, quizás,
un discurso pomposo sobre los derechos del marido o cualquier otra
leguleyada (pues lo único que su padre sabía de la presencia de Dora
en su casa era que ella, Lina, la había traído desmayada a fin de hacerla cuidar por el doctor Agudelo) pero de ningún modo aquella frase
que Benito Suárez pronunció en un tono casi inaudible a fuerza de
contraer las mandíbulas: tengo algo importante que decirle, doctor
Insignares, voy a denunciar a su hija por tentativa de asesinato. Su
padre parpadeó dos veces: ¿cómo, cómo, Benito Suárez, de qué está
hablando? De mí, intervino Lina, lo apunté con su revólver antes de
que terminara de matar a Dora. La cara de Benito Suárez se contra-
jo más aún y los bordes de su nariz comenzaron a dilatarse al ritmo
de su respiración. Ya lo ve, doctor Insignares, la acusada confiesa: ha
intentado asesinarme y ha secuestrado a mi esposa. Lina vio brillar en
los ojos de su padre una chispa de risa remplazada al instante por esa
indulgente serenidad que se emplea al mirar a los agitados. Bueno, Benito Suárez, dijo, no es tan grave la cosa. Y entonces sintió dentro de
sí misma el desconcierto de Benito Suárez, su furiosa impotencia. Pues
no habría podido hablar de percepción, ni siquiera tuvo necesidad de
mirarlo. Por un instante, tan breve como la sombra de una nube al
mediodía, le pareció hallarse en él, en esa conciencia ultrajada que había venido buscando una especie de reparación, con la seguridad de
poseer por primera vez la carta que iba a permitirle exigir el respeto,
la discusión, quizá disculpas, para encontrarse frente a un hombre
sosegado que sin tomar en serio sus reproches se permitía tratarlo con
condescendencia. Él, Benito Suárez, estaba allí sin revólver ni arma
alguna, y su padre no era un pobre viejo de Sabanalarga. Así que va-
ciló y Lina alcanzó también a sentir su vacilación. Después perdió
contacto con él, más aún, le pareció que Benito Suárez perdía todo
contacto con la realidad. Le vio retroceder de espaldas, tropezar nuevamente con la corbata guindada para engañar a los murciélagos y durante un segundo mirarla espantado como si fuera un maleficio dirigido contra él. Luego, sin moverse ni dejar de mirarla, su expresión
empezó a cambiar: la corbata debió de antojársele una afrenta deliberada, pero en un rezago de lucidez se dijo probablemente que nadie,
ni siquiera el viejo zorro de su padre, podía adivinar su intención de
venir a verlo ese día, a esa hora y en ese lugar. Así que transformó la
corbata en otra cosa, tal vez en símbolo de la persecución de la cual
era o se sentía objeto, y arrancándola de un manotazo la tiró al suelo
y se puso a pisotearla bajo las espesas suelas de caucho de sus zapatos
blancos.

Desde su mecedora, su padre contemplaba imperturbable lo que
ocurría; al otro extremo de la galería, Berenice abrió la puerta de la
calle. Benito Suárez miró al uno y a la otra con la rabiosa ansiedad de
un animal acorralado y el ritmo de su respiración volvió a acelerarse.
Balbuceó difícilmente la palabra secuestro y luego la repitió varias

veces hasta poder al fin formar la frase, han secuestrado a mi esposa. Aquella idea le sirvió de asidero mental, o más bien, de justificación a través de la cual recuperó un poco de equilibrio, pues de repente calmado se dirigió de un aire decidido al teléfono y llamó a la Policía, o más precisamente, descolgó la bocina y se puso a hablar con un supuesto interlocutor acusándola a ella, Lina, de haber raptado a su esposa, de estar él mismo secuestrado en casa del doctor Insignares, todo eso sin haber marcado ningún número y sin tener en apariencia la menor conciencia de ello. Lina lo observaba vacilando entre la desconfianza y la piedad: sabía que en aquel instante Benito Suárez había dado un paso en falso, o dicho de otro modo, un paso más allá de la línea que serpentea entre la razón y lo irrazonable, pero ignoraba cuál sería su reacción al volver a la realidad y encontrarse a sí mismo hablando por un teléfono del cual sólo había descolgado la bocina. Por fortuna su abuela se hizo cargo de la situación, en fin, apareció por una puerta lateral saludando tranquilamente a Benito Suárez y apoyada en su bastón pasó frente a él diciéndole: cuando haya terminado de conversar venga a la terraza a tomarse una infusión de limón conmigo. Lo que entre ellos hablaron, Lina no lo supo nunca. Se limitó a tomar de manos de Berenice la bandeja con las dos tazas de infusión y la llevó a la terraza donde, arrodillado en el suelo, la cabeza escondida en el regazo de su abuela, Benito Suárez sollozaba como un niño. Por la mirada de su abuela comprendió que debía retirarse al instante. Así que se encerró en su cuarto y tres horas más tarde, a eso de medianoche, oyó la puerta de la calle abrirse, el motor del «Studebaker» azul al encenderse, y los pasos menudos, casi furtivos de su abuela apagando una a una las luces de la casa antes de acostarse. Ésa fue la última vez que su abuela conversó con él en la terraza.

Después, y a lo largo de ocho meses, la conducta de Benito Suárez no dejó nada que desear: trataba amablemente a Dora, la invitaba al cine los días de estreno, la llevó a bailar incluso una noche de sábado al «Patio Andaluz». Su repentina gentileza hacía resaltar mejor aquella expresión indefinible, de aceptación de sí mismo, de malévola complacencia con ese otro yo, quizás el más profundo y auténtico, que aparecía esporádicamente y cuyo vandalismo había intentando siempre justificar. Frente a su nuevo rostro duro, de ojos precavidos que se velaban sin dejar traslucir la menor emoción, Lina recordaba con inquietud las teorías de su abuela sobre la represión del instinto, rechazando o no compartiendo del todo aquel fatalismo inclemente, pero esperando no obstante la explosión que volvería a poner las cosas en su lugar. Porque conocía lo suficiente a Benito Suárez para creerlo cambiado de la noche a la mañana. Porque sabía también que él afrontaba entonces un problema serio, un verdadero problema, la investigación que sobre la muerte del estudiante de derecho Antonio Hidalgo adelantaban secretamente sus socios de «Las Tres Marías». Como había ocurrido tantas veces con los atropellos cometidos en la ciudad, aquella investigación podía detenerse en cualquier momento, o mejor dicho, habría podido resumirse a la pantomina, de no estar frente a ella el propio director de la clínica, el doctor Vesga, un santandereano que se había refugiado en Barranquilla con su mujer y sus seis hijos huyendo de la violencia. En realidad el verbo huir no era tal vez el más adecuado para describir cualquier acción que él pudiera emprender, perseguir o llevar a cabo, pues resultaba más fácil imaginarlo haciéndole frente a toda una jauría de chulavitas que abandonando la vieja casa de sus ancestros, aun si esa casa había sido quemada y su madre violada y sus dos hermanos descabezados a machete. Él se estaba especializando en Francia cuando aquello ocurrió, le contaría el doctor Agudelo a Lina, y al parecer, al menos así se lo decía, allí había dejado a su mujer y a sus hijos para regresar con un arsenal de granadas y fusiles que entró furtivamente por la frontera venezolana y repartió entre los peones de su hacienda que habían escapado a la masacre, quienes durante un año le ayudaron a perseguir y cazar uno a uno a los responsables de la destrucción de su familia. Quizá los mató a todos porque era santandereano. Quizá sólo a unos cuantos porque era médico. En todo caso lo que vio (si algo vio) o lo que hizo (si algo hizo), forjó o reforzó en él una conciencia irreductible para la cual el bien y el mal constituían entidades concretas y, en cualquier circunstancia, identificables. Así llegó a Barranquilla, con su esposa y sus hijos, sus principios de templario y su fama de ser uno de los mejores cirujanos del país. Lo era, como afirmaban los médicos que se agrupaban en torno suyo cuando operaba gratuitamente en el hospital grande de la ciudad; los que lo seguían respetuosamente por los corredores y se disputaban entre ellos el privilegio de ayudarlo en la sala de cirugía. Tres veces, en su calidad de única instrumentadora del hospital, Lina formó parte de su equipo; tres veces le ayudó a vestir la bata verde, a calzar los guantes de caucho, a pasarle, temblando a la idea de cometer el menor error, las pinzas que meticulosamente, con una precisión casi inhumana a fuerza de exactitud, iban cerrando los vasos sanguíneos, extrayendo la grasa, cercando el tumor. En las grandes operaciones, a las cuales ella, por supuesto, no fue invitada a colaborar, los médicos mayores iban como observadores o ayudantes, y los jóvenes aceptaban complacidos servir de enfermeros o se agrupaban detrás de la puerta tratando de ver algo a través de las redondas ventanas de vidrio. Un hombre así tenía necesariamente que impresionar a Benito Suárez en la medida en que era lo que él hubiese querido ser: el cirujano de renombre, el descendiente de una vieja familia de hidalgos, el individuo que, según decían, había vengado temerariamente a los suyos; ni un fanfarrón, ni un perdonavidas, simplemente un hombre, y para colmos, honesto, capaz de decir siempre lo que pensaba y de actuar siempre en conformidad con lo que consideraba su deber.

Su rectitud, o si se quiere, sus escrúpulos o conciencia profesional, lo llevó a tomar en serio el rumor que atribuía a Benito Suárez la muerte del estudiante de derecho Antonio Hidalgo. Él mismo había efectuado la operación y estimado que su paciente estaba ya fuera de peligro la noche de su muerte. Pero si, en principio, un síndrome hemorrágico podía atribuirse al azar de una imprevisible complicación, tanto más cuando, por negligencia o ignorancia, Hidalgo había olvidado comunicarle que un año antes había estado enfermo de hepatitis, quedaban por examinar dos hechos en apariencia inexplicables: la monjita que se encontraba esa noche en el pabellón de los operados juraba haber visto a Benito Suárez salir del cuarto de Antonio Hidalgo: de otra parte, la responsable del depósito farmacéutico había descubierto aquel mismo día la pérdida de una caja de «Heparine». Cualquiera habría podido sustraer la caja en cuestión, bueno, no exactamente cualquiera, pues sólo los médicos o las enfermeras provistas de una orden entraban al depósito y firmaban un recibo antes de retirarse con los remedios solicitados. Benito Suárez había estado allí hacia las seis de la tarde (su firma aparecía en el registro) en busca de un nuevo producto destinado a la anestesia cuyos efectos secundarios quería conocer antes de permitir su utilización en el enfermo que debía operar al día siguiente. Si eso no demostraba que fuese él el autor del robo, resultaba, en cambio, incomprensible y hasta sospechosa su presencia en el cuarto de Antonio Hidalgo, que no era su paciente, justo cuando la monjita había sido alejada de su puesto por una falsa llamada, ya que el enfermo de la habitación de donde provenía, reposaba bajo la acción de un fuerte sedativo. Allí comenzaba el misterio: la monjita había oído sonar el timbre del cuarto 20, cosa que ya de por sí le había resultado extraña; había cruzado todo el corredor, entrado en la pieza y comprobado que el enfermo dormía; pensó entonces que éste se había despertado bruscamente y timbrado en un reflejo inconsciente antes de volver a caer rendido. Al regresar al corredor vio a Benito Suárez cerrando la puerta del cuarto de Antonio Hidalgo y retirándose con tanta prisa, que ella creyó, así lo dijo en el curso de la investigación, que algo grave debía de haberle ocurrido al enfermo desde que un médico iba a examinarlo a esas horas de la noche. Así que se precipitó al lecho de Hidalgo y la sorprendió un poco encontrarlo durmiendo con placidez. Fue seis horas más tarde, cuando hacía su última ronda, que lo halló muerto, el cuerpo cubierto de cardenales, los ojos rojos, la nariz sangrante. La autopsia permitió comprobar un gran síndrome hemorrágico en un muchacho que, operado de úlcera, había formado una flebitis y por tal razón se encontraba bajo perfusión de «Heparine». Pero había sido el paciente del doctor Vesga y al doctor Vesga no le gustaba que murieran sus pacientes, mejor dicho, le resultaba intolerable. Si, como tantas veces el doctor Agudelo le había explicado a Lina, un buen médico hacía de la muerte su enemigo personal, contra el cual luchaba encarnizadamente, casi patológicamente, el doctor Vesga era médico hasta la médula de los huesos: él odiaba la muerte: había aprendido a descubrir sus disfraces, sus mentiras, sus artimañas, a advertir su presencia con meses, quizás años, de anticipación, y se le iba de frente lo mismo que un toro, pero un toro ya capeado, que tenía como armas el estudio incesante, un excelente ojo clínico y un implacable bisturí. La defunción imprevista de Hidalgo había sido para él un golpe, más aún, y teniendo en cuenta su ética rigurosa, una acusación de negligencia contra sí mismo: al prescribirle a Hidalgo aquel remedio lo había condenado a muerte porque seguramente la hepatitis había creado problemas en su circulación sanguínea. Él era responsable. La familia de Hidalgo también, al no ponerlo al corriente de una enfermedad cuyas secuelas podían ser fatales en una operación. Y también el personal de la clínica, si alguien había aumentado brutalmente la dosis de «Heparine». Por esa razón, después de seguir paso a paso la realización de la autopsia, el doctor Vesga se puso a investigar sin reposo ni tregua todo lo relacionado con la muerte de Hidalgo desde el momento en que salió del bloque operatorio: no sólo la historia clínica donde habían sido anotadas sus reacciones y que él ya había examinado cada noche y cada amanecer, sino también los análisis realizados en los laboratorios, los electrocardiogramas, los aparatos instalados en su cuarto. Interrogó como un fiscal a las diferentes enfermeras que durante tres días habían estado a su cuidado para comprobar si le habían sido suministradas las drogas ordenadas por él y en las cantidades indicadas. Finalmente le llegó el turno a la monjita, quien le reveló, sin malicia alguna, que Benito Suárez había salido del cuarto de Hidalgo unas horas antes de que ella lo encontrara muerto. Ahora bien, por esos días, el padre de Antonio Hidalgo había ido a verlo agitando un anónimo que él ni siquiera se tomó el trabajo de leer hasta el final. Un anónimo le parecía despreciable, la venganza de una enfermera abandonada, por ejemplo —y eso que el doctor Vesga se mostraba intransigente respecto a las relaciones entre médicos y personal— pero había allí una coincidencia inquietante. ¿Por qué Benito Suárez había entrado al cuarto de Hidalgo si éste no era su paciente, y, sobre todo, por qué al ser interrogado había desmentido acaloradamente la afirmación de la monjita? Entre la palabra de una mujer consagrada sin remuneración alguna al servicio de los otros y la de un extravagante pendenciero, no había para el doctor Vesga duda posible. Sin embargo, por celo u objetividad, le hizo practicar a la monjita un examen de la vista que ninguna anomalía reveló y él mismo, a la misma hora de la muerte de Hidalgo, reconstruyó la escena, es decir, entró al cuarto veinte, volvió al corredor y comprobó que desde allí podía perfectamente identificarse a cualquier persona que saliera de la habitación donde Hidalgo había fallecido. A partir de ese momento tan sólo le quedaban por descubrir los móviles de un crimen que empezaba a imaginar en su mente con horror, pero como vivía aislado del mundo y tenía fama de aborrecer las habladurías, no habían llegado todavía a sus oídos los rumores difundidos por Jerónimo Vargas.

Mientras tanto, Benito Suárez hacía lo posible y lo imposible por mejorar su imagen refrenando una violencia que, en otras circunstancias, habría dado cuenta seguramente de todos los socios de «Las Tres Marías», Jerónimo Vargas el primero. La acusación dirigida contra él era demasiado grave para permitirse el lujo de reaccionar conforme a sus impulsos, demasiado definitiva para tratarla con imprudencia. De repente descubría que su personaje de valentón armado siempre de un revólver no jugaba más en su favor, no formaba en torno suyo el respeto tan buscado, no detenía a un hombre tenaz que, según contaban, se había jugado la vida años atrás afrontando una horda de chulavitas. Todos sus atropellos, toda la brutalidad de una conducta que le había permitido afirmarse en el mundo impunemente surgía ahora de la memoria de quienes habían sido sus víctimas, cómplices o testigos para imputarle, sin beneficio de duda, un crimen que a lo mejor él no había cometido. Eso, al menos, prefería decirse entonces Lina conociendo la orgullosa satisfacción que a Benito Suárez le procuraba el ejercicio de su profesión, y eso, probablemente, le confió él a su abuela la noche que se quedaron conversando en la terraza. Un eco de aquella duda le llegaría a Lina años después, de una manera por lo demás curiosa, cuando vivía en París y Benito Suárez era apenas un recuerdo cada vez más impreciso entre tantos otros.

Ocurrió una tarde de un interminable verano que le había hecho recordar el injurioso calor de Barranquilla, mientras guardaba sus viejos papeles ordenándolos en una caja de «Contrex» para transportarlos a la nueva *chambre de bonne* que había alquilado muy cerca de la Place Maubert; de pronto encontró un sobre todavía cerrado, una carta dirigida a su abuela que había llegado dos semanas después de su entierro y cuya existencia, ella, Lina, había olvidado por completo. En aquella misiva, embrollo de galimatías demenciales donde se mezclaban, sin ningún respeto por la lógica, juramentos, citaciones de Nietzsche y estrofas de poemas, escrita por una mano al parecer temblorosa que subía y bajaba a cada palabra violando como la de un niño la horizontalidad de la línea, Benito Suárez intentaba explicarle a su abuela lo que había ocurrido aludiendo a una conversación que había tenido con ella, en la cual le había contado cómo entonces era víctima de una innoble acusación. Él, decía, habría sido bien capaz de retar a duelo al marido de Enriqueta, pero nunca de aumentarle brutalmente la dosis de un medicamento a fin de matarlo sabiéndolo inerme en su propia clínica; sabiendo, además, que estaba condenado a formar una nueva úlcera y no podría resistir el choque de una nueva operación. Y más abajo, en medio del caos de aquella escritura torturada, Lina encontró una frase sorprendentemente clara condensando la conclusión a la que ella misma había llegado: yo soy un asesino, pero antes de asesino, soy médico. Jamás deshonraría la actividad a través de la cual he podido expresar lo mejor de mí mismo.

La lectura de aquella carta remitió de un sólo golpe a Lina a los días en que discutía la conducta de Benito Suárez con el doctor Agudelo, quien tampoco lo creía responsable del crimen que sus colegas le atribuían y hasta había abogado en su favor al doctor Vesga. Porque no existía ninguna prueba de su culpabilidad, es decir, ningún indicio irrefutable, concluyente, e incluso sus relaciones con Enriqueta, que hacían de él un presunto asesino, podían servir, paradójicamente, a especular sobre su inocencia: Antonio Hidalgo estaba, en efecto, condenado: en dos años había sido operado tres veces de úlcera del duodeno y toda la ciencia del doctor Vesga, su bisturí, sus tratamientos, sus recomendaciones, se estrellaban contra la incapacidad de adaptación a la vida de aquel muchacho de ojos febriles que Lina había visto tantas veces en el patio de la Universidad arengando a los estudiantes desde una mesa. Era, entonces, un agitador fichado por la Policía, del cual se alejaban prudentemente los muchachos que leían con cuidado a Marx y Engels buscando una estrategia revolucionaria y que meses, o años después, cansados de la verborrea, de las vacilaciones de sus dirigentes, de la política del Partido, irían a sacrificarse en el holocausto de la guerrilla. Hidalgo no parecía tener el tiempo de reflexionar: quería cambiar la sociedad de la noche a la mañana confiando en la simple agitación estudiantil como ábrete sésamo de la revolución. Con los años, Lina guardaría de él una sola imagen, la de un jovencito flaco y pálido, a la cabeza de las manifestaciones, afónico de tanto gritar, agitando una pancarta, siendo el primero en recibir los golpes de los policías. Ella, Lina, no lo conoció nunca personalmente, pero su padre sí, pues dos veces había ido a sacarlo de la cárcel, una por romper las vitrinas de los comerciantes de la calle Cuartel, y otra, por prenderle fuego a un automóvil. Para su padre, Hidalgo era un iluminado, algo así como un individuo poseído por la fe, devorado por la pasión, cegado por la utopía, a quien no valía la pena dirigirse en términos de sensatez, ni siquiera dirigirle discurso alguno, sino simplemente ponerlo en libertad para que le remendaran las heridas y una semana más tarde volverlo a encontrar en la Universidad armando el alboroto, organizando una nueva manifestación por un quítame allá esas pajas y así sucesivamente hasta que otra úlcera terminara con su vida. Si lo ayudaba como hijo de un colega suyo menos influyente, su padre se había interesado al principio en Hidalgo por curiosidad, pero no sin simpatía, viendo en él al modelo reducido, o si se quiere, al embrión de uno de esos huracanes que asolan de cuando en cuando al mundo, los Gengis Kan, Alejandro, Napoleón, Lenin y Hitler cuyas biografías conocía de memoria y a quienes consideraba el reflejo, el instrumento y el paroxismo de la tontería humana. Sin embargo Hidalgo había terminado por parecerle no tanto un embrión como un aborto, pues su fanatismo funcionaba de un modo excesivamente maniqueo y hasta remitía directamente a la psiquiatría, le oiría decir Lina la primera (y única) vez que le habló del marido de Enriqueta, menos por explicarlo a él que por defenderla a ella, aunque Lina no la había atacado de verdad, en fin, había utilizado al nombrarla una expresión que su padre juzgó quizá peyorativa o lo bastante injusta como para exigir de su parte una aclaración sobre el papel de Enriqueta en toda aquella historia, el de una criatura de ensueño con la cabeza de un chorlito, ajena a todo cálculo, colocada entre un marido exaltado que un año después de su matrimonio no había logrado poner fin a su doncellez, y un amante igualmente frenético, pero con la fogosidad del hombre a quien el paso de la cuarentena obliga a caracolear su virilidad, ambos desmesurados en su locura, más allá de la comprensión, análisis o síntesis de la muchacha nacida en el barrio San José en una casa de fachada rosa, con dos cuartos no muy grandes y una cocina renegrida por el humo del fogón: teniendo como sola confidente a su madre, viuda, empleada por caridad en una notaría, que tomaba el bus a las seis de la mañana y regresaba al anochecer, y que tampoco había comprendido mayor cosa: ni el yerno, el parásito incapaz de estudiar, de trabajar, de aportar tan siquiera el pan del desayuno, hablando desaforadamente de la revolución en nombre de un tal Marx; ni al amante, aquel Benito Suárez turbulento que debía de mirar vacilando entre el pavor y la fascinación, renegando de que su hija lo hubiera conocido ya casado, un poco avergonzada de los comadreos que despertaba en el vecindario su vistoso «Studebaker» azul, y al mismo tiempo orgullosa: ella y Enriqueta habían sabido durante años lo que era acostarse con el estómago vacío, el oprobio de mendigarle al tendero de la esquina un plazo o un nuevo crédito, la sonriente humildad al recibir las prendas usadas de alguna parienta. Pero tenían sus principios, al menos ella, la madre, no quiso nunca prostituirse aun si a la muerte de su marido estaba todavía en condiciones de despertar la codicia de los hombres, y había educado a Enriqueta, la hermosa niña que parecía salida de un cuadro de Botticelli, en el mismo espíritu de integridad. Benito Suárez había sido admitido a regañadientes, y no por su dinero —la estufa, la nevera, esas cosas habían ido llegando con el tiempo sin que pudiera hablarse realmente de prostitución— sino porque era un hombre y Enriqueta quería un hombre. Quizá la madre había soñado a lo largo de aquellos años de pobreza asumida en el estoicismo con el marido al cual la belleza de Enriqueta podía aspirar, sin mayores exigencias, dado su conocimiento de la vida, pero sin excesiva humildad, simplemente alguien que las sacara a ambas de la hirviente casita rosada del barrio de San José para mudarlas a las cercanías del Prado, borrando a muerte la cara del tendero y los trajes desteñidos de la parienta. Después, aquel sentido práctico que habría adquirido trabajando en una notaría, le permitió aceptar a Benito Suárez como el mejor sustituto posible a la espera del divorcio prometido y, tal vez, secretamente, sin decírselo ni siquiera a ella misma, de la muerte del yerno alborotado que sólo había aprendido a hacerse aporrear en las manifestaciones formando, luego, las úlceras que el doctor Vesga le operaba en la clínica «Las Tres Marías».

Así pues, descubriría Lina escuchando la cautelosa versión de su padre, todo el mundo era más o menos consciente de que Antonio Hidalgo corría a su pérdida y Benito Suárez mejor que nadie, informado de que las prescripciones del doctor Vesga no llegaban nunca a la farmacia y de que sus actividades de agitador, relacionadas probablemente con aquellas bombas de fabricación casera que de pronto habían empezado a estallar en la ciudad, habían provocado en él una especie de manía persecutoria que lo mantenían en perpetuo sobresalto favoreciendo el desarrollo de nuevas úlceras contra las cuales el bisturí del doctor Vesga se revelaría impotente. La operación que le costó su vida no era sin importancia como la gente decía: había venido precedida de vómitos de sangre y de un estado tal de debilidad, que fue necesario transportarlo a la clínica en ambulancia. Lina imaginaba bien a Benito Suárez timbrando del cuarto veinte para distraer la atención de la monjita y comprobar por sí mismo la situación de Hidalgo: su ojo de médico debió descubrir que no pasaría la noche, y entonces se alejó a toda prisa temiendo ser acusado más tarde de negligencia. Que la monjita lo viera salir del cuarto y la desaparición de la caja de «Heparine» hubiese tenido lugar el mismo día, lo remitía de Nietzsche a los autores griegos, a esos seres imprevisibles que intervenían caprichosamente en la vida de los hombres causando su perdición. Quizá Nietzsche desaparecía de todo para dejar paso al niño que en su infancia era fueteado por su madre mientras sus compañeros de pandilla recibían como castigo una simple reprimenda. O tal vez su referencia a los arbitrarios dioses del Olimpo encubría el recuerdo de entidades más oscuras, reprimidas durante siglos, las que saltaban en la selva con el leopardo, cubrían de pústulas la piel, enloquecían a los ríos y surgían bramando del fondo de la tierra. Fuese lo que fuese,

Benito Suárez no parecía programado para hacer frente a aquella adversidad. No tenía la paciencia del hombre que ha descubierto a través del dolor su propia resistencia aprendiendo a observar de qué lado sopla el viento mientras los otros se queman en el fuego que ellos mismos han prendido. Sabía asaltar una fortaleza, pero no resistir un asedio, responder a una agresión, pero no desarmarla, correr como un perro detrás de una liebre, pero no aguardar en la inmovilidad de un gato horas enteras frente al agujero por donde tarde o temprano asomará el ratón. Aun durante los ocho meses en que ensayó una conducta razonable su carácter lo traicionaba dejando aparecer en el momento más inoportuno aquella violencia con la que aparentemente se había reconciliado a partir del día en que se puso en duda su honestidad profesional. Como si el hecho de ser médico, de luchar contra la miseria de la condición humana, le hubiese permitido integrarse a la sociedad en un equilibrio siempre precario, pero efectivo si se consideraba que a pesar de todo habitaba una casa (en el Prado), conducía un automóvil («Studebaker») y ganaba honorablemente su vida (ejerciendo su profesión). No era todavía un marginal, el prófugo a quien la Policía iría a perseguir a lo largo de los hirientes arenales de la Goajira, el expatriado que en un villorrio de la selva amazónica curaría a indios famélicos por un puñado de comida. No. Podía presentarse aún como el doctor Benito Suárez, cirujano, copropietario de la mejor clínica de la ciudad, emparentado gracias a su matrimonio a una respetable familia con títulos de nobleza. A todo eso se asía para conjurar un infortunio que podía precipitarlo a la ruina, pero su carácter, naturaleza, instinto, o como se llame, lo traicionaba.

Lo traicionó la noche que debía cerrar con broche de oro su muy reciente vida social, si así podía calificarse a aquella serie de invitaciones desordenadas a través de las cuales pretendía obtener en un santiamén la amistad de personas conocidas hasta entonces dentro del marco estricto de su profesión, y que de pronto, cohibidas o estupefactas, oían la voz de Benito Suárez por el teléfono invitándolas a comer ese día, o el siguiente o cuando bien quisieran, mientras Dora, disponiendo por primera vez del dinero necesario para comprar manteles de hilo, cubiertos de plata, vajillas y cristales franceses entrados de contrabando, se afanaba en los trajines de la anfitriona que no era ni le había interesado nunca ser, aconsejada por Lina y respaldada por Berenice, a quien su reputación de *cordon bleu* le permitía reinar despóticamente en otra cocina dirigiendo el servicio de Dora en la preparación de tortas, salsas, rellenos y cuantas exquisiteces había aprendido a hacer viendo trabajar al cocinero francés del «Hotel del Prado» cuarenta años atrás. A pesar de los ruegos de Dora, Lina se había abstenido siempre de participar en aquellas reuniones por la aprehensión que le producía encontrar frente a ella a un Benito Suárez hermético cuyas intenciones no podía imaginar, pero sí temer gracias al esmero que él ponía en ocultarlas, y a Dora sonriendo con la beatitud del convaleciente a quien han dado de alta después de una larga enfermedad. Aquella vez, sin embargo, la recepción se ofrecía en honor del doctor Vesga requiriendo a juicio de Benito Suárez la presencia de una mujer de mundo, como tuvo la gentileza de llamar a Lina al invitarla, alguien acostumbrado a frecuentar el «Country», animar una conversación, distraer a la gente, capaz, en fin, de asesorar a Dora, quien por timidez pasaba desapercibida sin abrir la boca en toda la noche.

Lina aceptó creyendo asistir a una velada convencional, después de haber aprobado el menú de Berenice y ayudado a disponer la mesa, los floreros, ceniceros y picadas. Todo parecía en su lugar, incluso Benito Suárez recibiendo en la puerta a los invitados, quienes entraban en la sala más o menos desorientados y reconociéndose entre ellos se saludaban con evidente alivio, mientras el mesero contratado para la ocasión se precipitaba a servirles unos sólidos whyskies que terminaban de disolver la desconfianza y hasta la molesta impresión de participar pasivamente en una farsa destinada a seducirlos. El único que se encontraba allí sin ningún sentimiento de incomodidad era el doctor Vesga, en cuyo honor justamente la ceremonia había sido preparada, porque su presencia no obedecía al temor de desairar a Benito Suárez ni al propósito inconsciente de dejarse engatusar con una invitación según le explicaba el doctor Agudelo a Lina en un rincón de la sala, sino más exactamente al deseo de comprobar con sus propios ojos el marco dentro del cual se desarrollaba la vida de un individuo que él había resuelto desenmascarar de una vez por todas. Si hasta entonces había considerado con reservas la hipótesis del crimen juzgando que un impulsivo como Benito Suárez tendía a reaccionar bajo el efecto de una emoción, la historia que le había referido Jerónimo Vargas unos días antes lo había sumido en la perplejidad. No porque creyera al pie de la letra aquella versión folletinesca —la del psiquiatra que de pronto ve llegar al marido de su paciente exigiéndole encerrarla en un manicomio, y que al negarse a hacerlo es víctima de represalias en la persona de su mujer— sino porque a través de ella descubría una capacidad de cálculo que nunca le había atribuido a Benito Suárez. Así que estaba allí, lúcido y frío, observando sin complacencia alguna las personas y cosas que había a su alrededor. Sus ojos recorrían los toscos muebles laqueados de blanco, las poltronas de colores chillones, la falsa alfombra persa, mientras Lina, que no lo perdía de vista un solo instante, se felicitaba de haber pedido al menos remplazar las porcelanas de Benito Suárez por floreros traídos de su propia casa con el pretexto de adornar de rosas y gladiolos el salón. De vez en cuando su mirada se posaba sobre Dora, penetrante y clínica, sopesando a través de sus gestos y ademanes los posibles rasgos patológicos de su personalidad y, quizás, adivinando en ella, en la lasitud de su expresión, en su cara abotagada, el desesperado cansancio de doce años de matrimonio con Benito Suárez. También Renato atraía su atención, ese niño malcriado a quien Lina no había visto nunca sonreír, que corría de un lado a otro empujando a los invitados y metiendo abruptamente la mano en las bandejas de picadas. De pronto Renato hizo algo que Lina le había observado hacer una vez frente a la mirada impávida de su padre: pateó el hocico de una perrita fox-terrier e indiferente a sus aullidos de dolor volvió a patearla hasta que el animal encontró el modo de refugiarse bajo una mesa. La escena había sido contemplada por Benito Suárez sin que intentara impedirla ni le hiciera a

Renato el menor reproche, y en un segundo las pupilas del doctor
Vesga se dilataron como si fueran el ojo de una computadora que
capta, fija y registra para la eternidad. Después, lentamente, giraron
hacia Lina y la midieron, la penetraron descubriendo el horror instintivo que había provocado en ella el acto de Renato.

A partir de ese momento Lina empezó a sentirse molesta de sí misma, o más bien, de la ambigüedad de la situación: Benito Suárez le
había pedido una ayuda a medias tintas y a medias tintas ella se la
había acordado organizándole su reunión y demostrando, gracias a su
presencia, la amistad que en principio los unía y el escaso valor que
daba a las acusaciones dirigidas contra él. Y sorpresivamente entre
ella y el doctor Vesga se establecía una corriente de comprensión que
nada permitía justificar, pues lo poco que Lina sabía de su persona,
su rigidez, su gusto por la autoridad, su tendencia a ver el mundo en
blanco y negro y por último, el insolente derecho que se había atribuido a hurgar en la vida privada de Benito Suárez como un inquisidor, bastaba para despertar en ella la más viva antipatía. Pero la
corriente seguía allí, cálida y contradictoria, y se mantuvo a lo largo
de la noche —hasta que la fiesta dejó de ser convencional dada la insólita concepción de Benito Suárez sobre el modo de divertir a la gente—
permitiéndole adivinar, aprehender y compartir las reacciones del doctor Vesga con un incómodo sentimiento de impotencia, quizá porque
lo que él registraba correspondía a la realidad sin dar cuenta de toda la
realidad, y ella, Lina, no podía explicárselo: Benito Suárez desconocía
las sutilezas de la vida mundana y si su madre, doña Giovanna Mantini, había extirpado a punta de fuete su inclinación a la indolencia,
la irresponsabilidad y la desenvoltura logrando inculcarle los valores
de la alta burguesía europea en lo que se refiere al estudio y al trabajo,
no había intentado nunca, tal vez por juzgarlo imposible, hacer de él un
individuo amable, sensible a los matices de la cortesía que facilita las
relaciones humanas. De modo que en aquella reunión, compuesta en su
mayor parte de médicos salidos de la clase media, pero más o menos
adaptados a las costumbres de la burguesía local, Benito Suárez hacía
el papel de elefante en un campo de margaritas: su voz dominaba en
las conversaciones, su boca se abría demasiado al masticar las picadas,
sus movimientos parecían bruscos como brusco era el tono que adoptaba al dirigirse al mesero, y en cuanto a su manera de tratar a Dora,
de darle órdenes, de criticarla por pequeñeces, habría podido ofender
al más misógino de los hombres allí presentes. Además Benito Suárez
ignoraba que el primer deber de un anfitrión consiste en minimizar las
atenciones que ofrece a sus huéspedes, así que circulaba entre ellos
haciendo notar la calidad de su whisky o el origen de su cristalería o,
cosa más increíble, solicitando torpemente el agradecimiento por haberlos invitado. Viendo a través de los ojos del doctor Vesga aquel
alarde de mal gusto y la agresividad que en el fondo expresaba, Lina
había decidido adelantar la hora de pasar a la mesa con el pretexto
de que el *soufflé* de Berenice no podía demorar un minuto más en el
horno, cuando Benito Suárez anunció en voz alta su intención de proyectar un film rodado en el hospital grande de la ciudad. Los murmullos se callaron, se apagaron las luces y todo el mundo se agrupó en

torno a Benito Suárez y al rutilante proyector que había aparecido a su lado. El propósito del film era mostrar una operación por él realizada a fin de extirparle a una vieja un tumor que partiendo del vientre le llegaba a las rodillas, tan gigantesco que para poder desplazarse la pobre mujer se había hecho construir una especie de carrito con dos ruedas, en el centro una tabla de madera donde la protuberancia reposaba, y en el extremo superior dos barras destinadas a accionar el ingenio. Sobre la pared apareció la sala de cirugía, el tumor aislado en los campos y Benito Suárez en plena actividad, rodeado de asistentes que le pasaban los instrumentos y le secaban el sudor de la frente. Ningún detalle de la operación era pasado por alto y al cabo de una hora la mayor parte de las mujeres se habían retirado de la sala, algunas sollozando, otras buscando a toda carrera el baño para vomitar. Los demás seguían la proyección en un silencio desolado y Lina permanecía en el salón sin saber qué hacer, yendo a la cocina de vez en cuando para calmar a una Berenice que al borde de la histeria había visto su *soufflé* derrumbarse y su pavo a las ciruelas convertirse en carbón. Benito Suárez, en cambio, estaba radiante: a su alrededor tenía a los mejores médicos de la ciudad, en especial al doctor Vesga, contemplando paso a paso la gran operación de su vida, efectuada y filmada en secreto para deslumbrarlos. En medio de su euforia, y gracias a los whiskies ingeridos, le era imposible advertir el desconcierto de los asistentes que cambiaban entre sí miradas de desaprobación. El doctor Vesga, por su parte, no miraba a nadie. Su cara se había fijado en una expresión de asombro glacial. Filmar en un bloque operatorio sin tomar precauciones asépticas, debía parecerle una irresponsabilidad inadmisible, jactarse públicamente sin ningún pudor, una debilidad condenable, imponerle a un grupo de invitados semejante proyección, una grave falta contra la más elemental cortesía. Pero lo que le sacó de su rigidez airada fue la última parte del film —que en principio habría debido ser el comienzo— cuando apareció sobre la pared la imagen de la pobre vieja unos días antes de la operación, desnuda y avergonzada, tratando de ocultar con una mano sus fláccidos senos y hurtando el rostro a la cámara que despiadadamente la seguía hasta lograr captar sus ojos en lágrimas, ya vencidos y humillados. El doctor Vesga puso en una mesa el vaso de whisky del cual no había bebido una sola gota y dijo con una voz metálica a fuerza de desprecio: esto es Auschwitz. Usted, doctor Suárez, no tiene derecho de abusar de la desgracia humana deshonrando su profesión, deshonrándonos a todos. Alguien encendió la luz y Lina vio a Benito Suárez junto al proyector demudado de sorpresa. Paulatinamente su cara se fue contrayendo de ira y sus labios se abrieron como si quisiera hablar, pero de su garganta no salió ningún sonido, ni siquiera aquel tartamudeo desesperado que Lina le había escuchado otras veces. De un manotazo arrojó el proyector al suelo y avanzó hacia el doctor Vesga que lo esperaba sin moverse, que no se movió en ningún momento, ni esquivó el cuerpo ni retrocedió, solamente alzó el brazo izquierdo para protegerse el rostro y con el derecho respondió al puñetazo de Benito Suárez empujándolo al otro extremo del salón, adonde Lina lo vio caer medio atontado llevándose de cuajo uno de los mejores jarrones de su abuela.

Y mientras permanecía tirado en la alfombra, pringado por el agua del florero y con siete gladiolos a su alrededor, el doctor Vesga se despidió de Dora después de haberle presentado sus excusas y seguido por los otros invitados se retiró de la casa.

Pero no fue ese incidente la razón por la cual un mes más tarde el doctor Vesga aceptaba presidir la junta de socios de «Las Tres Marías» que debía discutir la conducta de Benito Suárez y eventualmente expulsarlo de la clínica. Ni eso, ni el escándalo que provocó en la ciudad la misma noche de la fiesta cuando sacó a Dora a patadas de la casa despertando en plena madrugada a los vecinos quienes la vieron abrir la puerta de la calle y a puntapiés empujarla dejándola medio inconsciente en el jardín donde Lina, alertada por Antonia, la propietaria de la farmacia de al lado, fue a buscarla en compañía de doña Eulalia del Valle, su abogado curero y dos amigos más destinados a servir de testigos de que Dora había sido obligada por la fuerza y la violencia a abandonar el domicilio conyugal. No, lo uno y lo otro habían solamente afirmado el desprecio del doctor Vesga por Benito Suárez incitándolo a continuar su investigación sobre la muerte del estudiante de Derecho Antonio Hidalgo, aun a sabiendas de que nunca podría establecer con exactitud si aquella muerte correspondía a un crimen casi perfecto o a un concurso de circunstancias indeterminables. Quizás el doctor Vesga fingía perseguir el rastro de un conejo internándose en el territorio de un león, consciente de que éste lo observaba y por eso mismo, para excitarlo, cortando a machete los arbustos, estrujando la maleza bajo sus botas, dejando al viento propagar su olor, mientras el león ofuscado, oculto detrás de un matorral, el vientre pegado a la tierra, sentía crecer en él a través del calor de su cuerpo y los latidos de su corazón el impulso suicida de lanzarse contra el hombre que insolentemente lo desafiaba. Sólo la temeridad del doctor Vesga podía conducirlo a una empresa semejante, sus escrúpulos, también, pero más que nada, la duda: Lina, que tres veces le había servido de instrumentadora, lo sabía marcado por la personalidad del cirujano, por la necesidad de explorar con sus propios ojos y con sus propios ojos medir la extensión, naturaleza y profundidad del mal. Al provocar a Benito Suárez, el doctor Vesga parecía obedecer al mismo impulso, el deseo de conocer la verdad, la imposibilidad de admitir, reconocer o tolerar la incertidumbre, desplegando la estrategia que tan bien le servía en su profesión, pero cambiando de táctica, pues táctica podía llamarse aquella especie de acoso continuo que consistía en someter a interrogatorios interminables a todas las personas que habían estado al cuidado de Hidalgo durante los tres días que precedieron a su muerte. En apariencia, le había contado el doctor Agudelo a Lina, su interés se había fijado en un solo detalle, establecer si Benito Suárez llevaba o no su maletín cuando le vieron entrar al depósito farmacéutico y salir del cuarto donde Hidalgo había fallecido. Ni las declaraciones de las dos monjitas, que se contradecían a cada interrogatorio, ni los otros médicos y enfermeras que de pronto recordaban con una precisión inverosímil haber encontrado ese día a Benito Suárez, maletín en mano, por un corredor, servían de mayor cosa al doctor Vesga, pues en buena lógica debía de comprender que sólo un testi-

monio visual podía establecer si crimen había habido. No, él buscaba
simplemente exasperar al león para obligarlo a descubrirse y Benito
Suárez cayó en la trampa, o mejor dicho, dio dos o tres zarpazos que
indignaron a los socios de «Las Tres Marías» hasta el punto de decidirlos
a convocar aquella reunión que el doctor Vesga, en su calidad de director de la clínica, aceptó presidir. Los cargos acumulados contra Benito
Suárez —amenazas a las monjas, tentativas de soborno a las enfermeras, una torpe maniobra destinada a hacer aparecer a otro médico como
el autor del robo de la caja de «Heparine» bastaban para expulsarlo
de «Las Tres Marías» sin que por ello su reputación profesional sufriera
mayor perjuicio. Pero él no lo sabía. Él se presentó aquel día a la clínica con su «Studebaker» azul, con su almidonada blusa de médico
y sus zapatos blancos de gruesas suelas de caucho. En la mano llevaba
el maletín objeto de tantas controversias y su cara estaba tan contraída
y pálida que parecía cubierta por una máscara de yeso. Al entrar a la
sala blanca y austera, donde sólo se oía el ronronear de dos aparatos
de aire acondicionado, miró con un aire soberbio a los médicos instalados ya alrededor de la mesa y colocando su maletín entreabierto en
una silla, se negó a tomar asiento diciendo: yo he venido a defender
mi honor, y defenderé mi honor erguido. Era muy probable que en
esos momentos, como le sugirió el doctor Agudelo a Lina, Benito Suárez
estuviese convencido de que iba a ser acusado de la muerte del estudiante de Derecho Antonio Hidalgo. En todo caso no se encontraba en
sus cabales: al corriente de las investigaciones del doctor Vesga, creía
que éste lo consideraba culpable y hasta imaginaba, quizá, que había
descubierto el modo de perderlo: a lo largo de los últimos días que
pasó en Barranquilla, sobre todo la semana anterior a la reunión, había
caído en un estado próximo de la paranoia negándose a salir de su
casa, telefoneando cada hora a una enfermera de «Las Tres Marías»,
antigua amante suya y por él abandonada, que lo mantenía informado
de los rumores, chismes y habladurías que corrían sobre su situación,
y recibiendo a una abogada de mala ley, la misma que más tarde iba a
encargarse de su defensa, preparar su fuga y separar para siempre
a Renato de Dora. Si hubiese sido capaz, no ya de guardar un poco
de control sobre sí mismo, sino solamente de analizar la situación con
lucidez, habría comprendido que el doctor Vesga no tenía la intención
de atribuirle un crimen indemostrable corriendo el riesgo de ser llevado
ante los tribunales por difamación y calumnia, sino de incriminarle
por sus intimidaciones al personal de la clínica y la manera como había
intentado corromper a una enfermera para que atestiguara haber sorprendido a otro médico hurtando una caja de «Heparine».

Pero él, Benito Suárez, nadaba ya en otras aguas, descubriría Lina
en París, al leer aquella carta que él escribió a su abuela ignorando
que ya entonces su abuela había muerto. Se sentía, garabateó, afrontando una especie de juicio final frente a un dios despiadado que guardaba en su memoria todos los pecados por él cometidos desde antes
de nacer. Quizá pensaba en el pecado de haber aborrecido al padre
que lo engendró, de haber renegado de la sangre que ese padre le transmitía, de justificar de adulto los latigazos que de niño marcaron de
cicatrices su espalda, justificación que iba a obligarle a cruzar la vida

como un vándalo hasta aniquilar a su esposa y pervertir el carácter de su hijo. O tal vez se refería confusamente al pecado de encarnar al extremo al hombre agresivo, violento y dominador que la sociedad le había ofrecido como modelo, ultrajando en la ignorancia una concepción distinta de las relaciones humanas, un modelo sugerido, un mensaje olvidado, un ideal o una nostalgia. Si Dios no había existido nunca, Nietzsche empezaba a agonizar.

Aun sin leer aquella carta, Lina había podido concebir el infierno vivido por Benito Suárez después de haber sacado a puntapiés a Dora de la casa rompiendo así el último dique con el cual había podido controlar la hostilidad de un mundo que le había incitado a ser lo que era y hasta recompensado por ello, pero que iba a revolverse contra él como una víbora a la menor traición: al poner en evidencia la realidad misma de su poder en tanto que médico, en tanto que esposo, Benito Suárez lo había traicionado a la manera del parricida que descubre el odio hacia el padre o de la mujer adúltera que revela la sexualidad femenina. Y eso, esa imprudencia, debía pagarla. Empezó a pagarla con la soledad, pues quedó solo, aconsejado por dos mujeres que sin él saberlo querían su ruina: una enfermera utilizada alguna vez que de repente tenía la posibilidad de vengarse aterrorizándolo, y una abogada a quien la lucha por alcanzar los privilegios masculinos (sus dificultades en la Universidad, el irónico desdén de ciertos profesores, el conocimiento de un código misógino) habían llevado probablemente a aborrecer a los hombres y despreciar a las mujeres. Nadie supo nunca cómo la conoció ni las relaciones que entre ellos hubo, pero a Lina le bastó hablar con ella una vez para pensar que esa mujer lo había precipitado al abismo: sin empujarlo, sin señalarle ni siquiera la ruta, simplemente plegándose a su propia lógica con la perversidad de un médico que aceptara las razones de un paciente depresivo dejando a su alcance una cápsula de cianuro. Pues fue ella quien le indicó todas las artimañas legales a través de las cuales podía escapar de la prisión en el caso de haber un proceso. Si Benito Suárez no hubiese estado convencido de que algún día justificaría su acto frente a un tribunal realizando la más apoteósica interpretación de su vida, otra habría sido quizá su actitud, la disposición de su espíritu cuando entró al salón donde se habían reunido los socios de «Las Tres Marías». Gracias a los consejos de aquella mujer, él se creía en la capacidad de elegir entre los dos términos de la siguiente alternativa: o bien hacía lo que hizo emprendiendo la fuga hasta que las circunstancias le permitieron afrontar un tribunal predispuesto a su favor, su nombre escrito en grandes titulares en la Prensa, su acto debatido por los mejores juristas del país; o bien respondía a la acusación del doctor Vesga leyendo un discurso, ya preparado, que a su juicio iría a ganarle el respeto de los médicos presentes devolviéndole su dignidad. En el maletín, junto a las cuatro páginas del discurso, guardaba el revólver: el doctor Vesga ignoraba que la trampa no se había cerrado del todo sobre el león. Por eso, cuando Benito Suárez pronunció aquella frase altisonante, he venido a defender mi honor, y defenderé mi honor erguido, el doctor Vesga cometió la imprudencia de decirle de un tono irónico, mejor se sienta, doctor Suárez, su honor puede admitir un taburete. Alguien se rió. Sólo un segundo después, al ver aquel objeto negro, breve y feroz que Benito Suárez sacaba del maletín, el doctor Vesga comprendió que había herido al león peligrosamente. Aquel objeto le era fatídico y familiar: lo había intuido desde niño viéndolo al cinto de los arrieros que cruzaban los riscos salvajes de la provincia donde había nacido y, más tarde, en las trágicas reyertas de madrugada en cantinas y bares de la capital donde había estudiado. Así que alcanzó a decir con una nota, tal vez no de pánico, sino de simple estupor en la voz: no irá usted a matarme, antes de que sus colegas fueran estremecidos por la primera detonación: y vieran saltar los cristales de un vaso sobre la mesa, y lo vieran a él, con una flor de sangre en la camisa, empezando a desplomarse. Los cinco disparos restantes eran innecesarios, eran ya los disparos de un loco. Así Benito Suárez realizó al fin el acto para el cual la abuela de Lina lo había creído siempre predestinado.

DOS

I

«Mas del fruto de aquel árbol que está en medio del paraíso mandonos Dios que no comiéremos para que no muramos. Dijo entonces la serpiente a la mujer: "¡Oh! Ciertamente que no moriréis. Empero, Dios sabe que en cualquier tiempo que comiéreis de él se abrirán vuestros ojos y seréis como dioses, conocedores de todo, del bien y del mal."»

Así, desde el principio, apenas comenzaron a fabular su historia, los hombres manifestaron cobardía: reconociendo implícitamente en la mujer el origen de la rebelión, habían enunciado el formidable mensaje de poder inscrito en aquellas frases para mejor reducirlo a un sentimiento de pérdida. Porque los hombres no escapaban jamás a la ley del padre y si conducidos por una inteligencia femenina se sublevaban contra él un instante, al siguiente regresaban contritos y angustiados a someterse a su autoridad. Eso decía tía Eloísa. Lo decía rodeada de sus gatos birmanos en su poltrona de terciopelo azul turquí, mientras susurraban los ventiladores que ahuyentaban el calor, el bochorno, la pegajosa humedad de la calle, como si desde su casa la ciudad no existiera o fuese un sueño o una ilusión apenas ella, Lina, abría la enorme reja de hierro de la entrada y cruzaba el jardín sembrado de ceibas centenarias subiendo los escalones de granito que conducían a ese mundo de silencio donde la luz era penumbra y en cada cuarto, en cada pieza brillaban objetos fascinantes traídos de muy lejos, envueltos en el perfume de esencias de rosa, jazmín o sándalo. Allí solía ir Lina

una vez por semana, de la mano de su abuela cuando era niña o con-
duciendo a su abuela cuando fue grande, o simplemente sola, por el
placer de ver a aquella tía sonriente sobre la cual los años no habían
pasado, con sus cabellos teñidos y sus ojos transparentes iluminados de
malicia, dinamitando conceptos, religiones, ideologías y cuantas artimañas habían inventado los hombres para justificar sus desvaríos y dominar a la mujer. Pues tal había sido el propósito de todo discurso desde
el comienzo de los siglos: buscar una explicación coherente a la historia de furor y sangre que el macho de una especie defectuosa, inadap-
tada, detenida por un error de la naturaleza en el curso de su evolución
había tejido a lo largo de su paso por el planeta, destruyendo la vida gratuitamente, es decir, no tanto a fin de alimentarse, protegerse o defender
su progenitura, como para satisfacer las pulsiones de su demencia, y
eso, no obstante contar con un instrumento capaz en principio de con-
trolarla. Pero el instrumento en cuestión le había permitido tan sólo
excusar su conducta en un condensado de creencias infantiles e interpretaciones insensatas a las cuales tía Eloísa se refería con humor seña-
lándole a Lina los libros que debía tomar de la biblioteca, abrir en una
página determinada y leer a partir de un renglón preciso para encontrar la confirmación de aquellas afirmaciones que tanto la divertían aún
advirtiendo su carácter subversivo y la infinita duda que paso a paso
iban instalando en su conciencia, y aun si de niña se sentía fascinada por
la anécdota y con ella jugaba al grado de su fantasía hasta considerar
por ejemplo a Adán cubierto de su triste hoja de parra como un individuo lamentable y renegar de que Eva no hubiese tomado también
del fruto del árbol de conservar la vida antes de que su acceso le fuera
vedado por la espada de fuego del malvado querubín. Ya a los doce
años Lina se decía que si en lugar de Eva, tía Eloísa hubiese estado en
el Edén, las cosas habrían pasado de otro modo. Por lo pronto habría
convencido a Adán de que dijese lo que dijera el iracundo Dios del Gé-
nesis, su sexualidad era un descubrimiento fabuloso y más le valía vivirla en el placer que maldecirla en la vergüenza. Le habría explicado
cómo surgir del blanco vacío de la nada para caer en la oscura nada de
la muerte no remitía a ningún castigo divino sino a las leyes de la materia orgánica; que toda medida tomada contra la mujer iba a volverse
pérfidamente contra él mismo, y quien como Hesiodo la llamara maldición, ruina de los hombres, crueldad de deseos y nostalgias pasaría sus
días en un limbo de tristeza y frío. O quizá tía Eloísa no habría tenido
necesidad de explicarle nada a nadie, pensaba Lina maravillada, pues
su sola belleza, la agilidad de su espíritu, su infinita capacidad de seducción hubiesen apaciguado seguramente la agresividad de Adán y de
su dios. Lina la imaginaba bien discutiendo con el bíblico señor del trueno hasta reducir a polvo su vanidad; o enfrentándose a quienes habían
inventado aquel personaje belicoso a fin de hacerles comprender que los
pesares de la vida estaban implícitos en su propia dialéctica y que a
ella debíamos integrarnos para adquirir un poco de sabiduría. Pero justamente en nombre de la sabiduría, tía Eloísa había renunciado desde
muy joven a razonarle a los hombres. Porque ellos eran diferentes:
rudos, musculosos, desordenados, su influjo nervioso les hacía actuar
con precipitación, su producción de adrenalina los volvía patológica-

mente agresivos, la regularidad de sus hormonas les impedía conocer la gama de matices de la sensibilidad. Por exceso o por defecto ellos se alejaban de la norma: la mujer: el ser que daba, protegía y continuaba afirmando la vida en medio del caos permanente creado por la sola existencia del hombre, quien lleno de frustración se las había amañado para ignorar la realidad de su insignificancia presentándose a sí mismo como creado a imagen y semejanza de dios (cosa que debía de hacer estremecer de risa al universo) y que valiéndose de su fuerza física se había vengado de la fecundidad femenina a todos los estadios de eso que llamaban la cultura y que en fin de cuentas se reducía a disfraces de una misma barbarie, expuesta en su inicial desnudez entre los pueblos primitivos que cosían el orificio vaginal para luego abrirlo a fuerza de cuchillo o arrancaban el clítoris con un instrumento parecido a una ganzúa, más elaborada o camuflada en la sociedad a la cual ella, tía Eloísa, había decidido adaptarse sin dejarse en ningún momento alienar, es decir, ocupando siempre el lugar que por naturaleza le correspondía, el de reina rodeada de amantes y servidores, pero manteniendo con los representantes del sexo inferior las mejores relaciones del mundo, pues a pesar de sus defectos tía Eloísa los amaba, a ellos, los peludos, suficientes, vanidosos hombres que tanto placer le habían dado en su existencia.

Fiel a aquella visión de las cosas, tía Eloísa había establecido pautas para juzgar a la gente sin la indulgencia de su hermana Jimena, la abuela de Lina, quien no obstante su lucidez podía guardar el mundo entero en su corazón. Ella, tía Eloísa, no había aceptado jamás el trato con personas mediocres y ni por un instante habría tolerado en su casa la presencia de un individuo como Benito Suárez. La vulgaridad le producía horror, la violencia, desprecio. Había ido por la vida forzando el destino a cada paso y de esa permanente lucha contra la sociedad que en vano había intentado reducirla a la imanencia, contener su sexualidad, someterla a la resignación había elaborado una concepción bastante elitista de los seres humanos según la cual, una vez adquirido un cierto nivel de conciencia, la libertad era posible siempre y cuando se tuviera el coraje de asumirla. Al hablar de seres humanos tía Eloísa se refería exclusivamente a las mujeres, naturalmente, habría sido más preciso decir, y eso cuando podían ser catalogadas de acuerdo con su conducta en dos tipos diferentes: las que a pesar de haberse sacudido de encima el peso de cualquier ideología o religión aceptaban la dominación masculina en nombre del amor, los hijos o la seguridad, y las otras, las extrañas, vulnerables, fugitivas mujeres que volaban por la vida con las alas desplegadas y llenas quizá de perdigones, pero libres, elevándose en el aire alto, cada vez más alto hasta que fulminadas como Icaro caían en un remolino de llamas al fondo del mar. Los hombres las temían en la fascinación y las deseaban en la angustia descubriendo al conocerlas la fragilidad de las convenciones que en función del poder habían creado. Porque ellas desafiaban el orden ofreciendo una fruta o introducían la duda abriendo una caja. Irónicas, bailaban con la cabeza cortada de un profeta o surgían de las arenas del desierto para atormentar a los eremitas. Inaprensibles, parecían estar muy cerca, pero siempre eran lejanas.

Mujeres así, tía Eloísa había conocido pocas, y, en la ciudad, sólo una, Divina Arriaga, la madre de Catalina. Divina Arriaga la había impresionado desde el día que la vio por primera vez en París entrando en el salón de Sonia Delaunay precedida de dos galgos blancos. No sin admiración le contaba a Lina cómo antes de llegar, los otros invitados la habían presentado quizás a causa del sonido del motor de su «Bugatti» o del taconeo de aquellos galgos que no parecían tocar el suelo sino rozarlo de la punta de sus uñas. Y cómo habían guardado silencio, las copas inmobilizadas en sus manos, los ojos fijos en la puerta por donde al fin apareció, desdeñosa y magnífica en su túnica de raso blanco con incrustaciones de oro y su estola de plumas arrancadas a un pájaro inverosímil. Era bella, repetía tía Eloísa, su belleza ofuscaba como un agravio; tenía el cabello negro y los ojos verdes, fulgurantes. Se había desplazado por el salón con la engañosa indolencia de un felino, y en grandes felinos hacía pensar su sensualidad distante que no se ofrecía, ni se exhibía, ni buscaba seducir. Divina Arriga tomaba: un objeto, un caballo, un hombre, no a fin de poseerlo, pues parecía estar más allá de todo deseo de posesión, sino de integrarlo a su vida un instante, el tiempo de posar sobre él su mirada, o cabalgar a través de un bosque, o hacer el amor entre las sábanas de satín plateado que con sus galgos y su sirvienta la acompañaban en sus viajes.

A Lina le sorprendía oír hablar así de Divina Arriaga y a. medida que iba creciendo en edad le resultaba más difícil asociar aquel personaje deslumbrante a la pálida mujer de expresión ausente que veía languideciendo en una habitación oscura, cuidada por una sirvienta tan esquiva como ella. A veces, mientras jugaba con Catalina en uno de los salones de su vieja quinta, la sirvienta venía a buscarlas y de un ademán les indicaba seguirla al cuarto donde Divina Arriaga, menos pálida, quizá, más presente, les ofrecía una taza de té siguiendo un ritual preciso que sugería una antigua ceremonia en la cual cada gesto se trascendía simbolizando algo que Lina no podía aprehender, ni quería tampoco, por la misma razón que al entrar al cuarto bajaba la voz, su temor de romper el hechizo creado por la presencia de aquella figura silenciosa cuyos dedos blancos, casi transparentes, aleteaban como torpes mariposas sobre el samovar de plata y los pocillos de Limoges. La otra, aquella Divina Arriga evocada en las conversaciones, parecía surgir de la penumbra de la habitación a la manera de un fantasma irónico, lo mismo que la mujer adormecida entre cojines de seda se enredaba en las palabras de tía Eloísa y el murmullo de sus ventiladores cuando rememoraba para ella las doradas ansias de los años locos con el «Dôme» y la «Rotonde» y el tango y fox-trot resonando hasta la madrugada en el «Bal Negre» donde con todos sus fuegos brillaba la belleza de Divina Arriaga. Ambas imágenes quedarían grabadas en la mente de Lina, superpuestas al principio, alejándose una de otra cada vez más mientras los años pasaban y lentamente descubría el objetivo perseguido por su tía al proponerle reconstruir la vida de una mujer cuyo solo nombre era sinónimo de escándalo en la ciudad.

Sin embargo, tía Eloísa no le había ocultado nunca su intención de pulverizar la influencia que sobre ella ejercía su abuela, y como su abuela no veía en ello el menor inconveniente, Lina había escuchado complacida aquel canto de sirenas deslizado desde niña en sus oídos enalteciendo la rebelión contra el tosco fatalismo de imaginar el futuro contenido en el pasado descartando la posibilidad de modificar la vida a través de una acción consciente. Aun a sabiendas de que tía Eloísa reducía de mala fe y por ironía la visión de su abuela, Lina, entre el zumbido de los ventiladores y el ronroneo de los gatos birmanos que iban a frotarse contra sus piernas, las escucharía discutir sobre el tema infinidad de veces sin poder sacar nunca ninguna conclusión definitiva, tan válidos le parecerían los argumentos esgrimidos por una y otra especialmente cuando hablaban de Divina Arriaga tratando de analizar los factores que habían influido en su personalidad. Su abuela se refería siempre a las circunstancias privilegiadas de su nacimiento: duodécima hija de un matrimonio de millonarios cuyos once herederos anteriores habían muerto antes de cumplir el año, los Arriaga habían estimado sensato preservarla del feroz calor de Barranquilla —apropiado únicamente para las vacas que huyendo de una sequía habían obligado a sus propietarios a instalarse en aquel infierno tres siglos atrás— y desde muy niña la enviaron a Europa en compañía de institutrices que tenían por misión educarla sin contrariar el más mínimo de sus caprichos. Tía Eloísa prefería dejar esa cuestión de lado: no que negara la importancia de llegar al mundo con la cuna rodeada de las mejores hadas, pero herederas consentidas había visto arrolladas por la vida como cualquier sirvienta; más fácilmente, inclusive, porque el narcisismo les impedía mirar a su alrededor y la condescendencia encontrada a lo largo de la infancia las volvía ineptas para la lucha y embotaba en ellas todo sentido crítico. A lo sumo, tía Eloísa estaba dispuesta a admitir que las circunstancias a las cuales su abuela se refería eran quizá condición necesaria, pero en ningún caso suficiente para explicar el carácter de Divina Arriaga, esa perspicacia, esa determinación que ya a los cinco años había manifestado al elegir como institutriz, entre las veinte que aspiraban al puesto, a una inglesa tan apasionada de libertad que su primera decisión fue la de llevarla a Berlín y matricularla en la escuela de danza de Isadora Duncan. Pues ella misma la eligió, después de haber rechazado a las otras que se presentaron sin dar explicaciones ante la mirada sorprendida de una madre incapaz de reaccionar, extenuada por los doce partos sucesivos y la íntima convicción de que aquella niña de belleza escalofriante había nacido por obra y gracia del Maligno, portando en sí, no un número de cromosomas provenientes de sus dos progenitores, sino sólo los del padre, el otro demonio que la había sacado a ella del sosiego monacal de su casa, su libro de oraciones y la misa oída cada día para montarla en su carro de guerrero y en un torbellino de energía combatir el mundo entero hasta convertirse en el hombre más rico de la ciudad; encarnizándose con sus competidores y cuanto insensato cruzara su camino, pero también, contra lo que a ella le habían enseñado confusamente a considerar su virtud; una cierta compostura, aquel recato observado por todas las mujeres de su familia que él demolería perversamente el mismo día de la boda encendiendo en su vientre una hoguera insaciable, capaz de resistir el paso de los años, impermeable a las amenazas de los curas que a ella la hacían temblar y a él reír, reavivada cada noche en el silencio de los hoteles de lujo y las soberbias cámaras de los trasatlánticos donde llegaban corriendo, él a la caza de negocios, clientes, contratos, y ella siguiéndolo como su sombra nocturna, su campo de placer, su flor envenenada por aquella voluptuosidad que el cielo iba a castigar privándola de once hijos y el infierno recompensaría con la niña de belleza tan insolente que sólo Divina pudo llamarse.

Así que la madre la temía y ni por un momento le habría venido al espíritu oponerse a su voluntad, y ella, Divina Arriaga, la había ignorado siempre imaginándola quizás una simple prolongación del padre, con quien se identificaba sin reservas, al amo y señor de aquella hermosa casa en la cual pasó los cinco primeros años de su vida rodeada de nodrizas complacientes, a la espera de él, de verlo irrumpir de pronto caminando entre los tilos del jardín, a través de la luz que parecía ya, desde aquel momento instalar en el recuerdo su iridiscente densidad de plata, viniendo siempre de muy lejos, vigoroso, jovial, con los regalos que le hubiera dado a cualquiera de los once hermanos muertos, un modelo a escala reducida de un verdadero automóvil, un poney de crines doradas, un diminuto fusil que ella cargaba al hombro cuando salían juntos muy temprano a cazar conejos por los bosques donde Lina, setenta, ochenta años después, sólo encontraría las tristes, idénticas fachadas de los suburbios parisinos, y en la calle desierta de aquel domingo de primavera, la casa descrita por tía Eloísa, señorial aun en su desolación, con el pórtico de altas columnas ya casi en ruinas y los tilos del jardín indiferentes al discurrir del tiempo y como transfigurados por aquella misma luz de plata que sus hojas filtraban. A la casa Lina no entró, pero vio el césped abandonado a la maleza, el surtidor cubierto de limo infecto, el agua verde, infinitamente quieta del estanque. Recorrió una gastada alameda buscando en vano en su memoria recuerdos ya perdidos, y dio vueltas y vueltas en el jardín hasta ser sorprendida por aquella cabeza de mármol que yacía entre la hierba y que alzó, contempló y palpó con un dolorido estupor, como palpan los ciegos, pues era la cabeza de una niña de mirada grave y cabellos sueltos asombrosamente parecida a Catalina cuando ella, Lina, la conoció, la niña que Divina Arriaga había sido poco antes de seguir a sus padres al «Ritz» para presenciar en uno de sus salones aquel desfile de institutrices seleccionadas sin complacencia, entre las cuales eligió a la única capaz de lanzarla a la libertad, con el mismo espíritu alerta e inflexible que cinco años después la llevaría a remplazarla por una antropóloga, menos afable tal vez, pero, como Pigmalión, dispuesta a mover cielo y tierra para animar el proyecto de mujer que entonces Divina Arriaga era. A su lado recorrió el mundo aprendiendo el pasado en el lugar donde cada acontecimiento había ocurrido: leyó a Aristóteles bajo las columnas del Partenón, tradujo a Virgilio en una casa de Mantua, descubrió el medioevo en ruinas, castillos y monasterios, reconstruyó etapa tras etapa la marcha de los ejércitos de Aníbal, Tamerlán, César y Napoleón. De todo ello, decía tía Eloísa, le había quedado una cultura bastante sólida y varios idiomas que hablaba correctamente y le impedían pronunciar la erre del español. Le quedó también la fuerza: aunque delgada y de apariencia frágil podía pasar el día entero a caballo como si latiera en ella la energía de los once hermanos muertos. Le fascinaba cazar el zorro, practicar la esgrima, atravesar a pie regiones olvidadas seguida siempre de aquella antropóloga que seguramente la amaba y no lo sabía. Que un día no pudo seguirla más, a la muchacha que después de haber caminado cien kilómetros con un saco sobre los hombros se volteaba a mirarla y parecía tan fresca como una rosa recién salida del agua. Y murió. De un infarto, le contaría Divina Arriaga a tía Eloísa bebiendo un pastís en la terraza de la «Coupole». Ella, tan esquiva a las confidencias, tan reticente sobre su pasado, eligió aquella anécdota para resumir su juventud. No dijo cómo la antropóloga había convertido a la heredera destinada a ser una dócil mariposa adornando la casa de cualquier marido en la jovencita que terminaría descubriendo el placer de leer a los clásicos en su propio idioma o de observar las costumbres de una secta de monjes tibetanos; ni habló tampoco de las dificultades encontradas a lo largo de sus viajes, el cansancio, la suciedad, el hambre a veces, las comidas inauditas. No. Se limitó a referirle un hecho capaz de condensar sus experiencias vividas junto a la antropóloga, y especialmente, lo que aquella mujer le había enseñado sobre los hombres y el modo de responder a su violencia: utilizando un fusil. Aunque lo mismo habría dado un revólver o un cuchillo, comentaba tía Eloísa, pero el fusil parecía sin duda alguna más eficaz si una debía hacerle frente a tres salvajes decididos a violarla. Ella, Divina Arriaga, había ayudado a cavar la tumba de la antropóloga en las arenas de aquel desierto africano por donde viajaban disfrazadas de exploradores ingleses cuando le dio el infarto. Y al pie de la tumba había montado guardia toda la noche intuyendo que el guía y los dos cargadores no establecían mayor diferencia entre la mujer que era en realidad y el muchacho abrumado por la muerte de su preceptor que ellos veían. Dijo haber pasado horas pendiente de sus gestos, vislumbrando en la oscuridad el brillo de sus ojos lascivos, y que al sentirlos abalanzarse sobre ella alzó lentamente el fusil y tres veces apretó el gatillo. Luego se calló, guardó silencio observando el humo del cigarrillo que fumaba en una boquilla de nácar mientras los transeúntes aminoraban el paso para mirarla en aquella terraza de Montparnasse.

Tía Eloísa no recordaba haberle oído pronunciar una sola vez el nombre de la antropóloga y Lina lo descubriría mucho tiempo después por azar, aun si ya entonces había renunciado a creer que el azar hubiese intervenido en sus relaciones con Divina Arriaga, o más precisamente, en aquel vínculo sutil que Divina Arriaga había creado entre las dos apenas regresó a la ciudad y le envió a su abuela una tarjeta en la cual le rogaba enviarla a ella, Lina, a su quinta del Prado a fin de presentarle a Catalina. Pues allí también hubo una elección, la misma capacidad de apostar lúcidamente sobre el comportamiento de alguien y prever sus reacciones a largo plazo, no por lo que Lina era a la época, si acaso tendría ocho años de edad, sino por lo que Divina Arriaga imaginaba que sería bajo la influencia de su abuela Jimena. Y tampoco entonces se equivocó: como sus institutrices y amantes, ella, Lina, la sirvió siempre, la siguió sirviendo incluso cuando ya había muerto, en la más completa ignorancia durante años, a sabiendas después de haber comprendido el papel que le había sido asignado por la mujer evaporada entre cojines de seda que, una noche, poco antes de entrar definitivamente en el largo olvido de su enfermedad, la haría subir a su habitación y a solas, los ojos de repente iluminados, arrancados un instante a su sueño de algas, de sauce, de lirio moribundo, le diría: ayuda a Catalina, tu padre te indicará cómo y cuándo hacerlo.

Lina y su adolescencia templada de racionalismo se negarían a admitir en aquella súplica nada distinto del delirio de una enferma. Catalina no tenía necesidad de ser ayudada y por esos días evitaba su presencia hasta el punto de negarse a pasarle al teléfono: había decidido al fin casarse con Álvaro Espinoza, un hombre taciturno, de tez macilenta, que parecía animado por un desprecio incomprensible hacia la Humanidad. Durante meses Catalina se había burlado sin misericordia de él rechazando sistemáticamente sus invitaciones y repitiéndole a ella la impresión que le producía: en su cara de mulato decía encontrar un brillo grasiento, sus manos estaban siempre sudadas y del no muy limpio cuello de su camisa salía el olor que despedían las negras sotanas de los curas. Todo aquello era verdad, pero a juicio de Lina sin importancia en comparación con las ideas de Álvaro Espinoza y su perversa obstinación de desposar a Catalina. Pues había algo de insano y mucho de inquietante en su indiferencia a los desaires que de ella recibía y, más tarde, en su manera de seducirla corrompiéndola, es decir, ofreciéndole su autoridad y sus relaciones para imponerla a la sociedad que con saña la había humillado castigando en ella a la hija de Divina Arriaga.

Cuando eso ocurrió, la afrenta, el público agravio, Catalina no sabía quién era su madre y cómo se hablaba de ella en la ciudad. De hecho ignoraba todo cuanto pudiera entristecerla o disminuir su confianza en sí misma porque como aquellas herederas de las cuales hablaba tía Eloísa, Catalina había sido paradójicamente defendida y desarmada por su belleza: a su paso las puertas se abrían solas y si permanecían cerradas no lo advertía o rechazaba considerarlo buscando siempre el camino de la facilidad. Lina atribuía su desenfado a la admiración que la gente sentía por ella creando a su alrededor una especie de halo a través del cual las cosas llegaban filtradas, más eco que ruido, más espuma que ola, más reflejo que luz, donde Catalina quedaba aislada como una muñeca envuelta en papel celofán. Había eso, y también, su capacidad de eludir los obstáculos hallando invariablemente el atajo menos laborioso, aunque no el mejor, uno de los rasgos de su carácter que tan bien había impresionado a Lina cuando se conocieron y contra el cual su abuela intentó ponerla en guardia desaconsejándole toda tentativa de imitación. Sin embargo nadie en el mundo habría podido imitar a Catalina o parecerse a ella: tener sus luminosos ojos verdes, sus cabellos color ébano, su piel rosada como el interior de los grandes caracoles de mar: tener suficiente belleza para ofrecerse la desenvoltura y hasta la elegancia de hacerla olvidar. Pero sobre todo, resultaba imposible copiar de algún modo aquel encanto suyo. Quizá porque se sabía amada al instante, sin reservas, su corazón sólo anidaba sentimientos amables que traducían la sonrisa de una diosa a sus admiradores o la mirada de un niño que nunca ha encontrado el mal. Durante los años que estudiaron juntas en «La Enseñanza», Lina jamás la vería disputar con nadie ni convertirse en víctima de la malevolencia de las monjas; más aún, era su favorita:

bastaba que Catalina formara parte de quienes hacían desorden para que las monjas sonriesen y el castigo quedara minimizado. Y Catalina se encontraba casi siempre implicada en el desorden: ella lo planeaba y Lina lo ponía en ejecución. Pues a su excelente memoria que le permitía aprenderse una página entera de una sola lectura y a su comprensión instintiva de las matemáticas, se unía un espíritu travieso al acecho de cuanta circunstancia pudiera alborotar aquella sumisión de hormigas que las monjas intentaban imponerles con veinte cartoncitos azules, llamados notas, en los cuales estaba impreso el número de cada alumna y cuya pérdida disminuía proporcionalmente la calificación de Conducta que era leída en público y delante de la Madre Priora al final de cada semana en una ceremonia iniciada con cánticos a la Virgen y terminada cuando las dos o tres alumnas que habían logrado conservar los veinte cartoncitos desfilaban orgullosamente hasta el jardín para izar la bandera nacional. Catalina perdía tantas notas como Lina, pero así fuese una vez al mes se contaba entre las condiscípulas que izaban la bandera. Aquel enigma sorprendía a Lina sin molestarla, porque ya entonces sentía por Catalina el divertido afecto que la acompañaría toda su vida; ni siquiera le asombró descubrir un día que era la propia Madre Prefecta quien le restituía sigilosamente las notas que otras monjas le quitaban, y eso, si las monjas en cuestión no se las habían devuelto ellas mismas, también en secreto, quizá para poder verla cruzar el corredor entre la hilera de alumnas, tan bella, con sus ojos verdes reflejando una pureza inmaterial, ajena a cualquier forma de dolor o conocimiento, como aparecía cada año en la Sesión Solemne del colegio delante de un público deslumbrado, representando a Santa Juana de Lestonnac, la fundadora de la Orden religiosa a la cual pertenecían las monjas de «La Enseñanza».

Pues Catalina era pura, impermeable al mal como un ave sobre cuyas plumas pudiera resbalar todo el fango del mundo sin dejar la menor huella. Y, paradoja o no, algo de esa pureza conservó el resto de su vida, incluso cuando engañaba a Alvaro Espinoza con cuanto hombre despertara su deseo y, más tarde, empujándolo a ciencia y paciencia al suicidio; en esa época Catalina ya había elaborado un código moral al cual siempre se ajustaría y cuyas reglas eran, no mentirse nunca a sí misma, ni buscarle jamás una justificación a sus actos reprensibles. Tal vez las monjas no se equivocaban al regalarle aquellas calificaciones, manifestando así una cierta confianza sobre el fondo de su carácter y unas cuantas dudas acerca de la supuesta ruina de Divina Arriaga. Pues de haber sido Catalina la simple huérfana de un desconocido, de quien ni siquiera se sabía si estaba o no casado como Dios manda con la mujer que había incitado el más vergonzoso escándalo de la ciudad, es decir, si no hubiese habido un asomo de verdad en la historia apenas murmurada de aquel hombre, aristócrata polonés perseguido por los nazis, miembro activo de la Resistencia Francesa, torturado en una vieja casa de Bretaña hasta la muerte, y si Divina Arriaga hubiera estado realmente arruinada cuando tomó el barco que como un ataúd la traía para siempre a Barranquilla, Catalina no habría recuperado con tanta facilidad aquellos cartoncitos azules y, muy probablemente, ni siquiera habría sido aceptada en el colegio. En «La Enseñanza» sólo entraban las niñas de buena familia o las herederas de los grandes terratenientes de la Costa que internaban a sus hijas mientras esperaban el momento de conseguirles un marido conveniente, y eso, siempre y cuando hubiesen nacido nueve meses después del matrimonio católico de sus padres, y los padres, o mejor dicho, la madre, hubiera observado a lo largo de su vida una conducta ejemplar. Condiciones que, según el decir de todo el mundo, Catalina no reunía: ella había llegado a la ciudad de diez años ya cumplidos, balbuceando apenas el español y su madre, Divina Arriaga, la hizo registrar como colombiana nacida en Saint-Malo el 21 de agosto de 1937, hija legítima de un tal Stanislas Czartoryski, sin suministrar ningún papel o documento capaz de confirmarlo porque la alcaldía donde se encontraban había ardido bajo el bombardeo de los aviones aliados. La gente supo que Divina Arraiga había vuelto a Barranquilla acompañada de una niña que era su vivo retrato y cuyo apellido resultaba imposible de pronunciar. Supo también que había tomado posesión de la antigua quinta de sus padres invirtiendo a cuentagotas el dinero necesario para sacarla del abandono que lentamente la carcomía, pero sin recibir visitas ni aceptar invitaciones ni iniciar de modo alguno aquel fabuloso tren de vida que veinte años antes había maravillado a la ciudad. Entonces se habló de ruina. Con júbilo. Con alivio.

De ruina se había hablado cuando llegó por primera vez, o más exactamente, cuando regresó a Europa dejando a la burguesía barranquillera estremecida a causa del incomensurable despelote cuyo origen, organización y animación se le había atribuido y por motivos que iban de tendencias al libertinaje a una franca complicidad con el demonio de quien habría recibido la orden de sembrar el caos no sólo a fin de conducir las almas a la perdición, sino también de desprestigiar a los miembros de la clase dirigente para mejor facilitar la penetración del materialismo ateo. Pasados los años se olvidarían aquellas especulaciones, aunque no el escándalo que las provocó convirtiendo a Divina Arriaga en símbolo de todo cuanto la gente bien nacida debía condenar, por razones morales, indudablemente, pero además, porque el abierto desafío a las convenciones parecía haberle traído la calamidad: al irse de Barranquilla, en efecto, Divina Arriaga no conservaba ningún bien tangible. Nada quedaba de la empresa fluvial de su padre, ni de la casa de importación y exportación que controlaba a lo largo del país la mayor parte del comercio con Alemania y cuyas acciones había comprado tía Eloísa. Al menos nada quedaba en sus manos y ninguna persona de juicio creía que en sus manos hubiese quedado el dinero obtenido en aquellas transacciones después de las orgías con las cuales había convulsionado a la ciudad. Sólo tía Eloísa, que había pagado sus acciones en morrocotas contantes y sonantes era lo bastante insensata para creerlo y hasta afirmar que las orgías en cuestión habían ayudado simplemente a Divina Arriaga a desembarazarse de unos pesos cuya conversión en oro o en monedas extranjeras habría podido ocasionarle problemas con el fisco. Pero tía Eloísa solía dirigirse a muy pocas personas y el desastre financiero de Divina Arriaga le arreglaba la vida al mundo entero calmando la indignación de quienes proclamaban inadmisible que una mujer hubiera llegado a permitirse tanto desacato sin recibir castigo alguno. Servía también de adverten- cia a las otras, a las que osaban soñar con cualquier veleidad de eman- cipación y a las que sin atreverse a soñar cumplían dócilmente sus deberes ahuyentando en domésticos trajines la amargura. Pero a la lar- ga serviría, sobre todo, de ejemplo: varias generaciones de niñas oirían referir la historia de Divina Arriaga encogidas de aprehensión ante el escarmiento que merecía desafiar el orden de los hombres: haber na- cido en la magnificencia, ser acogida por la ciudad como una diosa, dilapidar su herencia con jolgorios indebidos, y luego, esfumarse en medio de la reprobación general, abandonada de sus amigos y repu- diada por su amante, Ricardo Montes de Trajuela, quien después de de ganarle una noche tres casas al póquer había ido a buscarla al día siguiente acompañado de testigos y notario exigiéndole el traspaso de las escrituras. Ricardo Montes de Trajuela el bello y elegante descen- diente de una familia de abolengo, había aprendido en Oxford todo cuanto saberse debía sobre el modo de llevar smoking dirigirse a los criados o evaluar una fortuna. Que hubiese cometido semejante indignidad implicaba, no sólo un rotundo desprecio hacia la mujer que durante cinco meses había sido su amante, sino además, que, con- vencido de su infortunio, se había llevado de cuajo los preceptos de buena educación enseñados en Oxford o donde fuera con tal de arran- carle las últimas migajas de su patrimonio. Naturalmente, tía Eloísa tenía su propia versión del asunto: aquel cazadotes, bello, sí, pero sin mayor inteligencia, fue elegido por Divina Arriaga en plena lucidez si- guiendo el viejo adagio según el cual a falta de pan, buenas son tortas. Y la famosa partida de póquer, que ella, tía Eloísa, presenció, le había permitido a Divina Arriaga despedirlo con paga y cesantía obligándo- lo además a desenmascararse para coronar así el extraño juego al que se había librado a lo largo de su estadía en la ciudad, o con más pre- cisión, apenas midió el grado de hipocresía al cual podían llegar los individuos que constituían su élite.

Nada dejaba prever un tal desenlace cuando Divina Arriaga llegó por primera vez a Barranquilla a fin de ocuparse de su herencia, y los hombres y mujeres que habían servido a su padre en la más abyecta adulación se habían precipitado a sus pies pasmándose de sus joyas fabulosas, de sus atuendos magníficos y de aquel desparpajo con el cual expresaba unas ideas que reventaban como totes en el ignorante puritanismo de la ciudad. De semejante admiración Divina Arriaga ha- bía sido la más sorprendida, pero como discípula de antropóloga se puso a estudiar las costumbres de los indígenas locales no sin curio- sidad descubriendo en un santiamén que aquella pequeña burguesía racista suficiente y prodigiosamente inculta dormitaba en un pantano de frustraciones cuyas burbujas subían a la superficie en forma de maledicencia entre las mujeres —cuando sentadas frente a una mesa de canasta digerían trabajosamente las comilonas del almuerzo en el cual cada arepa, cada nueva ración de arroz con carne mitigaba el oprobio de noches malogradas— y de obscena vulgaridad en cuanto a los hombres que se disputaban los mezquinos privilegios de una ciudad de provincias y buscaban ruidosamente su recompensa en lupanares frecuentados por muchachas al lado de las cuales las prostitutas de Saint-Denis parecían princesas. Siguiendo las reglas enseñadas por la antropóloga, Divina Arriaga se limitaba a observarlos como lo habría hecho al encontrarse frente a una tribu de pigmeos africanos, analizando sus comportamientos sin intervenir en ellos y guardando sus conclusiones para sí misma. Pero en la medida en que los burgueses de la ciudad no eran pigmeos africanos, es decir, no habían perdido toda capacidad de evolución y podían responder a los estímulos de una cultura más avanzada —en el caso a la que Divina Arriaga les sugería con su simple presencia, se pusieron a imitar los signos exteriores de su personalidad sin tener en cuenta que para ser formada esa personalidad había pasado por el filtro de veinticuatro aos de experiencia y perfecta educación. Así que empezaron a copiarla torpemente, decía tía Eloísa: subieron las faldas y cayeron los cabellos ante el encanto del peinado a la garçonne: medias de colores y zapatos puntiagudos surgieron de repente como los trajes de flecos acompañados de largos collares y cintillos en la frente, entró en boga una cancioncita que decía: «La moda de Tutankamen, es hoy del mundo la obsesión, y dicen que en todas partes, se habla ya del faraón», mientras las mujeres se decidían a fumar en público, aprendían a beber whisky, y los hombres, por primera (y última) vez en la historia de la ciudad, se unían a sus esposas en las fiestas en lugar de quedarse hablando de política y burdel en un rincón. Porque todo el mundo agasajaba a Divina Arriaga. Recepciones y bailes se sucedían cada noche en su honor y a su turno ella correspondía llevando quince o veinte parejas a su casa de Puerto Colombia a pasar el *week-end* sin sospechar que aquellas reuniones preparadas en el mayor refinamiento con hogueras en la playa, kioscos en los jardines y comida y bebida a discreción iban a convertirse en verdaderas bacanales cuando, a fuerza de encontrarse entre ellos y en circunstancias más bien propicias al abandono, los invitados, hasta entonces honestos novios, padres o madres de familia sofocados en una maraña de represiones, dieron rienda suelta a sus deseos con el furor que acompaña toda violación de lo prohibido, y con la porfía también, la oscura, imprecisa, no formulada intención de alejar o mantener en vilo las consecuencias de un acto repitiéndolo, hasta escandalizar a la propia tía Eloísa, quien a pesar de haber visto más de cuatro cosas en la vida había quedado estupefacta de un tal desenfreno. Por ella, y a través de los complicados relatos de Berenice, Lina se enteraría de lo ocurrido en aquella casa de Puerto Colombia durante los cinco meses que Divina Arriaga pasó en la ciudad derrumbando tabúes y convencionalismos, no tanto a causa de su conducta, pues a fin de cuentas se mantuvo siempre al margen de todo exceso y sólo a última hora pudo afirmarse con certeza que había sido amante de Ricardo Montes de Trajuela, sino por el trastorno que producía su irónica indulgencia ante las debilidades y contradicciones de quienes buscando aprovechar de algún modo la enorme fortuna heredada de su padre se habían lanzado a seducirla y fueron cayendo uno tras otro en la inquietante seducción de sus designios. Cayendo de mala manera, como tía Eloísa aseguraba que lo merecían, y como seguramente Divina Arriaga lo contó al regresar a Europa a cualquier futuro amigo o conocido de Dürrenmatl sugiriéndole así a éste los personajes de la pequeña ciudad de Gullen, cuyas reacciones, caricaturizadas, por supuesto, podían compararse con la de los burgueses de Barranquila por su aptitud para renegar de todo principio a fin de colocarse bajo el ala de una mujer inmensamente rica. Pero nada más, es decir, hasta allí podía llegar la analogía porque la mujer en sí, Divina Arriaga, tenía apenas veinticuatro años y no le guardaba rencor alguno a la ciudad. Ni siquiera pudo hablarse de rencor después, cuando descubrió que las amigas que se presentaban a su casa una hora antes de las fiestas dizque a ayudarla a vestirse, y los hombres siempre dispuestos a halagarla para conservar o adquirir una canonjía en las empresas de su padre, se burlaban de ella a su espalda atribuyéndole actos innobles o propósitos infames. No. Habría sido más correcto referirse a aquel sentimineto calificado respetuosamente por tía Eloísa de perversidad. Si Lina comprendía bien, perversidad sugería refinamiento y un cierto sentido del humor. Tal la abogada aquella que había perdido a Benito Suárez aceptando su propia lógica, Divina Arriaga se limitó a crear las condiciones en las cuales sus supuestos amigos **iban a encontrar la tentación**. No se trataba solamente de prestarles una casa de más de veinte habitaciones, rodeada de un tupido jardín y frente a una inmensa playa donde a partir de las seis de la tarde cualquier pareja podía extraviarse sin que nadie lo advirtiera: sino de su tolerancia, de la facilidad con que acogía las **confidencias femeninas** y las intrigas de los hombres dejándoles enredarse en la cuerda que sus pasiones tejían. Ella traía en el fondo de sus pupilas el asombrado desdén de los primeros Conquistadores, pero ninguna cruz en la mano. Sin buscarlo ni pedirlo, únicamente a causa de su fortuna, le había sido otorgado el poder de juzgar, pero en lugar de reprimir, liberaba. Entrando en su casa de Puerto Colombia cada quien tenía la impresión de escapar de la ciudad y según sus antojos se aventuraba en el laberinto de un yo desconocido por donde iba y venía hasta encontrar su verdad más profunda, aquella que podía conducirlo a la euforia o al suicidio, a jugar su fortuna en una mesa de póquer o su vida en una apuesta irrisoria, a descubrir su deseo de la mujer de un amigo o del amigo mismo.

Así, a lo largo de cinco meses, los escándalos se sucedieron mientras la ciudad fingía ignorarlos, en parte porque al menos un miembro de cada familia asistía a las fiestas de Divina Arriaga o dependía de su voluntad para vivir, y luego, porque el insolente despliegue de su fortuna infundía un respeto casi sagrado que acallaba las murmuraciones o las volvía inaudibles. Pero la gente sabía: eran muchos los que tomaban el tren de Puerto Colombia al final de la semana y desendían en la polvorienta estación sin saber muy bien adonde dirigirse, buscando en vano una habitación en el único balneario del pueblo —ocupado por veraneantes más previsivos que de repente habían descubierto los benéficos resultados de una cura marina. Personas de estirpe, pero cuya modesta condición les vedaba el acceso a Divina Arriaga, acudían sigilosamente a los jardines de su casa apenas caía la tarde y agazapadas detrás de palmeras y arbustos atisbaban a los invitados que reían y bailaban al son de tríos, orquestas y conjuntos cubanos, mientras de la playa venía el olor de terneras y lechones que se asaban sobre brasas a fuego lento y eran rociados con salsas misteriosamente sazonadas por un no menos enigmático francés, evadido de Cayena y elevado por Divina Arriaga a la dignidad de cocinero, quien meses después entraría a trabajar al «Hotel del Prado» arrastrando consigo a Berenice, su discípula y amante. La propia Berenice le contaría a Lina cómo los invitados habían resuelto una noche terminar aquel asedio, soltando unos perros de caza traídos para la ocasión que obligaron a los intrusos a correr en estampida por las oscuras calles del pueblo confundidos de vergüenza y humillación. Tampoco entonces hubo protestas. Pero cuando llegaron los carnavales y Divina Arriaga acolitó una comparsa de la cual se hablaría durante años, tanta sería la cólera que produjo ver entrar al «Country» aquel grupo de ochenta personas disfrazadas de manera equívoca, resultó imposible seguir ocultando la realidad. Pues no se trataba de una comparsa corriente, es decir, con un tema más o menos inofensivo al que debía adaptarse la fantasía de cada participante. No. Allí había de todo en una irreverente amalgama: monjas de caridad empujando cochecitos de niños dentro de los cuales dormitaban hombres cubiertos de un simple pañal, las peludas piernas al aire y un biberón de whisky en la boca: colegialas en el uniforme del Lourdes perseguidas por viejos que les tiraban las trenzas con sonrisitas maliciosas: travestidos acicalados coqueteándole descaradamente a los espectadores: cuatro Madres Católicas vestidas de mamasantas. En fin, el horror. Para la gente lo peor fue que Divina Arriaga, de cuya quinta del Prado había salido la comparsa, se presentó a medianoche luciendo un suntuoso traje negro, más majestuosa que nunca, distante y aparentemente extraña al bullicio de sus amigos, a quienes apenas si miró desde la mesa donde se puso a beber champaña en compañía de un desconocido vestido de smoking. Entre tanto una cierta disipación se había apoderado de los socios del «Country Club»: en la pista de baile las parejas se abrazaban al grado de sus deseos y no de sus vínculos conyugales; los bombillos habían sido apagados y de los rincones surgían suspiros de asombro y satisfacción; después de encerrar en su despacho al presidente del club, los borrachitos que de costumbre se retiraban o eran retirados a medianoche, habían organizado frente a la piscina el concurso del chorro de pipí más largo y abundante; otros se batían a pescozones destrozando las primorosas matas del jardín y algunas mujeres desesperadas corrían de un lado a otro pidiéndole a los sirvientes poner fin a aquellos desvaríos. A pesar de su estupor los sirvientes fueron los únicos en conservar la calma: no sólo liberaron al presidente y guardaron bajo llave las botellas de alcohol, sino también, sofocaron un amago de incendio que se declaró cuando alguien arrojó un mantel en llamas sobre las cortinas de la sala de billar. Así, gracias a ellos, no hubo necesidad de recurrir a la Policía deshonrando irremediablemente el Club. Pero al otro día la gente estaba abatida por la más profunda consternación. Ante la magnitud del desastre, los curas, que habían comenzado poniendo el grito en el cielo, renunciaron muy pronto a esgrimir la amenaza de excomunión pues parecía descabellado excluir de la iglesia a toda la clase dirigente de la ciudad. Como era de esperarse la Prensa no mencionó el asunto, las mujeres terminaron por correr al confesionario, los hombres se acordaron repentinamente de los deberes que implicaba el ejercicio del poder y los pobres sirvientes del «Country» perdieron sus empleos con una sustanciosa remuneración en el bolsillo destinada a comprar su olvido. La cabeza de turco, el chivo emisario, la responsable en fin debía ser Divina Arriaga justamente cuando se afirmaba ya de manera rotunda que nada le quedaba de la fortuna de su padre. Entonces, envalentonadas, algunas personas comenzaron a decir que su conducta era una deshonra para la ciudad y fueron a hablar con la presidenta de las Madres Católicas, quien después de haber expulsado de la congregación a las ovejas descarriadas le había pedido audiencia al obispo a fin de que nombrara una comisión de notables cuya misión sería encararse enérgicamente a Divina Arriaga y decirle sus cuatro verdades. Sobre el contenido de esas verdades nadie lograba ponerse de acuerdo, ni la presidente, ni las personas que la acompañaron a la Curia y recibieron del obispo el permiso de formar la comisión. Ya de por sí resultó difícil reunir quince personalidades sin mácula, es decir, sin parientes que de un modo u otro hubiesen frecuentado a Divina Arriaga o beneficiado de los privilegios de su amistad. Pero después de muchas deliberaciones, los notables elegidos resolvieron acusarla de corrupción y exigirle la venta de su acción del «Country», supremo castigo en una ciudad donde pertenecer al club constituía el signo por excelencia de distinción y que podía compararse a la degradación de un militar o al anatema de un cura a quien se le prohíbe celebrar la misa. Ninguna alusión a tal propósito había en la esquela que le enviaron fijándole un rendez-vous (lo escribieron en francés luego de consultar un diccionario) sino ciertas consideraciones más bien brumosas sobre el interés de saber quién estaba al origen de aquella comparsa que de manera infame había roto las sanas tradiciones del carnaval barranquillero. Como Divina Arraiga no se dio por enterada, los miembros de la comisión se presentaron el día de la cita a su casa de Puerto Colombia animándose unos a otros con el recuerdo de todas las calamidades ocurridas desde su llegada cinco meses atrás y el mal ejemplo que su descarrío iba a dar a la juventud. Les abrió la puerta un negro descomunal y sonriente y completamente desorientado, pues acababa de desembarcar de Haití y no hablaba una palabra de español. Sólo en ese momento, los notables advirtieron que las persianas estaban cerradas y el piano del salón cubierto por un hule azul. Aquella habitación no parecía dispuesta como para acoger a nadie, ni a señores ni a simples barrenderos. No había cuadros en las paredes y los muebles, bajo sus fundas de holanda, se preparaban a dormir un largo sueño. Sintiendo que la indignación les subía a la sangre empezaron a preguntarle al negro dónde se hallaba Divina Arriaga, pero el negro no hacía más que sonreír y mover la cabeza de un lado a otro con un aire divertido. De repente dio la impresión de comprender y mostró sus dientes grandes y muy blancos en una gran carcajada. Madame?, preguntó. Y abriendo la ventana señaló el impasible barco que le alejaba ya en el mar, dorado a la luz del crepúsculo, anunciando a través del quejido de su sirena que Divina Arriaga había vuelto a abrir las alas y como un enorme pájaro volaba lejos, más allá del bien y del mal.

II

Lina no podía comprender la dialéctica que había conducido a tía Eloísa a elaborar aquella escala de valores desde la cual se colocaba por encima de las contingencias de la mujer corriente, rechazando al mismo tiempo las mistificaciones de los hombres. Tal vez porque reposaba en una paradoja cuya clave nunca le quiso dar, dejándole apenas entrever, a guisa de explicación, que detrás de la aparente ligereza de sus razonamientos y el alegre desenfado de sus conclusiones se ocultaba una voluntad de acero con la que había afrontado todos los problemas inherentes a la condición masculina hasta conquistar, curiosamente, el privilegio de asumirse como mujer. Para tía Eloísa, ser mujer implicaba una cierta armonía con la naturaleza, una cierta integración a sus ritmos: en ella las mujeres jamás habían visto un enemigo a quien era necesario vencer o destruir, sino un doble, una aliada, el espejo que reflejaba sus ciclos y su fecundidad. De allí venía la fuerza que les había permitido mantener la especie en vida a pesar de la desvastadora locura de los hombres, pero también, la debilidad que de los hombres las había vuelto esclavas. Así, debía renegarse al comienzo de la feminidad, para recuperarla, después de combatir y triunfar con los parámetros masculinos, como una recompensa cuya posesión no conllevaba humillación ni servidumbre alguna, convirtiendo un bien obtenido en el momento de nacer, en algo que se perdía a propósito y luego se ganaba con plena lucidez. Divina Arriaga lo había sabido siempre. A tiempo lo descubriría Catalina: a tiempo, porque no bastaba adquirir conciencia de todas las seducciones, trampas y mentiras que tenían que eludirse con la astucia desplegada por Ulises en su viaje. No. El periplo de iniciación y prueba exigía un período relativamente corto, para que, al final de la travesía, se tuviera aún la fuerza y el entusiasmo necesarios a la vida; y el regreso no implicaba la renuncia, es decir, ese estado de ánimo capaz de modificar la realidad, sino un cierto repliegue, una actitud de desapego hacia el poder, mientras triunfaba como el despertar de una nueva aurora la reconciliación con esa profunda pulsión de amor y sensualidad que, en su sabiduría, la naturaleza le había dado a la mujer.

Si Catalina pudo o no alcanzar aquel estado, Lina nunca lo supo. Cada vez que la encontraba en París le parecía notar en sus ojos verdes la inquietante frialdad de un cazador al acecho. Un día, por ejemplo, la acompañó a una exposición cuya pieza principal era un magnífico retrato de su madre en el cual Divina Arriaga aparecía muy pálida, el largo cuello envuelto en un collar de perlas. Y mientras la mirada de los visitantes iba del cuadro a Catalina con incredulidad, Lina le oyó comentar a la ligera: yo sabía que existía, pero pertenece a una colección privada y no hay manera de venderlo. Sobre esa imagen, que se le antojaba a Lina tan desoladora como la de Dora abofeteada por Benito Suárez o la del rostro de Beatriz contraído por la desesperación, Catalina quedaría mucho tiempo en su recuerdo: triunfante y dominadora, bajando las gradas del museo y de un gesto altivo llamando al chófer del «Rolls» que solía alquilar al llegar a París, mientras ella, Lina, se repetía, y eso es todo, no hay manera de comprarlo ni de venderlo. Pero casi al final de su vida supo que Catalina vivía con un millonario norteamericano por amor, sólo por amor, y entonces prefirió imaginarla recobrando la traviesa dulzura de su infancia, el encanto de su adolescencia y, en cualquier suntuoso apartamento de Nueva York, envejeciendo con el corazón tranquilo después de haber comprendido que la implacable lucha que debió emprender contra el mundo para defender su integridad había sido simplemente la travesía del desierto.

Una lucha en la cual se vio arrojada cuando apenas tenía diecisiete años y ninguna arma que le permitiera defenderse. A ciegas, pues ignoraba el rencor que la ciudad le guardaba a su madre y el odio que su condición de mujer bella, infinitamente bella iba a provocar. La niña educada en un mundo que no contenía aristas ni nada parecido a un obstáculo, envuelto en sedas y tules que ella podía atravesar sin encontrar término o límite y donde todo estaba destinado a protegerla y ceder al contacto de sus manos. Junto a la madre aislada en su cámara mortuoria que una vez por semana la hacía llamar para saber, quizá, cuántos centímetros había crecido o si algo en su cuerpo desafiaba ya la opaca austeridad del uniforme; expiando en sus pupilas alguna sombra de curiosidad o rebeldía y, tal vez, comprobando con ojo experto la ligereza de su espíritu y cómo el medio ambiente la incitaba a esquivar los conflictos que tarde o temprano iban a arrollarla. Y, no obstante, confiando en las imprevisibles fuerzas de la herencia, convencida secretamente que detrás de su apariencia inofensiva dormitaba un animal de combate programado para recobrar los músculos y saltar con las garras al aire cuando una señal determinada viniera a sacarla de su somnolencia. Divina Arriaga contaba con aquel despertar salvaje, pues antes de regresar a Baranquilla había montado un dispositivo que debía ponerse en marcha apenas Catalina decidiera reaccionar, es decir, una vez hubiese adquirido conciencia de que batallar con las armas femeninas era tan ineficaz como oponerle a un tanque una honda y tres guijarros. Había previsto incluso el tiempo que ello iba a tomarle: alrededor de treinta años. Nada o muy poco para la mujer reducida a la impotencia de una enfermedad incurable y sin nombre conocido, que en sus raros momentos de lucidez podía imaginarse a su hija debatiéndose torpemente contra un orden —por ella vencido y conquistado— pero poco a poco adquiriendo el conocimiento necesario para esa conquista. La madre paciente y calculadora, a quien el repliegue de sus facultades adormecidas le permitía, al volver en sí un instante, captar de repente la eternidad y decirse que treinta años eran apenas un latido en el largo palpitar de la vida: que observaría sin parpadear al novio elegido, aquel mulato feo, con su cara pringada de cicatrices de barros juveniles empezando ya a momificarse, como si su odio por las mujeres, los negros, los desheredados, los débiles modificara el comportamiento de sus glándulas y éstas, en lugar de segregar las sustancias necesarias al organismo, produjesen unos ácidos capaces de alterar la textura del rostro y tenderlo lívido y añejo, a la manera de una cabeza reducida. Ella, la mujer cuya extraña enfermedad había conservado intacta la belleza de su juventud, afinándola, incluso, volviendo más transparente su piel y más intenso el afiebrado resplandor de sus ojos verdes, contemplaría sin parpadear aquel novio que Catalina le presentaba y durante dos horas le haría desplegar los jesuíticos razonamientos con los cuales creía escapar a la maldición de ser mulato y misógino en una sociedad que contra viento y mareas postulaba como ideal el macho blanco, es decir, el que menos dejara traslucir la contaminación de sus ancestros y más hubiese inhibido su componente homosexual a fin de unirse a una mujer de su clase y fundar una familia.

Divina Arriaga aceptaría recibirlo tres meses antes de la boda, y luego, el día del matrimonio, y luego jamás. La primera entrevista le bastó sin duda alguna para medir y sopesar a Álvaro Espinoza, examinarlo con una lupa y, después de reconocer todas las particularidades de su naturaleza, dejárselo a Catalina sabiendo ya a cual infierno iba a conducirla su relación con él. No dijo nada. Lina, allí presente, la observó mirar intensamente a su hija, tratando quizá de evaluar su capacidad de resistencia, como lo había hecho dos meses antes, cuando Catalina le anunció su candidatura al Reinado del Periodismo. Y Lina comprendió, al menos creyó comprender: Divina Arriaga había previsto el desastre sin intentar impedirlo, y no por carecer de ternura hacia la hija que corría a su pérdida, sino porque debía de pensar en función de aquella lógica suya, tan implacable a fuerza de lucidez y tan parecida a la de tía Eloísa, que si mayor era el error, menor sería el tiempo de aprendizaje. Ella no había podido ofrecerle a Catalina la oportunidad de educarse con antropólogas ni viajes concebidos a fin de instruirla desplegando ante sus ojos el pasado; ni la permanente confrontación de costumbres y creencias diferentes capaces de fustigar la duda; ni la visión de los museos, el espectáculo de las óperas, la audición de conciertos y sinfonías. Nada, sino aquella ciudad polvorienta, donde el recogimiento resultaba imposible y la reflexión ineficaz, bajo un sol creado para herir los ojos del hombre que aparecía de repente en el negro de la noche y cruzaba despiadadamente el cielo hasta otra noche con lentitud fatal. La vida artística de Barranquilla, reducida a su ilusoria academia de música, sus hirvientes teatros convertidos por entonces en salones de cine y sus poetas hambrientos celebrando el progreso industrial o escribiendo sainetes para halagar la vanidad de los señores locales, era mucho más consternante que una parodia: era el balbuceo nostálgico de una cultura olvidada, el desarticulado recuerdo de un pasado perdido, los gestos mecánicos de un ritual cuyo significado se había extraviado ya en los meandros de la memoria. Y sin embargo, fue allí adonde Divina Arriaga llevó a vivir a Catalina como última etapa en la larga caída de su enfermedad, aquel mal extraño que al destructurar su mente había determinado todos sus errores, decía tía Eloísa, desde el primero, cuando rompiendo el magnífico equilibrio de su vuelo aceptó descender e integrarse a un mundo que no era el suyo y frente al cual le incumbía tan sólo enaltecer cuanto lo negara, la belleza, la ironía, el erotismo, sacando a luz sus vicios para contribuir, en el tiempo de vida que le hubiese sido acordado, a acelerar el proceso que debía precipitarlo a la ruina. Pero, disminuidas sus fuerzas por la enfermedad, lo había aceptado hasta quedar atrapada en el horror. Un horror inspirado por la guerra y su cortejo de atrocidades, por algo asimilable a la desolación más infinita. Ella, Divina Arriaga, le había oído explicar cien veces a aquella antropóloga cómo el sistema que desde hacía seis mil años gobernaba la vida social del hombre sólo podía conducir al desastre: que se revistiera de una forma u otra, que se expresara a través de ideologías diferentes, que se camuflase bajo principios en apariencia antagónicos, el resultado sería siempre el mismo. Pero enferma, sus alas quemadas, vagando sin brújula, había cometido la imprudencia de reconocerle a la ley masculina suficiente validez para creer en una evolución inteligente a partir de la cultura que florecía en el continente más civilizado del planeta. Y he aquí que de ese continente habían terminado de surgir las ideologías aberrantes, las primeras resonancias del apocalipsis: del país de Beethoven, Goethe y Kant, las hordas de autómatas que levantaban la pierna embotada al grito de un payaso enloquecido; de la Italia de los palacios y catedrales, las turbas embrutecidas obedeciendo en el delirio al bufón de ese payaso. Perdida la ilusión en España, el sueño del comunismo agonizando en Rusia, Divina Arriaga había renunciado a imaginar la esperanza para encerrarse en su propia vida. En alguna parte de aquella Europa militarizada se escondía el hombre que había amado tanto como para hacer de él el padre de su hija y empezó a buscarlo ansiosamente, siempre precedida de su sirvienta y de una pareja de galgos blancos, hasta descubrirlo en Londres comprometido con una red de espionaje y sirviendo de agente de enlace a la Resistencia francesa. Nunca se supo a ciencia cierta si ella trabajó a su lado, tía Eloísa rechazaba indignada la sola suposición. Una amiga suya había encontrado simplemente a Divina

Arriaga en su hotel particular de Neuilly, el mapa de Francia desplegado sobre una mesa de la única habitación caldeada de la casa en aquel invierno de 1942. Junto al mapa, cruzado de flechas rojas que indicaban el avance de los Ejércitos del Tercer Reich, una pila de periódicos clandestinos y la radio difundiendo apagadamente las noticias de Londres. Abajo, en el helado salón tapizado de gobelinos, la esperaba un hermoso oficial alemán, pariente del tal Stanislas y aborreciendo el nazismo tanto como ella, que la proveía de toda suerte de salvoconductos para atravesar el país siguiendo las huellas (o las instruciones) de su amante. Ese oficial le daría la última pista, una casa solariega a veinte minutos de Saint-Malo requisada por la Gestapo en cuyo sótano se torturaba a muerte. Divina Arriaga la visitó cuando los alemanes acababan de abandonarla. Lina también, haciéndose pasar por fotógrafa, años más tarde. Por entonces sus propietarios sólo iban allí el mes de agosto y un viejo matrimonio de campesinos se encargaba de cuidarla; el hombre cojeaba y parecía reticente; su esposa, en cambio, aceptó dejarle fotografiar a Lina el caserón y al bajar al sótano por una escalera mal iluminada se excusó del fuerte olor que picaba los ojos explicándole, toda confundida, cómo lavaba con amoníaco el piso y los muros cada semana a fin de nunca más ver aparecer unas manchas que años atrás había limpiado. Fue visitando ese sótano cuando Divina Arriaga sintió por primera vez los síntomas tangibles de su enfermedad. De la fosa común utilizada al extremo del jardín, en una gruta, subía un hedor de carne descompuesta. El último hombre que había sucumbido a la tortura yacía en el suelo, su cuerpo contorsionado por el dolor como el de un títere. Había en efecto manchas de sangre reciente sobre el piso, coagulada en unos garfios que colgaban del muro. Divina Arriaga contempló todo aquello y de repente su mente se nubló; habría sido inexacto afirmar que perdió el conocimiento pues se mantuvo en pie y con sus propios pies subió las escaleras, y salió a la calle y se fue a Lausana a buscar a Catalina. Pero de nada de eso se acordaba, o mejor dicho, sólo se acordaba por momentos. Olvidó incluso los elaborados trámites que poco después llevaba a cabo para poner a salvo su fortuna durante los años que le tomara a Catalina volverse adulta. Su mente se apagaba y se encendía a intervalos: funcionaba a la perfección un día, y luego caía en el ensueño del vacío: volvía a la realidad de las cosas unas horas, y de improviso, ante la realidad de las cosas se desvanecía: si la imagen del sótano regresaba a su memoria no conseguía localizarla en un lugar preciso. Quizá porque en aquel sótano su conciencia había estallado como un vaso de cristal ante el impacto de una piedra. A partir de entonces podía reunir los fragmentos y recordar inclusive que no recordaba, pero esos instantes de lucidez eran cada vez más breves y espaciados a medida que Catalina crecía como si para extraviarse del todo en el olvido, Divina Arriaga se hubiese concedido secretamente un plazo durante el cual su presencia debía proteger a Catalina hasta que Catalina pudiese prescindir de ella: dejándole siempre la libertad de elegir, pero sin orientarla, es decir, sin emitir ninguna opinión destinada a modificar la influencia del medio ambiente, y así, abandonándola a sus propias fuerzas, como si un adulto colocara a un niño frente a un inmenso desierto, con agua y comida suficientes para atravesarlo y bestias capaces de cargar el agua y la comida, pero nada más: al niño le incumbía la decisión de caminar de día o de noche, de exponer sus ojos al sol hasta quedar ciego o de guiarse observando en el cielo las estrellas. De ese modo, la presencia de Divina Arriaga frente a su hija era más bien una ausencia que nadie podía reprocharle, decía tía Eloísa, pues eso habría sido tan insensato como criticarle a un muerto el no estar en vida: al tomar el barco que la traía definitivamente a la ciudad, con Catalina, su sirvienta y su última pareja de galgos blancos, Divina Arriaga embarcó muchas cosas, libros, muebles, vajillas, porcelanas, pero sobre todo, a la manera de Drácula, su propio féretro, y dentro de él, ella misma, porque Barranquilla se le había antojado siempre un enorme cementerio, un lugar de desolación y ruina.

Librada a su arbitrio, Catalina no había conocido realmente la autoridad; ni siquiera asistir al colegio constituía para ella un fastidio, sino el placer de jugar con las matemáticas o desmontar el mecanismo de los idiomas; la historia, la sagrada y la profana, le parecía una sucesión de anécdotas más o menos interesantes, y dibujar mapas o memorizar los nombres de montañas y ríos le permitía evadirse en sueños de viajes a países exóticos. Además, el colegio le daba la ocasión de hacerse amigas y someterlas a su influencia, de romper el orden y divertirse: llevaba en sí, con el innato sentido de su supremacía, una insubordinación alegre que le granjeaba paradójicamente la simpatía de monjas y alumnas: de ella vendrían los mejores sistemas para soplar en los exámenes, como suya sería la idea de ofrecer más barato a las condiscípulas pobres los refrescos y dulces que una monja les hacía vender en el recreo, o más justamente, que ellas se habían ofrecido a vender a fin de escapar a la obligación de jugar a pleno sol y, detrás del pequeño mostrador, sintiendo sobre las piernas la frescura de los toneles de hielo donde se enfriaban coca-colas y naranjadas, poder comadrear en toda impunidad; cuando llegaba el momento de hacer las cuentas, Catalina sacaba de su bolsillo los pesos que faltaban, sin buscar con ello recompensa alguna, pues aparte de Lina, nadie se enteraría nunca de su generosidad. Esa actitud de desapego hacia el dinero iba a acompañarla a lo largo de su vida, no sólo cuando el dinero se convirtió en su obsesión a causa de la insidiosa mezquindad de Álvaro Espinoza, sino también, por los días en que comerciaba con el arte comprando y vendiendo cuadros de un extremo a otro de los Estados Unidos. Que lo consiguiera a base de esfuerzo y astucia, o que de niña lo recibiera a manos llenas de la sirvienta de Divina Arriaga, el dinero sería para ella, no tanto el medio de obtener las cosas agradables de la vida, como el de procurarse el cálido sentimiento de actuar en conformidad con la imagen que le gustaba proyectar de sí misma.

Durante años Catalina buscó el amor; y no el amor de una persona determinada, sino el de todos los seres que tenían el privilegio de verla, contemplarla y adorarla como a la niña-diosa en el cual secretamente se reconocía; demasiado inteligente para contentarse con un narcisismo elemental, había aprendido muy pronto a minimizar la admiración despertada por su belleza elaborándose una personalidad elástica que,

jugando con los más sutiles registros de la complicidad, subyugaba a
sus interlocutores; de ese trabajo subterráneo sobre ella misma, pues
trabajo era intentar comprender a los demás, sus actos y motivaciones,
hasta remplazar la primera impresión de rechazo por una actitud de
tolerancia le quedaría aquella marcada inclinación al análisis, que tanto iría a servirle después, y una conciencia sin mayor estructura, so-
cavada por la necesidad de razonar cediendo siempre a la condescendencia para no verse obligada a establecer juicios ni reprobaciones.
Como su madre, Catalina lo aceptaba todo. Pero si detrás de la mirada
indulgente de Divina Arriaga se escondía una buena dosis de curiosidad
irónica, casi despectiva, Catalina, a cambio de la suya, pedía simplemente ser amada. Quizás, y no obstante sus verdaderas motivaciones,
esa disposición de espíritu debía asimilarse a la bondad, y así lo creyó
Lina mucho tiempo. Lo que ni ella ni Catalina sabían entonces era que
si a la belleza, con su mortal poder de seducción, venía a añadirse una
benevolencia más o menos incauta, el deseo de destrucción que provocaba la primera, sería aguijoneado por la segunda, como la vista de
un animalito entregado inocentemente a sus juegos excita al niño que
se dispone a torturarlo.

Juntas iban a descubrirlo una noche en el «Country Club», justo
cuando Catalina había sido inducida por las circunstancias a salir de
la adolescencia; inducida y casi obligada, pues hasta entonces ningún
deseo había mostrado de integrarse a la vida de los adultos, y, a pesar
de haber obtenido ya el diploma de bachillerato, seguía teniendo el
aire de una colegiala con su cara sin maquillaje y sus modales desen-
vueltos. Sólo le gustaba el mar, el cine, la equitación. Durante los
fines de semana, ella y Lina iban al «Country» o veían seis películas
de corrido, pasando del «Teatro Rex» al «Murillo», y por la noche, a
cualquier otro programa doble en una sala de cine descubierta. Comían
de cualquier modo, se vestían con *blue-jeans* y eran hinchas del Junior.
Había sin embargo, dos centros de interés de Lina, que Catalina no
compartía: su pasión por la lectura y su fascinación por los hombres.
Lina se había sentido mujer muy pronto; Catalina, en cambio, parecía
ignorar la sexualidad: de los hombres se mantenía alejada, como si en
el fondo de sí misma temiera descubrirles que, además de seducirlos,
podía desesperarlos. Aquella belleza subversiva estaba entonces neutra-
lizada, no sólo por su *blue-jean* y la cola de caballo que recogía sus
cabellos, sino además, porque Catalina la negaba dando la impresión
de no ser consciente de su feminidad, es decir, de no establecer mayor
diferencia entre ella y los representantes del sexo opuesto. Y, en cierta
forma, era verdad. Cuando tenía trece años, la sirvienta de Divina
Arriaga había entrado una noche en su habitación con una caja de
«Kotex» en la mano explicándole de una manera precisa, pero impersonal, los cambios que de un momento a otro se iban a producir en
su cuerpo, y el uso de aquellos rectángulos de algodón contenidos en la
caja. Catalina acogió, pues, la menstruación con indiferencia, decidiendo
simplemente que, si la regla le llegaba durante los fines de semana,
se iría a montar a caballo a la finca de una parienta de su madre, en
lugar de bañarse en la piscina del «Country». A eso se redujo para ella
la crisis de la adolescencia. Por lo demás, no sentía cólicos menstruales,

sus senos, dos conos duros, apenas sugeridos, se habían desarrollado lentamente, y la piel de su cara, insensible al sol y al viento, conservaría siempre la textura que tuvo en la infancia. De una salud a toda prueba, canalizaba su energía hacia el estudio y los deportes, y lo mejor de su inteligencia, hacia la práctica del ajedrez. Pues Catalina jugaba ajedrez casi todas las noches con la sirvienta de Divina Arriaga, esa extraña mujer de rasgos medio asiáticos, que hablaba varios idiomas sin acento y no se expresaba en ninguno. Nadie sabía de dónde venía y habría sido cosa vana calcular su edad. Tía Eloísa, que la había conocido en París por los años veinte y tantos, decía que ya entonces tenía la misma apariencia impenetrable, el mismo mutismo de piedra: una sombra enteramente consagrada al servicio de Divina Arriaga por razones que se perdían en el tiempo, asociadas, tal vez, a una deuda remota, pero tan decisiva, que sólo con la fidelidad de una vida entera podía cancelarse. A Catalina no le prestaba mayor atención, limitándose a dirigir a las sirvientas encargadas de atenderla. No obstante, alguna vez debió de interesarse en la suerte de aquella niña abandonada a sí misma frente al desierto, como decía tía Eloísa, y se propuso enseñarle a reflexionar delante de un magnífico tablero de ajedrez y treinta y dos piezas de marfil con incrustaciones de lapislázuli, sin por ello abandonar su hermetismo, es decir, utilizando apenas las palabras necesarias para indicar que había ganado o estaba a punto de ganar la partida. Observándolas jugar, Lina mediría a qué extremos sutiles podía llegar la capacidad de concentración de Catalina y, asimismo, aquella tendencia suya, que los años corregirían, a elegir de improviso la solución más rápida a riesgo de sacrificar una pieza vital o desmontar una estrategia pacientemente concebida. Si la sirvienta de Divina Arriaga lo advertía, y era imposible que no lo advirtiera, continuaba jugando sin modificar su expresión imperturbable, la misma que mantenía cuando Catalina patinaba en su infancia por el sardinel a pesar de llevar un vendaje en la rodilla, siguiendo probablemente los consejos de Divina Arriaga, esa táctica que tía Eloísa le atribuía: puesto que las circunstancias le impedían a su hija conocer nada distinto de aquella ciudad postrada bajo su clima inexorable, donde cualquier pensamiento —relegado a los escasos minutos del día en los cuales el cuerpo se reposaba de su feroz, aunque inconsciente lucha para adaptarse al sol, al calor, a la humedad— encontraba en la gente una apatía burlona, cuando no desconfiada, puesto que no había antropóloga para excitar la curiosidad y el espíritu crítico, y ella, la madre, tenía conciencia de estar muerta desde hacía mucho tiempo, mejor entonces dejar pacientemente a la vida hacer su obra: bien venida la experiencia, fuese cual fuese, caída de bicicleta o simple pérdida de una reina de ajedrez, si le indicaba a Catalina el camino que nunca más debía tomar. Así, frente a un hombre como Álvaro Espinoza, cuya misoginia iba a disipar muy pronto cualquier sueño incauto de dicha conyugal, Divina Arriaga debió de sentir el mismo irónico y tierno fatalismo que había sido el suyo tres meses antes, al ver entrar en su cuarto a Catalina, sonrojada de placer, anunciándole que acababan de proponerle representar a uno de los diarios locales en un incierto concurso al reinado del periodismo. Tampoco esa vez había dicho

nada no obstante prever cuál sería la reacción de la sociedad: desde
la penumbra infranqueable de su habitación, allí donde en principio
los ecos del mundo se disolvían, ella había notado cómo la gente del
Prado discriminaba a Catalina; sabía que aparte de los cumpleaños
de Dora, Lina e Isabel, jamás era invitada a casa de sus condiscípulas;
que ninguna reina del Carnaval la había convidado a formar parte de
su séquito. Y también debía de saber cómo Catalina, cediendo a su
inclinación de pasar por alto cuanto pudiese mortificarla, no parecía
resentir los desaires, contentándose en la infancia con la solidaridad
de sus amigas íntimas, y luego, prolongando la adolescencia con tal de
no verse obligada a definir su situación dentro de un contexto social
que insidiosamente la rechazaba. Ahora bien, concursar en cualquier
reinado, de belleza, del coco o de lo que fuera, arrastraba consigo tal
cantidad de malevolencia que constituía un trampolín perfecto para
lanzar a Catalina al mundo de los adultos. Divina Arriaga, pues, tomó
como única decisión, indicarle a su *alter-ego* silencioso, aquella mujer
nacida más allá de la línea que baja del Polo Norte al golfo Pérsico,
que de allí en adelante su puerta estaría abierta a una prima hermana
suya, Pura de Altamirano, quien negándose a creerla arruinada intentaba en vano introducirse en su casa desde mucho tiempo atrás. Divina
Arriaga no se proponía recibirla en persona —de hecho nunca ocurrió— pero la prima, viuda con seis hijas a cuestas y escasos recursos
económicos, podía al menos asesorar a Catalina aprovechando, entre
otras cosas, el revuelo formado a su alrededor por el concurso para
promover a la hija mayor, Adelaida, ya en edad de casarse y sin pretendiente a la vista. Después de su primera conversación con la sirvienta, Pura hizo un rápido viaje a Miami y regresó cargada de atuendos para Catalina y Adelaida que las transformaron en dos damitas
deslumbrantes de elegancia, como lo escribía una semana más tarde
uno de los apasionados periodistas que sostenían a Catalina. Para entonces aquel reinado del periodismo había dado lugar a una lucha sin
cuartel dividiendo en bandos rabiosamente antagónicos a los partidarios
de las dos candidatas. De un lado Catalina, agrupando en torno suyo
no sólo al personal completo del *Diario del Caribe*, del director al más
anónimo linotipista, sino además, a las clases medias fascinadas por
la leyenda de su madre y a ese pobre pueblo acostumbrado a recibir
cada año, junto con cuatro días de licencia y mucho ron, a una reina
del Carnaval como mensajera intocable, pero graciosamente expuesta
a sus ojos y ofrecida a su admiración, como mágico espejo de donde
huía toda miseria para reflejar la ilusión de penetrar al mundo de
quienes la habían elegido, que por primera vez creía poseer en Catalina
a una reina de verdad con aquel insólito, impronunciable apellido evocando cortes, no ya de feria ni pacotilla, sino de películas de capa y
espada a la «Metro Goldwyn Mayer», tan amable que las asociaciones
de caridad le pedían visitar hospitales y asilos porque a su vista se
disipaba el dolor de los ınfelices y hasta parecía calmarse el delirio de
los agitados, tan hermosa que su retrato colgaba junto al de la Inmaculada en los cuchitriles de las prostitutas y en su nombre se batían los
asesinos de la calle del Crimen. Del otro, Rosario Gómez, la candidata
de *El Heraldo*, una muchacha simpática, pero sin mayores atractivos,

por cuyo triunfo militaban todos aquellos para quienes la fulgurante ascensión de Catalina, con su diabólico parecido a Divina Arriaga, constituía un escarnio a las tradiciones morales de la ciudad. Ellos habían podido hacer abstracción de la niña que en el «Country» se balanceaba en los columpios o corría por los jardines, como habían preferido ignorar a la jovencita en *blue-jean* y mocasines que encontraban sentada a una mesa junto a Lina bebiendo «Coca-Cola» con helado. Pero otra debía ser su reacción al advertir el giro que iban tomando las cosas: de repente aquel reinado del periodismo, que al comienzo no había despertado su atención pues se celebraba por primera vez y parecía una jugada más de los ases del turismo cartagenero, empezaba a convertirse en un verdadero acontecimiento, movilizada la gente por los periodistas y locutores de radio que cada diez minutos interrumpían sus programas a fin de dar parte de las nuevas adhesiones que suscitaban las candidatas. Asimismo, de la noche a la mañana, Catalina se había transformado en mujer, una mujer de belleza alucinante cuya fotografía ocupaba todos los días la primera página del *Diario del Caribe*. Decenas de curiosos acudían al sardinel de su casa esperando bajo el sol el momento de verla salir a la calle para subir al descapotable prestado por el director del periódico y recorrer la ciudad seguida de los automóviles de sus hinchas, quienes valiéndose de las bocinas acompañaban su nombre interrumpiendo el tráfico en medio de gran alboroto: Ca-ta-li-na, Ca-ta-li-na, y dejando sus ocupaciones la gente corría a su encuentro: los comerciantes distraían su vigilancia a riesgo de ser robados, deteniendo sus máquinas de escribir las secretarias se agolpaban en las ventanas, de nada servían los iracundos chiflidos de los capataces ante la estampida de obreras a la búsqueda de cualquier rendija desde la cual mirar a la criatura más hermosa que ojos humanos hubiesen visto, según lo proclamaban los periodistas que la seguían, perseguían, acosaban enamorados de loco amor, ese amor expresado a través de versos, anagramas y reportajes de un lirismo capaz de hacer reír y llorar al mismo tiempo con sus palabras que traían el olor de viejos libros y parecían extraídas de los más polvorientos, románticos rincones de la memoria, comentados por todo el mundo, transmitidos oralmente, de los ilustrados a los analfabetos y a todos haciéndolos vibrar en la misma pasión por Catalina, tanto más cuanto se sabía que la gente del Prado la repudiaba multiplicando a su encuentro los desaires con fiestas ofrecidas en honor de Rosario Gómez y firmas de adhesión a su candidatura (obtenidas a veces a la fuerza, por medio de chantajes y amenazas) que *El Heraldo* destacaba a tambor tronante intentando vencer la apatía de sus redactores y la evidente mala fe de sus linotipistas.

Pero Catalina no leía *El Heraldo*. De nada servía que la sirvienta de Divina Arriaga lo colocara sobre su mesa de noche cuando le subían el desayuno a la cama; de nada servía que Lina intentara hacerle notar cómo los partidarios de los primeros días, antiguas condiscípulas y compañeros de tenis, pasaban al campo de su rival dejando la plaza a militantes de modales rudos cuyos nombres les eran francamente desconocidos. Catalina no reparaba en detalles tan ínfimos, ni siquiera los percibía. Extraviada en el placer sólo podía contemplar el mundo

desde las cumbres doradas de una diosa. Siempre se había sabido la
más linda, y he aquí que su belleza sumía en el éxtasis a toda una
ciudad reflejándose al infinito en los centenares de pupilas que mara-
villadas la seguían adonde fuera; inclinada a la bondad, pero aquel
rasgo de su carácter era ahora reconocido por la admiración que le
profesaban las multitudes cada día más numerosas a salir a su encuentro tendiéndole manos, papeles y hasta niños enfermos pues empezaba
a creérsela capaz de realizar milagros. La llamaban de los barrios
pobres donde se creaban comités en favor de su candidatura y durante
horas la gente la esperaba pronunciando su nombre con un ritmo de
conjuro religioso, deteniéndose apenas unos segundos para escuchar,
desde el transistor de algún ladrón o privilegiado, las evoluciones de
su cortejo transmitidas por la camioneta de enlace radiofónico que lo
acompañaba. Ca-ta-li-na, Ca-ta-li-na, y de repente un grito surgía de la
muchedumbre, era ella, los negros cabellos brillando con mil reflejos
en el sol del mediodía, los verdes ojos reluciendo como esmeraldas en
su rostro de líneas perfectas, las blancas manos respondiendo al saludo de esas otras manos oscuras, callosas, resecas, mientras el descapotable trataba de abrirse paso entre la turba que vacilaba a la deriva
en un océano de pasión. De regreso a la quinta del Prado, Catalina
apenas tenía el tiempo de tomar una rápida ducha antes de caer rendida en la cama donde se dormía de inmediato con una expresión
serena, los labios ligeramente entreabiertos en una sonrisa.

Era feliz. Tanto que resultaba innoble hablarle de los rumores pro-
pagados entre la gente del Prado, decirle que a su madre la trataban
de prostituta y a ella de hija natural, cuando no de extranjera venida a
alborotar la plebe. Innoble, pensaba Lina, y tan cruel como cortarle
las cuerdas vocales a un canario embriagado por la armonía, pureza y
resonancia de su canto, algo muy frágil y pequeño y uranándose en la
inconsciencia de alcanzar su maravillosa razón de ser. Aun conociendo
la historia de Divina Arriaga y sus calamitosas relaciones con la ciudad,
Lina no llegaba a explicarse tal resentimiento; no podía entonces sospechar la intolerable subversión que para cualquier sociedad representa una mujer libre frente a sí misma y a los demás, pero sobre
todo, capaz de barrer con una mirada todo espejismo hasta dejar al
rey desnudo y de ir todavía más allá, a la región donde el rey nunca
había existido ni existiría jamás. Comprenderlo suponía haber asimilado a fondo el pensamiento de tía Eloísa reconociéndole a la rebelión
de Divina Arriaga, al menos antes de que la enfermedad adormeciera
su inteligencia, aquel carácter metafísico que su tía le atribuía al iden-
tificarla con un combate destinado a desenmascarar con violencia la
hipocresía de las costumbres y la falsedad de los sentimientos hiriendo
el orden masculino en su talón de Aquiles para construir sobre sus
escombros una nueva moral. Lina sólo podía considerar aquella afirmación como hipótesis y decirse, no muy convencida, que al menos
así se explicaba por qué, ante el recuerdo de Divina Arriaga, cada quien
se encogía presintiendo el peligro sin poder nombrarlo, con una angustia que curiosamente se convertía en respeto neutralizando todo
deseo de agresión; incluso enferma y en apariencia arruinada, sus enemigos preferían dejarla tranquila, como si fuera una deidad maléfica a

quien mejor se evita, pero cuyo poder se intenta exorcizar a fuerza de calumniarla. Nada, en cambio, protegía a Catalina. No tenía la fortuna de su madre ni su arrogancia, y sí, por el contrario, suficiente ingenuidad para creer que podía exponerse a la maledicencia impunemente o presentarse a un baile del «Country Club» cuando la mayoría de sus miembros apoyaban a Rosario Gómez, justo porque era su rival.

En principio aquel baile no estaba programado y los organizadores locales del concurso habían previsto realizar en el «Hotel del Prado» la elección al día siguiente, con desfile de candidatas frente a un jurado compuesto de viejitos libidinosos siguiendo el modelo de los reinados de belleza. Pero el propietario del *Diario del Caribe*, indignado por el desdén que el «Country» manifestaba hacia su representante, había exigido de la junta directora del club una recepción en honor de ambas candidatas a fin de demostrar su imparcialidad, y Catalina, desoyendo las advertencias de su parienta Pura de Altamirano, a quien su antigua experiencia de mujer de mundo y sus recientes sinsabores de viuda empobrecida habían afinado la sensibilidad social, decidió no sólo asistir, sino lucir en tal ocasión su vestido más espléndido, un traje de gasa blanca enteramente bordado con diminutas cuentas color marfil, y acompañarlo con un magnífico collar de perlas salido del joyero de su madre, el mismo que Divina Arriaga había llevado tantas veces en sus noches de fasto cuando surgía entre la nube de sus adoradores como el ojo de una diosa reflejando la luz.

Lina se instaló desde temprano en la quinta del Prado. Ya entonces Catalina había aprendido a maquillarse y se peinaba con Angélica, una española de manos mágicas que cepillaba, batía y enredaba sus cabellos realzando su abundancia. Esa noche, sin embargo, inspirada por el estilo del vestido o tal vez bajo la influencia de un duende perverso, Angélica resolvió bajarle los cabellos hasta el lóbulo de las orejas y recogérselos hacia atrás para formar un moño, lo que al menos de frente recordaba curiosamente el peinado a la *garçonne*. Cuando Catalina apareció en el salón donde la esperaban sus amigos, Lina tuvo la impresión de haber retrocedido en el tiempo y encontrarse frente a Divina Arriaga: la misma belleza que encandilaba los ojos, el mismo porte insolente a fuerza de elegancia, la misma sensualidad insinuada en el verde lujuriante de las pupilas. Una réplica perfecta de la madre que en el piso superior se adormecía dejando su conciencia vagar entre relámpagos de lucidez y densas, largas, infinitas horas de olvido. Pero una réplica física, porque la apariencia de Catalina en nada correspondía a su personalidad. Viéndola atravesar el salón Lina recordó que unos días antes el mismo comentario le había valido la mordacidad de tía Eloísa para quien personalidad no equivalía a carácter, pues a su juicio la una se formaba a partir del otro, siendo éste su núcleo, innato, inmodificable y probablemente hereditario. Entonces cayó en cuenta de que le habría sido imposible definir a Catalina. Si mal que bien Dora se le antojaba amorfa y ella misma tendía a considerarse con mal humor sentimental, Catalina escapaba a toda definición como si lo que permitía caracterizarla se hubiese mantenido oculto hasta el momento detrás de una obstinada y quizás inconsciente voluntad de adaptación; no obstante conocerla desde la infancia y haber crecido y estudiado a su lado, jamás había logrado traspasar la barrera de cortesía y desenfado con la cual se protegía. De repente la sorprendió tanta afabilidad, su tendencia a ir por el mundo negando las asperezas de la vida, encontrando siempre la solución más inmediata. Y se dijo que fuese cual fuese la opinión de tía Eloísa, que pretendía ver en ello la existencia de una fuerza no revelada, de algo así como un embrión retardando a propósito el momento de manifestarse a la espera de circunstancias por él ya presentidas, aquel sentido práctico de Catalina que la inclinaba a amoldarse a todo sin dejarse abatir por la contrariedad, formaba parte de su carácter, y que de ser así, su carácter la había llevado esa noche a dar un paso en falso. A fin de cuentas, Catalina había resuelto asistir a la fiesta del «Country» no a fin de desafiar a sus detractores (cuya realidad ignoraba), ni de humillar a su rival luciendo aquel atuendo que al conferirle un porte magnífico volvía irrisoria la pretensión de disputarle cualquier corona o lo que fuera. Pero enfrentada a dos presiones opuestas, la de su parienta aconsejándole abstenerse de ir al baile, y la del propietario del *Diario del Caribe*, que a toda costa quería verla en el club, Catalina había cedido por facilidad a la voluntad más fuerte sin calcular las consecuencias de su decisión.

De todos modos, ni ella ni nadie habrían podido calcularlas. Ni siquiera Lina, quien durante el trayecto hacia el «Country» se puso a considerar todos los desaires que les estarían reservados, acogida glacial, aplausos de circunstancias, saludos distantes, no imaginó en ningún momento lo que iba a ocurrir. En realidad los socios del «Country» habían acogido con asombro la noticia de aquel baile, acostumbrados ya a ver aparecer cada sábado en la noche a Rosario Gómez acompañada de su comitiva y convencidos de que a pesar de sus modestos atractivos físicos el jurado tendría la decencia de asegurar su triunfo. Los más inteligentes consideraban excesivo el escándalo provocado por la cuestión asimilándolo en su fuero interno a una explosión de histerismo colectivo. Prudentes, preferían sin embargo guardar silencio no sólo a fin de evitar exacerbar el rencor de sus mujeres, sino también, de desviarlo temporalmente hacia otro objetivo, dejándoles además la ilusión de ejercer un poder moral que en nada contradecía el de ellos, antes bien, lo reforzaba. Pero frente a Catalina la mayoría de los hombres reaccionaban de modo pasional: era la mujer-niña tentadora por su belleza, inaccesible dada su edad. Era, sobre todo, la hija de Divina Arriaga, a quien la maledicencia había transformado en fantasma de lujuria sugiriéndoles a ellos, con sus esposas domesticadas y sus prostitutas banales, siempre previsibles, la imagen de la sensualidad absoluta, presentida alguna vez en la infancia, inútilmente buscada a lo largo de la vida, deseo irreconocible, desarticulado y mortal clamando su frustración en los trasmundos del inconsciente. De repente esa imagen volvía a la realidad, subía las gradas del «Country» con el paso perverso de una ninfa, relampagueaban sus ojos verdes y de nuevo ellos sentían la misma ansia, sin quererlo empezaban a aplaudir, fuerte, cada vez más fuerte pronunciando su nombre como tantas veces en la oscuridad de sus cuerpos habían llamado a Divina Arriaga. Radiante, Catalina cruzaba el corredor, les sonreía. Estaba sonriéndoles cuando el primer tomate se reventó contra su hombro y como un tumor de sangre rodó sobre el hermoso vestido de gasa blanca. Una mano se alargó hacia el collar, alguien produjo un electrocircuito y a partir de ese instante fue el caos. A la luz de los fósforos que se encendían aquí y allá con inquietud, Lina veía volar las sillas y correr la gente; veía hombres dándose trompadas, mujeres persiguiendo las cuentas del collar por el suelo, los músicos de la orquesta alzando sus instrumentos al aire para resguardarlos. Todo el mundo parecía fuera de sí, salvo Catalina: había recibido una lluvia de inmundicias, le habían arrancado el collar de su madre, tenía el vestido desgarrado y las huellas de unas uñas enconadas sobre la espalda. Sin embargo su rostro no expresaba dolor ni humillación alguna. Sólo estupor. Un estupor helado. Mientras la ayudaba a abrirse paso hacia la puerta, Lina, que también había sido víctima de atropellos y a duras penas podía contener las lágrimas, fue fulminada por el pensamiento de que tal vez, lentamente, difícilmente, abandonado poco a poco su cuerpo, Divina Arriaga había empezado a vivir en Catalina.

Aquella suposición fantástica, casi esotérica, volvería una y otra vez a rondarla durante los días que siguieron; en lugar de amilanarse, batirse en retirada o sustraerse de algún modo a la curiosidad de la gente, Catalina aceptó de inmediato el apoyo de la persona más maquiavélica con la cual podía contar, ese tal Álvaro Espinoza que desde hacía meses la acosaba en vano llamándola por teléfono y se iba al «Country» a verla a cualquier hora de la tarde abandonando a sus pacientes de la clínica psiquiátrica donde reinaba como emperador. Álvaro Espinoza presentaba la doble ventaja de ser miembro de la junta directiva del «Country» y uno de los niños mimados de la burguesía de Cartagena, pues allí había nacido y crecido antes de que sus padres decidieran por razones ignoradas trasladarse a la ciudad. Catalina nunca lo había soportado, ni su pedantería, ni su obstinación, ni la suficiencia con la cual le había asegurado una vez que tarde o temprano sería su esposa porque ningún otro hombre sería capaz de desafiar la sociedad desposando a la hija de Divina Arriga. Aun sin captar el verdadero sentido de la frase, y si el interés que despertaba en el mejor partido del momento despertaba secretamente su vanidad, Catalina empezó a detestarlo desde aquel instante descubriendo de golpe que su físico le producía repugnancia, su nariz grasienta de poros dilatados, su boca siempre húmeda, el rancio olor de sudor adherido a sus camisas, aversión que por su violencia misma anunciaba ya una oscura atracción que Lina no podía imaginar. Con toda inocencia había aceptado saltar las paredillas del «Country» o atravesar corriendo los terrenos del campo de golf apenas aparecía su «Cadillac», imponente y negro como una carroza fúnebre, no sólo por complacer a Catalina, sino también, para encontrar nuevamente los duendes del desorden, esos que la habían acompañado cuando jugaba de noche al escondite con sus primos o se divertía burlando la disciplina de las monjas: muchas veces Isabel, Catalina y ella habían llevado y traído mensajes de las internas a riesgo de hacerse expulsar del colegio; o, escapándose del curso de costura se habían internado en el patio de árboles frutales cuyo acceso prohibían las monjas para comer los mamones y ciruelas que apagaban la sed o desalterarse recibiendo sobre la cara el chorro de agua de una manguera. Que Álvaro Espinoza hubiera venido a remplazar a la Madre Prefecta no cambiaba a sus ojos mayor cosa, y los trucos de los cuales se valían para escaparle prolongaban ese espíritu lúdico que tanto añoraría Lina después, cuando definitivamente se le fue la infancia. Pero la reacción de Catalina era mucho más compleja: aun si su rechazo no constituía el retozo de la adolescente destinado a excitar al varón, la tenacidad de aquel hombre despertaba en ella una turbación imprecisa, asociada, le confiaría a Lina años más tarde, al recuerdo de Andrés Larosca penetrando a Dora en el crepúsculo incendiado de una playa; no deseando al hombre en sí, su cuerpo, el contacto de sus manos, sino el deseo de ella que al parecer sentía desde que por verla atravesaba la ciudad a cualquier hora de la tarde y soportaba imperturbable sus desaires; ni tampoco creyendo del todo sus afirmaciones sobre la imposibilidad de encontrar un solo hombre dispuesto a casarse con la hija de Divina Arriaga, pero dejando la duda rozar su conciencia y de ese modo preparándose a aceptar la ayuda que él se apresuró a ofrecerle cuando los socios del «Country» la humillaron: pues suya fue la iniciativa de dirigirse a los organizadores del concurso en Cartagena, sus amigos y hasta parientes, para que nombraran a Rosario Gómez candidata del Atlántico y a Catalina representante de la Guajira, nada menos que de la Guajira, comentaba consternada tía Eloísa, una intendencia poblada entonces por indios analfabetos que ni de lejos ni de cerca habían visto un periódico y que, de haberlo visto, lo habrían tomado seguramente como un trozo de papel indigno de envolver sus telas coloreadas. En todo caso, luciendo ese dudoso título llegó Catalina a Cartagena y precedida de cuatro motociclistas puestos a su disposición por el alcalde recorrió, en medio del escándalo de sus sirenas, las calles de la ciudad provocando en el pueblo el mismo delirio que en Barranquilla, y una respetuosa fascinación entre los miembros de la clase alta, más inclinados a tener en cuenta el lustre de los apellidos y el color de la piel que cualquier afiebrada historia de libertinaje, ellos que tanto habían visto y tolerado por solidaridad de clase desde los inciertos tiempos de la Colonia. Claro que no podían llevar el desafío hasta el extremo de coronarla, y, a fin de calmar los ánimos, prefirieron consagrar a su propia representante. Pero Catalina había vencido: mientras Rosario Gómez y su comitiva se comían las uñas de rabia en sus habitaciones del «Hotel Caribe», ella recibía los privilegios y distinciones rendidos a una reina: se la invitaba a todas partes, se celebraban fiestas en su honor, se la aplaudía apasionadamente cuando entraba en los bailes de gala exhibiendo atuendos cada vez más suntuosos, adornada con las joyas de su madre y, como su madre, irradiando magnificencia.

Desde la ingenuidad de sus quince años Lina la observaba deslumbrada mientras iba descubriendo uno tras otro los complicados resortes del éxito social; no bastaba ser bonita, tener dinero, saber vestirse; había que transformarse mentalmente sometiéndose a una especie de auto-censura a partir de la cual, como las cremas que aterciopelaban la piel, toda impureza quedaba oculta, todo pensamiento capaz de deformar la imagen de muñeca programada para responder con exquisita tontería a las personas que de su tontería no dudaban un minuto, anulando en sí misma el más ínfimo signo de personalidad, la mirada, palabra o gesto capaz de delatar una conciencia y así romper el hechizo de quienes sólo como objeto podían y querían adorarla. Álvaro Espinoza no era ajeno a los nuevos artificios de seducción empleados por Catalina; de él venían las explicaciones sutiles, el consejo atinado; también la causticidad feroz al primer indicio de vacilación o rebeldía. Catalina debía pensar como él o no pensar en absoluto; admitir que el triunfo en sociedad constituía por lo pronto su único interés, el qué dirán, su sola inquietud; considerar que su prima Adelaida la incitaba a preferir la compañía de los muchachos jóvenes por miedo al incesto, y que ella, Lina, al ponerla en guardia contra su autoridad, intentaba poseerla delatando así una tendencia lesbiana. A excepción de su pequeño núcleo de amigos, la mayor parte de la gente era definida por Álvaro Espinoza en función de sus hipotéticos rasgos patológicos y todos los hombres y mujeres que se acercaban a Catalina entraban en la categoría de impotentes y homosexuales. Como nunca antes había escuchado tales palabras y a duras penas podía comprender su significado, Catalina lo escuchaba más bien perpleja, vacilando entre asimilarlo a un enfermo o imaginarlo una especie de brujo que la iniciaba a los secretos de la vida con la misma sagacidad desdeñosa que había mostrado cuando decidió imponerla a la sociedad barranquillera. Sus teorías psicoanalíticas la intrigaban sin del todo convencerla, pues, no habiendo conocido a su padre ni a hombre alguno en aquel internado de Lausana, difícilmente podía concebir el incesto, y como sólo a los quince años había visto por primera vez a un hombre desnudo, le resultaba imposible considerarse a sí misma acomplejada desde la infancia por carecer del órgano masculino. No obstante su confusión, aquellas afirmaciones de Álvaro Espinoza iban lentamente despertando en ella una sexualidad mantenida hasta entonces adormecida, en parte involuntariamente, dada su condición de hija única y de alumna de monjas enclaustradas, pero también. porque Catalina había dejado planear la incertidumbre sobre su primer encuentro con el amor, imaginándolo una cosa remota, aunque previsible y hasta inevitable es decir, inscrita en su destino de mujer, que vendría a colmarla poniendo fin a su posibilidad de proyectarse hacia el futuro. Igual que en las películas americanas que veía, el amor coronaba una aventura terminando la vida. Con el último beso bajaban las cortinas y comenzaba la opacidad de la embriaguez perpetua sobre la cual se proyectaban vagas imágenes de niños, fiestas y viajes sin alterar jamás la turbadora visión de un hombre que, indiferente al paso de los años y a las vicisitudes de la existencia, buscaba ansiosamente en una playa el contacto de sus labios. Ese hombre había sido siempre rubio, elegante, bello: tenía la expresión enérgica, el andar felino, la fuerza inquietante, en fin, todos los atributos que podían hacerlo parecido a Andrés Larosca y, por lo tanto, diferenciarlo de Álvaro Espinoza con su aire enjuto y un cigarrillo baboseado entre sus dedos amarillos de nicotina. Pero Álvaro Espinoza estaba allí, disponible y solícito, garantizándole el respeto de la gente por el simple hecho de conducirla del brazo a través de los salones, y a Catalina le llevaría mucho tiempo olvidar el escarnio sufrido en el «Country Club». En realidad, no lo olvidó nunca.

III

Si alguna duda le quedaba a tía Eloísa de que el hombre era una especie condenada a desaparecer del planeta, se había estumado el 7 de agosto de 1945, cuando todavía en la cama, adormilada entre sus gatos birmanos y bebiendo su primer jugo de tamarindo, leyó en un diario local que una bomba atómica había sido arrojada sobre Hiroshima. Pensó, no que la demencia humana había alcanzado su paroxismo —eso había ocurrido infinidad de veces a lo largo de la historia— sino que parecía imposible ya detener el proceso que conducía la especie al suicidio, es decir, contar con el tiempo necesario para cambiar radicalmente la estructura de una sociedad que al consagrar la violencia como modo de acción preparaba en la ignorancia su propia ruina. Al cerrar el periódico creyó oír el tañido de las campanas que doblaban por el fin de la esperanza anunciando que las nefastas fuerzas de donde había surgido el patriarcado coronaban su obra de desolación y que el mismo demonio que había impulsado al hombre a luchar por el poder, le había dado con ironía el poder de destruirse. Hasta entonces, tía Eloísa, atribuyéndole al patriarcado un carácter temporal, lo había considerado una vía sin salida adonde habían ido a reventarse millares de generaciones y de la cual tarde o temprano la Humanidad se apartaría para crear un orden en el que el amor triunfaba sobre miedo y la vida ganaba al fin el combate que la oponía a la muerte. Pero ante tal catástrofe de nada servía imaginar días mejores sino aceptar que la salvación empezaba a existir a nivel individual, que a cada quien le tocaba romper sus propias cadenas y atacar la represión donde se hallara utilizando las armas que tuviese a su alcance sin dejarse inhibir por ninguna forma de remordimiento. Los hombres habían inventado una organización aberrante cuyo principio y finalidad era la dominación de la mujer: que ésta fuese cómplice inocente oculpable su condición de víctima la lavaba de cualquier responsabilidad porque si su inteligencia no sucumbía a los prejuicios y su coraje resistía a las presiones del medio, toda su energía iría a consumirse en liberarse a sí misma a través de un aprendizaje lento, difícil, surcado de penas, empobrecido por la soledad, que culminaba imponiéndole al mundo su dignidad de persona y comenzaba robándole al hombre la palabra, la que él había utilizado diestramente para someterla a su capricho, creando así el primer modelo a partir del cual se había pensado y realizado esa relación atroz en la que cada hombre se convertía en lobo frente a los otros hombres. Al principio había sido el Verbo, decía la Biblia, y en eso al menos, la Biblia decía verdad.

Justamente Catalina ignoraba el poder de la palabra, mientras que Álvaro Espinoza lo conocía en sus más oscuros meandros puesto que de ella había hecho su instrumento favorito y por su conquista había pasado años estudiando en una Universidad de jesuitas, y luego, cuando juzgó que los jesuitas le habían enseñado cuanto sabían sobre el arte de disimularse a sí mismo y desenmascarar a los demás, trabajando en un hospital de alienados en París, discreto y en apariencia inofensivo, pero alerta con todos sus tentáculos desplegados para captar hasta el último secreto de esa formidable invención que traicionaba el alma permitiendo a quien supiera utilizarla desvelar los sentimientos, prever las reacciones, quebrar la voluntad. El ejercicio de la psiquiatría, o más exactamente, las relaciones que establecía con sus pacientes, había confirmado su opinión de que el hombre era una bestia tiranizada por sus peores instintos buscando sin escrúpulo alguno el medio de satisfacerlos. En cuanto a la mujer, Freud había dado la clave de su comportamiento: castrada y rencorosa, su acción tendía a debilitar la fuerza del sexo opuesto aprovechando su inclinación a la lascivia, razón por la cual debía ser confinada a la simple reproducción de la especie, y eso, provisoriamente, ya que algún día, fabricando los niños en las probetas de un laboratorio, el hombre lograría al fin desembarazarse de ella. Mientras tanto había que obligarla a resignarse a su condición porque la animosidad de la mujer —como la de los negros, los judíos, los enfermos y los débiles— provenía de su rencor contra el poder de quienes la oprimían naturalmente, creando, así, esos conflictos insensatos que la sociedad intentaba resolver a través de la psiquiatría.

Él, Álvaro Espinoza, amaba el orden. Ni siquiera la ontología, aprendida en el colegio de los jesuitas había disminuido su repugnancia ante el execrable caos que era la vida: en el infinito frío de la eternidad, en la belleza metálica de los astros, en la perfecta armonía del absoluto una voluntad demente había introducido esa cosa ávida, babosa, tenaz, que empezaba a degradarse apenas comenzaba a existir y para existir debía causar la muerte. El pensamiento de que la creación tenía un origen diabólico, con lo que en sí conllevaba de duda sobre el poder y la bondad de Dios, había puesto fin a su deseo de entrar en la Orden de San Ignacio y provocado su tercera tentativa de suicidio. Tía Eloísa,

una de las pocas personas que su madre frecuentaba en la ciudad, lo
había visto entonces postrado en una mecedora, mientras que en la
habitación de al lado, entre gritos y convulsiones, su padre terminaba
de morir de *delirium tremens*. Fue entonces cuando Álvaro Espinoza
decidió especializarse en psiquiatría a fin de poseer la palabra y con
ella dominar el mundo, escapando de los médicos que querían meterlo
en un asilo, de la burla de sus compañeros de estudio que siempre lo
habían menospreciado, del desamor de una madre a quien su presencia
en la casa provocaba la irresistible necesidad de reposarse en un balneario de Puerto Colombia, so pena de caer en el tormento de las aler-
gias. Su madre, doña Clotilde del Real, era calificada por tía Eloísa de
curiosa, adjetivo que en el fondo quería decir inexplicable. Por los años
setenta Lina pensaría con humor que de haber vivido entonces, su tía
habría utilizado la expresión propensa a somatizar, definiendo así el
caso de una persona que, guardando la más estricta compostura, convertía rabiosamente en enfermedades los traumatismos de su vida afec-
tiva. Pero en esa época, doña Clotilde, instalada en París en un lujoso
apartamento de la rue du Faubourg Saint-Honoré con su perrito *toy*
insoportable a fuerza de pechiche, había superado todos sus problemas de salud y el tiempo se le iba entre asistir a la junta de redacción
de una revista femenina que en buena parte patrocinaba y hacer cruceros en compañía de su amante de turno, antiguo *play-boy* de 90 años,
infatuado y tan caprichoso como el perrito. Ningún recuerdo de Barranquilla parecía rozar su memoria y de su hijo, Lina juzgó más cor-
tés no hablarle pensando que hasta el propio Álvaro Espinoza había
tenido el gesto exquisito de salir definitivamente de su vida. En realidad, nunca llegó a entrar del todo y a ella le fue imposible tratar de
ocultarlo. De memoria de tía Eloísa, nadie había visto a doña Clotilde
del Real tocar a su hijo; no ya cambiarle el pañal, darle un biberón,
sacarlo de paseo: tocarlo, simplemente. Un asco invencible le impedía
acercar sus manos a aquella criatura viscosa y renegrida que una par-
tera había sacado de su vientre después de cuarenta y ocho horas de
dolor, y que pasaría los primeros tres meses de su vida llorando desesperadamente de día y de noche sin dejarla dormir hasta que al
borde de la locura le ordenó a su sirvienta llevársela a las dependen-
cias del servicio, unas chozas de barajeque utilizadas en otros tiempos
para alojar a los esclavos. Cuando el bebé se cansó de berrear, su
sentido de las conveniencias la obligó a cederle en su casa la habitación
más alejada de la suya, pero nunca pudo tocarlo.

Doña Clotilde del Real había sido educada en el temor de Dios, es
decir, en el pánico de un padre particularmente obtuso, cuyas opiniones
reaccionarias escandalizaban hasta a los muy conservadores socios del
«Club Cartagena», quien después de matar a su esposa a punta de embarazos tiranizó a sus quince hijos exigiéndoles una disciplina de hierro
y la más servil obediencia a su voluntad: ninguno de ellos tenía el derecho de tutearlo, mirarlo a los ojos, dirigirle la palabra, hablar en la
mesa, discutir sus órdenes, salir a la calle sin su permiso, y la menor
infracción era corregida salvajemente con la penca que para tal efecto
colgaba de la pared de cada habitación de la casa. Ante una tal opresión, los hijos fueron reaccionando conforme a su salud y temperamen-

to: los más débiles sucumbieron sin alcanzar la adolescencia, que si de peste, resfrío, fiebres o tuberculosis; entre los sobrevivientes, dos huyeron de polizones en un barco que partía a Jamaica y ni allí ni en ninguna parte se tuvo noticia de su suerte; uno se suicidó, un segundo se volvió alcohólico y un tercero pasó su juventud en los burdeles hasta enfermarse de sífilis y quedar ciego. No obstante, don Cipriano del Real jamás puso en tela de juicio sus métodos pedagógicos, pues la gracia de Dios quiso que alguno de sus herederos tomara los hábitos terminando de obispo, y otro, el más parecido a él, se convirtió por un tiempo en jefe del partido conservador de Cartagena e incluso llegó a ser senador de la república. Tampoco las hijas le dieron serios motivos de contrariedad, aun si las dos primeras escaparon de su despotismo detrás de las rejas de un claustro desbaratando su proyecto de casar a la mayor con Genaro Espinosa, el astuto comerciante que de administrador de sus bienes había pasado a ser su socio y, más tarde, su acreedor implacable, pero inclinado a la conciliación si se le ofrecían los medios de izarse hasta los círculos de la aristocracia cartagenera. Para arreglar el contratiempo allí estaba finalmente doña Clotilde, medio enfermiza, cierto, pero tan dócil que ni de niña había merecido el castigo de la penca, enamorada de un pariente adinerado, por desdicha demasiado joven para disponer de su fortuna y pagar las deudas de don Cipriano.

Se llamaba Cristian y era bello. Tenía 16 años y no toleraba el compromiso. Se lo impedía su orgullo de casta, el ardor de su sangre, la ingenuidad de su corazón. Quiso la fatalidad que por esos días su padre le comprara a un indio un magnífico pura sangre que habiendo nacido en noble caballeriza, había huido de potrillo al monte conquistando fieramente su libertad: un caballo color azabache convertido ya en leyenda que los cazadores decían haber visto corriendo con el viento en las sabanas desiertas del Sinú y de cuyo coraje hablaban unos cuantos pumas desnucados y los ensangrentados despojos de todos los perros lanzados a su captura. El indio había sido más astuto: desenterró el arco y las flechas de su abuelo, le pidió a su mujer que preparara un mejunje de hierbas hipnóticas y después de amarrar una yegua en celo a un samán, se agazapó entre su follaje. Cuando el caballo se despertó en la hacienda del padre de Cristian, su desesperación fue infinita: una cuerda sujetaba su cuello y a su alrededor veía las tablas del picadero del cual había estado huyendo sin saberlo desde potrillo mientras galopaba respirando el aire de las fieras libres, hambriento a veces, abrumado por el sol y los insectos, dilatando las narices para perseguir un rastro de agua; pero sin cabestro; jugándose la vida a cada instante, aprendiendo a distinguir la culebra de la rama, el tierno arbusto del solapado puma, la brisa nocturna del aleteo del vampiro; pero corriendo a su antojo y en sus negras crines arrastrando todo el polvo y el coraje y la soledad de la sabana. No le temía al hombre, lo odiaba. No había sido idiotizado: su lucha por la vida le había devuelto intacta la inteligencia que alguna vez su raza debió de poseer. Por eso, cuando el primer peón entró al picadero lo dejó acercarse, cuando lo tuvo a su alcance, de un golpe de cascos lo liquidó. La mañana del matrimonio de doña Clotilde del Real, Cristian hizo inmobilizar el animal por sus peones y ya montado, viendo correr a su padre hacia él, le gritó un segundo antes de cortar las cuerdas con su machete que si el caballo lo mataba debía devolverle la libertad. Así fue como el pura sangre rebelde volvió a la sabana para que muchos años más tarde, visitando la hacienda de una tía a orillas del Sinú, Lina oyera hablar de un caballo fantasma que galopaba entre nubes de polvo destrozando a los hombres que por desgracia cruzaban su camino. Para que doña Clotilde del Real lo sintiera caracolear bajo su ventana durante los siete meses que estuvo embarazada de Álvaro Espinoza sintiendo un líquido helado correrle entre las piernas, el cuerpo contraído buscando deshacerse de aquel feto que un extraño había hecho germinar en su vientre mientras yacía en una cama sin conocimiento, todavía en su blanco vestido de novia, muy pálida, como había caído al suelo cuando, rodeada de los invitados a la boda, bebiendo la primera copa de champaña, alguien entró precipitadamente anunciando la muerte de Cristian.

Dado el orden social de las cosas un tal incidente no tenía mayor importancia y doña Clotilde habría podido aceptar el hastío de una asexuada vida conyugal si su cuerpo no le hubiera jugado la mala pasada de rechazar sin contemplaciones el semen de su marido cubriéndose de ronchas y eczemas cada vez que hacía el amor con él. El caso, examinado por todos los médicos, curanderos y charlatanes de la ciudad, era bastante insólito: apenas Genaro Espinoza se masturbaba sobre la inerte y muy virtuosa doña Clotilde, ella empezaba a sentir un ardor terrible en sus órganos sexuales que se inflaban y enrojecían hasta desprendérsele la piel y quedar en carne viva, mientras el resto del cuerpo, respondiendo a la misma alergia, le iba picoteando con una erupción de vejigas parecidas a las vesículas de la varicela. A aquel martirio puso fin la intervención de su director espiritual, previo regalo de las joyas de doña Clotilde del Real a la virgen de su iglesia, explicando los interesados cómo un tal fenómeno de repulsión, en su compleja acepción latina de repellere, indicaba que ni siquiera el sacramento cristiano había podido quebrar la prístina pureza de un ser destinado quizá por los designios divinos a la castidad. Al imponerle a doña Clotilde el matrimonio alejándola de la vía trazada por sus hermanas mayores, su padre había cometido probablemente una odiosa impiedad, no sólo por haber contrariado la voluntad suprema, sino además, y sobre todo, porque había entregado una criatura inocente a la lascivia de un individuo que frecuentaba los peores burdeles y de cuyas perversiones más de una prostituta había hablado con horror en los confesionarios. Don Cipriano del Real, que habiendo recuperado ya sus comprometidos bienes, podía darse el lujo de recordar su dignidad, se apresuró a darse golpes de pecho y le armó a su yerno una trifulca acusándolo de corromper a su hija y envenenarla con su sustancia podrida por el pecado, pues únicamente ciertas prácticas de su vida íntima llegaban a explicar aquellas comezones innobles tan similares a las ampollas que aparecían después de una absorción de mariscos en mal estado. Seguro de sus fueros terminó esgrimiendo la amenaza de un divorcio que, además de cortar de cuajo las ambiciones sociales de Genaro Espinoza, podría abrir serias dudas sobre su virilidad excitando la malevolencia de quienes se negaban a olvidar el ultraje que su esposa le había infligido cayendo desmayada en plena boda al enterarse de la muerte de un jovenzuelo treinta años menor que él, y encima de todo, dando a luz a un sietemesino para que su paternidad quedara en duda y provocara aquellas miradas socarronas que creía advertir en los socios del Club Cartagena cuando lo veían deslizarse en los salones, demasiado obsequioso o en exceso reservado, pero siempre alterando de algún modo, decía tía Eloísa, la justa combinación de indiferencia y cortesía que constituye la urbanidad. Así que se encontró obligado a soportar un matrimonio blanco junto a una esposa a quien nada podía reprochar, pues ninguna atracción parecía sentir por los hombres y atendía su casa con virtudes de matrona. Él se vengaba a su manera parrandeando ostentosamente cada noche en los burdeles y sacándola apenas para las recepciones sociales y sólo entonces aumentando la minúscula mesada que la condenaba a beber un vaso de agua de panela a guisa de comida. Ella aceptaba su desdicha con la resignación que iba a granjearle el amor de su padre disminuido por los años y acongojado de no poder transmitir a la posteridad del lustre de su apellido, ya que su sola nuera legal, además de detestarlo, había traído al mundo cuatro niñas antes de quedar estéril a consecuencia de un mal parto. Poco a poco el padre se acostumbró a visitar todas las tardes a doña Clotilde, precedido de una negra cargada de un canasto de vituallas, y se sentaba en el pórtico a tomar el fresco lamentándose interminblemente en su senil obstinación de que el criollo del Bolívar hubiese puesto fin a la dominación española permitiendo abolir la esclavitud y así, al romper el esquema de orden que colocaba a cada quien en su lugar, introducir el caos en el cual se debatía aquel infeliz país donde hasta los analfabetos podían votar en nombre de la perniciosa democracia. Doña Clotilde, que empezaba a leer a Voltaire y Diderot a escondidas, asentía sonriendo, como bajaba los ojos en señal de reprobación —después de haber llorado todo el día siguiendo las aventuras de Ifigenia— si su padre afirmaba congestionado de ira que algún día los liberales llevarían a las mujeres a las urnas. Mientras tanto el canasto de vituallas se había transformado en morrocotas, y las morrocotas cedieron el paso a donaciones de terrenos en Barranquilla, y finalmente, cuando el padre murió, ella poseía la mayor y mejor parte de sus bienes. Así, entre incomprensibles erupciones y sosegada astucia enfrentando el padre al marido aborrecido y el marido a los hermanos desheredados, los fue envolviendo a todos, so pretexto de preservar la fortuna de un hijo que no quería y a quien nunca daría un centavo de su patrimonio. Hasta donde Lina supo, el dinero se lo gastaría en un psicoanálisis en España, dos cirugías plásticas en los Estados Unidos y una cura de rejuvenecimiento en Rumania antes de instalarse de por vida con su acicalado perrito en aquel apartamento de la Rue du Faubourg Saint-Honoré cambiando de amante cada seis meses gracias a las relaciones establecidas al azar de los cruceros. Todos los hombres que tanto le amargaron la vida habían quedado bien muertos y enterrados en Colombia, pero sobre los muros tapizados de seda marfil, entre dos cuadros de Berthe Morisot, se veía un pequeño óleo cuyos pliegues indicaban que había estado guardado mucho tiempo, donde aparecía un adolescente muy bello, de ojos apasionados, erguido frente a las murallas de Cartagena. Había tanta gracia en su porte y una tal inocencia en su mirada, que Lina comprendió al instante por qué su fantasma había atormentado a Alvaro Espinoza contribuyendo en buena parte a su suicidio. Él, apostándolo todo sobre el poder de la palabra, había olvidado que la fuerza de los muertos radica justamente en que no hablan.

Tampoco su madre hablaba. Nunca habló. No a él, en todo caso. Cuando regresaba a pasar vacaciones del colegio San Pedro Claver, adonde lo habían internado desde muy niño, encontraba a una mujer distinguida y ausente que se limitaba a preguntarle si durante el año escolar sus crisis de asma no lo habían perturbado demasiado. Él se acordaba de todas las noches que había pasado asfixiándose en la enfermería, agarrado a los barrotes de una cama y buscando desesperadamente un poco de aire en aquella habitación desnuda, frente al crucifijo de madera que un padre ponía frente a sus ojos instándole a invocar la gracia del Señor; recordaba las duchas frías a las cinco de la mañana después de una noche en vela y justo cuando el cansancio convertía sus párpados en persianas de plomo: los violentos ejercicios de gimnasia que flaqueaban sus rodillas y, a veces, para mayor diversión de sus condiscípulos, le hacían caer rendido al suelo, vaciado de toda fuerza. Pero no decía nada, le era imposible articular palabra alguna. Y no tanto por el temor que le inspiraba la indiferencia de aquella mujer que ya había dejado de mirarlo para pedirle a su sirvienta unas compresas frías: era que sólo a través de un enorme grito habría podido responderle y a él le habían enseñado que los hombres no gritaban. Ningún hombre lo hacía, cuanto más si ostentaba el doble título de ser alumno de jesuitas e hijo de conservador, pero sobre todo —y eso apenas lo intuía entonces — si perteneciendo a la raza blanca y así formar parte de los elegidos, los que mandaban, legislaban y dirigían, su abuelo paterno había cometido la imprudencia de desposar a una mestiza. Al principio no había advertido aquella tara, protegido del mundo exterior entre los brazos de la negra que lo cuidaba con la ternura animal que en ese entonces sólo una negra era capaz de sentir por un niño; muy poco lo diferenciaba de su hermano de leche, hijo de un aventurero holandés, a quien los caprichos de la genética había dado la tez más clara que la suya y un rostro de facciones regulares. Todo cambió, sin embargo, cuando la negra murió, y el extranjero se hizo enviar a Henk, y él entró a un colegio donde, a la indulgencia sonriente de los negros, se oponía el orgullo y el espíritu de competencia de los blancos, a la constitución enfermiza heredada de su madre, la rudeza de los muchachos educados por los soldados de Cristo; brutalmente fue obligado a adaptarse a otro modelo, y quizá porque el modelo lo excluía, adoptó con obstinación sus valores; más los interiorizaba, más las crisis de asma lo demolían, pero sólo así podía integrarse al mundo del poder y ganar el afecto de su padre, la única persona dispuesta a quererlo aunque no sin condiciones, es decir, no sin que hiciera el esfuerzo de darle a su apellido una respetabilidad obtenida hasta entonces por procuración y elevarse a las dignidades que, a pesar de su matrimonio con una del Real, a su padre le habían sido siempre escamoteadas. Él, Alvaro Espinoza, no lo sabía. Él entraba ahora por la puerta principal de su casa seguido de un muchacho negro que cargaba sus enseres y subía muy erguido la alfombrada escalera que como una serpentina roja conducía al segundo piso donde su madre reposaba tomando una tisana con sus amigas; corría una cortina de cuentas de cristal y se inclinaba frente a ella besando ligeramente la punta de sus dedos huidizos antes de oírle preguntar si sus crisis de asma no le habían impedido obtener buenas notas en el colegio. Él sentía el viejo grito anudarle la garganta, pero en lugar de mirarla con estupor, angustiado de su terrible ausencia, lograba saludar a sus amigas y en silencio retirarse oyendo tras de sí el tintinear de la cortina. Le quedaban tres meses de soledad. La gente lo veía acompañar a sus padres a misa los domingos llevando un vestido blanco manchado en las axilas con una media luna de sudor, la cara cubierta de granos purulentos que intentaba ocultar bajo un sombrero de paja europeo utilizado mucho tiempo atrás por uno de sus elegantes tíos; lo encontraba a veces en la calle, enjuto, el gesto raro, el aire pensativo, como si sumido en una profunda reflexión no llegara a percatarse de lo que a su alrededor había, evitando, sobre todo, mirar o dirigirle la palabra a las personas de color: ya entonces hacía gala de su desprecio por los negros y en las reuniones sociales no perdía la menor ocasión de exponer sus argumentos contra los hijos de Cam afirmando que jamás habían creado una verdadera civilización o algo capaz de merecer tal nombre, y que con ningún descubrimiento científico, religión, moral o filosofía habían contribuido al progreso de la Humanidad. Los cartageneros lo llamaban farto creyendo que su pretensión se disiparía al igual que los barros juveniles cuando pasara la adolescencia, porque en esa antigua ciudad de inquisidores y traficantes de esclavos se era mucho más discreto y la hipocresía culebreaba en barrocas sutilezas que los niños aprendían oyendo hablar atentamente a los mayores hasta descubrir en sus pliegues y repliegues los feroces matices de discriminación racial contenidos en el lenguaje corriente, con la misma perspicacia que aplicaban a distinguir a un mulato, no ya a través de signos tan evidentes como el tinte de la piel o la ondulación de los cabellos, sino por algo más atenuado —un cierto color violáceo en las encías, un tono oscuro alrededor de las uñas— desvelando así alguna historia de amor ocurrida cincuenta o cien años atrás, para regocijo de una sociedad sofocada bajo el peso de odios que tenían la edad de las murallas y donde cada quien se jactaba de saber de memoria la vida y andanzas de sus ancestros desde que el primero de su estirpe, en coraza fulgurante y empenachado casco, desembarcó por Dios y por el rey en la ciudad. Naturalmente que todos eran mestizos, aunque pretendieran ignorarlo, y racistas, aun si el concepto ni siquiera pudiese formularse en aquellos tiempos y si muchos años después, cuando la palabra había hecho ya su camino, discutiendo en un restaurante de París con el más refinado de su clase, Lina viese su rostro bello, pero demasiado pálido, descomponerse ante la ofensa de una tal afirmación: ellos nunca habían aporreado o linchado a sus negros: los querían, los habían integrado permitiéndoles una vida decente fuera del casco colonial de Cartagena: los negros podían pescar, limpiar zapatos, vender lotería, y si eran muy viejos o muy pobres, mendigar a la puerta de las iglesias: se les

tuteaba con burlona desenvoltura sin que en ello hubiera el menor
asomo de desprecio y, a diferencia de los chiflados gringos, se tole-
raban sus defectos sabiendo de antemano que ninguna religión o ideología los llevaría a ser menos pillos, perezosos o cobardes. De allí que
una actitud como la de Álvaro Espinoza irritara a los cartageneros y los
llevara a preguntarse si sobre su inteligencia los jesuitas no estuviesen
haciendo alegres cálculos: muy buenas notas podía obtener en el colegio y salir cada año cargado de premios y condecoraciones, pero parecía incapaz de adaptarse a las más elementales reglas del convivir y,
encima de todo, había adoptado la intransigencia de su abuelo mater-
no olvidando con quien el paterno se había casado. Sólo su notoria
actividad de chivo en el San Pedro Claver había impedido que alguien
viniese a refrescarle la memoria, aun si ya entonces sus condiscípulos
habían empezado a permitirse la odiosa burla de tocarle el sexo cuando ningún jesuita se encontraba por los alrededores; en efecto, apenas veían el campo libre, se lanzaban a su persecución gritando, diez
chivos a quien le agarre el culo a Álvaro Espinoza, y él corría desesperadamente por los corredores hasta que conseguía ponerse a salvo
o alguno de ellos lograba su objetivo. Fue en parte a causa de ese juego que la verdad sobre su mestizaje le sería echada en cara y de una
manera que todos, incluso él mismo, preferirían más tarde olvidar, salvo un futuro amigo de Lina que registró la escena para fijar, decía,
el punto alfa de su propia pederastia, de ese placer indescriptible que
sentía viendo a cualquier adolescente, áspero como papel de lija, perder toda arrogancia al descubrir el abismo de pasividad oculto en un
miembro hasta entonces considerado por él objeto de acción, y mirarlo
con la misma expresión de avergonzada lascivia que brilló un instante
en los ojos de Álvaro Espinoza cuando uno de los mellizos de Ribon
tocó su sexo y su sexo se endureció humedeciendo el pantalón del uniforme ante el estupor de los muchachos que lo habían venido siguiendo desde el terreno de *foot-ball* y mientras el otro mellizo horrorizado
declaraba en voz alta que sólo un zambo de mierda podía ser tan ma-
ricón.

A partir de ese momento le fue imposible compensar sus infortunios
con el orgullo de pertenecer a una raza de señores. No obstante, él, Álvaro Espinosa, debía de haber observado que los recuentos genea-
lógicos de su padre dejaban de lado a sus ascendientes por línea materna, como si en una generación los varones de su familia hubiesen
nacido de un soplo divino, pero nunca había intentado dilucidar aquel
enigma temiendo tal vez comprobar que su abuela había sido realmente una linda mulata de origen desconocido a quien un día vieron entrar en la ciudad, descalza, acompañada de un perro mal encarado y
llevando en un atado sus chancletas y los bollos de mazorca que le
diera su madrina antes de despedirla recomendándola buscarse un
empleo honrado en Cartagena y mantener las piernas cerradas fuese cual
fuese el reclamo, consejos que la muchachita de piel dorada y ojos de
cabrito iba a seguir al pie de la letra consiguiendo un trabajo de sirvienta en casa de los Espinoza y resistiendo con tenacidad a las presiones, amenazas, halagos y galanteos del único varón soltero de la familia hasta enloquecerlo de deseo y llevarlo al matrimonio; nueve me-

ses después moría al dar a luz y el niño, Genaro Espinoza, fue confiado al cuidado de una hermana de su padre, casada, pero estéril y tan neurótica, que a pesar de considerarlo un hijo nunca pudo perdonarle haber nacido de plebeyo vientre, desgarrada por sentimientos confusos y probablemente incestuosos, ora cubriéndolo de besos en inesperados arranques de ternura, ora de latigazos si cualquier capricho o desobediencia venía a recordarle la detestada mulata que había desmeritado a su familia con artimañas por ella maldecidas y en secreto envidiadas, mientras Genaro Espinoza se debatía en un atroz desasosiego al que puso fin su primera visita a un burdel —donde descubrió el alivio de poder tratar a las mujeres como bestias— y que recomenzaría cuarenta y seis años después al casarse con doña Clotilde del Real y encontrarse nuevamente en la desorientación de su infancia, es decir, sometido a los caprichos de una criatura incomprensible o, en todo caso, mucho más complicada que una bestia.

De todas aquellas experiencias le había quedado la profunda convicción de que las mujeres existían para pervertir el carácter del hombre desmantelando su dignidad en los burdeles o exasperándolo cuando se refugiaban detrás de los sinuosos velos del matrimonio y a través de mil subterfugios escapaban a su control. Él, Genaro Espinoza no comprendía muy bien ciertas cosas de la vida y según lo repetiría incansablemente años después en sus delirios de alcohólico, pensaba que siempre lo habían traicionado. Quizás aludía, aun si prudente su conciencia no guardaba de ello el menor recuerdo, a la remota traición de la cual fueron víctimas sus ancestros judíos, quienes renegando de sus creencias para escapar de la Inquisición, habían sido tan hostigados que terminaron buscando el anonimato en Cartagena. Pero la verdadera felonía comenzaba en la noche de los tiempos y al parecer no tenía nombre ni podía ser explicada: él sabía, porque se lo habían dicho y todo cuanto veía a su alrededor venía a confirmarlo, que había diferencias entre los hombres determinando una jerarquía en la cual los más hábiles ocupaban las mejores posiciones y, en consecuencia, tenían el derecho de exigir de sus inferiores la sumisión. El problema se situaba a nivel de esa sumisión justamente, demasiado escurridiza y vaciada de sustancia, como si quienes la soportaban tuviesen la impresión de interpretar una comedia en la que al menor descuido los papeles podían ser cambiados. Observando el comportamiento de los humildes en sus viajes de negocios al interior del país —su manera de quitarse el sombrero, bajar los ojos y murmurar un su merced achicándose en la rauna— había concluido, tal vez apresuradamente, que el desparpajo costeño tenía una explicación geográfica o estaba asociado de algún modo a la humedad del clima, la violencia del sol o la intensidad de la luz, especulaciones con las cuales entretenía a los borrachos del «Club Cartagena» hasta dormirlos de aburrimiento y que, cuando sus facultades intelectuales empezaron a disminuir por el exceso de alcohol, se convirtieron en abiertas diatribas contra los vientos alisios, responsables a su juicio de la desidia de la gente decente y del irrespeto de la plebe. Pero aunque obsesionado por el fenómeno social de que en la costa atlántica los subalternos no interiorizaban la inferioridad de su situación recurriendo a un muro de divertido desen-

fado que los volvía inaprehensibles, Genaro Espinoza nunca dejó de
responsabilizar a las mujeres de todos sus sinsabores, pues a través de
ellas la desdicha le había golpeado, desde su nacimiento en el vientre
de la intrigante mulata que en mala hora sedujo a su padre, hasta su
matrimonio con esa esposa escurridiza cuyo cuerpo se cubría de ronchas al menor contacto haciendo de él el hazmerreír de Cartagena. También las prostitutas llegarían un día a demoler su confianza de sí mismo,
cuando al envejecer empezó a encontrarlas en sus sueños, burlonas y
sonrientes y saliendo de lo más profundo del recuerdo en lujosos atavíos de cortesanas y odaliscas, a ellas, los mugrosos desechos de la sociedad que él había fueteado a su placer orinándoles el cuerpo o eya-
culándoles en la boca, pero que al mirarlo ponerse los pantalones y
arrojarles sobre el catre de lona unas monedas, fijaban su imagen en
el fondo de los ojos guardándola mientras vivieran y, quizás, al morir, reflejándola en un ojo eterno de cuya retina ninguna imagen desaparecía jamás.

A una casa de putas llevó sin embargo a su hijo apenas se enteró
del bochornoso incidente ocurrido en el San Pedro Claver, aterrado
de que a todas sus calamidades viniera a añadirse la de ser padre de
un homosexual, amenazando a la propietaria, doña Ofilia, con echarle
encima la Policía, los curas y las Damas Católicas si no conseguía hacer
copular a su hijo de manera decente, y de quedarse allí, tendido en
una hamaca del patio, hasta que vinieran a anunciarle la buena nueva,
por la cual estaba dispuesto a pegar cien veces el precio de todas las
muchachas del burdel, o sea, el equivalente de una vaca en perfecta
salud. Esperó tres días. Tres días de angustia para la niña Ofilia, quien
después de encerrar a aquel adolescente sombrío en una habitación
cuyo espacio ella podía visualizar desde una rendija practicada en la
madera del muro, comenzó a hacer desfilar una tras otra a sus pupilas, las hermosas negras de piel charolada, las mulatonas de senos
maduros, las pálidas blancas de cabellos oxigenados, y su colección de
niñas, enanas, albinas y mongólicas, en fin, todas las variedades de
hembras capaces de despertar el deseo masculino, sin que el idiota
muchacho diera el menor signo de virilidad, arrodillado en un rincón y
repasando ansiosamente las cuentas de su rosario y a cualquier avance en forma de las entendidas, asfixiándose de asma, mientras ella, la
niña Ofilia, invocaba por un lado a Changó y por el otro a san Antonio
suplicándoles la combinación adecuada, la gracia, el chispazo que al
fin iluminó su mente oyendo hablar a un alumno del San Pedro Claver. Como también le habían contado el odio que ese granujita le tenía
a la gente de color, lanzó una llamada de socorro a sus colegas pidién-
doles enviarle, conseguirle o sacarle del mismo infierno una negra de
nalgas duras, lo más parecida posible a un jovencito y acostumbrada
a hacer el amor por el agujero innoble. Así salvó su burdel y comenzó
la vida sexual de Alvaro Espinoza.

Durante años aquella preferencia suya no le causó mayor problema
pues trampeaba en el confesionario y un billete de más en los prostíbulos vencía cualquier resistencia, pero ya en París, pensaba tía Eloísa,
descubrió probablemente a través de sus estudios de psiquiatría que la
sodomización era perversa y revelaba una homosexualidad latente a la

cual debía oponerle su fuerza de carácter si quería dominar en el mundo de los hombres. Porque de Europa llegó cambiado y para el asombro de las prostitutas de Barranquilla, que habían conocido sus caprichos desde que su familia se instaló en la ciudad, haciendo el amor como Dios manda, aunque eso sí, en medio de odiosas injurias y luego de haber ingerido el equivalente de dos botellas de whisky, lentamente, sentado a una mesa en compañía de sus amigos y al parecer concentrado en la discusión, pero siguiendo con ojo ávido el ir y venir de las muchachas a fin de elegir a la que más pases hubiera hecho en la noche: de allí su apodo, *gallo de madrugada*, soltado por un borracho el día de su matrimonio con Catalina, ante el inconcebible espectáculo de verlo en la fiesta, bien avanzda la noche, cuando en principio debería haberse retirado una vez cortado el *puding* provocando ciertas sonrisitas cómplices o falsamente nostálgicas y no ese desconcierto que se había apoderado de los invitados a la boda al saberlo entre ellos, engarzado en una discusión política, como siempre impenetrable, avaro de gestos y mirando a su interlocutor, no en los ojos, sino en el punto medio de la línea que une ambas cejas, para mejor desconcertarlo y así colocarse en posición de superioridad. Incluso Catalina estaba perpleja: ella había intentado explicarse la indiferencia de Álvaro Espinoza durante los tres meses del noviazgo con el argumento de que un hombre de su edad y posición no podía actuar irresponsablemente llevándola a pasear en su automóvil a los altos del Prado y allí besarla y acariciarla a riesgo de que alguien los encontrase y comenzaran las habladurías capaces de empañar la respetable imagen de un psiquiatra. Además, desde el día en que se lo presentó a su madre protocolizando de ese modo el compromiso, Álvaro Espinoza se había limitado a invitarla a comer todas las noches en el «Country» o en el «Hotel del Prado» y bajo su ojo complaciente ella devoraba *chateaubriands*, papas fritas y diferentes postres aceptando que sus relaciones amorosas se redujeran a una especie de testín continuo, sustitutivo, precisaba tía Eloísa cuando Lina le contaba cómo, invitada por él en compañía de cualquiera de sus amigos, había pasado la noche observando aquel despliegue de platos cuya profusión podía cortarle el apetito a un náufrago.

Sin embargo, Catalina soñaba. Ella, tan poco dada a la lectura, había comenzado a hacer incursiones en la biblioteca de Divina Arriaga, caverna de Alí Babá del pensamiento donde se encontraban la mayoría de los libros escritos alguna vez —los piadosos, los maldecidos, los eruditos, los censurados— casi siempre en sus ediciones originales si habían sido impresos a partir del siglo xv, o en manuscritos ilustrados con preciosura si venían de más lejanos tiempos, cada uno clasificado según su tema en rectángulos de vidrio y protegidos gracias a los amorosos cuidados de la sirvienta de Divina Arriaga que pasaba buena parte del día examinando con una lupa los estragos causados por los años en la tinta, papel o madera, y utilizando para repararlos un arsenal de cepillitos y productos misteriosos de olores desconocidos, como si en alguna de sus anteriores reencarnaciones hubiese habitado el cuerpo de un benedictino y de él heredado la proverbial paciencia que le permitía encerrarse durante horas en aquel santuario, las cortinas corridas y una especie de reverbero de alquimista destinado en principio a combatir la humedad. Fue seguramente ella quien le indicó a Catalina adónde debía dirigir sus investigaciones y quizás con el mismo laconismo, la explicación concisa e impersonal con la cual le había entregado la caja de kotex cuatro años antes, porque de no ser así, Catalina se habría extraviado en el laberinto de aquella habitación sin luz donde hileras de rectángulos de vidrio guardaban la palabra embalsamada al igual que faraones en sus tumbas para la eternidad y, provisoriamente, para responder a la curiosidad de una niña que nunca se había preguntado mayor cosa hasta ese día, cuando Lina la encontró estudiando en una mesa, bajo el débil resplandor de una lámpara los grandes manuales orientales del erotismo, del Kama-Sutra a la Gita Govinda, de las entrevistas de la jovencita ingenua con el Emperador amarillo a las imágenes japonesas del Shunga en sus negros y azules fulgurantes, toda la magia sexual y la poesía de civilizaciones no contaminadas por la malsana frustración del cristianismo en las cuales, felizmente, los dioses hacían el amor enseñando a los hombres las alegrías del placer carnal y, tal vez, la posibilidad de trascender los límites de su condición al descubrir, a través del vértigo del amor vivido, que lo múltiple es uno, que detrás de lo diverso se esconde la totalidad. De una tal concepción del amor nadie sabía nada en Barranquilla y mucho menos Álvaro Espinosa, repetía tía Eloísa mientras sus dedos se hundían con voluptuosidad en el pelaje de alguno de sus gatos birmanos y en sus ojos se reflejaba la fascinación de descubrir una vez más la huella de Divina Arriaga, como desde su sepulcro de penumbras lanzaba un desafío al hombre que pretendiera reducir a una hija suya a la condición de esposa, aun si Catalina salía a afrontar el matrimonio desprovista de toda experiencia y con el candor de cualquier muchacha que hubiese estudiado en un colegio de monjas y por circunstancias o temperamento pasara la adolescencia sin conocer los primeros acosos del deseo, las turbadoras imágenes que de repente saltaban entre las páginas de un libro o se deslizaban con rapidez de culebra al despertar de un sueño, la densa inquietud a la caída de la tarde y esa rabiosa, incomprensible tristeza cuando el cielo se oscurecía anunciando la lluvia en una casa vacía adonde ningún hombre vendría a calmar la ansiedad disipando con una palabra el miedo, más ingenua, ella, Catalina, que una niña de doce años, y no obstante, preparada desde su infancia para aprehender la naturaleza profunda de la sexualidad, por ignorancia, porque nadie había introducido en su conciencia los fantasmas de la represión y su ligereza la había llevado a posar una mirada distraída sobre la religión de las monjas, sin interiorizarla realmente ni analizar el fondo de sus conceptos, creyendo con toda honestidad que la pérdida del Paraíso se reducía al simple problema de haber comido una manzana y sorprendida de que semejante nimiedad le hubiese costado tantos sinsabores a los hombres hasta obligar al mejor de ellos a dejarse clavar en una cruz para redimirlos.

Quizá también eso lo había tenido en cuenta Divina Arriaga al matricularla en un establecimento religioso, su impermeabilidad, su inclinación a banalizar los discursos humanos colocándose más allá de cualquier tentativa de robarle el alma o modificar de alguna manera aquel íntimo sentimiento suyo, no formulado entonces, de que sólo amándose a sí misma podía encontrar su equilibrio, pero si una previsión tan sutil parecía harto discutible, tía Eloísa, en cambio, estaba persuadida de que Divina Arriaga había elegido «La Enseñanza» con el propósito deliberado de impedirle a Catalina integrarse a un grupo de amigas, y a través de las renuncias necesarias a esa integración, asimilar la ideología de los vencidos. En efecto, ninguna de sus condiscípulas se había atrevido nunca a desafiar el qué dirán invitando a Catalina a su casa y, de ese modo, a formar parte del círculo de muchachas destinadas a presentarse juntas algún día en sociedad frecuentando el «Country» hasta casarse y que, entre tanto, se reunían durante las vacaciones con diferentes pretextos, desde jugar canasta hasta bordar toda suerte de trapos inútiles para los pobres, mientras sus conversaciones se reducían a repetir chismes, afirmar con énfasis lugares comunes y pasarse disparatadas versiones del acto sexual preparándose así a reproducir la especie en la ignorancia y el desencanto tal y como el orden social lo requería. Preservada de aquellas insensateces gracias a la discriminación de que era objeto, Catalina había conservado la pureza tan cara a los moralista y, en consecuencia, una perfecta aptitud para oír la llamada del sexo, ese grito remoto y eterno cuyo eco le devolvían intacto los libros encontrados en la biblioteca de Divina Arriaga ayudándole a descubrir en su cuerpo los ocultos resortes del erotismo y a imaginar a cualquier hombre, inclusive a Álvaro Espinoza, decidido a extraviarse con ella en la voluptuosidad que presentía cuando bailando sus mejillas se rozaban o él besaba ligeramente sus labios al despedirla cada noche en la oscuridad del negro «Cadillac» sin sospechar los fuegos que sus pálidas caricias encendían, los anhelos y rubores a la espera de la ceremonia exigida por la sociedad para juntos romper los tabiques que contrariaban el deseo.

La ceremonia se celebraba al fin, en el «Country», con centenares de invitados, en medio del refinamiento que caracterizaba antaño las fiestas de Divina Arriaga —representada esta vez por tía Eloísa— y Álvaro Espinoza permanecía impávido, insensible a una situación que la mayoría de los hombres allí presentes envidiaban, mientras Catalina veía surgir sobre las ventanas la intensa luz azul del amanecer descubriendo vagamente el espectro de la decepción, sin saber muy bien de donde venía esa imprecisa cólera que a intervalos la punzaba el alma como el aguijón de un animal hasta entonces dormido, no dentro de ella, sino a su alrededor, en cuanto existía en torno suyo y cuya realidad había preferido siempre pasar por alto, y no obstante, mariposa ciega, creyendo todavía escapar a su sino gracias a la protección de las diosas, entidades o hadas que tantos favores le habían otorgado al hacerla nacer tan bella, explicándole a Lina en voz baja que tal vez la extraña conducta de Álvaro Espinoza obedecía a la intención de no alarmarla con una precipitación capaz de chocar su sensibilidad.

Aquellos escrúpulos iban a durar mucho más de lo esperado, una semana exactamente. Siete días pasados en Santa Marta durante los cuales Álvaro Espinoza se propuso vigorizar los sentimientos religiosos de Catalina, demasiado tibios y superficiales a su juicio, llevándola cada tarde a rezar delante de una imagen de la Dolorosa a fin de hacerle comprender que el objetivo de la mujer no era reír, gozar o amar como ella pretendía creerlo, sino asumir el dolor de la humanidad al ejemplo de esa Virgen que, en el espacio de un instante, cuando el cielo desgarrado lloraba la muerte del hijo de Dios, había permanecido sola junto a la cruz, sola y cargando sobre sus frágiles hombros el peso de la iniquidad cometida por los hombres. Catalina estaba estupefacta. Ella, le contaría a Lina, se había preguntado al comienzo por qué Álvaro Espinoza se empeñaba en conducirla a una iglesia cuando él mismo, a través de su concepción psicoanalítica de las cosas de la vida, mostraba un total escepticismo hacia la religión: le parecía ser extraviada a propósito entre dos discursos antagónicos que perseguían, sin embargo, un objetivo idéntico, desposeerla de algo, aun si no llegaba a precisar adonde ese algo se situaba y si, en plena confusión, no sólo empezaba a poner en duda todo cuanto los manuales eróticos de Divina Arriaga le habían enseñado, sino a decirse, que de no haber visto a Dora y a Andrés Larosca haciendo el amor en una playa, habría aceptado que el acto sexual se limitara a contemplar el rostro sufriente de una Virgen y, luego de cenar opíparamente, acostarse a dormir mientras Álvaro Espinoza se despedía de ella con el pretexto de irse a tomar unos tragos al bar del hotel, volviendo en puntillas a la madrugada.

Le contó eso a Lina al día siguiente de haber regresado de su luna de miel, en el salón de su nuevo apartamento, analizando cuidadosamente cada hecho, como si intentara reconstruir las jugadas de un adversario que la hubiese vencido por jaque y mate en una partida de ajedrez. Ninguna duda le quedaba entonces de haberse enfrentado sin darse cuenta a una inteligencia calculadora, que había decidido adoptar frente a ella un comportamiento dado previendo sus reacciones y persiguiendo tenazmente el propósito de humillarla hasta vencerla y someterla a sus designios. Como una maniobra sutil recordaba que su primer comentario sobre la anomalía de aquella situación había provocado una andanada tal de insultos que pasó la noche entera llorando: porque el Álvaro Espinoza conocido de ella, austero y petulante, de acuerdo, pero siempre educado, había utilizado un lenguaje obsceno declarándole que semejantes sujetos sólo podían interesar a una cualquiera o, lo que era igual, a la hija de Divina Arriaga. El agravio, no obstante traumatizarla al revelar a su conciencia un conflicto juiciosamente inhibido, le interesaba a posteriori en la medida en que a través de él reconocía una manipulación destinada a disminuir su confianza en sí misma dejándola herida y sin voluntad, es decir, incapaz de tomar la única decisión razonable dadas las circunstancias, guardar en una maleta todos los vestidos e interiores de seda bordada que la sirvienta de Divina Arriaga le había encargado a Europa y regresar a Barranquilla a riesgo de causar un escándalo descomunal, pues, mientras Álvaro Espinoza le lanzaba peroratas frente a un cuadro de la Dolorosa, los periodistas locales seguían publicando comentarios sobre su matrimonio y un fotógrafo había sido enviado para sorprender a los felices novios en su luna de miel. Así que la huida le era imposible, en fin, ella no quería verse otra vez excluida de la sociedad o encontrarse de algún modo en una situación análoga a la que precedió la odiosa experiencia vivida en el «Country», incluso si ya empezaba a intuir que con ese temor suyo contaba Álvaro Espinoza a fin de imponerle una vejación cuya finalidad no comprendía por mucho que reflexionara noche tras noche, ahora comiendo menos y descubriendo el insomnio, en la soledad de la cama del hotel, imaginándose a veces víctima de alguna malformación física que sólo un médico podía percibir, de repente ahuyentando aquellas especulaciones al advertir en la playa la mirada codiciosa o admirativa de un hombre, y entonces, odiando a Álvaro Espinoza con una aversión que la sorprendía por su intensidad y los extraños pensamientos que hacía aflorar en su mente, aflorar, le precisaría todavía desconcertada a Lina, como si siempre hubieran estado allí, aunque velados, inaprehensibles a la conciencia, como si fuesen parpadeos de una antigua memoria dormida, crujidos de estatua, murmullos de tumba. Así, casi sin notarlo, había empezado a tirar los hilos que años después la llevarían a desenredar la madeja y botar el montón de lana arrugada a la basura.

Por lo pronto uno de esos hilos llamaba su atención, uno a través del cual podía comprender que con sus ausencias nocturnas Álvaro Espinoza buscaba no solamente lastimarla y sumirla en la perplejidad, sino sobre todo, esperar a que su cuerpo estuviese en capacidad de ser fecundado, deducción que, si no aclaraba mayormente las cosas, antes bien, agravaba su amargura al saberse reducida al valor de sus simples órganos de reproducción, la dejaba al menos en posición de calcular con relativa exactitud cuando iban a librarse a la voluptuosidad del placer tan anhelado, creyendo, la muy incauta —el adjetivo lo emplearía ella— que el amor era uno y todos los hombres lo vivían del mismo modo, sin establecer la menor relación entre la forma de abordarlo y los prejuicios que a su propósito se tuvieran, es decir, como si una vez apretado un invisible botón, los cuerpos entrasen en una suerte de éxtasis de donde huían rencores y recuerdos para dejar paso a los fuegos de la pasión. Por eso la sorprendió su propia indiferencia el día en que, tal cual lo había previsto, Álvaro Espinoza la convidó después de la cena a pasar al bar anunciándole en un tono sombrío que esa noche dormirían juntos. Le contaría a Lina que durante horas había espiado dentro de sí cualquier indicio de emoción siguiendo el lento recorrido de una luna diluida en el cielo, mientras él bebía vaso tras vaso, ajeno a su presencia, silencioso y al parecer entregado al resentimiento como si una furiosa contienda tuviese su corazón por escenario. Pero ella, diría, no sentía nada, no encontraba el mágico resorte del deseo. Permaneció a su lado con una impresión de vacío hasta que él terminó de beberse la botella de whisky y de un gesto le indicó acompañarlo a la habitación, y todavía al acostarse, oyéndolo moverse en el baño, percibiendo su silueta al resplandor de la lámpara, sentía el mismo vacío, la helada sensación de sólo ser conciencia. Después fue diferente. Fue el estupor de verlo levantarle bruscamente la frágil bata de encajes de Bruselas, tirarse sobre su cuerpo y permanecer así varios minutos, inmóvil, los ojos cerrados, la cara contraída otra vez por un exceso de concentración al igual que la de un atleta en el instante de hacer el último esfuerzo para alcanzar la meta, y de pronto ella sintió una cosa dura entre sus piernas, algo que se abría paso ciegamente y con brutalidad causándole un dolor inconcebible, tan violento que empezaba a gritar cuando la mano de Álvaro Espinoza cayó sobre su boca y le oyó murmurar rencorosamente: eso querías, perra, ahora lo tienes.

IV

Mucho había debido reflexionar tía Eloísa antes de comprender el fenómeno de la sumisión, porque como nunca había estado sujeta a nadie difícilmente concebía que una persona de juicio aceptara someterse al arbitrio de otra. Decía haber tomado la buena vía cuando dejando de mirar hacia el exterior empezó a interesarse en el caso excepcional que constituían ella, sus hermanas y sus primas, quienes tenían en común un instintivo rechazo de toda forma de autoridad y el hecho de pertenecer a una familia en la cual, desde hacía al menos quinientos años, las mujeres tendían a dar a luz niñas y enviudaban pronto, enamorándose siempre de dos tipos de hombres opuestos entre sí, pero esencialmente idénticos, al menos dominados por la misma obsesión de destruirse, los melancólicos que se dejaban morir enervados de tristeza, y los turbulentos que se pasaban la vida tratando de hacerse matar hasta conseguirlo. El caso era que ellas quedaban solas muy jóvenes y obligadas a ocuparse del negocio familiar para sacar adelante a sus hijas, repitiendo, sin darse cuenta y a escala reducida, una estructura social que aparecía y se renovaba en cada generación como la antítesis del patriarcado, pues ninguna jerarquía se establecía entre sus miembros y, para utilizar la fraseología de moda, no sólo la propiedad se consideraba naturalmente un bien común, sino que también, los beneficios se distribuían al margen del rendimiento individual. Había habido incluso una época, cuando la madre de tía Eloísa enviudó, en que todas sus tías y parientas ocupaban dos manzanas cerca de la plaza de San Nicolás y los patios de sus casas se comunicaban a través de

puertas siempre abiertas con las cuales los niños iban y venían decidiendo a su antojo donde jugar, comer o dormir. La comunidad así formada servía para transmitir la herencia, pero no los valores culturales
que todas ellas —salvo unas cuantas ovejas descarriadas por el azar
de haber encontrado un marido particularmente robusto o curiosamente juicioso— miraban con desconfianza, habiendo aprendido desde niñas a considerarlos una emanación directa de la ley del padre que en
nada las concernía, antes bien, que constituía un peligro para la insólita, frágil y sin embargo tenaz organización familiar en la cual conse-
guían su equilibrio, pues siempre la hallaban al final de cualquier erran-
cia o extravío, dispuesta, no a excluir, sino a integrar, a comprender
con la tranquila indulgencia de esas mujeres que se habían aceptado
a sí mismas, podían admitir la diferencia en los otros y consideraban
pueril el deseo de dominar a los demás. Entre ellas todo estaba permitido y mientras la familia fue grande y la ciudad pequeña ningún conflicto serio opuso a las dos: después, la ciudad, creciendo como una
inmensa hiedra empezó a asfixiarlas y, a fin de sobrevivir, debieron fingir adaptarse a sus costumbres, extraviándose por momentos en las
redes de la simulación, pero conservando secretamente la solidaridad
del viejo clan donde los problemas se resolvían entre murmullos y sonrisas.

Todo estaba permitido, inclusive la sexualidad, especialmente la sexualidad. Ni Engels, ni Freud, ni Reich habían sido concebidos en la
mente del Altísimo cuando doña Adela Portal y Saavedra, genitora de
la familia cuyo recuerdo se veneraba, llegó a Cartagena de Indias para
dirigir la plantación de su tercer marido, un almirante de la flota española fallecido en altamar, acompañada de su hija y de su nieta y con
la firme convicción de que sólo un desatino en el orden natural de
las cosas podía explicar el predominio de los hombres y la necia costumbre de debilitar a las mujeres imponiéndoles desde niñas la castidad. Cómo señora tan distinguida había elaborado semejantes ideas
nunca llegó a saberse, pero a partir de entonces siempre hubo alguien
que removiera las subversivas brasas del feminismo en cada generación y cuando la antorcha pasó a manos de tía Eloísa ya el pensamiento liberal había hecho su camino y la genial intuición de doña Adela
Portal y Saavedra, su asociación de la represión sexual al ejercicio del
poder, podía pensarse en términos sencillos y combatirse en el propio terreno de la ideología masculina. Naturalmente, tía Eloísa no se
privó de hacerlo. Ella, a quien sus amores y negocios llevaban con
frecuencia a Europa, había seguido paso a paso los balbuceos de la
teoría psicoanalítica, su espanto al descubrir la importancia de la sexualidad y lo que podía llamarse su lamentable capitulación, es decir,
de qué manera, por ignorancia, cobardía o mala fe, se había abstenido
de sacar las conclusiones lógicas de su discurso perdiéndose en especulaciones destinadas a apaciguar el escándalo y preservar el orden
establecido. Aquel inevitable desenlace no iba a impresionar ni mucho
menos a tía Eloísa: no creía que el placer del amor se opusiese al esfuerzo del trabajo, rechazaba sin miramientos el modelo de la civilización patriarcal y si Freud afirmaba que la represión sexual era su co
rolario, ella estaba en condiciones de demostrarle que curiosamente

el freno en cuestión se había aplicado siempre a las mujeres, nunca a los hombres, si acaso por añadidura. Pero, en cambio, la esencia misma de la teoría le venía de perlas en cuanto estructuraba un conocimiento hasta entonces oscurecido bajo el peso de las costumbres y que de pronto podía nombrarse obligando a reconocer no sólo que represión había y en ella se encontraba el nudo de la neurosis, sino sobre todo, que su existencia era condición sine qua non del poder. De allí el tenaz estribillo de tía Eloísa: puesto que a las mujeres se les imponía la castidad a fin de dominarlas, volviéndolas infantiles, dependientes y cobardes, su afirmación en el mundo pasaba necesariamente por la afirmación de su sexualidad.

Aquel largo análisis Lina no lo escucharía en orden, sino a retazos y a lo largo de muchos años siguiendo las reflexiones de tía Eloísa cuando conversaba con sus hermanas en la tranquila penumbra de su salón aireado por ventiladores donde los gatos birmanos dormían esperando la huida del sol para alborotar con sus amores la oscuridad del jardín y en alguna parte de la casa ardían inciensos perfumando el aire cargado de palabras que en el confín del mundo otros hombres y mujeres pronunciaban y cuyo eco sólo allí podía resonar. Lina las oía hablar sin preguntarles nada ni comprender gran cosa, intuyendo vagamente que algún día esos fragmentos de ideas vendrían a ordenarse en su mente cuando las circunstancias la sacaran de la algodonosa incertidumbre de su adolescencia, y sin embargo, reconociendo en las afirmaciones de tía Eloísa el lenguaje articulado de un conocimiento que Catalina intentaba desvelar a ciegas, como si le fuese posible tocar con los dedos los signos grabados sobre una antigua piedra, pero no verlos ni descifrarlos, buscando en vano la salida del dilema donde la había confinado una ceremonia al parecer inofensiva, el matrimonio, que ella asimilaba a laberinto erizado de púas en el cual apenas si podía moverse porque todo gesto, palabra o silencio suyo provocaba de inmediato la crítica hiriente de aquel marido empeñado en convencerla de que le era inferior y estaba obligada a someterse incondicionalmente a su criterio.

Al principio, durante los meses del embarazo, Catalina había permanecido abrumada por la experiencia de su vida conyugal, en una situación similar a la de una rata de laboratorio que a fuerza de dolor y miedo fuese aprendiendo a reconocer las palancas a las cuales no debía aproximarse, o peor, porque en el laboratorio de cualquier rata había probablemente estímulos de recompensa o momentos de reposo, mientras que ella se veía librada a la hostilidad de Álvaro Espinoza sin merced ni retribución alguna y en el desconcierto más total, incapaz de hallar argumentos frente a un discurso sistemático orientado a desvalorizarla, donde era tratada de estúpida cada vez que se aventuraba a dar una opinión, o de degenerada si con muchas precauciones y venciendo su pudor, intentaba rebelarse contra una concepción de la sexualidad que la oprimía. No obstante, lo que realmente la diferenciaba de la rata estaba constituido, menos por el desesperado deseo de escaparse, como por la voluntad de comprender la validez de las razones en nombre de las cuales Álvaro Espinoza la mortificaba, pues si bien las monjas no habían podido inculcarle en el colegio sus preceptos, Catalina había aprendido estudiando matemáticas que todo postulado exigía una estricta verificación. El comportamiento de Álvaro Espinoza le resultaba incomprensible, aun si había logrado ya distinguir sus formas de expresarse, y a examinarlas con la formidable capacidad de concentración que Lina le había visto emplear tantas veces frente a un problema de ajedrez: había, de un lado, aquella necesidad obsesiva de insultarla por un sí o un no, de manera completamente irracional puesto que una acción determinada y su contraria despertaba en él la misma agresividad; había, también, su extraña reacción ante el dinero que en principio debía entregarle para cubrir los gastos de la casa y cuya contabilidad daba lugar a sórdidas disputas sobre el modo de gastarlo y las supuestas o reales libertades que a su propósito ella se había permitido. Pero muy rápidamente y casi por instinto, Catalina había dirigido su interés hacia lo que era, aún si entonces no lo sabía, el punto neurálgico del conflicto, la furiosa negativa de Álvaro Espinoza a entablar cualquier conversación que de cerca o de lejos rozara el tema de la sexualidad, y si durante un tiempo estuvo tentada a considerar legítimo aquel rechazo explicándose su frustración y sus fantasmas como señales anormales, apenas nació su hija inició una búsqueda sistemática de cuanto se había dicho o escrito al respecto estableciendo un diálogo certero con los libros guardados en la biblioteca de Divina Arriaga hasta aprender la inmensidad del problema, sus innumerables ramificaciones, su carácter casi metafísico, no a fin de aproximarse a esa esfera de reflexión desde la cual su madre había contemplado el mundo serenamente, percibiéndolo todo, la sexualidad incluida, en su dimensión exacta, sino para argumentarle a Álvaro Espinoza y obligarlo a discutir no obstante prever que nada le haría cambiar de actitud y que se colocaba en el terreno de la palabra, allí donde él parecía invulnerable y podía escurrirse con las piruetas verbales que de los jesuitas había aprendido y cuyo mecanismo secreto, sin darse cuenta, iba a enseñarle. La jugada era correcta: los dioses, sabido es, jamás se explican, jamás responden.

Al igual que Benito Suárez y, tal vez, en el desarrollo de un mismo desatino. Álvaro Espinosa había desposado la antítesis de la mujer que en buena lógica le convenía abriendo de ese modo la primera brecha del camino por donde tarde o temprano debía perderse. De un hombre tan frío y calculador, que pretendía conocer los más recónditos secretos del alma, habría podido esperarse una conducta más cautelosa, o a lo sumo, mejor adaptada al sistema dentro del cual el mundo, despojado de sus aristas, se le entregaba. Una esposa poco inteligente, bien acostumbrada a someterse a los otros, habría aceptado vivir a su lado como una sombra. Catalina no: ignoraba el respeto y con habilidad de culebra de agua había eludido siempre la autoridad. Para dominarla, Álvaro Espinoza habría debido practicarle una lobotomía porque ninguno de sus esquemas lograba ocultar el hecho de que si realmente la naturaleza hubiese querido limitarla a la reproducción, ella existiría como entidad susceptible de reproducir la especie y nada más, algo parecido a una matriz colgada de los árboles o flotando sobre las aguas. Así que después de casarse con una mujer desprovista de lo que en su propia jeringonza calificaba de super-yo, había terminado cediendo a la vanidad de desplegar frente a ella la lógica brillante de su razonamiento como un general que embriagado por el poder de sus armas, la habilidad de sus oficiales, la arrogancia de sus estandartes hiciese desfilar día tras día su ejército delante de un minúsculo adversario pasmado de inquietud y admiración, a quien no obstante, aquella manifestación de fuerza lo obligaba a medir su propia debilidad e imaginar gradualmente los medios de combatirla.

Si declararle la guerra era un suicidio en tales circunstancias, la guerrilla de discusiones interminables presentaba en cambio el doble beneficio de exasperarlo a él y mantenerla a ella en un estado de combatividad permanente que, dado su espíritu deportivo —montar a caballo sería su primera actividad apenas nació su hija— la llevaría muy pronto a pasar de las especulaciones en la biblioteca de Divina Arriaga al deseo de tantear un terreno más concreto, donde el sexo existía no ya en palabras sino en la realidad, y como a juicio de Catalina nadie podía conocer mejor ese aspecto de la realidad que una prostituta, Petulia entró furtivamente en sus vidas.

Antes de practicar aquel oficio, Petulia había sido toda una señora que se aburría junto a su viejo marido, judío de religión, joyero de profesión, con quien su madre la había obligado a casarse para colocarla a salvo de la necesidad. La madre había actuado razonablemente si se tenía en cuenta que buena parte de su familia había perecido en un campo de concentración y ni siquiera su llegada a Barranquilla, donde las colonias de extranjeros proliferaban en paz, había modificado su convicción de que en cualquier momento los goyines podían volverse locos y masacrar a los judíos acusándolos de comerse a los niños crudos u otra aberración por el estilo. Petulia no veía las cosas del mismo modo: de su padre, un griego indiferente a los problemas religiosos, en cuyo barco de pesca había pasado los mejores años de su infancia, había heredado el gusto por la aventura y una exuberante sexualidad que se acomodaba mal a las jeremiadas de la madre y al cansancio de aquel marido que la cubría de joyas, pero rara vez le hacía el amor.

Durante años le fue fiel. Lina la veía cruzar el sardinel de su casa empujando el cochecito de un niño, y más tarde, cuando el niño fue lo bastante grande para acompañar a su padre a los servicios religiosos, ella y Catalina, desde el jardín donde jugaban, contemplarían con admiración el paso ondulante de aquella mujer hermosa y dorada como una naranja madura, que, forrada en vestidos de seda, deambulaba al anochecer por las calles del Prado seguida de automóviles sin luces, casi furtivos, cuyo silencio expresaba la ansiedad de sus conductores. Alguna tarde las abordó, entró al jardín y balanceándose perezosamente en el viejo columpio les hablaría del olor del róbalo recién sacado del agua, de unas islas de nombres extraños y de aquel padre tan fuerte que de una mano la izaba de la escala a bordo de su barco. Fuerte también sería su primer amante, el italiano con quien se fugó creyendo ingenuamente que iba a desposarla, y al menos eso, el vigor, la corpulencia, tendría el último hombre que Lina le conoció antes de irse de Barranquilla, un horrible camionero que la estrechaba obscenamente contra su cuerpo bajo los bombillos de una caseta de carnaval mientras Petulia, un poco borracha, la cara marcada por una gran fatiga, le indicaba sonriendo que si no podía abrazarla delante de tanta gente, en memoria de otros tiempos la recordaba con cariño.

Había algo en Petulia que Lina encontró siempre respetable: poseía suficientes atributos para encarnar a escala local la inquietante leyenda de doña Bárbara; habría podido convertirse en mito —durante años lo fue a pesar suyo entre los hombres ricos de la ciudad que se la disputaban y exhibían como un trofeo de caza— pero la consistencia de su personalidad la volvía irreductible y, paradójicamente, por el orgullo de mantenerse fiel a sí misma cayó en el engranaje de la prostitución rodando del Prado a las Delicias, y luego, a la minúscula casa del Barrio Abajo donde vivía cuando Catalina la encontró en el salón de una vidente. Aun si ya entonces, en su desprecio hacia los hombres, consideraba más sensato alejarse de ellos, Petulia fue conmovida por la desorientación de Catalina resolviendo de inmediato tomarla bajo su protección y enseñarla a defenderse, o quizás, entre los pliegues de un oscuro deseo vindicativo, a desvelarle la realidad de las relaciones amorosas a fin de permitirle afrontarlas eludiendo las trampas que a ella la habían perdido. No era culta y su lenguaje carecía de matices: a Catalina le tenía sin cuidado; oyéndola hablar comprobaba que el orden masculino había dispuesto arbitrariamente de la suerte de las mujeres condenando a una parte de ellas a la prostitución y a las otras a frustrarse en la castidad. Su instinto, o si se quiere, una especie de tardía habilidad para distinguir a los raros hombres no marcados por el miedo de la naturaleza, dispuestos a aceptar su sexualidad sin prevenciones, haría en el futuro el resto. De inmediato, y siguiendo siempre las instrucciones de Petulia, se fijó un único objetivo: descubrir adonde se dirigía Álvaro Espinoza esos viernes en los que desaparecía hasta la madrugada y regresaba despidiendo tufo de alcohol mezclado a olores de sexo y perfumes baratos. No le bastaba imaginarlo de juerga: quería verlo salir con sus propios ojos de aquella casita pintada de amarillo frente a la cual estaba detenido su «Cadillac» negro, mientras ella, Lina, al volante del' automóvil del más puritano de sus primos, le oía repetir en la oscuridad, no sólo la lista completa de agravios recibidos desde su matrimonio, sino también, la explicación posible de cada uno de ellos, en un análisis glacial, pero no exento de odio, como si fuera un aracnólogo que examinara las características del alacrán cuyo aguijón le hubiese matado a un hijo y contemplara al animalejo inmovilizado sobre su mesa de trabajo antes de practicarle una vivisección; su voz tenía, en efecto, el tono impersonal del especialista, y sus iris, aclarados de tanto en tanto por el relampaguear de un fósforo, reflejaban ese verde iracundo que toma el mar cuando la tormenta se aproxima. Lo odiaba, sin duda alguna, pero al verlo aparecer en el umbral de la puerta tambaleándose del brazo de una muchacha lamentable en sus tacones dorados y su pelo teñido de rojo, Catalina no hizo el escándalo que secretamente Lina temía: se limitó a mirarlo con ferocidad y su cara se fijó en una concentración despiadada intentando, tal vez, grabar para siempre en su memoria la imagen de aquel hombre borracho, de bragueta mal cerrada, que titubeaba buscando las llaves del automóvil en su bolsillo. Eso nada más quería: sorprenderlo en la miseria de su intimidad; cuando el «Cadillac» se alejó por la calle apenas iluminada, le dijo simplemente a Lina: ahora podemos irnos.

Nunca le habló a Álvaro Espinoza de aquel episodio y a partir de entonces se abstuvo de discutir sus opiniones: que él la insultara o cubriera de comentarios sarcásticos, Catalina permanecía impasible, más allá de su alcance y sin embargo, atenta a su monólogo, pescando aquí o allá los lapsus, mentiras o vacilaciones que le permitían, con el concurso de los libros de Divina Arriaga, remontar el hilo de su razonamiento a la manera del cosmonauta de Kubrick que al desmontar las piezas del computador asesino iba descubriendo las diferentes etapas de su programación hasta encontrarlo aprendiendo a balbucir como un niño.

El odio, no obstante, la mantenía sujeta a él. También las convenciones: gracias a su matrimonio —y el dinero pasado discretamente por la sirvienta de Divina Arriaga— Catalina brillaba en los salones convertida ya en reina de la moda y la elegancia cuya presencia o ausencia en una fiesta constituía el principal motivo de inquietud de la anfitriona. Las mujeres que dos años antes la habían abucheado en el «Country» buscaban sin reserva su compañía y la integraban a cuanta asociación religiosa o cívica existía en la ciudad, de tal manera que vistiendo uniformes de colores diversos se la encontraba con frecuencia en la calle al frente de señoras obstinadas en venderles banderitas, insignias o boletos a los transeúntes en nombre de proyectos altruistas y perfectamente ineficaces. Más que servirle de compensación, aquella actividad mundana se revelaría a largo plazo una especie de estrategia inconsciente con la cual Catalina lograría liberarse de sus inhibiciones frente a la sociedad de Barranquilla al descubrir una tras otra las facetas de un mundo percibido, al comienzo opaco, luego amenazante, y que ahora, como esposa de Álvaro Espinoza y amiga secreta de Petulia, podía examinar a fondo aprendiendo a manipularlo. A sus primeros sentimientos de asombro e indignación por la suerte que como mujer le estaba destinada, se había sucedido un tranquilo egoísmo no desprovisto de desprecio hacia quienes se adaptaban o preferían resignarse, considerando fríamente que cualquier empresa de transformación social estaba fuera de su alcance y ya bastante trabajo tendría poniéndose a salvo a sí misma. Porque tal sería durante años su verdadero objetivo: encontrar la manera de escapar al poder de Álvaro Espinoza demoliendo para ello sin piedad la imagen que de su propia persona él se había construido: una fortaleza edificada desde el interior y al parecer impenetrable por su ausencia de almenas, troneras o cualquier cosa similar a un orificio, pero que librada a la paciente observación de Catalina iba a revelar su vulnerabilidad, las grietas a través de las cuales podía ser penetrada y herida, más mortalmente cuanto mayor había sido su necesidad de protegerse y menor su interés por el adversario a quien oprimía hasta el punto de hacerle sentir que para liberarse debía demolerla. Sintiéndolo así, percibiendo gradualmente detrás de aquel caparazón de fuerza una terrible manifestación de angustia, Catalina aguardaba su hora con la quieta certidumbre de tener en su favor un abanico de cartas ofrecidas por el tiempo, mientras él, que pontificaba sobre los misterios del alma, se regodeaba en su autoridad seguro de haber sometido a una criatura consciente ya de su propia inteligencia y encerrada en un silencio cuya persistencia habría debido, si no alarmarlo, al menos hacerle intuir que un cambio sutil, pero definitivo, se había operado en ella. El mutismo de Catalina, sostenido desde la madrugada en que sorprendió a Álvaro Espinoza saliendo de aquel burdel de paredes amarillas, lejos de ser una pasajera reacción de cólera o desprecio, se había convertido en el instrumento con el cual escapaba a la sagacidad del psiquiatra que sólo a través de la palabra podía aprehenderla. Lo demás, lo que él suponía o imaginaba sobre su vida interior, eran simples especulaciones basadas en teorías por donde Catalina se deslizaba burlonamente sin sentir la menor necesidad de buscar argumentos para refutarlas y, a veces, en un juego muy próximo de la perversión, adoptando el comportamiento que permitía a Álvaro Espinoza definirla a través de ellas, es decir, integrarla a la estructura intelectual que justificaba no sólo su confianza en sí mismo, sino también su curioso desprecio hacia las mujeres: si Catalina se permitía a propósito caprichos extravagantes, él podía pensar satisfecho en la inmadurez del carácter femenino; cuando fingía enternecerse delante de su hija, él comprobaba cómo la maternidad servía de sustituto al tan ansiado falo y, por supuesto, en su sistemática negativa a hacer el amor, él creía descubrir la frigidez inherente a su sexo. Así velada por las apariencias, Catalina forjaba su personalidad afilando en secreto las banderillas que algún día iría a clavarle. Tía Eloísa no parecía haberse equivocado al intuir en la hija de Divina Arriaga la posibilidad de evadirse a tiempo: lo que a otras mujeres les llevaba una vida entera comprender después de un largo rosario de ilusiones y desengaños, ella lo había aprendido en dos años de matrimonio descubriendo la medida exacta de las cosas y preparándose sin inquietud a recorrer aquel periplo de iniciación y prueba que culminaría con la muerte de Álvaro Espinoza y su propia liberación, prefiguradas ambas apenas Catalina tomó conciencia de que mientras se negara su feminidad jamás podría reivindicar dignidad alguna.

Ocurrió cualquier día en aquella hermosa biblioteca de Divina Arriaga sobre la cual Álvaro Espinoza nada sabía, un relámpago de idea, una asociación fortuita o la acertada combinación de algunas frases pusieron en marcha el mecanismo mental que le permitiría desafiar la ley de su marido con un primer amante, elegido paradójicamente no en función de cálculos fríos, sino de una emoción instantánea cuya única relación con el razonamiento original era que de todos modos este había debido ser antes formulado. Pero no reflexionó ni midió las consecuencias de su acto, como en ningún momento trató de eludir su fascinación ante aquel indio de ojos dorados que había salido a recibirlas al aeropuerto de Montería y a guisa de saludo se había limitado a observar con un centelleo burlón en la mirada el atuendo de las barranquilleras abrumadas en sus trajes abombados por crinolinas junto a la escalerilla del avión, vacilando entre devolverse de inmediato o afrontar el feroz aliento de un lugar abandonado de la clemencia divina donde la humedad rezumaba del aire a la manera de vaho espeso, casi tangible, y los hombres jamás habían intentado ponerse sobre el cuerpo prendas distintas a las estrictamente necesarias para cubrir su desnu-

dez, salvo el sombrero vueltiao que él no usaba y las tres puntadas de
cuero que calzaba en unos pies muy largos y fuertes y curtidos por el
sol, no en señal de deferencia hacia ellas, sabría después Lina, sino porque siempre las llevaba cuando iba a la ciudad, prefiriendo de ordinario andar descalzo, como descalzo y sin estribos montaba el más soberbio caballo de la hacienda de su tía, un alazán cuyos músculos y
corpulencia había desarrollado él mismo a fuerza de entrenamiento,
hablándole suavemente en un lenguaje desconocido al trabajarlo en la
corraleja y sacándolo a galopar de madrugada entre los pastizales prin-
gados de sereno. Tampoco las tres puntadas indicaban una sumisión
cualquiera a las convenciones de la ciudad, antes bien, las portaba con
el declarado propósito de no contaminarse, manifestando así su desprecio al más vistoso símbolo de la civilización del hombre blanco, la
que había destruido su raza empestándola con enfermedades traídas
de otros mundos y, a los sobrevivientes, con aberrantes conceptos destinados a avergonzarlos de sí mismos quebrando en pedazos su identidad. Ellos, sus ancestros, habían matado y pillado, conquistado y defendido sus tierras en combates sin cuartel, pero nunca habían osado
imaginar la propiedad individual: ya de por sí crimen enorme se cometía al robarle a la tierra su sustancia y a fin de apaciguarla debían
realizarse ceremonias precisas a las cuales ellos habían intentado conformarse a tientas buscando mantener un equilibrio en el orden natural de la vida hasta equivocarse y como castigo, ver aparecer un día
entre los pastizales a unos hombres cuya piel despedía el olor de la
muerte, que sembraban la muerte y para la muerte procreaban puesto
que su ley secretaba inevitablemente la discordia. Y así ellos habían
sido derrotados, derrotados, pero no vencidos mientras uno de su raza
quedara en vida, le había explicado a él su abuelo con la misma convicción serena con que una de sus hermanas se lo diría a Lina.

Porque él no hablaba, como no fuese para darle órdenes a los peones de la hacienda en su calidad de capataz. Él vivía más allá del río,
monte adentro, y venía a la casa después de haber montado su alazán
a tomar el desayuno en compañía de su tía y explicarle los problemas
relacionados con el manejo de la propiedad. Avanzaba por el corredor
con un paso seguro y sigiloso, sin desplazar el aire, y se sentaba a la
mesa irguiendo su cabeza de piel cobriza, quemada por muchos soles,
en un gesto de intratable e invencible indiferencia. No hacía ningún
sonido; devoraba lentamente los diversos platos preparados pensando
en su apetito de felino grande, los patacones, yucas fritas, trozos de
carne, arepas de queso, que su tía probaba apenas por cortesía hacia él,
maravillada todavía de haber podido conservar el mejor capataz de la
región, el indio a quien los animales amaban y los hombres temían y
cuyo grito güipirreo resonaba en la soledad de la sabana orientando a
un ternero extraviado o a un caballo en mal de amor; el brujo de ojos
tranquilos y criminales que corría de noche seguido de un puma tan
elástico como él cumpliendo rituales de ceremonias venidas de un
tiempo muy lejano y muerto; brujo ya de niño, cuando su abuelo le
hacía correr descalzo junto a los jardiadores, más rápido que ellos,
más veloz persiguiendo el venado cuya pista perdían a veces los perros, pero nunca él, pisando ligero por entre colinas pedregosas y aguas

enfangadas mientras la avergonzada jauría se lanzaba tras sus pasos sin otro olor en las narices que la seca emanación de su cuerpo insensible al cansancio; todavía muchacho el día que comenzó a formarse su leyenda en la plaza de Cereté, donde un histérico cura llegado del interior como primer heraldo de la violencia, incitaba a sus feligreses a lanzarse contra los liberales de la región, y él apareció allí en compañía de un antiguo jefe del Partido Liberal que solía cazar con su abuelo, los dos, el hombre encanecido ya, furioso, y el muchacho, demasiado pequeño quizá para sus doce años, armado de un fuete pero sin dejar aparecer ninguna emoción sobre ese rostro en el cual lo único que no había quemado el sol eran los ojos, sin mirar nada, sin mirar a nadie, se habría dicho absorto; hasta que el hombre dijo, va. Eso fue lo último que se oyó en la plaza, en fin, el último sonido articulado, porque, como el restallar del fuete, los gritos del cura nada tenían de humano.

Desde entonces empezaron a tenerle miedo. Aun si nunca buscaba la pelea y permanecía indiferente a cuanto ocurría a su alrededor, la gente prefería evitar su mirada amarilla, no desafiante, ni siquiera insolente, que al posarse sobre un hombre parecía calcular en un instante el modo preciso de matarlo antes de alejarse perezosamente hacia la inmensidad de la sabana como atraída por espejismos cuya visión sólo él podía contemplar. Aquel paisaje de arbustos inmóviles bajo un aire vitrificado de calor era el mundo que había conocido desde la infancia aprendiendo a orientarse entre piedras y árboles hasta mucho más allá del río, donde la sabana perdía su aspecto de infinito mar de hierbas y la selva surgía, hirsuta y fatídica en un anacronismo de lluvias eternas. Todo ese espacio él podía recorrerlo con los ojos vendados. De hecho así ocurría cada noche cuando atravesaba corriendo los pastizales en busca de las mujeres que cortejaba en diferente caseríos de la región. Y durante los años de la violencia, al frente de una banda de descendientes de negros cimarrones, había sembrado el pánico entre las patrullas que pasaban al cruzar una línea establecida por él, imaginaria y completamente arbitraria, como descubrían los aterrados soldaditos viendo caer al suelo a sus oficiales, la garganta atravesada por un cuchillo salido nadie sabía de dónde o una bala cuya detonación ninguno de ellos recordaba haber oído cuando de regreso al campamento, empapados de sudor, la cara cubierta de infames picaduras de mosquitos, exasperados los tímpanos por el incesante zumbar de chicharras, debían explicar de qué manera habían perdido a sus superiores sin haber encontrado la sombra de un hombre en la angustiosa soledad de la sabana. Eran cosas de aparecidos, decían maldiciendo en su fuero interno su destino, el ejército y hasta el Partido Conservador, mientras el aparecido empezaba a figurar en las canciones susurradas en los potreros y las autoridades perdían el tiempo arrestando a campesinos que antes de dar una pista sobre el indio de ojos dorados preferían ser despellejados vivos, no sólo a fin de evitarse después la mala hora, sino además, porque estaban convencidos de la absoluta nulidad de aquellos militares empeñados en atrapar a un diablo en su propio infierno.

Partidos los cachacos, diseminados sus negros, volvió a vérsele en la región justo por los días en que el muy godo marido de la tía de Lina había cometido la irresponsabilidad de morirse dejando tras de sí veintiocho retoños naturales, todos conservadores declarados para mejor identificarse con el padre, pendencieros y envalentonados frente a una pobre mujer a quien diez años de matrimonio y el nacimiento de cinco hijas habían conferido un aire de figurita de papel, pero que al quedar viuda se vio obligada a sacar de sí, si no la fuerza, al menos la habilidad necesaria para ganar a su causa al más belicoso capataz de la región neutralizando al instante a cuanto desalmado complotare su ruina, aun si aquel indio le costase su precio en oro al exigirle en calidad de salario el tercio de las ganancias netas de cada mes. Dinero que él gastaba ayudando a sus parientes y en la adquisición de los terrenos aledaños de su propia finca, especie de refugio de animales donde, además del legendario puma, vivían toda clase de monos, felinos y reptiles cautivados por su magnetismo a quienes solía dirigirse en el mismo lenguaje empleado al hablarle a su alazán, con una entonación muy suave y tranquila en la voz, mirándoles fijamente a los ojos al tiempo que sus manos trazaban en el aire movimientos ligeros, al parecer destinados a calmar el miedo del animal hasta dejarlo fascinado, las pupilas dilatándose y contrayéndose como extraviadas en un vértigo de placer.

En el fondo de su alma la tía de Lina creía que brujerías similares había ejercido sobre Catalina, pero una curiosa aprehensión ante los juegos del destino le impedía abreviar con cualquier pretexto su estadía en la hacienda: era allí justamente donde más se oía caracolear el fantasma del caballo utilizado muchos años atrás por el novio de doña Clotilde del Real como instrumento de su muerte, y era el propio abuelo de ese hombre quien lo había vendido al padre de Cristian después de capturarlo con su mejunje de hierbas mágicas, creando así las condiciones para que un descendiente suyo, un indio de inexplicables ojos dorados, se uniera a la hija de Divina Arriaga en la realización de designios inaccesibles a la comprensión humana.

Superstición o experiencia, su tía pretendía haber presentido ese amor apenas los vio descender del jeep en el cual había ido a buscarlas al aeropuerto. Él, seductor empedernido cuyos ardores referían las canciones aconsejando a novios y maridos esconder a la amada en su presencia, no había encontrado nunca mujer más bella y excitante por su sensualidad contrariada, fuerte, como antaño su madre, capaz de galopar horas enteras a su lado sin dar señales de fatiga salvo el lujuriante rosa que le subía a la cara bajo el resplandor de los iris verdes. A fin de guardar un poco las apariencias, su tía le exigía a ella, Lina, acompañarlos en sus cabalgatas infernales hasta quedar doblada de cansancio sobre el caballo, los pulmones atosigados de polvo y añorando la bañera de la hacienda con sus pretenciosas llaves de oro macizo y aquella agua acarreada del río por una hilera de sirvientas, viscosa, de olor incierto y ocultando diminutos sapos que de improviso le saltaban a la rodilla. La bañera o pasar el día espantándose las moscas en una hamaca, le diría Lina a su tía rotundamente una tarde, cualquier cosa menos seguir a dos jinetes que parecían conocer las más sofisticadas artes de la equitación, excepto la muy simple de hacer marchar sus animales al paso.

El amor los había vuelto excesivos, imprudentes. De noche, cuando los peones se reunían a conversar en el patio de la casa, él aparecía de pronto y las voces se iban apagando dejando oír los ruidos de la sabana mientras sus ojos centelleaban como topacios suspendidos en la oscuridad. Que venía a buscar a Catalina lo sabían todos en la hacienda, desde la tía de Lina hasta el último de sus empleados, acostumbrados a imaginarlo corriendo entre los pastizales, seguido o precedido de su inquietante puma, para cortejar a alguna mujer de los alrededores o realizar las paganas ceremonias cuyo ejercicio su abuelo le había confiado. Pero nadie decía nada. En el salón, Lina escuchaba el silencio dejado por la ausencia de risas y voces, veía a Catalina levantarse pretextando un repentino deseo de dormir y, más tarde, ya acostada, su tía le preguntaba con prudencia desde el corredor si estaba bien, a lo cual ella respondía afirmativamente mirando a su lado el lecho vacío bajo el mosquitero y la ventana por donde una sombra se deslizaría al amanecer. Ése sería el amor más auténtico de Catalina, el único, le confiaría a Lina alguna vez, frente al cual no tenía necesidad de protegerse pudiendo ir hasta el fondo de sí misma sin temor de ser herida o decepcionada porque el hombre que la amaba conocía por instinto su deseo y ninguna reserva le impedía satisfacerlo. Él vivía demasiado cerca de la tierra para replegarse ante la sexualidad, educado por un abuelo irreductible, encarnación de la antigua raza salvaje, que le había enseñado no tanto a defenderse de la Naturaleza como a integrarse a ella condensando en su espíritu, donde no había nada de frenético, sino sólo la tranquila decisión de hacerle frente a lo que fuera, una energía asociada a su total adaptación a los ritmos de la vida o al conocimiento de su lugar exacto en el Universo. Catalina era una mujer, quizá la más bella que le sería dado poseer, pero él apenas le pedía lo que ella ansiaba entregarle, algo indefinible, anterior a cualquier forma de reflexión, que se agitaba oscuramente en su cuerpo y sólo con un hombre podía expresarse. Y él la esperaba allí, en aquella sabana enorme donde sus caballos galopaban libremente sin encontrar límite alguno en el horizonte, bajo ese sol inclemente del cual ambos parecían haber nacido, indómitos y feroces en su voluntad de respirar la vida a pulmones llenos. Porque eran breves los días de su deseo se buscaban con fiebres de amantes condenados; de día y de noche, en los escondrijos descubiertos por él de niño o entre los rugosos pliegues de la hamaca colgada en su rancho intentaban aprovechar cada instante de una pasión percibida desde el principio como cerrada a toda forma de esperanza. Negándose a tomar precauciones Catalina se cabreaba ante la menor contrariedad. Su amor no tenía objetivo distinto al de existir en sí, o quizá, sin ella saberlo, a concebir la niña de la cual quedaría embarazada justo cuando le era ya imposible prolongar su estadía en la hacienda junto al hombre cuyo recuerdo marcaría durante años su vida obligándola a buscar en otros hombres, ansiosamente, tal vez inútilmente, la misma plenitud que él supo darle. Pero el designio, si designio había, estaba en apariencia realizado: Aurora, idéntica a Catalina, marcada al igual que Divina Arriaga por el signo del cual vendría su suerte o su desdicha según supiera o no imponerle al mundo el secreto ultraje de su belleza. Sus ojos no eran verdes, sino dorados, y cuando Lina se fue de Barranquilla tenía todavía la expresión candorosa de un gatico; después se enteró de que había seguido a Catalina a Nueva York, donde terminó sociología y antropología al mismo tiempo con excelentes calificaciones, como si en ella se hubiese prolongado el espíritu de Divina Arriaga, aquella curiosidad que la indujo a estudiar los autores clásicos y a recorrer los caminos seguidos por los ejércitos de los grandes conquistadores cuya ambición, no obstante comprenderla, seguramente despreciaba, en compañía de la antropóloga que murió de tanto quererla, ignorando, al caer de un infarto en las arenas hirvientes de un desierto africano, que la nieta de la muchacha de belleza hierática, similar en su porte a la estatua de una antigua diosa, iría a aprender su ciencia leyendo sus propios libros en una Universidad americana. Lina lo comprobó cuando por petición suya Catalina le envió desde Nueva York el programa de estudios de Aurora y la lista de autores recomendados. Y se los pidió para cerciorarse una vez más de que el azar de las cosas la remitía siempre a Divina Arriaga como si el hecho de haberla conocido implicase la imposibilidad de olvidarla o de escapar a su influencia de fantasma irónico, pero obstinado, arañando ligeramente las puertas de los mundos que en secreto buscaba. Su nombre fue el hilo conductor hasta el enloquecido cerebro del hombre que más iba a modificar su percepción de la vida, un poeta inglés establecido en Mallorca a quien una noche de verano le preguntó cómo era ella, la Divina Arriaga que él había encontrado en su juventud, y le oyó balbucir, *she was, she was*, callándose adolorido ante la dificultad de definir la belleza absoluta, de repente alzando los ojos con una expresión de renovado estupor, *like that*, murmuraría señalando el cielo constelado de estrellas.

Lejos estaba entonces para Lina el despacho de su padre en la calle San Blas, bajo el solemne retrato del ancestro judío y el ventilador quejándose de no poder desplazar el aire irreductible de aquella tarde de setiembre en que le fue revelada la existencia de la fortuna de Divina Arriaga y tuvo una primera visión del cambio que iba a operarse en su destino. Fue un día de irrealidad, de regresión a impresiones de una infancia poblada de cuentos donde hadas y magos introducían escandalosamente la ilusión. Ya de por sí la había sorprendido encontrar al despertarse un papel de su padre invitándola a pasar a su oficina, ceremoniosamente, como si se dirigiera a uno de sus clientes, y mayor fue su asombro al advertir el aire circunspecto con el que le indicó sentarse frente a él antes de sacar un viejo documento de la gaveta de su escritorio preguntándole, no sin escepticismo, si había escuchado alguna vez los nombres de Utrillo, Degas, Picasso y Modigliani, y, de ser así, si tenía una idea de la actividad a la cual esos señores se habían dedicado. Lina habría bromeado de no advertir en los ojos diminutos de su padre una sombra de gravedad que la puso en guardia. Entonces supo: supo que muerta diez meses atrás, su sirvienta de rasgos medio asiáticos desaparecida en algún lugar del planeta con la biblioteca que ella le había legado, su casa del Prado constituida en único bien del testamento, Divina Arriaga, a aquella

hora precisa, ponía en ruta la maquinaria concebida a fin de transmitirle íntegramente su fortuna a Catalina. Cada detalle había sido
previsto: su padre era un simple ejecutante, el peón que abría el juego,
ella, Lina, el primer caballo desplazado con el propósito de iniciar una
ofensiva implacable cuya lógica debía reducir a polvo a Álvaro Espinoza o a cualquier otro que hubiese osado desposar a su hija. En otras
partes del mundo, en Londres, París y Nueva York, varios hombres
se movían sin ruido siguiendo instrucciones dictadas veinte años atrás,
banqueros y abogados que habían sostenido con el padre de Lina una
enigmática correspondencia, propietarios de galerías de arte a quienes
Divina Arriaga había sugerido esperar esa fecha para ver aparecer en
el mercado más de doscientas obras de grandes maestros, anticuarios
que a veces, de padre a hijo, se habían transmitido el secreto de objetos
magníficos diseminados en Bancos y cajas fuertes hasta que su heredera hubiese aprendido a tomarle el pulso a la vida. Divina Arriaga
había calculado el tiempo con relativa exactitud: Catalina era ya una
mujer adulta, demasiado dura quizá, pero insensible a los espejismos
que la sociedad podía agitar para engañarla; ideologías, sentimientos
y lugares comunes morían pasando por el filtro de su lucidez sin que
el hecho de vivir en la ausencia de todo sueño pareciera inquietarla
mayormente: Dios no existía y el mundo podía ser absurdo, pero a
ella le bastaba luchar por su propia causa. Ante los argumentos de
Lina, quien, no pudiendo comprender cómo a escepticismo tan árido
se acoplaba la combatividad más inflexible, se empeñaba en convencerla de que en su caso la esperanza existía bajo forma de liberación
individual, Catalina se limitaba a sonreír. De adolescentes, era Lina la
que introducía en sus conversaciones los temas de reflexión; luego los
papeles tendieron a invertirse: de Catalina venían las preguntas apre-
miantes y el imperativo deseo de explorar cada cuestión hasta reducirla a su verdad, o a lo que de su verdad podía saberse. Habían sido
como dos cohetes programados para juntos alcanzar un punto a partir
del cual uno de ellos debía cobrar impulso y remontarse muy lejos, a
espacios donde el otro jamás podría seguirlo. Lina había sentido la
sacudida del despegue y durante un tiempo había observado estupefacta a Catalina razonando rápidamente al igual que una computadora,
el rostro tenso de concentración, un poco enervada por sus comentarios que a lo mejor se le antojaban irrisorios. Después aprendió a
callarse, secretamente orgullosa de tener como amiga a una mujer de
inteligencia excepcional. Al menos así lo pensó siempre, mientras vivió
en Barranquilla y, más tarde, en París, recibiendo aquellas cartas en las
cuales Catalina le daba sagaces instrucciones para vender un cuadro
o abordar un cliente, incluso cuando era víctima de su ironía, como
ocurrió la última vez que se vieron y conversaron sentadas en la terraza
de un café, ella, Lina, expresando en desorden su crónica indignación
ante los desatinos del mundo, Catalina silenciosa, escuchándola hablar
con la condescendencia de quien oye el eco de un delirio, hasta que
cansada consultó su reloj y a guisa de despedida le dijo: hay algo de
irremediablemente ingenuo en ti, Lina. Y Lina, aturdida, volvió a pensar que aun si no la comprendía, debía de ser muy inteligente.

Así que el proyecto de Divina Arriaga iba a realizarse sin contratiempos; unos años antes, y su hija, por orgullo o impetuosidad le habría revelado a Álvaro Espinoza la existencia de aquella fortuna permitiéndole apoderarse de ella; unos años después, y a Catalina le habría resultado tal vez imposible encontrar la energía de comenzar una nueva vida haciendo tabla rasa del pasado. Pero al momento de recibir la herencia de Divina Arriaga conservaba intacto su dinamismo y poseía una capacidad de cálculo casi diabólica a fuerza de frialdad y reflexión. De la diáfana jovencita que encarnaba cada año a santa Juana de Lestonnac en la sesión solemne del colegio, quedaba muy poco, la fidelidad a sus amigas y cierta forma de pureza representada por su voluntad de asumirse a fondo, sin jamás mentirse a sí misma. Eso era todo; conocía demasiado bien la marioneta que detrás de cada persona contraía el rencor o estremecía el orgullo para abstenerse de utilizarla en función de sus propios intereses, tanto más cuanto su incesante lucha contra Álvaro Espinoza le hacía por extensión considerar el mundo como un inmenso campo de batalla donde sólo los mejores y más fuertes se imponían. En verdad resultaba difícil imaginarla concibiendo las relaciones humanas de modo diferente, a ella, que día tras día debía afrontar la exaltada agresividad de un hombre decidido a quebrar sus defensas a fin de recobrar un predominio cuya pérdida se negaba a admitir y en el furor de la impotencia buscaba ciegamente hacerle daño con insultos transformados por la acción de la inercia y el paso de los años en monólogo reducido a palabras cargadas de odio, pero desprovistas de eficacia. También Álvaro Espinoza se había convertido en víctima de la situación que él mismo había creado: sus ambiciones personales, expresadas a través de una certera política que coronó su breve nombramiento de gobernador, y un fantástico proyecto de reconciliar teoría psicoanalítica y doctrina católica en un libro del cual no escribió la primera página, habían terminado agonizando en el brasero de su rabia hacia Catalina, como si su posibilidad de trascenderse hubiera sido anulada por lo que al fin de cuentas se reducía a un simple problema conyugal al que su propia neurosis había conferido proporciones desmesuradas. Él había cometido la imprudencia de justificar su poder por el dominio que la sociedad le permitía ejercer sobre su esposa y a partir del cual se afirmaba en el mundo sometiendo sin contemplaciones a cuanta persona las circunstancias pusieran bajo su autoridad. Y he aquí que subrepticiamente esa esposa-niña había elaborado un sistema perverso para rebelarse dejándolo frente a una alternativa cuyas soluciones conducían ambas al escándalo social donde su ambición moría: o bien aceptaba una separación reconociendo implícitamente haber sido durante años el marido engañado que las malas lenguas murmuraban, o bien seguía fingiendo llevar una vida conyugal armoniosa con las ventajas que ello comportaba para su carrera y su orgullo de lucirse junto a la mujer más bella de la ciudad. El encanto de Catalina lo había utilizado a fondo en sus campañas políticas como en las fiestas ofrecidas en honor de los jefes conservadores que venían del interior. Ella sabía recibir, seducir, mostrarse brillante y al mismo tiempo reservada, animar un diálogo o disolver una querella. Era la compañera perfecta no obstante impedirle cruzar la puerta de su cuarto y llevar una vida oculta cuya existencia él sospechaba sin osar reconocerla. En esa permanente confrontación con la mentira que vivir a su lado le imponía había comenzado a extraviarse su seguridad en sí mismo: ya no miraba el punto medio entre las cejas de su interlocutor a fin de desconcertarlo ni mostraba insolentemente su desprecio ante opiniones que contrariaban las suyas; sus ojos se habían vuelto huidizos, su necesidad de whisky había aumentado, pero seguía agrediendo a Catalina aunque sus insultos cayeran en el vacío y para humillarla utilizaba su poder sobre el dinero obligándola a discutirle centavo tras centavo en lamentables escenas a través de las cuales se expresaba su resentimiento. Catalina las acogía con un cinismo imperturbable. Si al principio la avergonzaba verse regatear los medios indispensables al nivel de vida que él mismo exigía, los años la habían enseñado a emplear toda suerte de estratagemas destinadas a engañarlo, desde vaciarle los bolsillos cuando regresaba borracho de madrugada sin memoria de los prostíbulos adonde habrían podido robarle, hasta hacerse facturar dos o tres veces el precio de un producto por comerciantes comprensivos. La fortuna de Divina Arriaga venía, pues, a romper el último lazo con el cual él la sujetaba.

Rompería también, y definitivamente, todo contacto entre Divina Arriaga y la ciudad puesto que Aurora la nieta en cuyo espíritu parecía haber transmigrado se iría de Barranquilla y no regresaría jamás. Lina tuvo noticias suyas mientras le sirvió de agente a Catalina en Europa; supo de sus estudios y de sus viajes, leyó su tesis de grado, oyó alguna vez mencionar su nombre por personas que frecuentaban los círculos de la alta sociedad cosmopolita. Pero no la conoció de grande y en vano trataba de representársela. Vería al fin su fotografía ya enferma, poco antes de morir: saliendo del Metro a un lluvioso día de otoño fue sorprendida por el rostro que la miraba desde la lujosa carátula de una revista; durante un segundo creyó encontrarse frente a la imagen de Divina Arriaga, de su belleza indescriptible; luego, entre la bruma de la fiebre y sonriendo por primera vez después de mucho tiempo, descubrió que en los ojos amarillos de aquel retrato brillaba un resplandor asesino, asesino y sosegado.

V

Había habido ciertamente un paraíso, decía a veces tía Eloísa imperturbable en su poltrona de terciopelo azul turquí, sin que Lina supiera muy bien si su comentario resumía una reflexión o un sueño, porque sucedía siempre a uno de esos silencios en los cuales se aislaba a la caída de la tarde, cuando sus hermanas partían y los ventiladores traían al salón fragancias de esencias moribundas. Un edén recordado con nostalgia, insistía sonriéndole a Lina al advertir su desconcierto, cuya existencia no debía buscarse en el espacio, sino en los tiempos de una antigua conciencia que no distinguía aún el yo de la unidad. Quizás entonces, dolor y miedo se compartían, el amor de sí mismo se extendía a los otros, el fin de uno era resentido como muerte por los demás. No ya animales, no todavía hombres, los seres donde esa conciencia latía se desplazaban sin saberlo en busca de un conocimiento que iría a darles el predominio sobre la tierra, pero también, la soledad. Y la diferencia. Y las enajenaciones necesarias para que en función de cualquier jerarquía unos mandaran y otros obedecieran. Entonces los hombres habían sido desdichados: no sólo por la ciega añoranza de un pasado tan perdido que se convertiría en leyenda, sino además, porque al alcanzar aquel nivel de inteligencia entraban en la terrible contradicción de individuos libres, capaces de pensar su libertad, pero obligados a someterse a la voluntad ajena, vacilando siempre entre el orgullo de rebelarse gracias a su lucidez, y la negligencia de extraviarse en los vértigos de la alienación. Mucho habían tanteado para encontrarle una salida a ese conflicto inventando formas de sociedad en las cuales el ejercicio del poder se concentraba o se diluía según necesidades momentáneas como un último fulgor de la primitiva sabiduría, hasta desembocar al fin en aquel patriarcado donde se cristalizaba la patología específica del hombre que, olvidando su condición de mortal, corría detrás de ilusorios honores sembrando a su paso dolores y miserias. Así hablaba tía Eloísa a veces, dirigiéndose solamente a Lina, en el silencio de aquella quinta rodeada de ceibas y envuelta en penumbras, donde el brillo de budas, cofres y pebeteros se reflejaba en los iris azules de sus gatos birmanos.

Otro era su discurso cuando discutía con sus hermanas, no ya de la maldición que los hombres habían arrojado sobre la Humanidad entera amenazando extinguirla en los fuegos demenciales de un suicidio colectivo, sino de las mujeres, cuya resignación sumía a tía Eloísa en una especie de consternado asombro que sus hermanas compartían en mayor o menor grado, analizando minuciosamente, con sus voces suaves, como aleteos de diminutos pájaros, el eventual proceso a través del cual la opresión se había establecido primero, y consolidado luego por medio de una moral destinada a justificarla. Mas si para todas ellas la liberación entraba sin lugar a dudas en colisión con los principios del sistema masculino, tía Eloísa era la única en afirmar que sólo un combate implacable podía hacer frente a la ferocidad de su violencia. Y en ese combate, había naturalmente un vencedor y un vencido.

A sus hermanas les resultaba divertido oír hablar a tía Eloísa con tanta convicción de la lucha entre los sexos, cuando, decían, había sido amada sin reservas por los hombres que formaron parte de su vida. De ella empero, estaban acostumbradas a esperar las reacciones más insólitas. Para empezar, le contaban a Lina, no había nacido como todo el mundo, sino a los cinco meses de su concepción, saliendo del vientre de su madre sin producirle dolor alguno, como una muñequita ya formada, pero tan diminuta que cabía ampliamente en la cuenca de la mano. Por fortuna, su madre había tenido la genial idea de envolverla entre algodones y mantenerla bajo su seno —a fin de permitirle escuchar los latidos del corazón— utilizando una especie de bandolera que llevaría sobre el pecho durante cuatro meses. Varias cabras, traídas apresuradamente al patio de la casa, eran ordeñadas de tal modo que el bebé recibiera de día y de noche una gota de leche a cada hora. Y para que la madre pudiera dormir, las hermanas mayores se turnaban en la delicada operación de abrir su blusa, buscar a la minúscula tía Eloísa y hacerle beber aquella gota de la cual dependía su vida. Lina le oía referir a su abuela cómo, a veces, había advertido aterrada que el bebecito, incapaz aún de chupar, la observaba con sus ojos grises muy abiertos desde el fondo de su nido de algodones; no lloraba, decía, ni emitía ningún sonido, sólo se limitaba a mirar intensamente a su alrededor cada vez que la alimentaban. Más tarde, y a lo largo de diez años, mantendría la misma actitud: reparar en todo con curiosidad y sin salir jamás de su mutismo. Se sabía que entendía porque obedecía a las indicaciones de su madre —si no la contrariaban demasiado— y seguía disciplinadamente los cursos dictados por profesores particulares a las hermanas y primas que tenían más o menos su misma edad, es decir, hacía ejercicios de gramática, resolvía problemas de aritmética y respondía por escrito y en forma correcta a las preguntas que le formulaban. Pero siempre guardando el más cerril de los silencios.

Así habrían podido seguir las cosas de no haber llegado un día a la casa una lejana parienta de Mompós, acompañada de su hijo de quince años, bello y tímido, a quien los malos consejos de un cura le habían metido en la cabeza la idea de hacerse sacerdote. Era domingo y todas se hallaban reunidas en la terraza del patio: las mayores, el muchacho sin atreverse a alzar los ojos del suelo, tía Eloísa muy linda, con sus bucles dorados y su amplio vestido de organdí, contemplándolo golosamente desde su mecedor de mimbre como un cachorrito atisbaría un plato de leche. Cuando la parienta terminó de contar sus pesares, y en medio de los condolidos murmullos de aquella asamblea de mujeres reunidas a fin de sostenerse en la adversidad, se oyó de pronto la voz de tía Eloísa diciendo: qué desperdicio. El estupor inmovilizó al instante mecedoras, agujas y las manos que se extendían para tomar de una mesa vasos de jugos o dulces de ajonjolí: de modo que la consentida, la que se hacía mimar en cada casa recibiendo caricias y regalos, siempre sentada sobre las piernas de alguna tía, siempre obteniendo las mejores golosinas a causa de su mudez, hablaba. Y no sólo hablaba con una vocecita burlona y decidida, sino además, resumía en dos palabras los sentimientos compartidos por las mujeres allí presentes, lo que permitía suponer una precocidad harto avanzada.

A partir de entonces comenzó la vida amorosa de tía Eloísa, porque el muchacho, fascinado, renunció a sus proyectos sombríos y dos años después se casaría con ella. Pero como todos los varones que de un modo u otro entraban en la familia, murió en plena juventud dejándole cuatro hijas y un negocio de exportarciones que la condujo a viajar por todas partes ganando mucho dinero y teniendo muchos amantes. Nada pues, a juicio de sus hermanas, podía reprocharle a un sistema cuyo engranaje había controlado siempre, manteniéndose, gracias a su fortuna y su inteligencia, más allá de la condición femenina y su cortejo de pesares; además, tía Eloísa era elitista, tanto que consideraba la existencia del hombre como un error de la naturaleza y bien cabía pensar que en su fuero interno lamentaba la ausencia de partogénesis en la rama de mamíferos superiores de donde había surgido la humanidad. Sólo Lina, que, en lugar de discutir con ella, la escuchaba, creía advertir en su ironía una profunda convicción moral de la cual no hablaba por pudor y, tal vez, por juzgar irrisorio sugerir un modo de vida cuya aplicación implicaba mutaciones comparables a las que habían permitido la aparición de la conciencia. En el fondo, tía Eloísa nunca dejó de ser la niña que durante diez años observó atentamente el mundo en silencio. Y si algo de sus ideas le sugirió a Lina fue, entre otras cosas, con el propósito de integrarla a los proyectos de Divina Arriaga, quien antes de llegar enferma a Barranquilla, había decidido darle a su hija los medios de abrir las alas y volar muy lejos.

Porque Lina estaba destinada a apoyar incondicionalmente a Catalina absteniéndose de juzgar sus actos en nombre de cualquier principio; destinada, también, a servirle de explorador apenas su padre le hablara de aquella herencia indicándole protegerla de cuanto estafador, charlatán y ratero hubiese en el mercado del arte, lo cual significaba, ni más ni menos, de todas las personas que de lejos o de cerca con el arte traficaran: ella, que sólo tenía algunos estudios de Economía y ninguna experiencia, sería proyectada de golpe al mundo de la fraudulencia absoluta, donde cada movimiento debía calcularse como se desplaza una pieza de ajedrez y realizarse guardando el control que sobre sí mismo ejerce un jugador de póquer. A fuerza de enfrentarse a la perfidia iría a perder más de una ilusión, pero ganaría poco a poco sus galones en el difícil aprendizaje de la paciencia. Y mientras viajaba una y otra vez a los Estados Unidos a fin de estimar el justo valor de un cuadro o el nivel de rectitud moral de un cliente, Catalina ponía en ejecución el plan destinado a liberarla de Álvaro Espinoza, creando una especie de pieza de teatro en la cual los diferentes protagonistas ignoraban estar actuando frente a un único espectador, quien, a su turno, ninguna relación podía establecer entre ellos ni imaginar el objetivo perseguido a través de sus inesperadas apariciones, pues nada sabía de las intenciones de Catalina, de esa inteligencia tenaz que durante años había aplicado a observarlo hasta alcanzar la comprensión más total de sus temores y deseos. La arrogancia sería su talón de Aquiles. De venirle al espíritu, por ejemplo, la idea de asociar el revólver que Catalina había comprado pretextando un repentino miedo de los ladrones, con la presencia de Henk, su detestado hermano de leche en la ciudad, la habría rechazado de inmediato, no sólo por considerar imposible tanta premeditación en una mujer, sino además, a causa de las dudas que sobre su propia salud mental provocaría: eso, en su jergón, se llamaba paranoia, y nada le produciría más horror a Álvaro Espinoza que la locura. Tampoco iba a sospechar de la tentadora botella de whisky colocada en una mesita del salón junto a un vaso siempre disponible, de día y de noche y fuese cual fuese la cantidad de alcohol ingerida, aun si en su desesperación la reventara a veces contra la pared; otra botella vendría a remplazarla apenas la sirvienta terminara de recoger los vidrios rotos y, de todas maneras, las cajas de whisky se amontonaban en armarios y aparadores. Creía reinar en los burdeles ignorando que también allí la mirada de Catalina lo seguía, imperturbable y al acecho, desde que descubrió las ventajas de una posición de vigía en un lugar donde los hombres se revelaban tales como eran creyéndose a salvo de cualquier indiscreción, pues el vicio compartido aseguraba la solidaridad y las mujeres utilizadas les inspiraban menos temor que un animal doméstico. A través de Petulia, la amiga de siempre, Catalina había observado así la evolución de Álvaro Espinoza: su inicial promiscuidad se había transformado en relaciones más o menos duraderas con muchachas del interior del país encontradas en prostíbulos, a quienes convertía en queridas pagándoles el alquiler de un minúsculo apartamento y lo estrictamente indispensable para sobrevivir. Cuando la muchacha, cansada de su tacañería, comenzaba a dar señales de querer dejarlo, Catalina le pasaba dinero por medio de Petulia asegurándose de ese modo una cierta tranquilidad y, sobre todo, el conocimiento preciso de las horas en las cuales podía ver a su amante del momento sin correr el riesgo de ser descubierta. Si la muchacha imaginaba de donde provenía aquel dinero, se cuidaba mucho de hacérselo saber a Álvaro Espinoza temiendo perder la gallina de los huevos de oro. Además, Petulia se mostraba al respecto harto prudente y de una total fidelidad con Catalina: ella, que era conocida por la rigidez de sus tarifas, iría a ayudarla gratuitamente durante años, y sólo ya vieja admitiría el regalo de dos casitas en Siape cuando Catalina viajó por última vez a Barranquilla.

Hacía ya entonces mucho tiempo que Álvaro Espinoza había muerto y Lina, instalada en París, seguía todavía intentado comprender el modo como Catalina se las había ingeniado para conducirlo al suicidio. Porque de su intervención no le cabía la menor duda: siguiendo sus instrucciones, ella misma había comprado en California el revólver y de Boston había hecho venir a Henk cuando, por una feliz coincidencia, Catalina se enteró de su reputación de experto en arte y consejero de grandes coleccionistas. Y Henk, al principio reticente, luego interesado, había aceptado viajar a Barranquilla para enamorarse de Catalina irremediablemente (o de sus cuadros). Pero de haber sido docker o bailarín nada habría cambiado: su destino iba a modificarse apenas Catalina descubriera la existencia de un hermano de leche en el pasado de Álvaro Espinoza interrogando, no a doña Clotilde del Real, para quien el solo recuerdo de sus años de matrimonio podía provocar una terrible crisis de alergia, sino a Flores, la cocinera que ya en Cartagena le servía a ésta de paño de lágrimas y compartía sus aversiones hasta el punto de detestar francamente a Álvaro Espinoza, ese desgraciado que se permitía desconsiderarla por el color de su piel, a ella, la hermana de la mujer cuyos senos lo habían alimentado en su infancia.

Toda su vida Flores había guardado aquel rencor en su corazón conteniendo el deseo de expresarlo para no exacerbar la sensibilidad de doña Clotilde, y, de pronto, encontraba a una persona dispuesta a escucharla, a quien podía contar la verdad a su manera, lentamente, con circunloquios de brujo por donde su memoria evocaba ultrajes y nostalgias, pero también el conflicto alrededor del cual la personalidad de Álvaro Espinoza se había estructurado. Oyéndola hablar, Catalina lo iba viendo: a él, el niño engendrado en el horror y repudiado por su madre, el adolescente torpe y feo que afrontaba su homosexualidad con vergüenza; y lo demás, el padre, los burdeles, las negras de nalgas duras y gustos extraños. Fue quizás entonces cuando Catalina concibió la idea de precipitarlo al infierno de la tentación; le bastaba encontrar al personaje capaz de resistir a la voluntad del hombre y a la inteligencia del psiquiatra, o más simplemente, oír hablar alguna vez de María Fernanda Valenzuela, lesbiana de buena familia que se prostituía en Cali, y cuya originalidad consistía justamente en rechazar todo contacto practicado según las normas conocidas, así pusieran un cuchillo sobre su garganta o una bolsa de oro a sus pies.

De la violencia masculina, María Fernanda nada ignoraba a los quince años, cuando una religiosa la ayudó a huir del asilo de alienados en el cual estaba confinada, para esconderla en el Buen Pastor. Fue allí, lavando sábanas y fregando pisos, donde María Fernanda empezó a recuperar la salud mental al sospechar que nunca la había perdido y podía al fin nombrar la infamia: haber sido violada brutalmente a los diez años por su propio abuelo, constituía un traumatismo difícil de superar: más difícil aún si al ser descubierta por su padre, bañada en sangre, éste había decidido encerrarla en un cuarto aislándola del resto de la familia a fin de ocultar la verdad y borrar el oprobio recibido, atacando, no al culpable, respetable patriarca, propietario de la mejor hacienda del departamento, sino a la víctima, la niña que por haber encarnado la tentación, debía ocultarse en una habitación casi a oscuras, a quien nadie podía acercarse así llorara de día y de noche, y que sobreviviría gracias a la cesta de comida izada hasta su ventana al anochecer. Sola, sin oír ninguna voz, en la confusión más total, resistió dos años. Cuando le llegó la primera regla dejó de alimentarse. Entonces la declararon loca y fue enviada a un asilo en otra ciudad del país, con una falsa identidad, para que psiquiatras, drogas y maltratos terminaran de destruirla. De cierto modo la destruyeron, pues apenas logró fugarse del Buen Pastor se dedicó a la prostitución ahorrando centavo tras centavo con el propósito de pagar los honorarios de un abogado capaz de restituirle legalmente su apellido al alcanzar la mayoría de edad; no quería entablar pleito contra sus padres ni exigir indemnización alguna, sólo practicar el oficio de prostituta bajo su verdadero nombre arrojando la deshonra sobre su familia.

Bien pronto, entre los hombres ricos de la región, corrió la voz de que los favores de una hermana o prima de las aristocráticas Valenzuela se obtenían en un burdel de Cali, siempre y cuando se estuviera dispuesto a gastar mucho dinero y a conformarse a una curiosa manera de hacer el amor, más excitante que cualquier otra gracias a su carácter de perversión absoluta, cristalizando el súmmum del pecado y, en consecuencia, el irresistible deseo de cometerlo. Así María Fernanda comenzó, no sólo a vengarse de los suyos, sino también, a conocer el fabuloso poder de los pesos que se acumulaban en su cuenta bancaria permitiéndole elegir clientes y amantes a su antojo. Y, justamente cuando acababa de instalarse por su cuenta, creando una lucrativa red de servicios telefónicos, le llegó de Barranquilla la insólita propuesta de viajar a esa ciudad para seducir a un psiquiatra a cambio de medio millón de pesos contantes y sonantes y liberados de todo impuesto, con la sola condición de mantenerse fiel a sus prácticas amorosas, exigencia innecesaria, puesto que María Fernanda estaba dispuesta a cualquier cosa, salvo a repetir el acto a través del cual le había llegado la infelicidad. Quizá, más que la prima ofrecida, le interesaba el desafío de capturar a un hombre que condensaba, como ex-gobernador del departamento y médico psiquiatra, los dos poderes en cuyo nombre la habían martirizado. El caso fue que aceptó de inmediato la proposición de Petulia y, luego de lanzar una habilidosa campaña de publicidad, se puso a frecuentar los bares donde Álvaro Espinoza solía encontrar a sus amigos, acostándose a diestra y siniestra y siempre a tarifas considerables, mientras el rumor de su particularidad provocaba chistes, obscenidades y apuestas, pero ninguna excitación realmente morbosa entre esos costeños tan inclinados a la comprensión ante ciertas curiosidades del erotismo extra-conyugal. Sólo Álvaro Espinoza acogía su presencia con un secreto horror: tanto había luchado contra sus tendencias de sodomita, detrás de las cuales, bien lo sabía él, latía adormecido el demonio de la homosexualidad, que resistir al deseo de María Fernanda iba a constituir durante meses su obsesión. La fruta prohibida no pendía inerte de un árbol, estaba en todas partes: en bares y burdeles, en cabarets y restaurantes, andrógina y muy erguida con su cuerpo de muchacho adolescente y su camisa de seda ajustada al cuello por una corbata. María Fernanda solía llevar el cabello corto y peinado hacia atrás, rechazaba joyas y perfumes y, a guisa de maquillaje, se pintaba las largas uñas de escarlata. Una ambigüedad semejante se desprendía de toda su actitud: tenía modales distinguidos —huella indeleble de la educación recibida en su infancia— pero toleraba sin inmutarse cualquier manifestación de vulgaridad; autodidacta de cultura no desdeñable, pues apenas se escapó del Buen Pastor empezó a leer intensamente al comprender que el conocimiento formaba parte del poder, afectaba un lenguaje sencillo a fin de neutralizar la rivalidad de las mujeres y la desconfianza de los hombres, prefiriendo siempre escuchar con cortesía que expresar su propia opinión. La verdad era que en aquellos cinco años de soledad, dolor y miedo María Fernanda había aprendido a reflexionar; a reflexionar y a callarse: nadie sabía nada de su pasado ni de las circunstancias que la habían conducido a prostituirse no obstante pertenecer a una familia de abolengo. De sus contactos con la psiquiatría, cuando pelada a la bola, descalza y llevando la ignominiosa bata del asilo, comparecía frente a un hombre falsamente amable que, desde la altivez de su posición, pretendía reducir a delirio sus trágicos recuerdos, su realidad de víctima, le había quedado un odio invisible a fuerza de intensidad, inmaterial como el aire de la Antártida fijado por el frío. Al igual que Catalina, Fernanda creía que la psiquiatría atraía a quienes temían ser presa de una locura latente, construyendo su vida alrededor de las obsesiones de los otros para minimizar la importancia de sus propios desvaríos. De acuerdo con ese esquema había comprendido muy pronto lo que estaba en juego: herir a muerte a Álvaro Espinoza obligándolo a enfrentarse a su homosexualidad. Y como conocía de sobra los modelos de raciocinio en cuyos rieles los psiquiatras lograban guardar el control de cada situación, se encerró en un mutismo destinado a despertar su curiosidad sin dejarse aprehender, insinuándole apenas que ella sólo lograba alcanzar el placer a través de las prácticas por las cuales era conocida. De nada servían preguntas capciosas ni silencios premeditados: María Fernanda se sabía de memoria la cartilla. Podía pasar horas sentada a una mesa mirando en torno suyo sin dejar aparecer en su rostro la menor impresión; decía haber olvidado su infancia y sonreía tranquilamente cuando él calificaba su conducta de anormal. Frente a una demencia tan controlada, Álvaro Espinoza se sentía desarmado: que habiendo nacido en buena cuna, una mujer se declarara lesbiana y aceptara prostituirse deleitándose en la aberración, revelaba a sus ojos un absoluto desequilibrio mental; pero el desorden en cuestión no se traducía por síntomas perceptibles a su experiencia de médico: ninguna falla sorprendía en la coherencia de su lenguaje ni en la lógica aparente de su conducta; más aún, María Fernanda, que no bebía ni fumaba, daba la impresión de vivir en paz consigo misma, aceptando su propia realidad y la de las cosas aunque sin establecer el menor juicio de valor moral. Él ignoraba, y ella se abstenía de hacérselo saber, que para poder vivir debía dormir doce horas seguidas a base de sólidos somníferos, acostándose a las seis de la mañana y levantándose al anochecer; también le callaba sus temores: el pánico de entrar en una habitación sin tener en su bolsillo el doble de la llave o la imperiosa necesidad de ocultar en carteras y talones diminutos instrumentos capaces de abrir cualquier cerradura. Pero menos María Fernanda se descubría, más Álvaro Espinoza intentaba comprenderla fingiendo ante sus amigos un interés estrictamente profesional, cuando ellos no le pedían ninguna explicación y a lo sumo se extrañaban de verlo tan encaprichado por una mujer, complicada, sí, pero en fin de cuentas dispuesta a venderse como las otras prostitutas que frecuentaban.

Él, sin embargo, se encontraba en pleno desasosiego. Quizá fuese cierto que al principio le atrajera el caso de María Fernanda, en cuanto constituía una formidable provocación a su actividad de deshacedor de entuertos y guardián del orden indispensable a la buena marcha de la sociedad. Detrás de aquella apariencia tranquila él debía de intuir la irreductible ironía de la locura, más amenazante que la que encontraba diariamente en su clínica de alienados, donde hombres y mujeres volvían irrisoria toda pretensión de racionalidad, pero de quienes él podía vengarse con drogas y electrochoques convirtiéndolos en animales embrutecidos o aterrados. María Fernanda, en cambio, representaba la locura triunfante, prevaleciente incluso de los sistemas imaginados para reprimirla y hasta del conocimiento que permitía detectarla: reto velado, intimación invisible, guerrero sin nombre, Álvaro Espinoza no conseguía liberarse de su fascinación; podía hacerlo banalizándola, es decir, aceptando hacer el amor con ella, pero entonces volverían en tropel los fantasmas de los cuales había estado huyendo desde su juventud. Tal vez se comparaba a un alcohólico desintoxicado a quien una sola gota de whisky precipita inexorablemente al etilismo, viendo en la sodomía el acto que jamás debía cometer a fin de preservar la solidez de su estructura psíquica. No porque el pecado nefando representara una perversión en la cual podía encontrar sus antiguos deleites sin sentirse inhibido o culpable, sino, todo lo contrario, porque a través de él regresaba al caos donde su neurosis lo impulsaba a destruirse. Allí, en el ámbito de lo equívoco, corría el riesgo de quebrar la imagen de sí mismo que le permitía integrarse a las reglas morales de su padre y, en la certeza de su propia valía, imponerse a la sociedad recibiendo de ella los privilegios tan caros a su orgullo.

Tal sería la explicación de Catalina cuando al fin se decidió a contarle a Lina la verdad. Era un otoño todavía incierto, habían pasado, en efecto, muchos años, y de su juventud les quedaba apenas un recuerdo asombrado y sin nostalgia. Se encontraban en la terraza del café donde solían conversar cada vez que Catalina viajaba a París, iguales a ellas mismas, como quizá Divina Arriaga había imaginado que serían a esa edad: Lina con su *blue-jean* de siempre y unas canas que no había teñido por juzgarlas merecidas y hasta conquistadas; Catalina en el esplendor de aquella belleza inalterable que cometía el oprobio de imponerse sin esfuerzo alguno. Ambas ya tranquilas, más allá de la desmesura, evocando el pasado que surgía vaciado de toda emoción y se disolvía sobre un remoto ruido de tráfico y los contoneos y carreritas de unas palomas a las cuales alguien arrojaba migas de pan desde la mesa vecina. Y menos arrogantes, tal vez —aun si Catalina había alquilado por principio un «Rolls» y el chófer uniformado la esperaba frente a la plaza— capaces, en todo caso, de reconocer el valor de la amistad entre el montón de oropeles donde tantas vanidades habían ido a deshojarse. No había entonces en el espíritu de Lina una real curiosidad, ni siquiera el deseo de hilvanar ciertos acontecimientos en los cuáles se vio implicada para recordarlos con coherencia mientras empezaba a envejecer en un mundo que a veces se le antojaba lleno de tontería y confusión. Pero conociendo el código de conducta de Catalina, sabía que algún día le hablaría de la muerte de Álvaro Espinoza, no a fin de justificarse, pues había aprendido a rendirle cuentas a su conciencia sola, sino de proporcionarle los elementos que le faltaban si quería situar aquel suicidio en su verdadero contexto, creyendo satisfacer así su necesidad de encontrarle una lógica a cada cosa y, de ese modo, cancelar la deuda contraída quince años atrás al utilizarla en una intriga cuyo engranaje había impulsado a un hombre a destruirse. Necesidad ya inexistente, pues mucho antes que Catalina, Lina había aceptado vivir en la incertidumbre, es decir, en un universo de preguntas sin respuestas definitivas, donde ninguna ley general podía aplicarse al comportamiento humano. Pero esa tarde, Catalina quería darle los medios de construir un esquema a través del cual el suicidio de Álvaro Espinoza le resultara inteligible pensando para ella, Lina, un acto cualquiera se explicaba conociendo las causas que lo habían precedido, cuando, a juicio de Catalina, el disparador de la acción se encontraba, no en la adición de hechos, sino en una especie de alquimia secreta ante los hechos, formada de reacciones minúsculas y asociaciones imprevisibles que escapaban eternamente a la conciencia. Lina la dejó hablar sin comunicarle su conformidad con su propio juicio; le oyó reconocer que esa intuición la había llevado en el pasado a reunir los elementos cuya presencia provocaron el drama; y negar, sin embargo, el carácter inexorable del desenlace provocado por su intriga. Porque todo estaba allí: el hombre y su orgullo: Álvaro Espinoza confrontado al dilema donde su arrogancia debía hacerse añicos: había buscado el poder como una recompensa y lo había atrapado como un virus ignorando que en su desesperada acumulación de honores perdía justamente lo que más quería.

Poder alcanzado demasiado pronto, precisaría Catalina, cuando todavía conservaba intactos sus deseos y era sensible al espectro de la duda si por casualidad se le ocurría considerar el valor de lo adquirido con el precio pagado para obtenerlo. Él había jugado el juego honestamente apenas las reglas le resultaron claras: en un mundo hostil, desprovisto de compasión, donde la madre lo rechazaba por su ausencia y la nodriza por su muerte, sólo su padre se había mostrado inclinado a quererlo con la condición de que persiguiera un objetivo cuya realización exigía la renuncia de todo cuanto le producía placer: el recuerdo de su infancia en compañía de un niño rubio, desnudos ambos entre los brazos de una mujer negra: la soledad a la cual le conducía el temor de verse una más desairando; sus turbadores sentimientos en presencia de los estudiantes del San Pedro Claver. Había renunciado a eso ta través de un formidable olvido que durante años sacudió su memoria como una implosión sofocando las imágenes de su pasado entre un sordo rumor de sonidos discordantes. Tan desgraciado se habría sentido que sólo imaginando su suicidio encontraría el ánimo de sobrevivir: la muerte, regreso al espacio en el cual no había nacido para conocer el desamor, le inspiraría los únicos poemas que había escrito y ciertas consideraciones filosóficas anotadas con letras febriles en los márgenes de un libro de Marco Aurelio hallado por Catalina. Él tenía entonces diecisiete años y creía realmente escuchar voces: el eco de las conversaciones sostenidas por las personas que se encontraban a su alrededor en un lugar cualquiera golpeaba sus oídos precipitándolo en una confusión; pero no sólo oía los diálogos presentes, sino también, los que se habían cruzado en el pasado y, a veces, hasta las inquietantes vibraciones del pensamiento. Enloquecido de perplejidad, carcomido por la fatiga oscilaba entre sus creencias religiosas y la tentadora argumentación de los filósofos estoicos que en nombre de la dignidad humana invocaban el derecho de disponer de la propia vida, cuando, examinado por un médico amigo de su padre, descubrió que sus males podían asimilarse a una forma de desequilibrio mental. Quizás entonces decidió luchar contra sí mismo imponiéndose la implacable disciplina a la cual los jesuitas lo habían entrenado. Poco a poco debieron de alejarse las brumas del desasosiego y empezó a encauzar su destino acopiando éxitos en sus estudios hasta adquirir una formación profesional que, si no hacía de él un psiquiatra particularmente dotado para mitigar el sufrimiento de sus pacientes, al menos le permitía dirigir la única clínica privada de alienados de Barranquilla. La desesperación lo había impulsado a la conquista de una situación privilegiada, pero el triunfo, lejos de reconciliarlo con la vida, iba a despertar en él el ansia insensata del poder.

Adquiriéndolo demasiado joven, repetiría Catalina esa tarde, a una edad en la cual no podía asumir la frustración que engendraba, su infinita vacuidad: de los halagos dictados por la hipocresía, a las mujeres que se entregaban sin desearlo, se sentía objeto de manipulación en lugar de sujeto dominante, como si a partir de una cierta posición el predominio se transformara en impotencia. Su padre había sido trastornado por la reversibilidad del poder, él había descubierto su ilusión. Detrás de las imágenes que a lo lejos se agitaban ofreciéndole laureles nada había, sólo nuevos espejismos destinados a orientarlo por un camino ya trazado en el cual sacrificaba sus deseos para que la sociedad conservara su permanencia: odiaba el desorden, pero odiaba más aún saberse utilizado; rápido había pasado el tiempo en el que el oficio de soberano le procuraba una intensa satisfacción: proponerse blancos y alcanzarlos a través de hombres que le servían sin saberlo; afirmarles a unos una cosa y a otros lo contrario, o impedir entre ellos toda comunicación posible; fingirse en posesión de secretos que apenas unos cuantos elegidos compartían. Así había logrado imponerse, no sólo a nivel profesional, sino también político, anudando y desatando intrigas hasta conseguir la gobernación del departamento en nombre del partido conservador. Ese honor y tantos otros habían sido un bálsamo para sus viejas heridas, pero así mismo, el origen de las peligrosas elucubraciones sobre su condición de instrumento en manos de una sociedad empeñada en preservar el statu quo, objetivo cuya legitimidad él no discutía, aun si insidiosamente una rabia incomprensible se deslizara en su corazón.

Fue en esa época de dudas cuando María Fernanda irrumpió en su vida. Y Henk, el hermoso extranjero de rostro fino como dibujado delicadamente por un pincel de tinta china que el paso de los años había ensombrecido borrando un poco la palidez del padre en irónico homenaje a la madre negra. Henk, inaprensible, cosmopolita de instinto, a quien su amor por la elegancia había confinado al trato de aristócratas y magnates cuyas mujeres seducía en función de su trabajo, pero también, por deber social; acostumbrado al lujo y las facilidades de una vida sin principios, salvo los inherentes al dandy en el cual se reconocía con displicencia; y de repente proyectado a Barranquilla, en pleno trópico, donde todo parecía excesivo y la conquista de una mujer dejaba de ser diversión para convertirse en drama. Claro que él nunca imaginó semejante desenlace; ni el riesgo de viajar al encuentro de su infancia cuando de ella no guardaba el menor recuerdo. Ese fue su primer error: abandonar casinos, castillos y partidas de caza en Escocia junto a amigos que sólo veían en él al heredero cultivado de un millonario holandés y su señora, tan lánguida que parecía salida de un cuadro de Modigliani, para descubrir que el hecho de haber nacido en el vientre de otra, circunstancia asimilada por él a un accidente, lo condenaba a sufrir el desprecio de la burguesía de una ciudad sin importancia, explayada como horrible caimán a la orilla de un río. No, ni en sueños habría concebido esa situación oyendo hablar a Lina de los cuadros de Divina Arriaga, entre los pinos de su casa de Boston. Y de concebirla, la habría considerado probablemente con el humor de alguien que se representa recibiendo agravios de una banda de micos alharaquientos, olvidando los lazos que, no obstante su exquisita educación, a esos micos lo unían. Incluso de comprenderlo, es decir, de admitir hasta qué punto la mirada de los otros podía herir su amor propio, se habría refugiado en la idea de una posible evasión, sin sospechar el placer que su temperamento de esteta iría a retirar de aquella confrontación, esclavizándolo: relativamente, pues siempre dispuso de armas eficaces para humillar la soberbia de Álvaro Espinoza, como, por ejemplo, hablarle de los cuadros de Divina Arriaga, so pena, claro está, de verlos volatizarse entre sus manos de coleccionista. No lo hizo, pero esa ventaja secreta le permitió resistir mientras Álvaro Espinoza sucumbía.

Porque una curiosa antipatía iría a despertar en aquel hombre apenas desembarcó en Barranquilla para desdicha de su ego y multiplicación feliz de su fortuna. Él, Henk, se decía entonces Lina, difícilmente habría encontrado personaje más venenoso, animado por sentimientos cuya interpretación remitía a algún manual sobre reptiles o cualquier alimaña que se arrastrara en la sombra y atacara con ferocidad en el momento menos pensado. Si al comienzo se había sentido un poco culpable de engañar a su hermano de leche ocultándole su profesión y las verdaderas razones por las cuales estaba en la ciudad, la molestia no debió durarle mucho tiempo, el que le llevó a Álvaro Espinoza para reponerse del trauma de su llegada y elaborar contra él una ofensiva gratuita, pues ningún reproche podía hacerle, excepto el de ser más culto que él, y de disponer de mucho más dinero y tener la cara y los modales de un distinguido *play-boy* habituado a seducir hombres y mujeres sin esfuerzo. Tal vez, la cólera de Álvaro Espinoza surgía de los turbios andariveles de su inconsciente, allá donde se agitaban tristezas que su memoria había preferido no guardar. En todo caso, la simple presencia de Henk iría a sacudir bruscamente el andamiaje de su arrogancia ofreciéndole una imagen irrisoria de sí mismo: rey de locos y notable de provincia, como le gritó a Catalina la noche en la que, perdiendo el control de sus nervios, empezó a deslizarse hacia el disparate. Henk, sin embargo, se había abstenido de descubrirle su pensamiento durante esas largas conversaciones en las cuales Álvaro Espinoza se jactaba de sus haberes: había aceptado acompañarlo a los prostíbulos mirando sin complaciencia a las mujeres objeto de su deseo; a su clínica de alienados, un poco crispado de verle pavonearse con la vanidad de un dios olímpico entre aquellas criaturas desamparadas; y, finalmente al «Country Club», que comparado con los palacios de Venecia y los castillos vieneses donde solía ser invitado tenía un aire de pretensión pueril. Pero nada había dicho: lo mismo que María Fernanda aunque, por diferentes razones, Henk guardaba cautelosamente su parecer. Él estaba allí para servirle de intermediario a la propietaria de una fantástica colección de cuadros, quien, además de millonaria, era bella y, al parecer inaccesible. La mala suerte había querido que se hallara casada a ese mamarracho de su hermano de leche y él se viera obligado a soportarlo mientras se organizaban los trámites necesarios para la venta de las telas. Su prudencia de *marchand de tableux*, aguijoneada por la magnitud del negocio en perspectiva, y, sobre todo, la perfecta urbanidad absorbida en colegios ingleses desde su infancia, lo volvían impermeable a los sondeos del psiquiatra como a sus perfidias.

Perfidias hubo, después de que Álvaro Espinoza, deslumbrado a su pesar por la distinción de aquel fantasma en mala hora resucitado, aunque inmensamente rico, resolviera aprovecharse de su aparente ingenuidad sonsacándole una cierta cantidad de dinero con el fin de agrandar su clínica y, a guisa de recompensa anticipada, presentarlo a la burguesía de la ciudad, favores ambos de los cuales Henk hubiese preferido prescindir, pero que rebullían en Álvaro Espinoza los peores demonios del rencor. De allí la ambigüedad de su comportamiento: pasar de la desconfianza a la gentileza, llevarlo a los burdeles para presentarle sus mejores amigos o dejarlo plantado en el «Hotel del Prado» sin darle explicaciones. Lo peor fue la noche aquella en que empezó a imaginar a Henk juzgando con desprecio el trabajo de su vida: había ofrecido un cóctel en su honor y, de pronto, bajo el efecto de muchos tragos, declaró malévolamente delante de todo el mundo que el hombre sobre el cual convergían fascinadas las miradas femeninas, era el hijo natural de una sirvienta negra. La revelación produjo un efecto tan brutal que, contrariados u ofendidos, los invitados no tardaron mucho tiempo en despedirse y Henk quedó solo y desorientado en un rincón del salón descubriendo con amargura en ese instante cuanta razón tenía Catalina en odiar a su marido y estar dispuesta a abandonarlo todo para seguirlo a él. Él fue su segundo error.

Catalina detestaba a Álvaro Espinoza sin lugar a dudas, pero fiel a una divisa que respetaría siempre y según la cual, amor y trabajo ca-

minaban separados, no entraba en sus proyectos unir su vida a la de
aquel extranjero. Además, aun antes de conocerlo, había establecido su
perfil psicológico con relativa exactitud: un coleccionista que viajaba
por el mundo entero en busca de objetos raros, preciosos, difíciles de
conseguir, debía necesariamente subestimar lo que se le entregara sin
resistencia; un *play-boy* acostumbrado a frecuentar mujeres bonitas,
sólo podía ser atraído por la que escapara a su donjuanismo estimu-
lando los fantasmas de su fatigada virilidad. La estrategia de Catalina
consistiría, pues, en fingirse seducida sin estarlo y a sabiendas de que
nunca lo estaría primero, porque Henk tenía que convertirse más tarde
en su hombre de negocios, y, también, porque su excesivo refinamiento
enfríaba en ella toda veleidad de deseo. Mientras tanto lo necesitaba
para humillar a Álvaro Espinoza haciéndolo pasar por su amante. Ella,
de ordinario reservada, tan precavida que de sus aventuras nadie sabía
nada con certeza, iría a inventarse la gran pasión y, colmo de la perspicacia, a vivirla, no con Henk, por supuesto, sino junto a un hombre
bastante extraño que durante años la había deseado en silencio. La
apariencia del amor modificaría su conducta volviéndola irreconocible;
de escapadas nocturnas a declaraciones tajantes donde era cuestión de
superar los prejuicios a fin de acceder a la plena posesión de sí misma,
poco quedaba de esa Catalina impregnada de frialdad que Álvaro Espinoza había tratado siempre como adversario menospreciable. Ahora, y
por primera vez, temía perderla descubriendo de golpe el papel decisivo que había jugado en su carrera social al acompañarlo en giras políticas y recepciones a través de las cuales influencias y amistades se
consolidaban. Con el dinero que entre tantos insultos se había visto
obligado a entregarle, ella había creado un marco propicio a la vida
mundana y a ese bienestar material tan agradable de encontrar cuando, después de un día de trabajo o de una noche de juerga, regresaba
cansado al apartamento. Ausente Catalina, el servicio hacía de las suyas, las niñas se mostraban desorientadas, la gente, no obstante con-
cederle razón, dejaba poco a poco de frecuentarlo. Y Catalina le aparecía invulnerable: a sus agravios nada respondía, ante sus amenazas
se limitaba a sonreír. Quería dejarlo, eso era todo, dejarlo por un medio negro, llevándose consigo a Aurora, la hija que él más amaba. Para
Álvaro Espinoza el mundo había perdido de repente su sentido porque
ignoraba quién era su adversario; no sabía que la fortuna de Divina
Arriaga se le había enfrentado desarticulando uno tras otro sus bastido-
res. Ese tesoro del cual jamás oiría hablar reforzaría en Catalina la
determinación y volvería a Henk infinitamente perseverante.

Ninguna codicia, en cambio, animaba a María Fernanda que parecía
decidida a gastar hasta el último billete de su recompensa con tal de
encerrarlo en la desesperación. A lo sumo, el dinero ofrecido le servía
de estímulo en sus momentos de desaliento, pero toda la fuerza de su
locura, se oiría explicar Lina esa tarde mientras seguía con los ojos el
pavoneo de las palomas, había ido a concentrarse en la destrucción de
aquel hombre por un curioso movimiento de su espíritu que nadie, ni
siquiera ella misma habría podido prever; reducirlo a polvo se le había antojado arbitrariamente su desquite definitivo contra la sociedad.
De allí que Catalina le hablara quince años después de incertidumbre;

cómo imaginar, en efecto, que esa mujer impermeable a cualquier emoción, no se limitara a hacer sucumbir a sus caprichos a Álvaro Espinoza conforme al acuerdo concluido con Petulia y cobrando su dinero regresara a Cali; que habiéndole entregado a Petulia las fotografías cuya posesión le permitía a Catalina de inmediato exigir la separación de bienes y cuerpos, resolviera permanecer en la ciudad.

Porque se quedó sin dar explicaciones y, luego de montar un apartamento a todo lujo, empezó a organizar unas fiestas parecidas a orgías invitando a cuanta persona había conocido hasta entonces. Allí se daban cita trasnochadores y prostitutas. Entre mucho whisky, luces de mala vida y música vallenata reinaba un supuesto pariente suyo llamado Lionel, no tanto amanerado como equívoco, que habría podido pasar por su hermano gemelo y se divertía contando chistes obscenos con un ligero acento italiano; nada delataba su homosexualidad y hasta se encontraban amigas de María Fernanda para alabar sus talentos eróticos, pero los hombres, aun si continuaban bebiendo como cosacos mientras se refocilaban sin freno alguno, decían sentirse incómodos en su presencia. Consciente del peligro que representaba para él, Álvaro Espinoza lo odiaba. En realidad lo odiaría todo, del apartamento donde recibía en calidad de anfitrión sin sacar un peso de su bolsillo, a la mujer de cuyas artimañas no lograba desprenderse. María Fernanda constituía desde hacía muchos meses el pozo de sus tormentos: era su querida y, sin embargo, no tenía la impresión de poseerla; cuando se le ocurría asociar aquel vacío a las restricciones que ella le imponía, y así se lo gritaba iracundo, descubría más tarde con renovada angustia su incapacidad de prescindir de las delicias introducidas en su vida amorosa; se rebelaba entonces contra el sentimiento de inseguridad que una mujer tan viciosa provocaba —pues no se atrevía a dejarla sola un instante temiendo que se entregara a otro en su ausencia— y no obstante se abstenía de ofrecerle el apoyo económico que, en principio, le daba el derecho de apropiársela con exclusividad o de exigir, al menos, la partida de ese Lionel cuyos gustos le llevaban a imaginar entre ambos las relaciones más aberrantes. Con las renuncias de su voluntad y su proverbial tacañería contaba justamente María Fernanda: le bastaba estar disponible sin nada pedirle para que ninguna mortificación viniera a contrariar su deseo. Mientras tanto Álvaro Espinoza sentía desmoronarse su respeto de sí mismo al comprobar cómo una tras otra sus resoluciones quedaban incumplidas: cada mañana, saliendo de aquel apartamento, juraba no volver jamás a poner los pies allí, y, apenas llegaba a su clínica, le asaltaba el ansia de verla, de correr a buscarla a fin de sorprenderla entre los brazos del hombre que seguramente había pagado los derroches de la noche anterior: pero a nadie encontraba, salvo a aquel jovencito de quien tanto desconfiaba, que dormía en una habitación de telas doradas y cojines salpicados de lentejuelas, siempre exhibiendo su adormecida desnudez entre dos enormes tigres de porcelana. Noctámbulo, Lionel toleraba mal ser despertado a media mañana por los insensatos celos de Álvaro Espinoza. María Fernanda, acostumbrada a coger el sueño a punta de somníferos, empezó a irritarse de aquellas irrupciones y un buen día resolvió clavar sobre la puerta del apartamento un letrero anunciando que sólo recibía a partir de las seis de la tarde. Ése sería el detonador del drama.

Álvaro Espinoza pasó aquel sábado en un estado de furor sombrío. Encerrado en su despacho no quiso aceptar llamadas telefónicas ni atender a sus pacientes, y envió al diablo a su secretaria cuando ella entró a ofrecerle una taza de café. Nadie pudo imaginar lo que pensó durante todas esas horas fumando un cigarrillo tras otro y bebiendo del whisky guardado en su archivador personal. Se supo que llamó a su casa, mas la sirvienta le dijo que Catalina había partido con las niñas a pasar el fin de semana en Puerto Colombia. Sus amigos recordaban haberlo visto llegar al apartamento de María Fernanda a eso de las once, completamente borracho y, a guisa de saludo, tratar de darle una bofetada. Ella esquivó el golpe y él, perdiendo el equilibrio, cayó al suelo. Desde allí se puso a injuriarla obscenamente acusándola, entre otras cosas, de entretener con Lionel relaciones infames, basadas en esos contactos bucales donde la corrupción de ambos encontraba satisfacción, hasta que Lionel, muy digno, declaró en voz alta que él respetaba demasiado a las mujeres como para tocarlas así fuera con la punta de la lengua, provocando un estallido de risa entre los asistentes. Molestos, algunos hombres prefirieron hacerse los desentendidos mientras Álvaro Espinoza, ayudado por María Fernanda, se dirigía a su cuarto; alguien lo vislumbró acostado en la cama de ella, al parecer dormido. La parranda continuaría como siempre, con mucho trago y vallenatos hasta la madrugada; había parejas que partían en busca de intimidad, otras terminaban acostándose en la oscuridad de los rincones. María Fernanda había establecido la regla de que en sus fiestas todo podía darse y nada venderse, razón por la cual, Petulia, fiel a su principio de jamás entregarse gratuitamente a un hombre, se había limitado esa noche a servir los vasos y preparar las picadas, tal vez contenta de volver a encarnar al ama de casa que había sido cuando vivía en el Prado. Así pues, fue ella la única en observar que María Fernanda y Lionel entraban juntos en el cuarto donde Álvaro Espinoza se reposaba y que, un poco más tarde, éste salía de allí con el aire de un condenado a muerte: lívido, mirando aterrado a su alrededor, se precipitó sobre los restos de una botella de whisky cuyo contenido bebió de un sopetón, antes de vomitar en la alfombra estremeciéndose como atacado por una violenta fiebre y caminar hacia la puerta de la calle. Petulia juraría después haber imaginado de inmediato lo ocurrido al ver aparecer a María Fernanda con su corbata bien anudada al cuello de la camisa y aquellos ojos negros, tan desprovistos de sentimientos que parecían estar clavados en las órbitas de una estatua. Lo presintió al oírle decir tranquilamente: ahora probó ese placer, ahora sabe que ningún otro podrá remplazarlo.

Y porque un tal placer lo condenaba a buscarlo el resto de su vida, Álvaro Espinoza se suicidó aquel domingo con el revólver comprado por Catalina para defenderse de los rateros, que por descuido había dejado sobre la mesa de noche antes de irse a Puerto Colombia.

TRES

I

«Y yo mismo arrojaré de delante de ti al amorreo, y al cananeo, y al heteo, al fereceo también, y al heveo y al jebuceo... destruye sus altares, rompe sus estatuas y arrasa los bosquetes consagrados a sus ídolos.»

Así podía resumirse la incapacidad del hombre para aceptar la diferencia en los demás y la aversión que esa diferencia provocaba originando tantos conflictos, habría dicho probablemente tía Irene si Lina hubiese aludido a su tolerancia, transformada a fuerza de viajes y reflexiones en irreductible escepticismo ante cualquier ideología que pretendiera monopolizar la verdad. Pero con ella la Lina había establecido muy pronto un diálogo basado menos en afirmaciones que en sugerencias y fatal incertidumbre, desde la noche en que la vio por primera vez, estando tía Irene en Europa y Lina en Barranquilla ardiendo de fiebre a causa de una difteria cuya violencia parecía condenarla a morir sin haber alcanzado tres años de edad; acostada en la cama de su abuela, quien a duras penas lograba disimular su terror mientras caminaba del cuarto al salón esperando la llegada de ese nuevo pediatra llamado de urgencia, el doctor Agudelo; sumida en el vértigo de una calentura que habría podido ser agradable de no venir acompañada por la inaudita dificultad para aspirar el aire de aquella habitación donde, de repente Lina vio aparecer la figura de una mujer idéntica a su abuela, sólo que muy alta y delgada y vestida con un hermoso traje oscuro, como de tafetán negro, que se aproximó a ella lentamente y al llegar a su lado puso la mano sobre su frente produciéndole al instante una profunda sensación de paz. Años más tarde volvería a encontrarla, no ya entre las brumas de la fiebre, sino en la casa adonde fue a instalarse cuando llegó a Barranquilla después de haber permanecido ausente casi tres lustros dando recitales de piano por el mundo entero, y a ella, Lina, le bastó mirar sus ojos para saber que no debía aludir a lo ocurrido durante la noche crítica de su enfermedad a fin de preservar el placer de un juego cuyas reglas tenía que descubrir sola o resignarse a no conocer jamás.

El propietario de la casa había sido un italiano bastante excéntrico que en tiempos muy lejanos desembarcó de unas canoas acompañado de cinco pretendidos albañiles y un cargamento de piedras y estatuas nunca vistas, y que después de dar muchas vueltas por las inmediaciones siguiendo el movimiento de una aguja imantada, decía la gente, decidió comprar unas hectáreas de terreno sin valor alguno y allí edificar la mansión más extraña que pudiera concebirse, pues no era cuadrada ni rectangular, sino redonda, y sus cimientos evocaban la forma de una espiral. Sólo eso supieron las raras personas que se tomaron el trabajo de ir a observar la construcción, porque aun antes de que empezara, el italiano había hecho cercar su terreno por un espeso muro de piedras de cinco metros de alto, alrededor del cual merodeaba una jauría de dobermans intratables. Entre los albañiles, masones, como los llamaba con espanto el cura del pueblo, había uno instruido en español, y fue él quien se encargó de buscar por la región a los obreros y carpinteros que durante siete años trabajaron en la obra hasta terminar aquella casa imposible de ventanales circulares como rosetones de catedral y gárgolas capaces de infundirle miedo al más belicoso de los espíritus. Nunca se supo nada de sus habitantes; no bajaban al pueblo ni buscaban el trato de la gente; vegetarianos, comían los frutos y legumbres cultivados en su patio cazando de tarde en tarde conejos y venados para alimentar a esos perros de los cuales dependía en buena parte su tranquilidad; de todos modos, el monte cerró muy pronto la trocha por donde años atrás habían circulado las carretas que transportaron sus enseres, materiales de construcción, pero también, cajones llenos de semillas, libros, telescopios y hasta inusitados instrumentos de música. Vivían tan lejos de la plaza principal y de lo que más tarde sería la ciudad y sus barrios residenciales, que si a finales de siglo se hablaba todavía de ellos con aprensión asimilándolos, ora a monjes excomulgados, ora a miembros de una secta satánica, cuando tía Irene se graduó de concertista casi nadie los recordaba y la Torre del italiano, como solían designarla en el Prado, empezaba a estar rodeada de modestas casitas donde ninguna persona bien nacida hubiese aceptado vivir. Seguía persistiendo un enigma: sus primeros moradores debían de haber muerto mucho tiempo atrás y, no obstante, en nombre de sus herederos o de quien fuera, un abogado se había encargado de pagar regularmente los impuestos y de discutir con las autoridades locales la instalación de cañerías y cables eléctricos; el mismo abogado, o su hijo, había hecho acto de presencia cada vez que la torre fue perquisionada por razones de seguridad nacional a principios de las dos guerras mundiales, habiéndose hallado siempre algún exaltado para asegurar que servía de refugio a espías alemanes. Pero salvo un guardián de pura cepa costeña y los descendientes de aquellos inquietantes dobermans, nadie ni nada encontraron los agentes del servicio secreto, ni siquiera los muebles, tapicerías, cuadros e instrumentos de música que surgieron como por encanto cuando tía Irene tomó posesión de la casa en condición de legataria universal para perplejidad total de sus hermanas. A ninguna de ellas le importaba saber quién había sido realmente su progenitor, pues la filiación se establecía a partir de la madre, pero de allí a imaginar a la autora de sus días en relación con los insólitos habitantes de la Torre del italiano había un paso difícil de franquear; difícil y particularmente vejatorio por cuanto abría una duda sobre esa perspicacia de la cual se creían dotadas sin discusión posible. Y sin embargo todas recordaban aquellos paseos a caballo en noches de luna llena, tía Irene precediéndolas como si conociera de memoria el camino y fuese atraída por una negra fuerza hacia el edificio circular y amurallado cuya puerta un servidor abría al oírlas llegar, recogiendo a los perros y encendiendo las antorchas que iluminaban el jardín por donde caminaban en fila india, siempre detrás de tía Irene, la sola capaz de descubrir las trampas previstas para intrusos indeseables, la única en adivinar bajo cuál árbol o piedra se escondía el regalo que los propietarios de la torre les ofrecían silenciosamente y sin mostrarse, cofres, libros y esas partituras que tía Irene se aplicaba después a repetir en el piano produciendo una música profunda, ajena a cualquier forma de salmo o devoción, pero dirigida con infinita intensidad al cielo. Entonces tía Irene tendría unos once años y ellas, sus hermanas, creían ingenuamente que su fama de pianista precoz había volado sobre los tejados de la plaza de San Nicolás hasta alcanzar el corazón de esos hombres indiferentes al mundo, y conmoverlos. Habrían podido suponer otras cosas, desde que tía Irene empezó a frecuentar los fines de semana una abandonada hacienda familiar, invadida por el monte y sin ningún interés, excepto el de estar situada no muy lejos de la torre, particularidad que también les había pasado desapercibida; como no advirtieron, en una idéntica y acobardada inhibición, las diferencias de talento, sensibilidad y carácter que las distinguía de aquella hermana inaprensible cuya pasión por la música alejaba de sus juegos a quien la madre había decidido dar una educación acelerada a fin de enviarla lo más pronto posible a Europa preservando su inteligencia de la miseria intelectual del medio ambiente; su inteligencia o una cierta comprensión de la vida que se oponía rotundamente a la de ellas, las otras cinco hermanas obligadas a refugiarse en un racionalismo ciego para, a su turno, protegerse. Esa desigualdad y su no reconocimiento, llegaría a pensar alguna vez Lina, habían creado entre ellas lazos de complicidad que las hacían sentir culpables y de los cuales trataron de deshacerse en vano cuando tía Irene vino a vivir a la ciudad tomando posesión de la Torre del italiano en un último y desesperante desafío a la familia. Claro está que de semejante ultraje no iban a darse jamás por enteradas, y en nombre de la discreción resolvieron visitarla cada dos meses, previa llamada telefónica y no pocas consideraciones sobre la hora de presentarse y el tipo de conversación susceptible de distraerla; pero cualquier coloquio parecía convenirle y al cabo de los años las hermanas se acostumbraron a hablar entre ellas sin advertir el humor condescendiente con el cual tía Irene sugería los temas de discusión y seguía el curso de sus razonamientos. Sólo su abuela, había observado Lina, se mostraba reservada: siempre que se dirigían juntas a la Torre en el «Cadillac» de la más rica de las tías, su abuela se recogía en un silencio pensativo que conservaba mucho después de regresar a casa. No le explicó nunca el motivo de su cautela, ni siquiera más tarde, cuando ella se iba a visitar sola a tía Irene y pasaba la tarde entera oyéndola interpretar a Mozart o tañer un viejo órgano en busca de inquietantes melodías que se amplificaban por los salones como si la Torre hubiese sido concebida para volverse una enorme caja de resonancia; conversaban poco, pero Lina tenía siempre la impresión de haber descubierto algo a través de sus silencios; o de las preguntas con las cuales tía Irene respondía a las suyas sugiriéndole ir más lejos de su percepción de las cosas hasta alcanzar una nueva perspectiva o reconocer los límites de su propia ignorancia.

Fue curiosamente a tía Irene, y no a su abuela, a quien Lina le hablaría de sus dificultades con Beatriz, y no porque Beatriz fuese su amiga, sino porque de alguna manera nunca lo sería a pesar de así quererlo su abuela: ella, su abuela, le había presentado a aquella niña de ojos muy azules como hija de la Nena Avendaño, una amiga de infancia de su madre, y parecía normal que si Beatriz entraba en «La Enseñanza» para cursar los años de bachillerato, Lina se encargara de introducirla en su grupo de condiscípulas y explicarle las costumbres del colegio. Los Avendaño acababan de mudarse al Prado, cerca de su casa, llevando al parecer una vida conyugal armoniosa que contradecía todo cuanto las malas lenguas habían pronosticado el día del matrimonio de la Nena con Jorge, su primo hermano. Aquella boda había suscitado en la ciudad una avalancha de habladurías: ambos habían crecido juntos, bajo la tutela del padre de la Nena, quien, a la muerte de su hermno mayor, había adoptado a Jorge queriéndolo como a un hijo; dos niños educados severamente, en la más estricta obediencia cristiana; bellos y refinados; tan parecidos el uno al otro que, de no existir entre ellos una cierta diferencia de edad, se les habría creído gemelos. Y de repente había sido el amor, provocante, desesperado, exhibiendo los conflictos de la familia, su intimidad: Jorge no quiso regresar a Bogotá para terminar sus estudios de Derecho, la Nena se negó a probar un bocado de comida mientras su padre se obstinara en separarlos; intervinieron médicos, curas, amigos. Desgarrado por la ira, el padre al fin consintió al matrimonio, pero regresando a su casa después de la boda, fue víctima de un ataque cardíaco y murió esa misma noche maldiciendo a los novios en su agonía. En realidad, la unión entre primos era cosa corriente para una clase social decidida a evitar el mestizaje por todos los medios posibles y siempre con la complicidad de la iglesia. Algo muy distinto estaba en juego: la autoridad del padre, doblemente padre, dos veces burlado en su abusivo derecho sobre la hija y su poder sobre el sobrino que insidiosamente lo había traicionado. De ahí la cólera que puso fin a su vida expresada a través de una maldición que según la gente debía perseguir a los culpables impidiéndoles encontrar la felicidad. Pero todos se equivocaban: aquella pasión se desarrolló en un placer intenso y silencioso, indiferente a cuanto ocurría en torno suyo; los hijos, siempre varones, iban llegando y eran confiados al cuidado de ayas que los mantenían alejados de sus progenitores en las numerosas habitaciones de la mansión de los Avendaño. Hasta el nacimiento de Beatriz: un bebé cuya dificultad para venir al mundo y los irreparables daños que causó en el vientre de su madre, tanta sería la determinación con la cual se abrió paso desgarrando órganos y músculos, no dejaba presumir su fragilidad: dos años pasó enferma en su cuna obligando a todo el mundo a ocuparse de ella, mientras la relación entre sus padres se iba deteriorando: quizá la voluptuosidad resultaba ya imposible con una mujer cuyo sexo había perdido la estrechez necesaria al placer masculino, o tal vez la propia Nena temía inconscientemente un nuevo embarazo, el caso fue que Jorge Avendaño se descubrió enamorado de otra prima hermana suya precipitando a la Nena en un infierno. Eso ocurrió mucho antes de que se mudaran al Prado abandonando la vieja quinta familiar impregnada del recuerdo de sus amores incestuosos en un definitivo rechazo del pasado. De aquel naufragio nada se sabía entonces, a pesar de que la Nena había iniciado ya sus peregrinajes a la Virgen de la Popa de Cartagena y se contaban personas para referir cómo salía a la carretera y marchaba durante días bajo un sol de plomo en compañía de curas y cuantos tocados por la religión había en la ciudad, hasta llegar al pie de la colina y subir de rodillas el camino de piedras y arbustos que conducía al santuario. Semejante extravagancia se explicaba como una tardía decisión de reconciliarse con el espíritu del padre muerto neutralizando en lo posible su maldición; se hablaba también de arrepentimiento después de años de concupiscencia conyugal, a fin de ofrecerle a los hijos mayores el ejemplo de un amor más comedido, pues qué sentido de la decencia podrían tener esos niños si apenas se acercaban al dormitorio donde sus padres pasaban la noche y buena parte del día, oían quejidos, suspiros y demás sonidos inconvenientes. Por supuesto que sentido de la decencia, tal como lo entendían las buenas almas, no tenían ninguno, lo cual les permitió establecer con la vida relaciones bastante equilibradas, es decir, sacaron de quicio a quienes pretendieron gobernarlos, se adaptaron a las reglas sociales en la medida de sus conveniencias y, habiendo iniciado muy pronto con sus ayas el aprendizaje de la sexualidad, colmaron siempre a las mujeres que el destino puso en su camino.

Beatriz era diferente; negativo de sus hermanos parecía encarnar el personaje de una historia ejemplar: apenas entró en «La Enseñanza» se granjeó de inmediato la admiración de las monjas que nunca habían visto alumna más ordenada, tan disciplinada y devota, capaz de obtener la mejor nota en cada materia y una excelente calificación de conducta todas las semanas. Tanta perfección irritaba a Lina, quien después de observarla un tiempo vacilando entre tildar su conducta de farisea ó de simplemente idiota, había descubierto estupefacta que Beatriz creía con sinceridad en las virtudes de la obediencia: someterse a las órdenes de los mayores parecía consistir para ella el único medio de liberarse de la angustia que le había creado una educación centrada exclusivamente en la existencia del pecado y su natural castigo, como creería comprender Lina más tarde respondiendo a las preguntas que sus preguntas suscitaban en tía Irene y cuya formulación se abstenía de hacer frente a su abuela temiendo mortificarla, porque todo cuanto afectara a la Nena Avendaño daba la impresión de provocarle una pena infinita: la Nena la había ayudado a amortajar a su hija, la había acompañado durante los horribles días que precedieron su muerte. Y eso, ella, su abuela, no estaba dispuesta a olvidarlo. Y esa deuda, ella, Lina, debía asumirla ayudando a Beatriz en cualquier circunstancia, sin intentar comprender su personalidad ni juzgar su comportamiento. Lo que le resultaba a Lina particularmente difícil, dada su instintiva antipatía ante el proselitismo de Beatriz: pues no le bastaba plegarse a las arbitrarias decisiones de las monjas y como ellas rastrear detrás de cada gesto el pecado: hablarle a las internas, no jugar en los recreos, distraerse en la misa, escaparse del curso de costura, en fin, todos los pequeños desafíos que volvían más tolerable la atmósfera represiva del colegio. No. Beatriz pretendía convencer a Lina y a sus amigas de las ventajas espirituales inherentes a la subordinación, réplica, a escala reducida, del sometimiento de los hombres a la voluntad divina; más aún, el castigo debía aceptarse con reconocimiento, sobre todo si era injusto, pues entonces se tenía la ocasión de ofrecerlo en sacrificio al Señor ganando indulgencias para la hora de la muerte.

Aquel lenguaje parecido a un sermón de domingo y su práctica de delatar a quienes habían hecho desorden cuando una monja se ausentaba dejándola al cuidado de la clase, terminaron ganándole la aversión general hasta tal punto que Lina, muy a su pesar, se vio obligada a convertirse en su defensora. Más de una vez la sacó de apuros o intervino en su favor para calmar los ánimos, pero un día no pudo evitar la catástrofe: estaban alargando las cañerías del colegio y entre los bordes de una zanja relativamente profunda los obreros habían dejado una tabla a guisa de pasarela; sobre ésta, y a escondidas de las monjas, alguien había atravesado otra tabla idéntica formando un peligroso subibaja con el cual un grupo de alumnas se divertía; aparecer Beatriz, invitarla a subir a un extremo de la tabla mientras ellas lo hacían al extremo opuesto y bajarse de un salto apenas Beatriz estuvo arriba, fue sólo uno: el improvisado subibaja la botó violentamente al fondo de la zanja donde recibió un golpe que la dejó sin conocimiento, y, cuando salió de la clínica y regresó al colegio, un nuevo rasgo comenzaba a marcar su carácter: la desconfianza.

A partir de entonces sólo Isabel y Lina frecuentaron la casa de los Avendaño. Una casa más bien triste, en la que se escuchaba el día entero las plegarias de la Nena a las cuales respondía como un eco la voz de Beatriz aprendiéndose de memoria las lecciones. Todo allí se veía demasiado limpio, baldosas, muebles, cortinas, y los hermosos objetos heredados de varias generaciones parecían más impersonales que si estuvieran en la vitrina de un anticuario. No había radio ni animales domésticos; ni palabras ni flores; una especie de desolación se desprendía de aquel orden nunca contrariado cuya inmovilidad evocaba el decoroso olvido de un cementerio. Sobre la casa, y no obstante haber muerto meses atrás, planeaba aún el recuerdo de una tía de la Nena que se había encargado de la educación de Beatriz, si por tal cosa se entendía aterrorizar a una criatura noche y día con escalofriantes historias de almas en pena que se aparecían a los hombres para contarles sus desventuras y así alejarlos del pecado. Esa mujer, rechazada de dos conventos después de noviciados calamitosos, había arrastrado en su desequilibrio a la propia Nena, quien, no contenta con abandonarle la crianza de Beatriz, había adoptado su misticismo de pacotilla iniciando aquellos peregrinajes a la Virgen de la Popa en los cuales iría a quemar su belleza y juventud o lo que de ambas le quedara. No contaba cincuenta años cuando Lina la conoció y ya tenía la piel de una anciana y los ojos nublados por un doloroso estupor; de tanto recorrer a pleno sol la carretera de Cartagena marchaba inclinando la renegrida nuca y sus rodillas, maltratadas en el pedregoso camino de la colina, mostraban aquí y allá cicatrices y llagas. Desde el principio, Lina sintió por ella un afecto terciado de cólera y piedad; enterada, gracias a las finas antenas de Berenice, del problema de los Avendaño, le resultaba intolerable descubrir que podía sufrirse tanto del desamor de alguien; aquella pena era inquietante en su manifestación, obscena en su desmesura. No obstante el desamparo de la Nena y su absoluta falta de agresividad la llevaron a quererla fácilmente y con los años aprendería a descifrar el confuso monólogo a través del cual se expresaba la ruina de su conciencia. Pues ni siquiera tenía palabras para comprender aquel sentimiento de culpabilidad lacerante que había sido el suyo apenas se encontró sola frente a sí misma, sin la protección de un placer en el cual extraviarse cada noche, de un amor cuya existencia la valorizaba ahuyentando el remordimiento de nada haber sentido a la muerte de su padre cuando agonizando le oyó maldecirla. Se limitaba a sufrir ciegamente, en la oscuridad de una ignorancia desprovista de nombre, mientras vegetaba en ese estado que hasta sus propios hijos asimilaban a la locura y que Lina prefería considerar como refugio donde ella, la Nena, guardaba al menos la esperanza de modificar su destino a través de mágicos rituales susceptibles de atraerle el favor de los dioses.

Para Beatriz, en cambio, la suerte de su madre era una injusticia horrible, intolerable. Quizás, temiendo inconscientemente enjuiciar al padre que adoraba, no trataba de buscar las causas que la habían provocado; de todos modos, bastante tenía ya viendo regresar a la Nena de sus peregrinajes con las rodillas ensangrentadas, quemada por el sol, el dobladillo del traje en jirones; oírla rezar el rosario recorriendo de noche los corredores en un desesperado ir y venir; sorprender la huella de sus lágrimas silenciosas, observar su desgano en la mesa, descubrir las pequeñas mentiras con las cuales intentaba tranquilizarla. Porque la Nena no le contaba sus pesares a nadie y mucho menos a una niña de doce años que en principio no podía comprenderla y por la cual Jorge Avendaño aceptaba pasar algunos fines de semana en la casa, después de haber conseguido una incierta concesión americana para justificar sus repetidas ausencias. En realidad trabajaba poco, viviendo de las rentas heredadas del padre de la Nena y ocultándole a todo el mundo, inclusive a los hijos mayores, la existencia de sus amores ilícitos. Se había convertido en sinvergüenza sin quererlo, atrapado en el engranaje de una situación que no sabía gobernar, pues ni estaba preparado para ganarse el pan con el sudor de su frente ni era capaz de prescindir de las comodidades a las cuales cincuenta años de ociosidad lo habían acostumbrado. Con los hijos estudiando en Bogotá y la esposa convertida en inofensiva llorona podía darse el lujo de viajar regularmente a Miami, donde vivía el nuevo objeto de su pasión. Y allí mantener un yate y darse la gran vida sin rendirle cuentas a nadie de la gestión de la fortuna de la Nena, quien, por su parte, no se las pedía. Exceso de delicadeza o colmo de la debilidad, se aventuraría Lina a sugerir delante de una tía Irene como de costumbre hermética, cuyo decidido silencio la induciría esa vez a abandonar la facilidad de los lugares comunes para atisbar el mundo, tan rígido y vulnerable, de las personas en las cuales una cierta nobleza de alma persistía expresándose en actitudes sutiles como la de refugiarse en el desvarío antes que admitir en un hombre amado cualquier forma de ignominia. Pues de aceptar que Jorge Avendaño era capaz, no sólo de mentirle, sino además, de robarle a ciencia y paciencia, la Nena se habría visto obligada a reconocer el carácter irrisorio de su pasión y hasta la indignidad de haberla vivido sacrificándole una concepción del honor basada, menos en la obediencia filial, que en el principio, respetado por la vieja aristocracia, según el cual jamás debía cometerse un acto capaz de atraer la atención del vulgo sobre la familia. Ellos todavía existían en la opacidad más absoluta; sus descendientes, extraviados en una sociedad revuelta, tendrían el mal gusto de pintar cuadros o escribir novelas.

Así que Beatriz ignoraba por qué sufría tanto su madre. Berenice lo suponía con un desarmante sentido común; enterada por las sirvientas de la Nena que Jorge Avendaño no dormía nunca en su cuarto, ni siquiera durante esos fines de semana dedicados a Beatriz, había adivinado sin mayor problema la existencia de una querida; quién era y dónde vivía, Berenice no pretendía saberlo, pero su vieja experiencia de la gente del Prado le permitía asegurar que se trataba de una parienta íntima, pues, a su juicio, Jorge Avendaño sólo podía enredarse en pasiones fatales como la muerte. Freud le habría dado razón, Lina apenas si la escuchaba; su gran preocupación consistía por entonces en ver lo menos posible a Beatriz fuera de las horas del colegio sin que su abuela lo advirtiera, y, cuando no podía evitarlo, en soportar estoicamente la atmósfera de esa casa impregnada de dolor, donde la madre se martirizaba a sí misma mientras la hija le imponía castigos atroces a sus muñecas. Tal era la única distracción de Beatriz y, en nombre de la buena educación, ella, Lina, debía asistir a lúgubres ceremonias en las cuales las más hermosas muñecas de porcelana importadas por tía Eloisa cuarenta años atrás y vendidas al padre de la Nena a precios considerables, eran simbólicamente amarradas, golpeadas y a veces crucificadas para purificar sus cuerpos de los pecados que Beatriz les atribuía o en pago de faltas tan graves que no podía mencionar.

Que no sabe mencionar, le oiría una vez Lina sugerir a tía Irene sin alzar los ojos del inmenso Libro de los Muertos cuyos jeroglíficos le había estado mostrando a fin de enseñarle el modo de descifrarlos; no en un tono afirmativo, sino de interrogación, como si creyera a Lina capaz de ir más allá de las apariencias buscando la significación exacta detrás de la oscuridad del signo, a la manera en que aprendía a encontrar el sentido de las complejas figuras del libro abierto sobre la mesa. Y de repente Lina tuvo la impresión de mirar las cosas desde otro ángulo, de haber sido proyectada a una dimensión tan reveladora que siempre se recordaría enmudecida de asombro junto a tía Irene, asociando a toda rapidez la cantidad de detalles desvanecidos en su inconsciente y recuperados en un instante por su memoria: los juegos de Beatriz no se le antojaron ya una imitación mecánica del ejemplo que su madre le ofrecía, sino la expresión de un desequilibrio más inquietante y profundo, como si al torturar a sus muñecas otra persona se apoderara de ella. En cierta forma era verdad, pues una gran distancia separaba a la excelente alumna, bien despierta y al acecho de la primera oportunidad para alzar el brazo y responder a la profesora, de la niña jugando en su cuarto con una aplicación sombría. Desde entonces, Lina vería su desazón transformarse en curiosidad; Beatriz habitaba dos universos distintos, aunque no paralelos, en cuanto se entrecruzaban como dos ondas de radio que ocuparan sucesivamente la misma frecuencia; unas veces su inteligencia se introducía en la lógica macabra de sus juegos infantiles, banalizándolos; otras, la morbosidad de su carácter la llevaba a convertirse ella misma en muñeca, y oía la misa entera de rodillas o permanecía en su silla muy recta y sin moverse durante las horas de curso. De ese modo, Beatriz se convertiría muy pronto para Lina en fuente de observación, no obstante el rechazo instintivo que su presencia siempre le produjo.

Porque no podía eludirla, eso estaba claro: por un lado su abuela insistiendo en la deuda contraída con la Nena Avendaño, por el otro, Beatriz invitándola todos los días a su casa. Lina sólo se divertía cuando iba en compañía de Isabel, quien, si no detestaba las muñecas, prefería como ella salir al jardín y trepar a las ramas de un centenario samán que había resistido por milagro a los atropellos de la urbanización; escondidas en su follaje se ponían a imaginar historias fantásticas mientras Beatriz les suplicaba bajar entre amenazas y consideraciones sobre la inconveniencia de semejante comportamiento, especialmente si había muchachos merodeando por los alrededores en bicicleta y, más tarde, en automóvil. La amistad con los primos de Lina, quienes apenas empezaron a cursar los últimos años de bachillerato abandonaron su misoginia de adolescentes para jugar a los seductores, iría a modificar a Dios gracias la situación: Beatriz, primero, aceptó acompañarlos a pasear en carro o a explorar de noche viejas casas abandonadas, y luego, enamorada de uno de ellos, su sexualidad fue apareciendo en una rápida y sorda germinación.

Ocurrió un diciembre, durante las vacaciones. Habían tomado la costumbre de salir de las Novenas y partir por la carretera de Puerto Colombia hasta llegar a la ciénaga, envuelta en una luz difusa de reflejos azules; descendían de los automóviles y conversaban entre un susurro de insectos y el repentino aletear de un ave nocturna cuyo reposo habían contrariado; algunas parejas se refugiaban en la oscuridad, no muy lejos por miedo de extraviarse, esperando la señal de regreso que indicarían los faros de los automóviles. Beatriz y Jairo Insignares apenas si se atrevían a cogerse de manos: eran novios desde hacía unos seis me-

ses, cuando Jairo se unió a los otros muchachos que perseguían en sus
carros el bus de «La Enseñanza» piropeando a las alumnas para indignación de la solterona destinada a vigilarlas. Aquellos galanteos habían
dejado siempre indiferente a Beatriz; al menos en apariencia, pues otra
sería su reacción el día que Jairo le envió a través de Lina una carta declarándole su amor en términos tan convencionales que cualquiera de
ellas se habría echado a reír. Pero Beatriz no rió, todo lo contrario; guardó la misiva en el fondo de su libro de religión a fin de tenerla lo más
cerca posible de ella, y quizá se puso a soñar con la ingenuidad de sus
trece años y en la medida en que se lo permitía la pulcritud de su corazón. A partir de entonces se sentó a la ventanilla del bus: muy pálida,
contraída de emoción, esperaba a ver aparecer los automóviles para buscar a Jairo con los ojos y mirarlo intensamente; un día le envió a decir
que aceptaba ser su novia, sin saber muy bien lo que eso significaba
o teniendo al respecto una idea más o menos confusa, pues como a veces iba al cine los domingos en compañía de Lina, había visto a los novios sentarse juntos y darse besos prolongados apenas se apagaban las
luces. Beatriz no comprendía que esas caricias, esos primeros asaltos
del deseo, constituían a su edad el pecado por excelencia. Nadie se lo
había dicho y, al igual que Catalina, nada había entendido de las alusio-
nes de los curas cuando tronaban desde el púlpito contra las tentaciones de la carne; cierto, prohibido estaba mirar en dirección de los muchachos encaramados en el muro del colegio; y prohibido, verlos a escondidas de los padres cometiendo así la infamia de mentirles a estos
últimos. Pero el único juez de su vida privada era para Beatriz su propia madre, y la Nena Avendaño, buscando quizás alejarla de las muñecas, no sólo no había mostrado ninguna reticencia al saberla enamorada,
sino además, la había animado a formalizar un poco aquel noviazgo sugiriéndole invitar a su pretendiente a la casa. Jairo, bastante sorprendido al comienzo y no menos intimidado, se acostumbró a visitarla los
fines de semana y terminó jugando con ellas como un amigo más, aun
si de vez en cuando, acordándose de su condición, le llevaba flores a
Beatriz o tomaba su mano en el cine. Así habrían podido seguir las cosas de no haber intervenido los compañeros de Jairo incitándolo a desplegar más audacia y, sin él imaginarlo, a colmar ciertos anhelos de Beatriz, quien vivía sus amores en una turbia ambigüedad de adolescente
incapaz de dejar definitivamente atrás la infancia. Pues de las muñecas
no se había separado: su preferida, una de cabellos rizados y muy negros, permanecía la mayor parte del tiempo amarrada a las rejas de
una ventana frente a los árboles del patio; sólo si Jairo iba a la casa de
visita, Beatriz la encerraba en un closet junto a las otras, no tanto en señal de conciliación, como por el temor de que sus juegos fueran descubiertos dejándola en ridículo; los seis meses de noviazgo la habían sen-
sibilizado a la opinión de los demás, pero sin modificar esencialmente
sus conflictos con la vida, y no obstante la furiosa fermentación que en
su cuerpo se operaba. Furiosa y muda: nada en Beatriz dejaba adivinar sus emociones, salvo el color de sus ojos, que, de azules, pasaban a
un tono oscuro casi gris, cuando miraba a Jairo de reojo o desde la ventanilla del bus. Después vendría diciembre, la libertad entre la brisa
nocturna soplando desde la ciénaga y esa extraña sensación de vivir en

un tiempo inmóvil durante el cual los más locos deseos podían ser realizados. Siguiendo el ejemplo de las otras parejas, Jairo y Beatriz se aventurarían una noche en la oscuridad y paso a paso aprenderían a amarse; juntos descubrirían la turbación de las caricias y el vértigo insensato de los besos. Cubiertos de sudor acre, los ojos vidriados de excitación, regresaban como sonámbulos al llamado de los automóviles; olían a hierba y a tierra húmeda; parecían ausentes y secretos.

Quizá fueron esos los mejores días en la vida de Beatriz, llegaría a decirse Lina con el tiempo, cuando logró pensar en ella tranquilamente, en fin, sin ser golpeada por el sentimiento de horror que siempre la invadía a su recuerdo. Porque nunca como entonces Beatriz había estado tan cerca de encontrar una forma de equilibrio abandonando gradualmente sus inquietantes juegos para entrar en el orden bien definido de los adultos; embarazos y problemas domésticos habrían dado cuenta de su dicotomía; en carnavales y partidas de canasta se habrían diluido sus insensateces. Pero el destino había dispuesto reforzar el lado oscuro de su personalidad alejándola definitivamente del amor y, de paso, implicando a Lina en el acontecimiento que de tan mala manera iba a marcarla.

Más de mil veces Lina se arrepentiría de haberla llevado a pasear en su automóvil aquella tarde; solía hacerlo siempre en compañía de alguna amiga, pues tal había sido la condición impuesta por su padre cuando al fin se decidió a confiarle el viejo «Dodge» el día de sus doce años, y Catalina e Isabel compartían de buen humor su gusto de recorrer los altos del Prado, con sus calles bien trazadas alrededor de solares todavía desiertos donde los ruidos de la ciudad se acallaban sin atreverse a molestar sus sueños de adolescentes; el agónico motor parecía recobrar un soplo de su lejana juventud bajo el efecto de la brisa y la ausencia de circulación; a través del crepúsculo sólo se percibía una débil palpitación de luces y los raros automóviles que se aventuraban con los faros apagados en busca de escondites para amores clandestinos. Fue justamente la vista de uno de ellos, un «Packard» color crema estacionado en un callejón sin salida, lo que provocó la exclamación de Beatriz y su gesto de abrir la portezuela obligando a Lina a frenar en seco: sorprendida, la pareja que se acariciaban en el «Packard» se separó al instante y mientras la mujer se echaba al suelo, el hombre se volteó a mirarlas; pero ya Beatriz corría hacia él, se detenía junto a la ventanilla y le gritó algo que Lina no alcanzó a oír: Jorge Avendaño acababa de ser descubierto en flagrante delito de adulterio; y por su propia hija, la niña menor de trece años que tanto amaba y de la cual no podía esperar el menor asomo de comprensión. Impulsado por el miedo, seguramente, y la angustiada súplica de la mujer escondida a su lado, puso en marcha el motor sin prever la reacción de Beatriz que de un salto se colocó en frente del «Packard» recibiendo la embestida del arranque y cayendo unos metros más lejos. Lina había descendido ya y llegó donde yacía Beatriz, atontada por el golpe y el dolor de la fractura de una pierna, al mismo tiempo que Jorge Avendaño, quien daba la impresión de ser incapaz de controlar la situación. Inclinados ambos sobre ella vieron a la mujer pasar a toda carrera en un desesperado intento de preservar su identidad. También Beatriz la vió y alcanzó a rogarle a Lina no decirle nada a la Nena. Un momento después se desvanecía maldiciendo a su padre, y al hacerlo, su rostro, muy pálido, tenía la máscara severa, la expresión intratable de los viejos retratos de sus ancestros colgados en las paredes de su casa.

La Nena, claro está, se enteró de todo. Lina lo supo al observar el gesto con el cual le impuso silencio cuando entró en la clínica del Prado acompañada de Alfredo, su hijo mayor; un gesto firme y, sin embargo, lleno de ternura, como si quisiera evitarle la humillación de mentir; debía pensar que no poco había soportado aquella tarde al encontrarse sola con Beatriz acostada en el asiento posterior del auto buscando ansiosamente a alguien capaz de ayudarla. Porque Jorge Avendaño, luego de depositar el cuerpo inanimado de Beatriz en el «Dodge» indicándole seguirlo, había comenzado a dar vueltas por las calles hasta localizar a la mujer que corría en un estado de desvarío absoluto, y, cuando al fin logró hacerla subir al «Packard», hundió a fondo el acelerador y desapareció al doblar una curva. Lina no podía darle crédito a sus ojos; durante unos segundos permaneció alelada sintiendo que una oleada de ira le cortaba la respiración; de pronto, acordándose del doctor Agudelo, resolvió ir a buscarlo a su consultorio; había partido ya y tuvo que recorrer media ciudad antes de encontrarlo; como el doctor Agudelo juzgó prudente llevarla a una clínica, se dirigieron a «Las Tres Marías» y, mientras él se encargaba de las formalidades necesarias, Lina llamó a los hermanos Avendaño al «Country». A ellos no podía ocultarles la verdad: el «Dodge» estaba intacto y resultaba imposible hablarles de accidente; les pidió, sí, les suplicó incluso disfrazar ante la Nena lo ocurrido; inútil: los cinco hermanos Avendaño no iban a perder la oportunidad de desenmascarar al fin los turbios manejos financieros de su padre obligando a la Nena a admitir de una vez por todas el fracaso de su matrimonio y, en consecuencia, a recuperar el legítimo control de su fortuna. Lo que se realizó sin mayor dificultad: bajo la amenaza de revelar el nombre de su amante y su infame comportamiento con Beatriz, los hermanos consiguieron que Jorge Avendaño les entregara los bienes cuyo usufructo le había permitido llevar durante años una vida principesca y sin ninguna relación con sus capacidades productivas; habrían podido exigirle mucho más y él se lo habría otorgado: Beatriz hospitalizada por su culpa, su amor perdido para siempre, lo precipitaron de golpe en un estado de depresión que le impidió ofrecer la menor resistencia a la operación de los hijos. En cierta forma, ellos se comportaron correctamente, incluso le dejaron una renta personal lo bastante sólida como para instalarse en un honorable retiro de Don Juan más o menos andropáusico que pasaría el resto de sus días en los campos de golf del «Country», vestido con elegancia y lanzándole a las mujeres miradas de adolorida admiración. En cambio de esas facilidades, debía, eso sí, regresar al domicilio conyugal a fin de respetar las apariencias y poner término a la desesperación de su esposa, causa de aquellos ridículos peregrinajes de los cuales se hablaba tanto en la ciudad.

Todo, pues, estaba en orden, creyeron a lo mejor los hermanos Avendaño con ese candor de personas equilibradas para quienes la solución de un conflicto es cuestión de borrón y cuenta nueva. Sin comprender que los largos años de desdicha habían marcado de manera indeleble a la Nena y, sobre todo, sin considerar las repercusiones de aquella historia en el espíritu de Beatriz.

La adolescente que salió de la clínica con la pierna enyesada y no pocas contusiones, parecía haber perdido el uso de la palabra hasta tal punto, que la Nena le había rogado a Lina quedarse algunos días a su lado para tratar de sacarla del mutismo en el cual se había encerrado desde su accidente. En efecto, Beatriz no hablaba, comía poco y pasaba la noche entera sin dormir. Una terrible fuerza se desprendía de aquel silencio de granito, no calculado, ni siquiera decidido, sino inevitable, casi inherente a la febril actividad mental en que vivía como si su cerebro, en un proceso monstruoso, consumiera toda la energía de su cuerpo. Lina tenía a veces la alarmante impresión de sentir sus pensamientos, especialmente de noche, cuando se despertaba sobresaltada y en el espejo del tocador, a la luz de una lamparilla alumbrada en permanencia, veía los ojos muy abiertos de Beatriz mirando el vacío. Quizás examinaba uno tras otro sus puntos de referencia con una perplejidad cargada de rencores; en buena lógica debía suponerse que el corazón de sus principios había recibido un golpe considerable: he aquí que el padre, símbolo del orden a cuyo alrededor gravitaba un rígido sistema de coerción y obediencia, se comportaba como un cobarde infringiendo las reglas cuyo respeto justificaba su poder; y la madre, imagen a la cual debía identificarse, era una víctima a quien nadie podía ayudar, ni siquiera el cielo. Pero Beatriz no tenía la habilidad mental de Catalina para poner en tela de juicio los valores que la sociedad le había inculcado y comenzar a pensar por su propia cuenta: ni el sentido del humor de Lina, capaz de minimizar a la larga esa angustia indisociable a la pérdida de cualquier certidumbre. Si el núcleo se había desarticulado, sus componentes seguían allí, en su maltratada conciencia, buscando desesperadamente una nueva estructura. Hasta encontrarla: quizás ese amanecer en que saliendo de su postración se dirigió al patio llevando consigo sus muñecas, silenciosamente, sin despertar a nadie, ni siquiera a Lina que dormía a su lado, y apoyada en sus muletas se puso a reunir hojas y ramas hasta lograr encender una fogata que empezó a arder con reflejos de mal presagio. Lina lo sintió así al saltar de la cama adivinando ya, en ese instante, lo que un segundo después sus ojos verían. Y mientras contemplaba desde la ventana a Beatriz arrojando las muñecas al fuego, tuvo la extraña, inverosímil certidumbre de haber presenciado alguna vez la misma escena: una jovencita rubia, de expresión angélica, pero vaciada de emoción, frente a una hoguera en la cual se retorcían y crepitaban muñecas llorando su muerte en un execrable olor de cabellos quemados.

II

La Torre del italiano aparecía como una interrogación, un irónico reflejo de los problemas que se plantean a los hombres. Su centro lo constituía una pieza circular cuyas paredes eran paneles de espejos alternados con espacios abiertos por los cuales entraba la luz que filtraban los redondos ventanales de las habitaciones dispuestas a su alrededor; de arriba a abajo, de un lado a otro, todos los salones conducían directamente, o a través de escaleras y corredores, a esa pieza donde tía Irene solía pasar las tardes; aparte del piano, no había más nada, y sin **embargo, de ella emanaba una sensación de plenitud**: quizá porque las baldosas del piso formaban un abigarrado mosaico de figuras geométricas pintadas en oro, azul y ocre; y los mismos colores y motivos se repetían en el cielo-raso, espesa vidriera cuyos cristales tamizaban los rayos del sol convirtiéndolos en una luz inmóvil y dorada que los espejos reflejaban al infinito. Lina conoció aquella pieza cuando empezó a visitar sola a su tía Irene, y desde la primera vez tuvo la impresión, no solamente de haber obtenido un privilegio, sino también, de estar en presencia de un enigma que no sabía descifrar, como si la habitación hubiera sido concebida con una intención precisa pero oculta, vedada a su inteligencia; únicamente al final de su vida creyó percibir el significado del salón de los espejos, la razón de su forma, su curiosa disposición: y con su confuso recuerdo en la memoria, entró sonriendo en el sueño bien preciso de la muerte. De niña, en cambio, le daba miedo permanecer allí si su tía se alejaba, más miedo aún aventurarse fuera de él corriendo el riesgo de perderse en el laberinto de los corredores. Pues detrás

de su apariencia abordable, la pieza circular estaba cercada por un dédalo de artificios destinados a engañar al incauto visitante enviándolo
hacia los otros salones, siempre iguales y cubiertos de tapices más o
menos parecidos, salvo si se reparaba en los ribetes de piedra que corrían a lo largo de sus muros, justamente debajo de cuadros y gobelinos, revelando un universo inaudito de figuras talladas por el cincel
de una mano alucinada: árboles cuyos troncos se hundían en la tierra
mientras sus raíces se abrían al cielo, peñascos suspendidos en el aire
desafiando la gravedad sobre un mar en llamas, hombres minúsculos
viviendo en el vientre de una sirena, peces alados, aves bicéfalas, en fin,
toda clase de criaturas aberrantes en medio de signos de alfabetos probablemente perdidos y esbozos de siluetas sugiriendo una idea cuyo desarrollo iba a encontrarse mucho más lejos, en otra habitación, siguiendo diseños caprichosos hasta alcanzar de pronto su forma definitiva, no
siempre accesible al entendimiento, pero indicando, a través de la expresión de su totalidad o el simbólico enunciado de su esencia, el camino a
seguir para llegar a la pieza circular, donde tía Irene, frente a al piano,
interpretaba sus sonatas favoritas.

    La pista ofrecida por el friso de piedra, Lina la descubriría en un re-
lámpago de intuición, cuando una tarde perdió sus puntos de referencia al cruzar un pasillo, y estuvo bajando y subiendo escaleras, dando
vueltas y vueltas por las habitaciones sin poder orientarse, pues todas se
le antojaban idénticas y en todas resonaba el piano de tía Irene con
igual intensidad; vacilando entre pedir ayuda a gritos o conservar el control de sí misma, se fijó de repente en una imagen que le resultaba fami-
iiar, no por haberla observado antes realmente, sino, tal vez, porque la
había visto de paso y su memoria había conservado de ella la impresión: era un esbozo de insecto planeando como un zepelín sobre una
ciudad en sombras, pero su ojo amenazante —del cual Lina se acordó
en aquel momento con asombrosa exactitud— no estaba aún formado, y
de la órbita salían resortes semejantes a antenas; uno de ellos se extendía al dibujo siguiente mezclándose al torturado follaje de los árboles
tropicales que representaba, hasta confundirse con las ramas de un caoba bajo el cual, una mujer protegía entre sus brazos un huevo traslú-
cido; algunos pasos más allá volvía a aparecer la figura mirando una
puerta cuya presencia Lina no había advertido y que daba a un corredor
por el cual se adentró observando cómo, a lo largo de su friso, el huevo
se iba transformando en círculos concéntricos de donde surgía algo
parecido a un ser andrógino que, antes de separarse en dos sexos de-
finidos, daba la impresión de inventar él mismo el insecto, de crearlo
con su imaginación; y así, lentamente, a través de arabescos y penta-
gramas y otros símbolos, la forma del insecto se precisaba, enrique-
ciéndose de detalles que lo hacían más inquietante, metálico, armado
como un instrumento de destrucción. Cuando Lina lo vio ya terminado,
fijando su ojo duro y frío sobre la ciudad dormida, advirtió que había llegado a una de las habitaciones contiguas al salón de los espejos.
A partir de entonces imaginó establecer un diálogo silencioso con tía
Irene.

    Imaginó, porque nunca supo a ciencia cierta si aquella suposición
correspondía a la realidad o a un secreto delirio provocado por el mu-

tismo de su tía y la sombra tenaz de aquellos extranjeros que antes de morir habían traducido sus sueños en piedra. La cosa empezó cuando Lina se propuso comprender su propio mecanismo de reflexión, si así podía llamarse la desordenada actividad de su mente, limitada, por lo general, a una pasiva acumulación de observaciones de las cuales sacaba conclusiones apresuradas y sin ningún interés, pues la simpleza de su visión le impedía trascenderlas; una vez reconocida esa barrera al parecer infranqueable, le quedaba el recurso de delimitar el objeto de su atención, que, curiosamente, resistía a toda anarquía, expresándose en una nube de preguntas girando alrededor de un mismo tema; cuando un buen día lograba cercarlo, tenía la impresión de que tía Irene intervenía a través de una nota musical. Sí, una nota musical. Ni más, ni menos. Aquella idea disparatada le vino al espíritu al advertir que después de pasar tardes enteras monologando frente a ella y obteniendo de su parte comentarios corteses, pero harto lacónicos, tía Irene tocaba durante los intervalos una sonata determinada: había siete notas en la gama y siete espacios abiertos entre los espejos: de allí a relacionar la nota característica de la sonata con una de las siete entradas de la pieza circular, había un paso que Lina dio alegremente prefiriendo la arbitrariedad de aquella asociación a la ineficacia de sus especulaciones. De todos modos, comprobaría mucho después, los frisos que ornaban las paredes se prestaban a cualquier interpretación, o, mejor dicho, podían ser leídos de mil maneras diferentes, siempre y cuando se atrapara uno de los infinitos hilos ocultos en la complejidad de sus dibujos, y aún así, la línea conductora ofrecía un número increíble de lecturas, como esos libros capaces de acompañar a una persona a lo largo de su vida abriéndole nuevos horizontes a medida que crece en edad y experiencia. Pasó años tratando en vano de atribuirle a cada entrada la nota correspondiente, y más años aún intentando aislar entre el dédalo de los signos las imágenes propias a los temas que le interesaban. A veces, a fuerza de paciencia y mucha humildad, lograba romper el silencio de los frisos; a veces, ellos se negaban a hablarle o lo hacían con parsimonia. Salvo en el caso de Beatriz.

Beatriz, o su situación, estaba expresada claramente en los dibujos tallados sobre la piedra por los antiguos habitantes de la Torre del italiano; la representaba un autómata, o una marioneta, y en algunas ocasiones un muñeco de cuerda o de resorte; su marca distintiva era la rigidez, el carácter mecánico, disciplinado de sus movimientos; en su primera aparición caía de la rueda de la décima lámina del Tarot y, en la segunda, rechazaba la luz de la linterna del Ermitaño; a partir de ese instante se le veía construyendo los cordeles que harían de él una marioneta crispada de rabia o de dolor, mirando siempre en dirección de un sol tan fuerte que todo cuanto alumbraba bajo él se disolvía; a medida que avanzaba revistiendo alternativamente los hábitos de inquisidor o supliciado, el autómata parecía abandonar su trágico aspecto de soldadito de plomo perdido en un mundo de obstáculos invisibles, para adquirir una consistencia de guerrero cada vez más adherido a las espesas corazas que lo protegían el cuerpo; de pronto se derrumbaba y a lo largo de los frisos se le veía en el suelo o al fondo de una cueva, debatiéndose inútilmente contra el peso de su chatarra; cuando las cuerdas a las cuales estaba sujeto volvían a ponerlo en pie, tambaleaba unos momentos antes de recobrar su paso maquinal bajo aquel sol que deformaba en torno suyo los objetos. El autómata no percibía la realidad, Beatriz tampoco; su armadura lo mantenía encerrado en sí mismo impidiéndole comunicar con los demás, la de Beatriz también: perseguía un solo objetivo, encarnado por el astro cuya luz cegaba sus ojos, Beatriz tenía así mismo una mística exclusiva y excluyente: el culto de la familia.

Cualquier persona sensata habría creído que, después del incidente ocurrido en los Altos del Prado, Beatriz se interrogaría sobre esa institución creada por la sociedad para afianzar un sistema en el cual ella, como mujer, resultaba desfavorecida. Finalmente su madre no podía parecer más desdichada y no era la presencia de un marido vencido, pero rencoroso, lo que iba a restituirle los años perdidos en llantos y peregrinajes. Además, Jorge Avendaño se había vuelto taciturno y participaba lo menos posible en la vida familiar, pasando sus días en los campos de golf del «Country» y las noches encerrado en su cuarto bebiendo con malevolencia, metódicamente, hasta quedarse dormido en la cama. Sin razón aparente que le permitiera expresar su dolor, la Nena se había refugiado en una dulce locura de misas, rezos y procesiones. Sobre ese mundo agónico, Beatriz reinaba. Todos, incluso los hermanos, temían las crisis en las cuales caía si se contrariaba en lo más mínimo un orden imaginario, creado por ella misma, en relación con las ideas y el comportamiento de las personas que vivían a su alrededor; unas crisis bastante extrañas, que comenzaban por un súbito desmayo y se prolongaban en inapetencia total hasta obligar a sus padres a llevarla a una clínica; delante de esa criatura de ojos de ángel, pero empeñada en morir como si un mal espíritu habitara su cuerpo, los médicos se afanaban con inyecciones, transfusiones y cuantos medios tenían a su alcance para combatir la anorexia; cuando al fin lograban restituirle el apetito, ella se quejaba de un lacerante dolor en la ingle que la obligaba a caminar cojeando; tampoco contra eso los médicos podían gran cosa, salvo aventurarse en complicadas hipótesis psicoanalíticas cuyo contenido en el fondo rechazaban. Teorías o no, se habrían quedado pasmados de saber cómo Beatriz controlaba en cierta forma sus crisis: cierto, su capacidad de sufrimiento parecía ilimitada y podía pasar días y días sin comer, insensible a las súplicas, amenazas o promesas que le hicieran. Pero control había, y hasta administración. Por lo pronto, aquellos problemas le llegaban sólo durante las vacaciones o en víspera de un largo puente, pues no estaba dispuesta a perder su posición de primera alumna de la clase; de igual modo, el dolor en la ingle desaparecía apenas se acercaba la sesión solemne del colegio y debía disputarle a Catalina el privilegio de representar a Santa Juana de Lestonnac; y, curiosamente, los desmayos siempre se producían en presencia del padre.

Jorge Avendaño había caído en una trampa incomprensible. Al comienzo se creyó responsable de aquellas calamidades pues la relación entre el accidente provocado por su cobardía y el desequilibrio de Beatriz parecía evidente. Luego pasaron los años y en algún momento debió advertir una falsa nota en su razonamiento, es decir, mientras atravesaba los campos de golf del «Country» intentando en vano pegarle

a la pequeña bola blanca bajo la mirada aburrida, ya ni siquiera burlona del caddy, y entre dos vasos de whisky bebidos en la oscuridad
de su cuarto, algunas dudas vendrían a inquietar su mente turbándolo
hasta decidirlo a pedir ayuda al doctor Agudelo. Cristiano de formación,
Jorge Avendaño estaba inclinado a aceptar el castigo como consecuencia del pecado, y bastantes faltas tenía a su haber desde el día en que,
desafiando la autoridad del hombre a quien consideraba su padre, había cometido golosamente un delito muy próximo del incesto; cuando,
después de múltiples yerros, le llegó el turno de ser despojado de su
mal adquirido poder por sus propios hijos, su cólera pudo disolverse
en el alivio de asimilar aquel ultraje a una forma de expiación cuya
última espina venía a ser la conducta de Beatriz; con la condición, naturalmente, de que esas crisis correspondieran al secreto deseo de mortificarlo en nombre de una razón concreta, su larga indiferencia ante la
desdicha de la Nena, por ejemplo, o su reacción al verse descubierto en
brazos de una querida. Pero, y allí estaba el nudo del problema la perplejidad que lo condujo a hablarle de su vida privada a un médico venciendo la natural reserva de todo Avendaño, Beatriz no conservaba de
aquella aventura el menor recuerdo, volviendo así aleatoria cualquier interpretación que tuviera como eje la venganza, e insoportable la tensión
nerviosa en la cual sus imprevisibles trances lo mantenían. Utilizó la
palabra con asombro, dando la impresión de descubrirla un segundo antes de pronunciarla y de arrepentirse instantáneamente de haberla empleado, le contaría a Lina el doctor Agudelo, no en lo que sería la primera entrevista entre ellos a propósito de Beatriz, sino meses después,
cuando de tanto verse en la soledad de su consultorio a fin de analizar
juntos la situación, Lina realizó su viejo sueño, nacido en la fiebre de
una difteria, de vivir una historia de amor con aquel hombre de manos
suaves, pero certeras, y ojos sagaces detrás de la estricta cordialidad de
su sonrisa. Jorge Avendaño no sabría jamás hasta qué punto había ganado su reconocimiento al sugerirle al doctor Agudelo tomarla a ella
como interlocutora para tratar de comprender el trastorno de su hija.
Y ciertamente ella, Lina, estaba en capacidad, si no de explicar, al menos
de proporcionar algunos elementos capaces de dirigir la atención de
un médico a quien le era imposible ver a su paciente y cuyo único
material de análisis le había sido suministrado por alguien implicado
a fondo en el conflicto.

Sin ir muy lejos, Lina podía revelarle que la supuesta amnesia de
Beatriz correspondía al deseo de modificar el pasado a fin de adaptarlo
a una fantástica historia familiar en la cual todos sus ancestros aparecían como dechados de virtud, gallardos caballeros al servicio del
Rey y, más tarde, de la Independencia, matronas consagradas a su hogar
o a la protección de los menesterosos. Jorge Avendaño y la Nena se habían amado desde ia infancia y ningún acontecimiento había venido a
contrariar su idilio. ¿La existencia de la querida? No, Beatriz no la había
olvidado, pero eso constituía un descarrío pasajero respecto al cual mejor valía callarse; en fin, a veces, delante de Lina, la evocaba de un modo
oscuro, como si fuera la personificación del mal, el horror mismo, pues
su maquineísmo se había reforzado adquiriendo proporciones delirantes: había, de un lado, mujeres innobles, prostitutas infames, madres

desalmadas, todo un universo satánico y femenino conjurando a la sombra para perderla; del otro, las personas cuya conducta se adaptaba a la ley detrás de la cual ella se había atrincherado y que estaba compuesta por una serie de principios destinados a proteger la integridad de la familia. De esos principios, poco le importaba saber el origen religioso, social o político, los intereses que ocultaban, las injusticias cometidas en su nombre; así, cuando sus hermanos y tíos discutían entre ellos —mientras Jorge Avendaño se emborrachaba pacientemente en su cuarto— abogaba con igual intransigencia por la Inquisición, el nazismo o el comunismo según viniera a cuento, para estupor de quienes la escuchaban ignorando la faz oculta de sus afirmaciones, la organizada estructura intelectual que las sostenía: después de muchas lecturas y algunos compromisos, Beatriz se había adherido en secreto a la teoría de la evolución, pero interpretándola a su manera, es decir, asimilándola a un proceso encaminado a crear el orden a partir del caos, y concluyendo que todos los sistemas represivos habidos y por haber respondían bajo diferentes aspectos a una misma progresión en la lucha contra la anarquía. Nadie, claro está, se atrevía a contradecirla temiendo provocar de repente una crisis: apenas empezaba a hablar, los otros guardaban silencio, un poco despistados por sus progresos en el dominio de las ideas. Excepto Lina: era ella quien le prestaba libro tras libro sin mayor entusiasmo porque sabía que Beatriz iba a leerlos, menos a fin de seguir la reflexión del autor, como para procurarse nuevos argumentos; frente a la palabra escrita sufría de una especie de daltonismo innato con el cual eludía cuanto pudiera abrir una brecha en el sólido muro de sus convicciones. Algo semejante hacía Álvaro Espinoza, pero a diferencia de él, Beatriz no aceptaba la doble moral, ni en los hombres, ni en las mujeres, y no toleraba la menor infracción, ni en ella misma, ni en los demás.

Las cosas habrían sido más fáciles si alguna teoría científica o filosófica hubiera venido a confirmar el esquema fabricado por Beatriz. Lina estaba dispuesta a admitirlo como hipótesis de reflexión, siempre y cuando incluyera las nociones de principio y finalidad, es decir, el concepto de Dios; a veces le parecía encontrar una analogía entre su idea de una materia organizándose a sí misma o portando en sí el proyecto de organizarse, y ciertos dibujos tallados en los frisos de la Torre del italiano. Pero Beatriz rechazaba categóricamente cualquier intervención divina en aquella creación despiadada cuyo solo objetivo era alcanzar el orden original, inmutable y feliz de la primera partícula un segundo antes de la explosión que había producido la expansión del universo: existía, pues, un propósito de concierto tendente a suprimir la diversidad en busca de la unidad primitiva donde se hallaba el bien, concebido como ausencia de mal, y hasta negado en su estado puro por la falta de puntos de referencia. Y más nada; quizá, sí, otra cosa, unos infinitos ciclos de dilatación y contracción cuyo sentido planteaba un enigma indescifrable a la inteligencia. De todos modos, Beatriz no pretendía ir más lejos: aquella explicación sustentaba sus opiniones sobre la necesidad de un orden social susceptible de integrar al hombre —ser díscolo e individualista por excelencia— en el plan de la materia misma, exactamente como años atrás, cuando creía en un Dios distribuidor de castigos y recompensas, veía en todo acto de sometimiento una repetición del acato debido a la autoridad divina. Entonces, sin embargo, sus ideas se limitaban a reflejar, exagerándolos, los principios religiosos de la sociedad, y cualquier analfabeto catequizado habría podido hacer la misma cosa, mientras que su nuevo credo, transformado rápidamente en dogma del cual sólo le hablaba a Lina, le daba la impresión de formar parte de un grupo de elegidos. ¿Dónde estaban esos hombres capaces de descubrir la verdad y sufrir las consecuencias de una tal revelación? Ocultos. De mostrarse, la sociedad los habría aplastado. La sociedad quería explicaciones simples, tranquilizadoras, un Dios todopoderoso velando sobre sus hijos desde la inmensidad del cielo, una razón de ser para la vida y para la muerte; atreverse a afirmar el absurdo de la una y de la otra a nivel individual, puesto que ambas eran la minúscula reproducción del proceso al cual el universo entero estaba condenado por una ley inherente a su esencia, no sólo significaba correr el riesgo de despertar en la gente una oleada de cólera, sino además, y en el mejor de los casos, de conducirla a reflexiones de donde podía surgir un desorden descomunal retardando la marcha hacia la entropía liberadora a cuya realización se encaminaban los esfuerzos de las personas que compartían la lucidez de Beatriz. El regreso a la no existencia requería, pues, una disciplina absoluta, quienes lo sabían, formaban la élite de la Humanidad.

Durante años Beatriz creyó que aquel conocimiento debía reflejarse de alguna manera permitiendo a los iniciados reconocerse entre ellos como lo hacían los miembros de una secta masónica; al no advertir ninguna modificación visible en su persona, ninguna marca o estigma capaz de revelarla, pensó que el rigor de su conducta daría fe de su condición, y se puso a esperar el signo a través del cual los otros elegidos vendrían a su encuentro; después de mucho soñar con cartas que no llegaban y gestos que nadie hacía, se hizo fabricar por un joyero un curioso dije de oro cuyo grabado ella misma había dibujado, donde se veía el símbolo del infinito englobando emblemas religiosos y fórmulas matemáticas. Finalmente llegó a la conclusión de que en Barranquilla, ciudad de mestizos y prófugos (?), no sabía nadie inclinado a considerar las cosas del espíritu, y se resolvió a asumir sola el peso de la verdad. Tenía quince años.

Su convicción de haber descubierto el absoluto conllevaba ventajas e inconvenientes; las primeras se habían manifestado de inmediato y se explicaban por la seguridad que tenía en sí misma: una sorprendente facilidad de aprendizaje con la cual absorbía en media hora de estudio las tareas de cada día pudiendo así dedicarse a la lectura; un afiebrado dinamismo intelectual de donde surgían a veces análisis sutiles, corrosivos como ácidos; un cierto estoicismo frente a la soledad. Todo eso, en medio del obstinado rechazo que oponía a cuanta idea viniera a contradecir las suyas. No eran muchas, felizmente. El mundo en el cual le había tocado hasta entonces vivir estaba marcado como ella por el maniqueísmo y, en los años cincuenta, dos ideologías se disputaban el monopolio de la verdad: la religión, fuese cual fuese, con su único Dios animado de tendencias homicidas hacia quienes pretendieran negarlo, reflejo del padre arbitrario exigiendo de sus hijos la más servil sumisión, refrenando en ellos la sexualidad para cortar por lo sano cualquier veleidad de independencia; eso, y un pensamiento materialista que había encontrado en el comunismo su mejor expresión, con otro patriarca barbudo a la cabeza, cuyas ideas, no siempre conformes a la realidad y deformadas hasta dar lugar a una nueva doctrina, creaban al ser llevadas a la práctica un clima de miedo y represión que, de memoria de hombre, sólo habían provocado los tribunales inquisitoriales de la Edad Media. Las dos ideologías convenían a Beatriz: ambas tenían necesidad de apoyarse en la familia si querían establecer en nombre de sus principios alguna forma de poder; una y otra tendían a eliminar ese factor de disturbio que representaba la pretendida libertad humana. Así de simple. ¿Y sus fundadores, los mesías, profetas y revolucionarios que invocando el dios de sus ancestros o el credo materialista luchaban por una sociedad más justa? Humildes instrumentos al servicio de una ley de la cual nada sabían. Bastaba observar cómo se desmoronaban las esperanzas al contacto de la realidad, cómo morían las ilusiones cuando la utopía cedía el lugar al gobierno de las cosas.

Oyéndola hablar, Lina se sentía anudada de impotencia: no encontraba nunca argumentos capaces de hacerle frente a semejante discurso y carecía de la disciplina mental con la cual Beatriz memorizaba fechas, datos y cifras para convertir sus ideas en falanges victoriosas. El mismo desaliento la invadía al escuchar las peroratas de sus tíos creyentes y, años más tarde, de los comunistas que conocería en la Universidad. Ignoraba entonces, y sólo lo descubriría mucho después, el horrible tributo exigido por cualquier dogma, divinidad caníbal que comenzaba devorando el corazón de sus adeptos y terminaba extinguiendo en ellos toda actividad intelectual. Beatriz había abrazado la causa del absoluto demasiado joven, con excesivo rigor, sin haber aprendido a sonreírse a sí misma. La convicción de su superioridad le había dado, sí, un sentimiento de omnipotencia del cual sacaba la energía que le permitía imponerse en el colegio, realizar sus objetivos. Pero, una vez en posesión de la verdad, fuente de tantas gratificaciones, debía conservarla integralmente, a cualquier precio, evitando el riesgo de exponerla a la crítica de los demás. Y los demás podían ser, no sólo sus allegados, Lina incluida, sino también los libros que vehiculaban opiniones diferentes o preguntas subversivas. Así, poco a poco, dejó de leer, sus ideas perdieron el destello de una inteligencia animada por la pasión, su discurso se fue empobreciendo hasta volverse una letanía de preceptos negativos. Negativos, pero feroces, obligándola a atacar como víbora a quienes osaran transgredirlos. Si la ebullición mental se había enfriado, el odio de donde había surgido permanecía intacto.

De allí las crisis de Beatriz cada vez que la conducta de alguien la contrariaba, la de sus hermanos, sobre todo. Entre ella y el menor había una diferencia de casi ocho años de edad, exactamente el tiempo que pasó la tía enervada del misticismo envenenando la vida del convento en el cual realizó su último y desastroso noviciado antes de llegar a casa de la Nena y encargarse de la educación de Beatriz. No habiendo recibido, pues, la influencia de aquella alocada solterona, iniciados tempranamente a los juegos amorosos, los hermanos Avendaño mostraban un gusto instintivo de la libertad y conciliaban restriccio-

nes sociales y placeres personales con una habilidad que despertaba
en Beatriz la cólera más terrible. Todos habían regresado ya de Bogotá y se divertían de lo lindo en fiestas ceremoniosas o parrandas de
burdeles; a veces tenían novias, elegidas entre las raras muchachas
más o menos liberadas de la burguesía, en fin, las que habían estudiado
en los Estados Unidos o poseían un fuerte temperamento. Y con ellas
organizaban reuniones en su casa creando un ambiente cálido de luces
tamizadas, boleros y blues, silencios y susurros. Beatriz se encerraba en
su cuarto ardiendo de indignación: no podía prohibirle a sus hermanos recibir a sus amigas y tampoco encontraba razones para hacerlo;
finalmente el orden tan anhelado exigía el matrimonio y éste, a su vez,
pasaba por el noviazgo. Pero el mal estaba allí, en el ansia de esos cuerpos acariciándose so pretexto de bailar en un salón mal iluminado, tan
oscuro como la ciénaga donde, cuatro años atrás, ella había conocido
los primeros aruños del deseo. Acorralada por la contradicción de su
propia lógica, sintiendo expresarse en los otros los apetitos que con
tanta crueldad reprimía en sí misma, Beatriz convertía la anorexia en
instrumento de venganza. Si hubiera sido inquisidor o comisario político habría creado un clima de terror digno de figurar en los anales de
la historia. No era el caso ni lo sería jamás: había nacido mujer, había aceptado a ultranza la ley masculina; sin ella saberlo, el poder le
había sido confiscado al instante de venir al mundo, y lo poco que de él
le quedaba, su rabia contra la vida lo había destruido. Frente a la realidad, de nada le servía su ilusión de pertenecer a una casta de elegidos,
invisibles por necesidad y, en consecuencia, incapaces de consolarla con
su presencia o levantarle el ánimo cuando se abrían las negras alas del
pesimismo. Qué atroz le parecía entonces la existencia, qué inútiles sus
esfuerzos de mostrar a través del ejemplo de su conducta la vía a seguir. De pronto, todo el mundo se le antojaba animado por el propósito de sembrar el caos y en esos momentos un gesto o una simple frase bastaba para precipitarla en esas crisis que provocaban la consternación de quienes, en toda ignorancia, la habían ofendido.

En vano Lina tomaba la defensa de los hermanos Avendaño insistiendo en que todos los hombres de su edad y condición se comportaban
de la misma manera: Beatriz les atribuía la secreta intención de mortificarla mofándose de sus principios, sin reconocer que de éstos nadie
sabía mayor cosa pues su suspicacia le impedía exponerlos con claridad.
A lo sumo, sus hermanos la consideraban una mojigata destinada al
convento, la niña malograda por una educación represiva, a quien más
valía dejar de lado a fin de evitarse complicaciones; en su fuero interno le reprochaban a su padre el haberla expuesto a las chifladuras de
aquella tía cuya llegada había suscitado la inmediata huida de ellos a
Bogotá; pero a las crisis de Beatriz, como al misticismo de la Nena, les
oponían un rechazo instintivo que se expresaba en humor, no sarcásti-
co, sino distante y más o menos afectuoso, esgrimiendo la típica desenvoltura de costeños inclinados a tomar en broma las cosas de la
vida a fin de sacarle a ésta el mejor partido posible. Lejos estaban de
imaginar las elucubraciones de Beatriz sobre ellos, cómo los espiaba
escuchando sus conversaciones telefónicas, escudriñando sus papeles,
incluso sus prendas íntimas; de noche se deslizaba por los corredores

pegando el oído a las puertas para escuchar sus diálogos; cuando por
azar se referían a ella, empezaba a darle vueltas y vueltas a la frase
captada deformándola de tal modo que, de inofensiva banalidad, se convertía en insulto; aun si la crisis no se producía, aquel proceso de ru-
mia dejaba en su ánimo una estela de rencor que la volvía agresiva hasta el punto de exacerbar a sus hermanos. Algo parecido le ocurría con
todo el mundo, pero la reacción de la gente no estaba inhibida por ninguna forma de sentimientos fraternales; si la dejaban tranquila en
«La Enseñanza» era, en buena parte, gracias a la protección de las monjas, sus naturales aliadas, y, también, porque después de la experiencia del subibaja, había aprendido las virtudes de la prudencia.

Fuera del colegio, en cambio, la hostilidad que despertaba podía
revelarse inquietante. Beatriz la percibía de manera mágica, asocián-
dola a una especie de involuntario e ineludible resentimiento ante la
superioridad de su espíritu. Y algo de irracional había realmente en
la conducta de la gente frente a ella, como si su personalidad estuviera cargada de un carisma negativo, que abolía las oposiciones individuales para crear el grupo, la horda empujada por una marea de aversión demoliendo las frágiles convenciones sobre las cuales reposaba la
vida social; quizá porque se la sentía intransigente ante cualquier forma de compromiso, irreductible, tan incapaz de incorporarse a un
grupo, que su sola presencia lo hacía surgir. Lina había sido testigo
de uno de esos ataques infames contra ella, parecido al que había sufrido Catalina en el «Country» durante el reinado del periodismo. Catalina, sin embargo, se había ofrecido a la venganza de la burguesía al
encarnar el fantasma mil veces odiado de Divina Arriaga, ingenuamente, pero a través de un gesto activo, la soberbia exhibición de su belleza,
mientras que Beatriz se había limitado a no intervenir en un juego,
como la propia Lina y tantas otras invitadas al paseo a Puerto Colombia de aquel día. Cierto, no había sido un día corriente; hacía demasiado calor, una amenaza de lluvia estaba pesando desde el amanecer
en el aire; y luego, la tensión había aumentado cuando las madres encargadas de vigilarlas encontraron casualmente a Elvira Abondano
haciendo el amor con su novio entre los troncos arrojados por el mar
sobre la playa. Aquello les produjo tanto horror que, entre la urgencia
de ocultar un escándalo susceptible de devolverse contra ellas como
un bumerán, y las diligencias emprendidas para enviar a la culpable
lo más pronto posible a su casa, les dejaron a las otras el tiempo de
organizar el muy prohibido juego de la botella. Un juego que practicaban a la primera oportunidad, muchachos y muchachas se sentaban
en el suelo formando un círculo en medio del cual hacían girar una botella vacía; cuando ésta cesaba de moverse, la orientación del gollete
señalaba a la persona que debía levantarse para ir a besar a un jugador del sexo contrario, facilitando así amores, reconciliaciones y el medio de vencer poco a poco la timidez. Algún día Lina pensaría que sus
amigos habían instituido sin saberlo una dinámica de grupo encaminada a desinhibirlos sexualmente anulando la culpabilidad, puesto que
todo dependía del imprevisible movimiento de una botella y la regla
estipulaba que, si un jugador podía abstenerse de actuar a su vez, estaba, de todos modos, obligado a dejarse besar por otro decidido a

utilizar sus derechos. Era justamente esta cláusula lo que siempre había retenido a Lina, quien no confiaba mucho en el azar. Para Beatriz, que asistía por primera vez al espectáculo, el juego aquel condensaba en sí el summun de la hipocresía. Lina fue la única en conocer su opinión y, no obstante, los demás la adivinaron; imposible saber cómo ni por qué; nada en Beatriz permitía conocer sus sentimientos, ningún gesto ni mirada traicionaba su desaprobación; permanecía en su silla muy tranquila, y tranquila subió al bus en el cual iban a regresar a la ciudad. Eran ya las siete, la noche había caído; de repente estalló el bombillo que alumbraba el interior del bus y una turba de muchachos y muchachas enfurecidas le cayó encima golpeándola salvajemente; al comprender lo que ocurría, Lina empezó a abrirse paso hacia donde la había visto sentarse repartiendo puños y patadas sin contemplaciones; todo ocurría en medio de un silencio sorprendente; a medida que avanzaba caminando casi sobre los cuerpos de sus amigos, ellos retrocedían como si tuvieran miedo de ser identificados; por eso, al final sólo pudo reconocer a uno de los agresores, una muchacha de quien le quedó un mechón de cabellos rubios en la mano. El regreso a Barranquilla, Beatriz lo hizo en silencio, acumulando su energía para el previsible desmayo que no se produjo, por la simple razón de que su padre estaba ausente de la casa. Mientras ayudaba a la Nena a untarle pomadas sobre las contusiones, Lina aventuró la explicación de la víctima propiciatoria, elegida arbitrariamente y martirizada a fin de descargar a la comunidad de sus pecados: una pareja había sido sorprendida aquel día haciendo el amor: todos ellos se habían sentido más o menos culpables. Beatriz se limitó a sonreírle con un aire indulgente, los hermanos Avendaño ni siquiera la miraron; heridos en su amor propio, resolvieron lavar la afrenta a su manera y así, uno tras otro, todos los muchachos que habían asistido al paseo fueron retados y abofeteados pagando justos y pecadores y reforzando en Beatriz el sentimiento de sólo poder contar con su familia.

Rehabilitados por aquel gesto de solidaridad, los hermanos Avendaño salieron momentáneamente de la mira obsesiva de Beatriz, quien, a falta de presa a su alcance, dirigió su atención sobre el comportamiento de las sirvientas. No había reparado antes en ellas juzgándolas a priori irrecuperables, pues habían nacido del pecado y en el pecado procreaban con la misma desvergüenza que las hembras del mundo animal. Y a animales las había asimilado durante los primeros siete años de su vida, mientras estuvo bajo la influencia de la novicia frustrada para quien una esencia diferente los separaba a ellos de la gente de color. Los Avendaño habían sido rubios y blancos desde su aparición en el mundo, habían llegado a la península Ibérica al frente de sus tropas defendiendo las causas más nobles; junto a la reina de Castilla guerrearon contra los cobrizos moros después de haberlos combatido en las Cruzadas dos siglos atrás enarbolando el fiero jabalí de sus blasones; antepasados suyos contrajeron lazos matrimoniales con las mejores familias de Europa y algunos pudieron imprimir casco sobre sus figuras heráldicas; se distinguían por su sentido del honor y su coraje, no traicionaban jamás un juramento. ¿Qué los ligaba, pues, a esos bastardos tiznados por la débil sangre del indio caribe y la endiablada del esclavo negro? Nada, en fin, la tía no veía ninguna relación, aun si el sentido común le aseguraba que afinidades había y si su propia religión la obligaba a considerarlos hermanos. Beatriz los percibía tan distantes de ella que, si alguien se hubiera tomado el trabajo de explicarle la noción de especie, les habría asignado, sin maldad alguna, el lugar del eslabón perdido. Sin embargo, le confiaría asombrada a Lina, las sirvientas la fascinaban en su infancia: soñaba con ser una de ellas y tener cantidades de trapos y cosas inútiles: quería llevar el pelo largo, untarlo de aceite y peinarlo durante horas frente a un espejo roto; y fumar colillas y bañarse en perfumes penetrantes. Las sirvientas llevaban una existencia de gitanas; aparecían en el Prado viniendo de ese más allá maléfico donde su tía veía campear ladrones y prostitutas; vestidas con trajes de colores chillones, iban de puerta en puerta solicitando un empleo que les permitiría decirle adiós a la pobreza, al eterno picoteo de hambre en el estómago, a la promiscuidad de una choza insalubre en la cual dormían por el suelo hombres, perros, gallinas y, a veces, un cerdo contemplado codiciosamente cada noche, reservado para horas más duras. En el Prado obtenían de inmediato cama, comida, uniformes, un salario que podían ahorrar o gastar en fruslerías. ¿Por qué, entonces, partían? Al cabo de unos meses, por un quítame allá esas pajas, metían en una maleta de cartón todo cuanto habían comprado o recibido como regalo, y regresaban muy ufanas a sus barrios miserables. Pereza, decía la tía. Lujuria, afirmaba Beatriz, sin tratar de considerar ni siquiera un instante la opinión de Lina, quien veía en la conducta de las sirvientas un ansia de libertad tan irrefrenable que cualquier bienestar material era sacrificado al placer de mandar al diablo a sus patronas recuperando de paso una dignidad perdida inexorablemente en la servidumbre. Inútil: las sirvientas habían surgido en el horizonte de Beatriz trayendo consigo la imagen del desenfreno: miles de adolescentes eran vendidas cada año a hombres sin escrúpulos o perdían su virginidad con el amante de sus madres; a los quince años cargaban ya un hijo y a los treinta, arrastraban una prole concebida de numerosos progenitores aumentando así la miseria y el desorden de la sociedad. Contra su libertinaje nada se podía, hasta la propia iglesia había fracasado. Y cuando, empujadas por el hambre, encontraban al fin un trabajo honesto, gastaban su sueldo en polvos, coloretes y perfumes para atraer a los hombres y de ese modo iniciar otro maldito ciclo de concupiscencia que se terminaría por un nuevo embarazo y la pérdida inmediata del empleo. No, la libertad exigía una inhibición total de las pulsiones animales para adquirir ese control de sí mismo a partir del cual el individuo podía elegir en plena lucidez. Las sirvientas no elegían: en pos de pasiones momentáneas pasaban de un amante a otro procreando sin responsabilidad alguna. Pero, sobre todo, pecaban, o dicho en términos profanos, esparcían el virus de la impudicia adonde fueran, contagiando incluso a a la gente del Prado.

Fue entonces cuando Beatriz cortó sus últimos (y maltrechos) lazos con la religión para interesarse en el maoísmo, única doctrina cuya práctica se encaraba al problema de la reproducción asignándole a cada mujer un hombre y un número limitado de hijos. Años más tarde, su convicción de que el continente latinoamericano se convertiría en

un hormigueante vivero humano como la China, la llevó a simpatizar
con los primeros maoístas de la ciudad inclinados al terrorismo hasta
el punto de dejarles esconder explosivos y armas en su casa de Puerto
Colombia. Pero nunca fue del todo marxista, en la medida en que veía
en las masas un simple instrumento del líder, individuo capaz de imponer sus convicciones morales a fuerza de tenacidad. De esa conjetura
le vino la idea de emprender una campaña de purificación a escala reducida, llevando por lo pronto la buena palabra a las empleadas de sus
parientas más próximas, sus tías Avendaño, quienes al principio le dejaron carta blanca atribuyendo a su edad tanto candor, y luego, al comprobar los resultados desastrosos de la experiencia, le pidieron cortés-
mente limitarla a las sirvientas de su propia casa. La pobre Nena se
encontró, pues, de golpe, sin servicio: ninguna muchacha quería trabajar para una familia en la cual la hija de la patrona se permitía inmiscuirse en su vida privada, espiándola, cuando salía de noche al
jardín, a fin de cerciorarse de que, tal como ella se lo había aconsejado, no recibía visitas nocturnas ni se permitía galanteos entre el refugio de los árboles. Esas dos horas de libertad, ganadas después de un
trabajo incesante, constituían, menos una búsqueda de placer, que
la recuperación del cuerpo extraviado en labores serviles; reunidas en
grupos, al fresco de la noche, las sirvientas del barrio tenían entonces
la impresión de escapar a la voluntad de unas amas que añoraban sin
saberlo los felices tiempos de la esclavitud y descargaban sobre ellas
la agresividad inhibida frente a padres y maridos, descargaba a partir de las ocho de la noche, cuando se abría la tregua indispensable
para reiniciar la lucha del día siguiente, con sus dos bandos bien separados por una zona neutra, establecida a partir de las terrazas, donde las señoras se sentaban en mecedoras comentando el último chisme
o cualquier banalidad, mientras del otro lado del jardín, en el sardinel,
las sirvientas desvelaban la intimidad de la familia refiriendo iróni-
camente los incidentes de los cuales habían sido testigos durante la jornada. Las unas reposando junto a banderolas de nombres abstractos
que les habían servido para soportar el aburrimiento de un día más,
abierto sobre la noche sin esperanza, envejecidas no sólo en sus cuerpos, sino también, en esa región del espíritu de donde surgían sueños
e ilusiones; las otras excitadas y sonrientes, recobrando un soplo de
juventud a la espera de los soldaditos que pasarían a visitarlas antes
de regresar al cuartel a medianoche. Entre ellas el jardín, zona vedada a las primeras (los carteles, aunque abatidos, seguían al lado), prohibida por éstas a las segundas, inútilmente, pues nada en el mundo les
impediría violarlo en compañía de sus amantes, desenterrando plantas
y estrujando la hierba hasta lograr el breve y salvaje espasmo que
restablecía algo parecido a la justicia. Todo cuanto les había sido robado en la casa a lo largo del día, ellas lo recobraban de noche en el
jardín, golosamente, y con humor, porque advertían en la oscuridad de
su inconsciente el precio pagado por las otras para sentarse en las
mecedoras de la terraza (junto a las banderolas inertes). Ese compromiso venido del fondo de los años, desde que una persona tuvo los medios de hacerse servir de otra, y humillarla, Beatriz pretendía abolir-
lo en nombre de principios con los cuales encubría simplemente su de-

sesperación. Lo peor era que la ansiedad de comprobar si las sirvientas seguían o no sus instrucciones, la hundía cada vez más en la atmósfera lujuriante de los jardines: detrás de una ventana del tercer piso de su casa, armada de prismáticos, observaba los nocturnos amores hasta donde se lo permitía la oscuridad, escuchando risas y gemidos con el cuerpo contraído de angustia; de aquellas expediciones descendía exacerbada y llena de rencor contra la culpable: la crisis no estaba lejos; la crisis, o una nueva sesión de consejos y reproches que llevaría a la muchacha a pedir el mes y despedirse.

Aquella situación se había repetido ya diez veces cuando Armanda, la sirvienta de doña Eulalia del Valle, cansada de sus gimoteos, resolvió abandonarla y entró a trabajar para los Avendaño. En posesión de todas las aguamarinas ofrecidas a Dora por Andrés Larosca y de los broches que en tiempos lejanos le regalara el doctor Palos a doña Eulalia, Armanda había comenzado a plantearse algunas preguntas sobre la solidez del dinero y la manera más eficaz de conseguirlo; no era ella quien iba a echar en saco roto las recomendaciones de una jovencita maniática si venían acompañadas de ciertas recompensas: apenas captó las aprensiones de Beatriz, resolvió negociar noche tras noche su honestidad con ella, persuadida de que más valía prescindir de los placeres del jardín si, a cambio, obtenía las cadenas y pulseras de oro guardadas en su joyero. Beatriz estaba dichosa: por unos objetos, a sus ojos despreciables, podía al fin arrancar del vicio a una sirvienta y ofrecerla como modelo a las demás. Al cabo de seis meses, Armanda se había convertido en su cosa: la exhibía, la presentaba, la llevaba al cine; después de enseñarle a leer y a escribir, le pidió a la asombrada Nena dejarle a Armanda las tardes libres para que se dedicara a estudiar. Por último, decidió entrar en contacto a través de ella con las otras sirvientas del Prado organizando seminarios de reflexión en los cuales se disertaría sobre las ventajas de una vida comedida. Aquello iba más allá de las posibilidades de Armanda, quien presintiendo el peligro, desvió la atención de Beatriz hacia lo que ocurría en casa de sus nuevos vecinos, los del Puma.

Con aquel apellido a cuestas, Evaristo del Puma habría debido encerrarse en un convento de monjes trapenses a fin de evitar las contrariedades que naturalmente le estaban reservadas. Lo hizo a medias, apocándose cuando pudo en el colegio, donde era el hazmerreír de sus condiscípulos que lo retaban a demostrar su coraje y terminaban moliéndolo a golpes exacerbados por su cobardía; para huir de ellos, se refugió en una modesta escuela de comercio y con un incierto diploma de contabilista inició su vida profesional. Tímido y pequeño, del tamaño de una ratica, se habría quedado en esa insípida clase media que tan bien convenía a su carácter si el destino (o la más aberrante inconsecuencia consigo mismo) no lo hubiese llevado a desposar a una de las Sierra, mujeres de fuerte temperamento, harto precoces y no menos tenaces, pues decían adiós a la adolescencia a los nueve años y eran capaces de concebir a los sesenta. La gente decía que de hallarse en sus cabales el padre de Lucila Castro cuando Evaristo del Puma la conoció, el matrimonio aquel jamás se habría realizado, porque todo hombre casado con una Sierra y habiendo tenido hijos de ella, conocía de sobra la cantidad de vigor moral y físico que era necesario desplegar para complacerlas. Desdichadamente el padre de Lucila era entonces un anciano desgastado por infinitos años de frenesí conyugal y desesperada lucha contra los ardores de las hijas mayores, a quienes, sin embargo, había logrado unir a hombres que poseían, como él en su juventud, la corpulencia de toros. Y sus apetitos. La boda, pues, tuvo lugar. Evaristo y su corbatín de contabilista fueron digeridos en un año, tiempo durante el cual Lucila dio a luz su primer hijo y comprobó de una vez por todas que ese marido estaba hecho de una sustancia diferente a la suya. Comenzó así la ronda de los amantes. Muchos. Tantos, que Evaristo del Puma prefirió alejarse de la ciudad so pretexto de cobrar las deudas contraídas por los campesinos del Magdalena con la firma para la cual trabajaba; volvía a casa a fin de mes, precedido de un telegrama detallando la hora precisa de su llegada y los días que permanecería en Barranquilla; una vez encontró a Lucila embarazada y no hizo el menor comentario; nueve meses más tarde asistía al bautizo de Leonor y se instalaba definitivamente en un pueblo a orillas del río.

Fue después que una herencia permitió a Lucila Castro comprar la casa vecina a la de Beatriz y alojar en ella a aquel negro suyo. Era un hombre inmenso y tranquilo que caminaba con la gravedad de un rey africano; solía pasar el día semidesnudo, cubiertas sus vergüenzas de un *short* amarillo, y sólo se vestía al atardecer, cuando salía a negociar de carro en carro los favores de su patrona. En efecto, ya en esa época Lucila Castro había descubierto que el placer podía convertirse en fuente de ingresos conservando su carácter de maravillosa recompensa ofrecida por el buen Dios a quienes aceptaban en su simplicidad las cosas de la vida: ella adoraba hacer el amor y los hombres lo sabían: su marido no le enviaba un centavo y los hombres no lo ignoraban. Por eso, apenas caía la tarde, iban a buscarla en sus automóviles apagando los faros a fin de no importunarse unos a otros y, en hilera, frente al sardinel de su casa, esperaban pacientemente la aparición del negro que vendría a anunciarles la tarifa de la noche, siempre imprevisible; algunos aguardaban meses enteros, por capricho de Lucila o arbitrariedad del negro, quien a guisa de explicación se limitaba a afirmar en un tono sosegado que muchos eran los llamados y pocos los elegidos. Porque él no perdía en ninguna ocasión su sangre fría, contaba Berenice embelesada; ni siquiera escuchaba mientras los otros le suplicaban intervenir en su favor: miraba imperturbable más allá de los automóviles y quizá recordaba su primer encuentro con Lucila Castro una noche de Carnaval, en ese Barrio Abajo donde ninguna mujer blanca había puesto nunca los pies; ella y su melena rojiza, sus senos pulposos, color de leche, bailando frenéticamente el mapalé como si el propio Changó habitara su cuerpo; y cuando el hombre que la acompañaba empezó a retroceder acobardado, comprendiendo, en medio de su borrachera, el error de haberla llevado allí, él, Lorenzo, se abrió paso hacia ella ahuyentando en el acto a los negros que empezaban a rodearla; a un gesto suyo la papayera cambió de ritmo, los tambores se volvieron pausados, como una queja sonó la flauta y el ardor de la mujer vino a pegarse a su piel para jamás abandonarlo. Desde entonces un lazo endemoniado los había unido sin modificar por ello las costumbres amorosas de Lucila.

Según explicaba Berenice, Lorenzo sabía que ningún hombre en el mundo podía satisfacer las ansias de una mujer que hubiera descubierto a fondo los fondos de su sexualidad y tuviera el coraje de aceptarla; además, no había noche en que al regresar, Lucila no le pidiera esperarla en la cama mientras tomaba una ducha despojándose del corroñoso olor de su amante blanco para volver a ser la lujuriante presa de Changó cuyo sagrado grito sólo él sabía reconocer. Y respetar. Sí, Lorenzo amaba a las mujeres cuando a través de sus cuerpos se agitaban las fuerzas fatales de la vida; las amaba en la fascinación más absoluta, siguiendo el imprevisible curso de sus deseos, la fantasía vertiginosa de sus pasiones: y respetuosamente, con esa veneración que un viejo marino siente por el mar. Los otros podían quedarse en tierra si no se atrevían a afrontar el riesgo. No él: toda su infancia había nadado en las aguas verdes de la isla caribe donde nació, abandonándose a las corrientes cruzadas de tiburones, a las enormes olas que estallaban en espuma sobre la playa, sin el menor temor, le había confiado a Berenice, porque ya entonces sabía el día y la hora en que la muerte vendría a buscarlo: se lo había predicho una bisabuela suya que de un simple chasquido de dedos hacía surgir a las deidades del vudú; en un tono sentencioso, anunciándole al mismo tiempo su pasión por una mujer blanca en la cual ardería sin consumirse el fuego de su virilidad. Lucila Castro estaba ya en su pensamiento la primera vez que una de sus primas se deslizó de noche en su estera y él sintió su miembro endurecerse con una determinación irresistible; la había esperado a través de sus innumerables amores, pacientemente, hasta verla bailar entre los negros de aquella noche de Carnaval. Poco le importaba, decía, la opinión de la gente sobre sus relaciones, ni los inmundos sentimientos que despertaba en los hombres cuyos automóviles se alineaban frente a la casa al atardecer; el resto del tiempo Lucila le pertenecía, era suya el día entero, cuantas veces le viniera en gana tomarla en sus brazos y con una sabia caricia encender su deseo; ese cuerpo abandonado bajo su propio cuerpo imperioso sumía a Lorenzo en un éxtasis total dándole la impresión de haber sido señalado por el dedo magnánimo de Ochún; además, Lorenzo tenía la intención de llevársela de Barranquilla: día y noche entregada a su voluptuosidad, día y noche sintiendo sus poros dilatarse uno a uno ante su mirada apremiante, Lucila empezaba a aceptar la idea de irse a vivir con él a San Andrés invirtiendo sus economías en la compra de un negocio que les permitiera trabajar juntos. Y en esas andaban sus relaciones cuando cayó sobre ellos el ojo maniático de Beatriz.

Fue la conmoción. Descubrir junto a su puerta —aunque no en el mismo sardinel, pues la fachada de la casa de Lucila Castro daba sobre una carrera y la de ella sobre una calle— el tráfico al cual se libraba aquella desvergonzada en compañía de su amante negro, produjo en Beatriz una oleada sucesiva de desmayos. Al principio no entendió mayor cosa, es decir, la primera vez que caminó hasta el extremo de la acera y vislumbró la hilera de automóviles estacionados con sus luces apagadas, mientras Lorenzo iba de uno a otro murmurándole algo a los conductores; la astuta Armanda se había abstenido de darle explicaciones concretas, así que sólo logró establecer el hecho de que hacia las seis de la tarde muchos hombres detenían allí sus carros, discutían con el negro y, luego, todos partían, salvo uno, que se quedaba aguardando la salida de Lucila. De ella, Beatriz sabía poco, pero si estando casada se permitía semejante conducta, nada bueno se podía concluir. En plena excitación, reunió el día siguiente a los suyos a fin de exponerles sus sospechas y pedirles intervenir poniendo término al escándalo. Los hermanos Avendaño empezaban a cambiar miradas de desasosiego, cuando, oh sorpresa, la Nena intervino de manera categórica: ningún miembro de su familia iba a inmiscuirse en la intimidad de su vecina; Lucila había comprado esa casa y lo que en ella hiciera no les concernía. Aliviados, los hermanos expresaron su aprobación y Beatriz tuvo su primera crisis. Inútil, la Nena siempre se mostraría al respecto de una rara intransigencia afirmando que no podía agravarse la situación de los hijos de Lucila Castro. Puesto que tal era su convicción, Beatriz decidió entonces espiar a aquellos niños hasta encontrar una prueba susceptible de confirmar su infelicidad. Pero sus esfuerzos no dieron resultado: Rafael, el mayor, había sido recuperado a la fuerza por Evaristo del Puma e internado en un colegio religioso del cual se escapaba cuantas veces podía para ir a ver a su madre y divertirse ayudando a Lorenzo a fabricar barcos que se abrían milagrosamente al interior de botellas de vidrio. En cuanto a Leonor, que asistía a una escuela laica, parecía más bien contenta de su suerte; era una niñita espigada, de ojos muy negros, con el don de atraer a los animales; le gustaba permanecer en el patio de su casa, transformado en diminuto zoológico, observando el ir y venir de micos, pájaros, palomas y pavos reales, siempre acurrucada entre los brazos de Lorenzo. Eso lo había descubierto Beatriz después de haber abierto un agujero en el muro que separaba los dos patios. Para atisbarla, se acostaba sobre la tierra y pasaba horas enteras vigilando a la pareja, el negro y la niña que cuidaban juntos los animales o regaban las plantas o simplemente dormían abrazados bajo un tamarindo. Una tarde, uno de los perros de Lucila Castro se abalanzó sobre el agujero revelando su existencia a punta de aullidos. Mujer de armas tomar, Lucila se presentó en casa de los Avendaño decidida a saber cuál de sus sirvientas se permitía tamaño atrevimiento; la recibió la Nena, quien al comprobar con sus propios ojos que el agujero en cuestión había sido practicado a partir de su patio, se excusó ante ella aturdida de humillación prometiéndole mover cielo y tierra hasta desenmascarar a la culpable. Armanda no resistió al interrogatorio de los hermanos Avendaño. Beatriz se vio obligada a reconocer la verdad. En ese instante se abrió la brecha que iba a separarla trágicamente de su familia.

No lo advirtió, ni entonces ni durante mucho tiempo. De regreso de la clínica adonde la había conducido su enésima anorexia, se sintió rodeada de una desconfianza glacial, pero no explícita, cuyos contornos sólo logró discernir demasiado tarde. Ignoraba que en su ausencia, los Avendaño habían puesto las cartas sobre la mesa expresando al fin sus sentimientos sobre la inadmisible conducta de aquella hermana empeñada en catequizar a las sirvientas y espiar a los vecinos. Beatriz les había vuelto la vida insoportable y sus crisis revelaban un desequilibrio mental. Después de años de silencio, la frase había sido pronunciada. Llorando, la Nena oyó hablar a su marido y a sus hijos, sin atreverse, no obstante, a contradecirlos; incluso ella, a quien tantos sufrimientos habían vuelto sensible a los problemas de los demás, no podía comprender la obstinación de Beatriz en demostrar lo que todo el mundo veía y prefería callar por caridad cristiana, a saber, que Lucila Castro se prostituía desde que su marido la había abandonado, dejándola sola, con una niña condenada a seguir sus pasos si la maledicencia pública la acorralaba. Había personas en la ciudad, entre las antiguas familias que habían logrado conservar fortuna y privilegios, que mantenían una cierta reserva cuando estaba en juego el porvenir de un niño. La Nena era una de ellas. Imaginar a Beatriz, tirada en el suelo junto a una sirvienta, acechando durante horas el patio de Lucila Castro, la sumía en la consternación: ningún Avendaño (del marido, Jorge, hacía abstracción) se había permitido jamás comportamiento más innoble, tan ajeno al espíritu caballeresco de la familia. Sin embargo, le costaba aceptar la solución sugerida por el doctor Agudelo a su marido, enviar a Beatriz a un internado de monjas, lejos de los conflictos de donde surgían sus crisis, y organizar el viaje de tal modo, que no pareciera una forma de rechazo o castigo. La Nena no quería separarse así no más de su hija y, sin su colaboración, el objetivo del proyecto no sería alcanzado. Así pues, mientras esperaban su consentimiento, los hermanos Avendaño empezaron a reunir datos sobre los colegios religiosos que se adaptaban al puritanismo de Beatriz. Entretanto, la Nena había decidido darle un ejemplo de tolerancia obligándola a acompañarla a casa de Lucila Castro con una canasta de frutas y bombones para Leonor, a fin de presentar nuevamente sus excusas y confirmarle la partida de Armanda. De esa visita, Lucila fue la más sorprendida y para darle las gracias le regaló a Beatriz una marimonda que alguien le había ofrecido aquella misma tarde.

El miquito debía de estar acostumbrado a cambiar de residencia, pues muy pronto se familiarizó con el patio de los Avendaño convirtiéndolo en su territorio. Era divertido verlo saltar de un árbol a otro y hacer toda clase de piruetas por una ciruela madura, su golosina preferida; los hermanos Avendaño le construyeron un refugio contra la lluvia y Lina le llevaba mamones de vez en cuando. Pero Beatriz lo odiaba: nunca había convivido con un animal y se sentía invadida de asco ante su desenvoltura; además, le daba miedo: ese ser extraño, tan diferente y, sin embargo, tan semejante a ella, parecía compartir sus emociones, imitar sus gestos y, más terrible aún, examinarla: sus ojos no le devolvían la mirada colérica o servil de un perro, ni sus pupilas, la breve y señorial indiferencia de un gato. No, sus ojos la observaban tratando de captar sus sentimientos hacia él, pobre miquito condenado a buscar la simpatía de sus nuevos dueños; tal vez sólo esperaba que ella aceptara su presencia para poder librarse con seguridad al placer de balancearse entre los árboles; y espulgarse concienzudamente; y escuchar estupefacto los ruidos que salían de la casa, sobre todo, los de ese objeto donde giraba una cosa redonda y negra cuya inspección le había valido la peor nalgada de su vida. Eso, recibir castigos por tirar al suelo algo que hubiese atraído su curiosidad, formaba parte de las relaciones con los hombres: seres bien imprevisibles, a veces peligrosos, aunque jamás, en toda su experiencia de marimonda, había encontrado uno de ellos tan irritante como esa muchacha que ahora lo vigilaba sin el menor asomo de amabilidad y esgrimía contra él un palo si intentaba comerse las frutas del ciruelo. En efecto, Beatriz había decidido educar al mico controlando su apetito y enseñándole a hacer sus necesidades en una bacinilla; del patio venía a cada rato su voz furibunda, seguida de chillidos exasperados y del zafarrancho de un animal huyendo desesperadamente entre las ramas de los árboles. Luego ocurrió un incidente del cual ella dio una versión más bien confusa: buscando atraparlo, lo había herido sin querer y, desde entonces, era víctima de su obscena animosidad; herida había habido, cierto, bajo la espesa y rojiza cola, y muchas mañas había empleado la nueva sirvienta de los Avendaño para arrancarle de la cabeza la bacinilla al mico: según Beatriz, él mismo se la había puesto para burlarse de su autoridad. Pero resultaba difícil imaginar al macaco saliendo de su refugio nocturno, trepando a la ventana del cuarto de Beatriz y quedarse allí, muy quieto, mirándola fijamente hasta despertarla; más increíble aún, atribuirle la intención de aterrorizarla masturbándose delante de ella. Sobre la veracidad de aquellas afirmaciones, los hermanos Avendaño discutieron toda una tarde sin conseguir ponerse de acuerdo; al fin convinieron en organizar una guardia nocturna a escondidas de Beatriz, es decir, en observar a la marimonda durante la noche para comprobar si, en realidad, se atrevía a tanta desfachatez. La cuestión les parecía bastante seria: o bien aquel animal era vicioso, o bien el desequilibrio de Beatriz se había agravado; como la oyeron gritar de pavor una noche sin descubrir la presencia del macaco en su ventana, optaron por la segunda hipótesis resolviendo apresurar su viaje al Canadá, donde habían encontrado un colegio conveniente mientras la Nena lloraba encerrada en el baño y Lina, familiarizada con los animales desde su infancia, especulaba sobre la inteligencia de aquel monito. Pero lo que decidiría el viaje provocando el definitivo horror de los Avendaño, fue el segundo episodio del agujero, por así decir, cuando un domingo, después del almuerzo, Beatriz entró en el salón donde su familia tomaba el café y, antes de vomitar, llorar y finalmente perder el conocimiento, juró haber visto, a través de un nuevo orificio practicado por ella en la pared del patio, a Lorenzo acariciando con sus labios el sexo de Leonor. Aquello produjo un verdadero caos: mientras Jorge Avendaño telefoneaba a la clínica y la Nena estallaba en sollozos uno de los hermanos se precipitó al patio y examinó la pared hasta dar con el agujero para descubrir a Leonor balanceándose inocentemente en un columpio que Lorenzo empujaba. No había duda posible: Beatriz estaba loca. Aquella misma tarde se decidió su viaje al Canadá y Lina regresó a su casa con el macaco, a quien su abuela dio el pomposo e inmerecido nombre de *Merlín*.

Seis meses habían transcurrido cuando la marimonda volvió a mostrarse impertinente contradiciendo el viejo adagio según el cual, cada mico sabe en qué palo trepa. Presentada en sociedad, Lina solía salir a cócteles y fiestas casi todas las noches, en vez de quedarse leyendo en una mecedora de la terraza del patio, con *Merlín* abrazado a sus rodillas. Era evidente que a *Merlín* le disgustaba aquel ajetreo mundano del cual estaba excluido, pues manifestaba su desaprobación de mil maneras posibles, desde chillar como un condenado entre los árboles cuando ella empezaba a arreglarse, hasta tirar sobre su tocador pepas de frutas y otras inmundicias. Luego los Carnavales llegaron y Lina, nombrada princesa de la reina, regresaba siempre de madrugada después de haber bailado la noche entera, con tantas ganas de dormir que, apenas se desmaquillaba, caía en la cama rendida de cansancio. Aquello constituía un ultraje para *Merlín*, quien decidió vengarse utilizando sus malos modales: un amanecer, Lina vio a Beatriz en sueño, tal como la había visto el día de su partida a Quebec: muy digna, pero mirándola con una callada desesperación; en su sueño, el aeropuerto se había transformado en uno de los laberintos de la Torre del italiano y Beatriz parecía aspirada por el aire de un torbellino que, en vez de subir, bajaba hacia el fondo de la tierra. Lina se despertó de golpe. Y al instante vio a *Merlín* junto a su ventana, sus ojitos ahora malignos clavados en ella, una mano en la reja y otra en su sexo, masturbándose lentamente. Para darle un escarmiento, Lina llamó con un silbido al perro que no tenía raza ni nombre y *Merlín* se escapó aterrado entre los árboles. Nunca más volvió a las andadas, pero, desde ese día, Lina dejó de compartir la opinión de los hermanos Avendaño sobre Beatriz.

Desde que tía Irene se instaló en la Torre del italiano, Lina advirtió sus curiosas relaciones con los animales: no los consideraba ni un adorno ni un estorbo, ni buscaba su compañía para colmar la soledad; no pretendía de ningún modo utilizarlos, simplemente los amaba, y ellos, desde el minúsculo ratón que se paseaba sobre la brillante tapa del piano cuando no había gato por los alrededores a la imponente pareja de doberman cuyos ancestros habían asistido a la construcción de la torre, parecían sentirse bien a su lado como si la consideraran una prolongación de su propia existencia. En cierta forma no se equivocaban: tía Irene, le decía su abuela a Lina, había poseído desde la infancia la facultad de identificarse con todos los seres vivos por ínfimos que fueran, de penetrar en sus cuerpos y compartir sus emociones aumentando así su visión de las cosas y esa sensibilidad extrema, casi dolorosa, que sólo la música le permitía tolerar y únicamente en la música podía expresarse; muy pequeña, le había contado, se quedaba de repente observando el vuelo de un ave hasta dar la impresión de infiltrarse en el ave y con ella mirar desde el cielo los tejados, alejarse de la ciudad, seguir el curso del río; o de deslizarse en una hormiga y caminar bajo la tierra; o de convertirse en insecto y debatirse desesperadamente entre las redes de una telaraña. De aquellas experiencias fascinantes y angustiosas, su madre la sacaba tecleando con suavidad en el piano las notas de la partitura que había dejado de estudiar para extraviarse en la desconocida conciencia de los animales. Después pasaron los años y tía Irene debió de resignarse a admitir el aspecto despiadado de la vida, pero siempre, a Lina le constaba, se rebeló contra todo acto de crueldad: los dos sirvientes afectados al cuidado de la torre estaban obligados a dar refugio a cuanto perro hubiera sido apedreado o herido por la gente del vecindario e, incluso, a llenar hasta el tope las escudillas de los gatos a fin de evitarles a éstos, en la medida de lo posible, la tentación de cazar ratas o comerse los huevos de los numerosos pájaros que anidaban en los árboles del jardín. La Torre del italiano tenía, pues, algo de paraíso, con cantidades de mariposas revoloteando en el aire de la mañana y murciélagos que batían sus alas por los salones al atardecer. En ella las cosas habían ocurrido siempre así, aun antes de que le hubiese sido legada a tía Irene, inclusive antes de su nacimiento y del nacimiento del hombre que probablemente la había engendrado. Bastaba recorrer sus subterráneos para descubrir los viveros de vidrio donde habían reposado hasta su muerte cascabeles, tarántulas y demás especies de bichos venenosos que cualquier persona de juicio habría matado sin remordimiento alguno; ellos, los primeros habitantes de la torre, se habían limitado a ponerlos en seguridad escribiendo en latín sus nombres y el modo correcto de alimentarlos, movidos, no tanto por curiosidad o espíritu de observación, le parecía a Lina, como por el propósito de establecer una cierta armonía con la naturaleza, integrándola o integrándose a ella, a la manera de tía Irene, quien finalmente había aprendido a aceptar la vida en su totalidad. Pero si eso Lina no lo sabía entonces, o quizá, no podía expresarlo con exactitud, había intuido desde niña que había una relación entre la calidad del alma y el trato dado a los animales, como si toda elevación moral pasara necesariamente por el deseo de protegerlos o no causarles daño. De allí venía en parte su deslumbrado afecto por aquella tía, y de allí vino más tarde la repugnancia que los Freisen irían a provocarle.

No los primeros Freisen aparecidos en Barranquilla hacia 1921, dos hermanos franceses medio locos, uno incapaz de ser recuperado por la corrosiva indolencia del clima, a quien el otro encerraría en un cuarto hasta su muerte, mientras él, el mayor, emprendía contra cielo y tierra su proyecto de crear una fábrica de tejidos semejante a la que su tío le había robado en Armantieres aprovechándose de su falta de experiencia en artimañas jurídicas. Ese Freisen odiaba a los alemanes y al tío, y decía haber perdido la mano que le faltaba en la batalla de Verdún. Sin embargo, al aprender el español, empezó a hablarlo con un vago acento alemán, y era muy alto, muy rubio y muy flaco, tanto, que sobre su cuerpo desnudo un profesor habría podido dictar un curso de anatomía. Su locura, a la cual aludía, no sin humor, la había descubierto en las trincheras del campo de batalla observando a los soldados que, de pronto, bajo la influencia del terror cotidiano, empezaban a delirar como él lo había hecho a lo largo de sus primeros veinte años de vida; saberse demente, explicaba, había sido el comienzo de su salvación, pues entonces había podido encararse al enemigo agazapado en él, reconocer su discurso y hacer sistemáticamente lo contrario de lo que le indicaba: sin ir más lejos, lo lógico era haberse quedado en Francia acudiendo a un buen abogado para recuperar sus bienes, en lugar de aceptar el dinero ofrecido por el tío a guisa de compensación; y, en un país donde el veinte por ciento de los hombres jóvenes había perecido, buscarse una heredera con sólidos apoyos económicos. Pero *el Manco* Frasen —a eso iba a quedar reducido su nombre— sólo acudiría a los rigores burgueses para manejar su fábrica y convertirse en millonario. El resto de su vida fue un desafío consciente a todos los valores de abstinencia y moderación que le inculcaron en su infancia: había plantado sus lares en Barranquilla, decía, porque no había lugar en el mundo más opuesto a Armantieres, y una razón análoga, seguramente, le había inducido a desposar a Rosario Ortiz Sierra, quien había heredado de su madre un temperamento capaz de derribar cada noche los pudores inherentes al desequilibrio mental de todos los Freisen habidos y por haber, con la perversidad adecuada a sus fantasmas más contradictorios, encarnando durante el día el personaje de la mujer delicada, casi inmaterial a fuerza de refinamiento, y transformándose de noche en vampiresa habitada por demonios sedientos de lascivia.

Eso Lina empezó a sospecharlo el día que penetró corriendo detrás de un balón en el dormitorio de los padres de Maruja Frasen, la primogénita del matrimonio, y fue sorprendida por la cantidad de objetos inquietantes colgados de las paredes o esparcidos a lo largo de la habitación, desde el incomprensible espejo del cielo raso hasta los agujeros y protuberancias fálicas de las cuatro estatuas que semejantes a diosas de antiguos cultos servían aparentemente de columnas; la pieza daba, además, sobre un jardín privado cuyas matas y flores de colores hirientes reproducía la misma atmósfera de rebuscada lujuria. Lina se quedó inmóvil, en un estado de fascinación parecido al que a veces la invadía contemplando ciertos salones de la Torre del italiano; parecido, pero mucho más intenso, pues aquellas cosas no habían sido utilizadas años atrás por hombres y mujeres muertos y enterrados vaya a saberse dónde, sino por un señor Frasen bien real, a quien imaginaba entrando con paso dinámico a la oficina de su fábrica, y una señora muy fina que, antes de irse a jugar a canasta al «Country», se había inclinado a besarla en la mejilla envolviéndola en un lánguido perfume de magnolia. De su asombro vendría a sacarla la entrada intempestiva de Maruja, turbada de verla descubrir los juegos eróticos de sus padres, eufemismo que empleó luego de haberle hecho jurar no revelarle a nadie el contenido del dormitorio, mientras le explicaba el uso y razón de ser de cada instrumento, sin alarde ni malicia alguna, sino como algo corriente, más aún, indispensable si a una mujer se le ocurría casarse con un europeo estropeado por el puritanismo. Casi veinte años después, en París, Maruja Frasen despertaría la gran pasión en el hombre más bello y más rico del mundo, y se negaría a convertirse en su esposa, y lo mandaría literalmente al diablo porque no sabía besar el sexo de una mujer, y ella, le confiaría a Lina en el «Select» de Montparnasse, carecía de la paciencia de la cual habían dado prueba su madre y su abuela para combatir cada noche los estragos de una mala educación: el feminismo no había surgido en vano.

Por ese entonces Maruja había enviudado ya de un piloto de aviación civil y con el dinero correspondiente a la prima del seguro se ofrecía un largo viaje antes de ocuparse de la dirección del sector finan-

ciero de los negocios de su padre. Había comenzado su travesía por
el Oriente, sola, y se había visto en la necesidad de disfrazarse de
hombre para visitar sin contratiempos el Pakistán y la Turquía. Su confianza en sí misma parecía, pues, indiscutible. Sin embargo, cuando
llegó a París, le suplicó a Lina acompañarla a conocer el norte de
Francia, y del Norte, la ciudad donde su familia se había instalado
después de la guerra franco-prusiana de 1870, como si un virus misterioso pudiera atacarla al contacto de aquellos tíos y primos que esperaban su visita con la codiciosa expectativa de todo francés ante la
llegada del pariente americano. Era un invierno de autorrutas heladas;
a la altura de Douai tuvieron que detenerse para ponerle cadenas a las
llantas y, luego, entre el limpiavidrios acosado por una lluvia irremediable, la ciudad surgió al fin, extendiéndose bajo su cielo infinitamente
triste hasta la plaza principal donde se elevaba la antigua casa de los
Freisen, siniestra, reflejando la solidez de esa burguesía orgullosa de su
virtud y tenacidad. Los parientes de Maruja le parecieron a Lina cris-
pados en sus hábitos de domingo; un polvo centenario, sorprendido
por la rápida sacudida de muebles y alfombras, flotaba sobre la chimenea del salón, cuyo fuego servía de único medio de calefacción y abría
un semicírculo de luz en la oscuridad que la débil bombilla de la lámpara perdida en las negruras del cielo raso no lograba realmente disipar.
De detrás de una puerta ornada con un entrepaño de motivos pasto-
riles, habían ido saliendo según un orden de jerarquía incomprensible
los últimos descendientes Freisen; todos tenían los rasgos de la familia:
eran pálidos, óseos, sin labios, y había algo de excesivamente censurado
en sus ademanes como si temieran sentirse habitados por un autómata
incontrolable; pero el instinto de rapiña, característica de sus ancestros
y motor de sus empresas, había ya desaparecido en ellos y podían considerarse como vástagos de una postrera generación; ninguno se había
casado; envejecían juntos rasguñando con parsimonia los restos de alguna herencia disputada rencorosamente. En aquella habitación de pisos y paredes revestidos de madera, que tenía un olor de cera taciturno
dejando imaginar legiones de sirvientas acosadas por muchas esposas
Freisen para quienes la limpieza de la casa había constituido desde el
matrimonio hasta la muerte el modo de liberarse de una desazón sin
nombre, Lina creía hallarse visitando en compañía de su abuela los
vetustos caserones de sus parientes, donde siempre había un cuarto
cerrado, prohibido, inaccesible, detrás de cuya puerta se escondía alguien que no quería dejarse ver o había decidido dejarse morir. Pero
esos seres, los melancólicos, decían sus tías respetuosamente al aludir
a ellos, estaban rodeados de una aureola casi sagrada, pues, antes de
escapar a las pompas y vanidades de este mundo, se habían destacado
por su inteligencia y sensibilidad. No se les consideraba dementes, sino
lúcidos, demasiado tal vez; había que proteger su recogimiento y, cuando de tanto permanecer a oscuras y alimentarse poco, sus cuerpos se
volvían piltrafas y sus mentes empezaban a delirar, deber era encargarse de sus necesidades mitigando en lo posible los sufrimientos de
su muerte. Una actitud muy distinta adoptaban los Freisen ante los
marginales de su familia, se había dicho a sí misma Lina apenas husmeó
el ambiente de aquella casa y vio entrar por la puerta del entrepaño

aquella sucesión de hombres y mujeres estrictos y glaciales como figuras de un funeral. Un segundo le había bastado para comprender el secreto terror de Maruja, aun si en su fuero interno pensaba divertida que los genes Sierra absorbían sin mayor dificultad los Freisen y si la verdadera encarnación de aquel terror, no sólo no se encontraba allí, sino que muy probablemente había sido encerrada en el sótano o alejada de casa con cualquier pretexto. Pero surgió, justo cuando acababan de despedirse después de haber cenado una insípida comida servida con ceremonias de festín en la porcelana sacada cuidadosamente para la ocasión. Surgió como fantasma y caricatura en la persona de un viejo esquelético que, temblando de rabia junto al automóvil, maldecía a sus parientes por haberlo enviado ese día a cortar leña al monte a fin de impedirle verla a ella, Maruja, y ponerla en guardia contra los peligros de exponer su virtud viajando sola o mostrarse tan desenvuelta revelando así su condición de «meteque» que deshonraba el apellido de la familia. Luego su discurso se volvió incoherente, pero seguía vociferando sin dejarlas avanzar, los azules ojos desorbitados, los largos huesos estremeciéndose en una convulsión parecida a la del mal de San Vito. Lo terrible de su demencia no estaba tanto en su paroxismo como en el hecho de hallar profundamente asociada a la morfología de los Freisen, sugiriendo así un carácter hereditario, casi ineluctable, pues ese viejo era el Freisen por excelencia, la idéntica repetición del primero de su estirpe, el que en la horda salvaje venida del frío había matado y pillado más que los otros hasta imponerles su caudillaje, propagando su semen en un acto del cual se hallaba excluida cualquier forma de ternura, no domado, ni él ni sus descendientes, por el cristianismo, sino tomando de la nueva religión los preceptos necesarios para acrecentar su poder, esa castidad sombría como la de los castellanos de la corte española, que, al cabo de varias generaciones de matrimonios consanguíneos, se había transformado en aberración mental. El viejo seguía allí, espumeante de furor, cuando Maruja, que al principio se había detenido horrorizada, le dio la bofetada más injuriosa que Lina vería en su vida, y el viejo, estupefacto, echó a correr hacia el bosque de donde había venido y del cual ningún Freisen habría debido salir jamás.

Había, pues, un Freisen adoptado por los barranquilleros, cuya hija se sentiría obligada a ir a la casa de sus ancestros para abofetear al arquetipo de todos ellos y de ese modo decirle definitivamente adiós al miedo. Y luego, otro, llegado en uno de los primeros barcos que zarparon de España después de la Segunda Guerra Mundial, país adonde había ido a refugiarse con su esposa y sus hijos apenas un mal viento empezó a soplar sobre los ejércitos del Tercer Reich, al cual había servido sin hacerse rogar desde la invasión, produciendo en su fábrica de tejidos, no sólo los toldos de los camiones de ese ejército, sino además, los uniformes de sus soldados; y no por avaricia, aun si los alemanes aprovisionaban en secreto su cuenta privada en un Banco suizo, sino porque él, Gustavo Freisen, era hombre de jerarquía y orden, y la ideología nazi corroboraba sus principios. Los dignatarios del régimen también: había visto penetrar un domingo en el parque de su casa a los oficiales del estado mayor de una división blindada, deslum-

brantes en la severidad de sus abrigos feldgrau de solapas rojas, sus
ademanes precisos, su perfil de señores; los había visto inclinarse ca-
ballerosamente al besar la mano de su esposa y saludarlo con respeto
reconociendo en él al aliado natural que sabía la secreta finalidad de
aquella guerra. No, no el vencido ni el vulgar colaborador, había insistido ante su primo, *el Manco* Frasen, quien no podía entender sus sentimientos: *el Manco* había huido de una Europa desgarrada, tan exan-
güe y a la buena de Dios, que sus enemigos de siempre habían logrado
conducirla al más mortal de los conflictos: la guerra de clases. Sólo
un país, o su élite, advirtió el peligro; sólo un pueblo, el alemán, se
había decidido a combatirlo atacando el mal en su raíz misma, esos
judíos responsables del caos, corruptores de almas, asesinos de la civilización. De Marx a Freud, pasando por Trotsky y los otros canallas
que habían trabajado por la Revolución de octubre hasta darle a los
asiáticos el poder de destruir al Occidente, los judíos habían sido el
enemigo oculto, la plaga de la humanidad. Él, Gustavo Freisen lo sabía, de allí su adhesión al nazismo.

De allí, también, su desesperanza al comprobar que el combate se
había librado demasiado tarde y debió refugiarse en España bajo un
falso nombre mientras la vieja Europa empezaba a morir: de nuevo
desangrada, expuesta a la demagogia de los agitadores que algún día
saldrían de la sombra para precipitarla a la esclvitud; corroída por un
sentimiento disolvente, la culpabilidad, ese masoquismo que llevaba a
los hombres a castigarse destruyendo sus mejores realizaciones o a
contemplarlas con el ojo rencoroso de sus enemigos, los débiles y cobardes, la escoria de la sociedad. No, *el Manco* estaba muy lejos de
esas preocupaciones. Él, Gustavo Freisen lo había intuido en el barco
que lo traía a Colombia, cuando una mañana subió a cubierta para
descubrir con estupor al capitán, que, apenas la víspera, lucía digna y
ceremoniosamente un uniforme de paño azul con galones dorados, convertido, por el paso del barco a la zona tropical, en un obeso y sudo-
roso personaje parecido a un panadero italiano, vestido de blanco y llevando unos ridículos pantalones cortos. El aire estaba cargado de calor y humedad y un olor de algas podridas subía de las aguas reverbe-
rantes de sol. Todo el rigor y la disciplina que la tripulación había
mostrado mientras se deslizaban por las nieblas del Atlántico norte, se
desvanecía ahora en una especie de abulia soñolienta. El señor Freisen
se sentía envuelto en aquella humedad que le empañaba el vidrio de
sus lentes como en un vaho de mal agüero; tenía la camisa pegada a
los omoplatos por el sudor; sentía las manos mojadas y una cierta dificultad para respirar aquel olor tórrido, casi obsceno en su evocación
de cosas sobre las cuales ni siquiera se atrevía a pensar. Una luz intensa, sin matices ni sugerencias, hería sus pupilas hasta entonces habi-
tuadas a los austeros grises invernales en los que se había forjado y
refinado toda una civilización. Cada día el barco se adentraba más en
ese mar de medusas azules y aguamalas, cada día el calor se volvía
más implacable disminuyendo en Gustavo Freisen la capacidad de reflexionar. Los otros pasajeros se habían ido adaptando pasivamente a
la corrupción del clima, las mujeres se mostraban sensuales, los niños
insolentes. Y ya aparecía de noche, en el cielo abarrotado de estrellas,

una luna brillante que nada bueno dejaba presagiar, luna pagana, propicia a la licencia; y ya venían, en la proximidad de los puertos, chalupas cargadas de alboroto de negros, ofreciendo frutas demasiado dulces, de aromas agresivos. Y en las islas sumidas en un sopor de mosquitos y abandono, nadie parecía llevar prisa, ni los mulatos amodorrados sobre bultos de cocos y bananas, ni las mujeres que iban de un lado a otro con una provocante ondulación de caderas. Viendo todos aquellos signos de descomposición, Gustavo Freisen se decía que si un primo suyo había aceptado de buen grado vivir allí, de nada serviría explicarle el drama vivido en el continente europeo y la ruina fatal de sus valores, porque ese continente y sus valores habían, seguramente, dejado de importarle.

El Manco, en efecto, no entendió gran cosa. Creía que si una sociedad cualquiera debía recurrir al genocidio para sobrevivir, su existencia no podía justificarse. Nunca dirigió lo de los campos de concentración, le confiaría Maruja a Lina —tanto más cuanto que sus mejores clientes eran los vendedores de tela judíos de la calle Comercio— ni le perdonó a su primo haber puesto un negocio de la familia al servicio de esos boches cuyos obuses se le habían arrancado una mano. Pero como buen costeño, terminó a la larga minimizando el asunto después de recomendarle a su pariente ocultar su pasado de colaborador si no quería echarse encima a los liberales, partidarios de los aliados y mayoritarios en la ciudad. Gustavo Freisen, pues, como doña Giovanna Mantini, y tantos otros extranjeros instalados contra su pesar en Barranquilla, resolvió recrear la atmósfera en la cual había sido educado e imponerle a sus hijos una disciplina de cuartel. Les dio también su ejemplo, explicaba Maruja, desde el momento mismo en que el barco pasó la línea del ecuador y, en vez de adoptar el comportamiento del capitán aquel, apareció sobre cubierta llevando un traje blanco de corte impecable que un sastre español le había confeccionado a su medida, con la camisa muy almidonada y cerrada al cuello por una corbata de seda negra, indumentaria destinada a acompañarlo hasta su muerte, pues jamás se permitió, no ya las chillonas guayaberas que *el Manco* lucía los domingos, sino tampoco los tonos pasteles introducidos por la moda años más tarde. Maruja decía haber sido sorprendida al verlos descender del barco, a él, con su vestido tan impoluto bajo el rostro enrojecido como una langosta por el sol, junto a la esposa, también sofocada en su sastre de lino recién planchado, y, detrás de ambos, los diez hijos siguiéndolos respetuosamente a la manera de monaguillos. Los cuatro mayores eran de un rubio casi albino, y tan parecidos entre sí, que sólo por su tamaño se podía diferenciarlos; habían nacido uno tras otro dejando la matriz de la señora Freisen en un estado tal de fatiga que durante cinco años estuvo abortando sin parar hasta la llegada de Jean Marie Xavier, el único de los hermanos en tener el cabello negro y una cierta musculatura; luego, el mismo año del nacimiento de Lina y Maruja, venía al mundo Anne, escoltando a cuatro varones más que terminarían definitivamente con las facultades de reproducción de la señora Freisen y la vida sexual de su marido, pues éste, siguiendo al pie de la letra los preceptos cristianos sobre el matrimonio, jamás se había permitido tocarla fuera de sus períodos de fecundidad. Al respecto, Maruja contaba divertida que en una ocasión, bajo el efecto de uno de esos cócteles a base de jugos de fruta y mucho ron preparados por su padre, Gustavo Freisen le había explicado a *el Manco* su manera de concebir las relaciones maritales jactándose de nunca haber cometido pecado contra la carne en la medida en que cada contacto había provocado un embarazo, lo cual reducía a veinte, más o menos, las veces que la señora Freisen había sido solicitada, diez por los hijos y otras tantas por los abortos.

Pero eso no inquietaba en lo más mínimo a Odile Freisen, bretona de nacimiento y afectada por una luxación congénita de la cadera. Hija única de un importante astillero, había sido muy linda en su juventud y muy acomplejada por aquella enfermedad que la condenaba a cojear deformando la gracia de su cuerpo. Desde niña sintió la llamada de la religión, le había confiado a Anne, y probablemente acariciaba románticos sueños de vida monástica mientras su madre le preparaba un ajuar cuya pieza principal Lina vería alguna vez, una bata de noche idéntica a la de todas sus antepasados, con mangas hasta las muñecas y apretada en los tobillos de tal manera que el futuro esposo no pudiera subirla y se viera en la necesidad de utilizar la única abertura a su disposición, una especie de ventanilla en forma de corazón colocada a la altura del pubis y sobre la cual podía leerse en letras bordadas: «Dios lo quiere.» Así pues, la madre cosía afanosamente y la hija lloraba a escondidas, no porque su condición de coja le impidiera ser cortejada en los bailes, sino por la pena que le daba comunicarle algún día a sus padres aquella decisión suya de entrar al convento. La futura señora Freisen debía de ser entonces harto ingenua y su madre bastante lúcida: luxación congénita de la cadera o no, aquella heredera de seiscientas hectáreas de terreno en Normandía legadas por la abuela materna y tres edificios de apartamentos en París, sería tarde o temprano solicitada en matrimonio. Cuando eso ocurrió, la vocación religiosa fue remplazada al instante por el frenético deseo de tener hijos, muchos, para demostrarle al mundo entero que a pesar de su desgracia física ella era una mujer idéntica a las demás, y hasta más prolífera: los varios abortos sucesivos constituyeron su gran dolor. Quizá por ese motivo Jean Marie Xavier fue tan mimado y protegido de las iras paternas. Tal vez había otra razón: por sumisa que fuera, la señora Freisen había tenido ya bastantes años para juzgar, o al menos, observar a su esposo, y consciente o inconscientemente debía de estar harta de su despotismo; al reconocimiento inicial, era probable que hubiese sucedido una amargura no exenta de odio, sin contar conque durante ese tiempo, Odile Freisen se había transformado de niña en mujer; luego vino la guerra, y, mientras los miembros de su familia, sus primos normandos principalmente, se adherían al campo de De Gaulle o entraban en la Resistencia, Gustavo Freisen se deshonraba sirviendo a los alemanes. Entonces empezó a despreciarlo, decía Maruja, encontrando así un soporte concreto y racional para su odio. Como el divorcio era impensable, dado sus sentimientos religiosos y los inextricables lazos económicos que la unían a aquel hombre, se vio obligada a seguirlo en la vergüenza del exilio, con la bata del corazón guardada para siempre en el fondo de una maleta, pues el último hijo, nacido dos días antes de la caída de Stalingrado, la había dejado estéril de por vida.

Su fertilidad demostrada sin discusión posible, sus deberes conyugales terminados a Dios gracias, la señora Freisen abrió contra su marido un combate sordo, pero implacable, que iba a durar hasta su muerte. Las primeras hostilidades se habían manifestado al nacer Xavier, cuando decidió criarlo sola, sin acudir a las niñeras que se habían ocupado de los mayores, y mimarlo, y levantarse de noche si lloraba, enfureciendo a su esposo, quien insistía en darle a los niños un tratamiento espartano desde la cuna; algo tal banal como manifestarle ternura a un bebé o disipar sus terrores nocturnos, constituía ya un desafío a la autoridad patriarcal y una manifestación de independencia para Odile Freisen. Xavier se convirtió así en un niño atraído en dos sentidos contradictorios, el regazo de su madre donde encontraba un océano de complacencia, y la exacerbada disciplina del padre cuya imagen debía ayudarle a formar su identidad; los otros hermanos no conocieron ese dilema por el simple motivo de que fueron queridos o aceptados sin pasión; habían venido al mundo a fin de sofocar los complejos de una mujer y justificar el trabajo de un hombre y su sentido de la jerarquía; en cierto modo, eran objetos. Javier, en cambio, fue siempre un símbolo, y no sólo en la silenciosa batalla que sus padres se libraban, sino también, como hombre sometido a la influencia de dos mundos antagónicos, el europeo, cuyos tabúes lo habían marcado durante sus diez primeros años de vida, y el caribe, donde esos tabúes tendían a hacerse añicos en un estallido de sol y sensualidad. De todos los hermanos Freisen, Javier sería el más contradictorio: los mayores guardaron siempre la nostalgia de Francia y tres de ellos regresarían definitivamente a vivir allí apenas estuvieron seguros del acobardado velo echado por sus compatriotas sobre los acontecimientos de la guerra; los menores se volvieron pachangueros, uno se limitó a perecear como *play-boy* y el más pequeño ni siquiera se tomó el trabajo de poner los pies en la fábrica de su padre prefiriendo enriquecerse con el contrabando de marihuana.

La marihuana jugaría un papel decisivo en la vida de Javier, mucho después, ayudándolo a desembarazarse de sus inhibiciones. Cuando llegó a Barranquilla, de diez años ya cumplidos, era un niño mimado y testarudo que sabía obtener todo de su madre; le bastaba decir no y mantenerse en sus trece, así Gustavo Freisen lo moliera a palos aprovechando cualquier ausencia de su esposa; al regreso de ésta, Javier le mostraba sin comentarios los moratones de los golpes recibidos y la señora Freisen entraba en una cólera muda que se traducía por el inmediato bloqueo de la cuenta bancaria en Suiza, abierta bajo su apellido de soltera, pues esa condición le había sido impuesta a su marido entre los múltiples y complicados arreglos jurídicos efectuados antes de la boda. La experiencia de la Primera Guerra Mundial, le había enseñado a la familia de Odile Kerouan que concordia o no, más valía guardar una parte del patrimonio en napoleones contantes y sonantes fuera de Francia, mucho mejor en un país neutro como Suiza, y si la mitad de la dote había ido a agrandar la fábrica de tejidos de Gustavo Freisen, el resto se había quedado en aquella cuenta secreta donde los alemanes depositarían más tarde el dinero pagado por sus servicios y cuya procuración Odile nunca le quiso dar.

Todo había marchado sobre ruedas durante años, mientras Odile Kerouan fue la dócil y agradecida sierva de su esposo. Cuando el rencor comenzó a germinar en ella y se enfrentó a aquel hombre codicioso y de sangre glacial como un tiburón, descubrió que podía resistir a sus embestidas negándose a firmarle cheques o documentos; al igual que Álvaro Espinoza, Gustavo Freisen había subestimado la posible evolución de una mujer desposada por cálculo y no sin desprecio. Jamás le habló de eso a nadie, salvo al *Manco*, aquel pariente envuelto en vapores de azufre que, sin embargo, terminaría volviéndose su confidente. *El Manco* era la única persona capaz de aceptarlo en su verdad sin hacerle reproches ni juzgar demasiado severamente su conducta. Y poco a poco, Gustavo Freisen se acostumbró a ir a visitarlo a su fábrica los viernes por la tarde, a fin de tomarle el pulso a la ciudad, decía, pues *el Manco* estaba al tanto de cuanto ocurría en Barranquilla, pero, en el fondo, para poder evocar con alguien sus nostálgicos recuerdos de lugares envueltos en brumas y cielos fríos donde había pasado los mejores momentos de su juventud. Entonces era soltero, su madre recibía a la alta sociedad de Lille y él parecía destinado a un porvenir brillante. Se veía elegantemente vestido con su cuello de palomita y el saco bien ajustado al cuerpo haciéndole la corte a una romántica mademoiselle de Broquemont cuya familia tuvo el mal gusto de arruinarse. Recordaba sus paseos al campo en compañía de sus hermanos, los canotiers elevándose con urbanidad al encuentro de otras calesas entre aquellos álamos de troncos enverdecidos por el musgo. Recordaba, sobre todo, su casa, frente a la austera plaza de adoquines que el paso de muchos hombres y muchas lluvias había lustrado: en ella oía a los criados desplazarse sigilosamente siguiendo las órdenes de un mayordomo invisible, el tintineo de una cucharilla de plata, el majestuoso tañido del campanario de la catedral; cuando desde el balcón de la biblioteca veía los techos de pizarra cubiertos por la pátina del tiempo, tenía una agradable sensación de perennidad; antepasados suyos habían contemplado las mismas piedras y, detrás de él, junto al fuego de la chimenea, habían leído los mismos libros que se alineaban en los estantes; idéntico habría sido el olor de cera recién frotada, de leños ardiendo entre los apacibles colores del invierno. Cómo echaba de menos Gustavo Freisen aquella luz de matices y medios tonos, los armarios llenos de ropa olorosa a lavanda, los retratos de sus ancestros que, desde las paredes, parecían observarlo con aprobación: también él trabajaba duro y firme para mantener en alto el prestigio de su casa: de regreso de la fábrica de tejidos, podía saborear el placer de sentarse en el salón que su madre, distinguida, adorablemente mundana, había decorado con cortinas amarillo siena y lámparas de globos opacos; junto a ella, tomando un aperitivo, se reposaba satisfecho de su jornada, de imaginar al mayordomo dando las últimas instrucciones a las sirvientas afanadas en la cocina o buscando en la humedad de la bodega los refinados vinos que acompañarían la comida. Oh, esos vinos de Francia, ese licor de pera, el sabor, el olor de las cosas mucho tiempo elaboradas, sabiamente envejecidas: que nunca más volvería a encontrar. Y al pronunciar esas palabras, Gustavo Freisen hacía una pausa e incli-

naba la cabeza mientras su primo, *el Manco*, trataba de atraer su atención hacia otros temas temiendo que la conversación se prolongara demasiado. Porque entonces Gustavo Freisen podía desencadenarse contra su suerte y de la añoranza pasar a una irritación sombría capaz de
llevarlo a hablar dos horas de corrido: invariablemente el licor de pera
se asociaba en su mente al recuerdo de aquellas acuarelas traídas de
Francia que un mes después de su llegada a Barranquilla se habían des-
compuesto en horrible amalgama de colores por la maléfica acción de
un hongo tropical: cómo vivir en un país donde los cuadros se cubrían
de lepra y los vinos se agriaban y el sol parecía vidriar el paisaje hasta darle visos de espejismo: si de paisaje era cuestión al referirse a un
mar infestado de alimañas con arenas tan hirvientes que ampollaban
los pies; o a ese fétido río de aguas espesas, cuyas emanaciones tras-
pasaban los ventanales de la oficina de su fábrica no obstante permanecer cerrados día y noche a fin de conservar la frescura del aire acondicionado. El trópico le recordaba a Gustavo Freisen los pasajes más
pesimistas de la Biblia: todo era vanidad y corrupción y las obras de
los hombres estaban condenadas a perecer: bastaba contemplar aquella ciudad de construcciones agrietadas, donde el comején carcomía
irremediablemente un edificio en menos de diez años. Nada duraba allí,
nada se perpetuaba en ese mundo sin memoria ni pasado.

Apenas llegó a Barranquilla, Gustavo Freisen se había comprado
una casa construida por otro francés probablemente enloquecido de
tristeza: era una mansión señorial, parecida a la que su madre solía
alquilar cuando iban a la Riviera durante el verano, de fachada blanca,
pisos de mármol y muchos espejos; tenía tres pisos y había soberbios
perros de bronce adornando los pasamanos de la escalera. Creyó que en
ella podía permitirse la ilusión de habitar un lugar civilizado. Inútil:
al asomarse al balcón no veía jardines sembrados de palmeras y mi-
mosas, ni veleros cruzando delicadamente las aguas azules del Medite-
rráneo; sino la reverberación del sol sobre techos descoloridos y paredes cuarteadas abrigando a la burguesía de Barranquilla, esa gente que
hablaba a gritos y de manera enfática, con sus intelectuales perdidos
en discusiones bizantinas y sus viejas familias creyéndose parientes de
Alfonso XIII. Borbones, ni más ni menos, repetía cómo vejado por un
insulto, cuando era suficiente verles las caras para preguntarse de qué
inconfesables acoplamientos habrían surgido. Y de repente miraba a su
primo un poco avergonzado de haberse dejado arrastrar por la indignación olvidando que *el Manco* había desposado a una de esas supuestas descendientes de la casa real española. Pero *el Manco* le sonreía con
simpatía: en aquella amargura reconocía simplemente los síntomas de
una enfermedad a la cual él mismo había escapado en otros tiempos.
Podía imaginar a su primo tal como lo veía cuando iba a visitarlo a
Lille antes de la Primera Guerra Mundial, convertido en el heredero de
una fortuna considerable a quien todos los dioses parecían sonreírle.
De él, *el Manco* había aprendido el arte de hacerse obedecer por per-
suasión haciendo suyo el lema de darle siempre a sus empleados un
tratamiento especial a fin de evitarse huelgas y complicaciones sindica-
les; pero en el caso de su primo, ese paternalismo expresaba menos un
cálculo materialista, que el deseo de no traicionar sus convicciones re-

ligiosas. Pues Gustavo Freisen era entonces profundamente cristiano: acompañaba a su madre los domingos a misa y su integridad moral le había granjeado el respeto de los grandes señores del Norte. Ese mundo ordenado y feliz, donde un patrón podía permitirse el lujo de ser amado por sus obreros, había volado en pedazos durante la guerra del 14: Gustavo Freisen había sido uno de los primeros en enrolarse y tres años después, *el Manco* lo había encontrado cubierto de cicatrices y condecoraciones en una trinchera: el joven bello y bien educado a quien su padre había confiado a su mayoría la dirección del negocio familiar, el perfecto gentleman que sabía cómo descubrirse ante las señoras y enamorar a una mademoiselle de Broquemont, el esteta capaz de vibrar al sonido de las campanas o conmoverse al olor de los viejos libros, estaba convertido en un capitán despótico ante el cual temblaban los hombres de su compañía; nada podían ellos reprocharle: se lanzaba al ataque a la cabeza de sus tropas y se exponía al peligro con la temeridad de Aquiles: era justo, tanto que había perdido el alma, le explicaba *el Manco* a Maruja: no soportaba el miedo ni la cobardía, y como ambos se encontraban en la naturaleza humana, había comenzado a despreciar la naturaleza humana. De las hazañas donde centenares de hombres a su mando habían encontrado la muerte y que le habían valido ocho palmas sobre la cinta de la Cruz de Guerra, *el Manco* hablaba bajando de tono: al contacto del dolor, a la vista de la sangre, Gustavo Freisen había sido poseído probablemente por los viejos demonios de su estirpe. Todo lo que decía *el Manco* era que nadie habría podido imaginar a aquel capitán de ojos coléricos enamorándose de una mujer o deleitándose con el olor de un libro. Después, *el Manco*, hospitalizado, supo de él a través de otros heridos que llegaban maldiciendo, entre sus quejidos y vendajes, el nombre de Freisen. Y nada más. De aquella Francia, *el Manco* había partido para nunca más volver, mientras su primo se encaraba a la depresión económica tratando de poner en marcha el negocio de la familia, contra los vientos y mareas que representaba una fábrica paralizada durante cuatro años y aislada de sus proveedores y clientes; sin hablar de la desconfiada parsimonia de los banqueros —judíos en su mayor parte— y del desorden de la vida política. Gustavo Freisen luchó a pie firme, con la misma tenacidad que había empleado combatiendo contra los alemanes, a fin de restituirle a su madre y a su casa la riqueza de la cual habían gozado anteriormente, hasta que deudas y otros problemas financieros lo obligaron a solicitar la mano de aquella heredera bretona, Odile Kerouan, cuya dote no alcanzaba a ocultar sus oscuros orígenes, pues si su padre se había graduado de ingeniero en la escuela d'Arts et Metiers, su abuelo había sido un simple obrero reparador de barcos, lo bastante astuto como para terminar convirtiéndose en el propietario de la empresa donde trabajaba y desposar a la hija de su principal competidor.

Las primorosas antenas de la madre de Gustavo Freisen juzgaron aquella fortuna necesaria, pero demasiado fresca. Así, la vida conyugal de Odile Kerouan comenzó en condiciones más ingratas todavía. Nunca había esperado mayor cosa de los hombres y sus severos principios morales la alejaban instintivamente de los juegos y seducciones del amor; había llorado cuando sus padres le anunciaron la fecha del matrimonio y llorando entró en la iglesia donde se realizó la ceremonia. De allí, de aquel rechazo propio a una jovencita inmadura, decía *el Manco*, a lo que debió soportar, había, sin embargo, un abismo: Gustavo Freisen no amaba a las mujeres y, como su madre, despreciaba a los advenedizos; apenas se instaló en la casa de Lille con su increíble bata de noche, Odile Kerouan había sido probablemente víctima de la animosidad de ambos, y mucho le habría tocado doblegarse y sufrir hasta la muerte de su suegra, personaje de quien *el Manco* se acordaba sin humor, comparándola a una Madame Verdurin de provincia, arrogante y necia, que habría creado de buena gana un salón literario si sus prejuicios sociales no se lo hubieran impedido; trataba mal a todo el mundo, decía *el Manco*, salvo a su hijo mayor, con quien sostenía unas relaciones sentimentales muy próximas al incesto; eso explicaba los escrúpulos sexuales de Gustavo Freisen, que se hubiera casado tan tarde y por simple interés, lo cual, entre paréntesis, nunca intentó ocultar a su esposa ganándose de ese modo su rencor definitivo. Odile Kerouan, además, venía de la Bretaña profunda; no obstante su educación religiosa, había vivido impregnada de un mundo mágico, donde los marinos oían sonar las campanas de una ciudad hundida en el mar y la bruma traía seres diminutos e imprevisibles que siglos de cristianismo no habían logrado eliminar; de ellos le habían hablado corrientemente en su infancia y a lo mejor había creído ver una noche de luna danzar los korrigans entre los árboles de un bosque. ¿Cómo imaginar a esa muchacha de diecinueve años llegando a Lille para enfrentarse a un marido brutal y a una suegra despectiva? Llena de terror, le afirmaba *el Manco* a Maruja, capaz, tal vez, de resistir, pero no de luchar, pues sus padres la habían desposeído de todo, incluso de sí misma, cuando la entregaron a un hombre por vanidad y ese hombre la recibió como un objeto por codicia. Luego fue despojada de su sexualidad en la ignorancia, y de sus hijos mayores en la impotencia. Hasta el nacimiento de Javier.

Ella habría contemplado horrorizada lo que ese marido hacía de sus hijos sin atreverse a protestar por miedo de despertar su cólera o los humillantes comentarios de la suegra. Ninguna mujer, afirmaba *el Manco*, a menos de llevar el Freisen en la sangre o de estar acostumbrada a la barbarie, podía admitir que los niños salidos de su vientre fueran transformados a ciencia y paciencia en criaturas crueles y egoístas a quienes el sufrimiento de los débiles producía placer. Y ella había debido callarse mientras Gustavo Freisen extirpaba sistemáticamente de sus hijos cualquier veleidad de compasión o de ternura para dejar el campo libre a las peores tendencias de la naturaleza humana. Lo que Lina y Maruja vieron una vez con la impresión de estar sumergidas en una abyecta pesadilla, Odile Kerouan lo había soportado durante veinte años; y seguía soportándolo al llegar a Barranquilla, pues la cosa se repitió delante de ellas y en medio de los enloquecidos gritos de Anne. Fue quizás el hecho de contar con dos testigos y tener el argumento de que las únicas amigas de Anne en la ciudad habían salido espantadas a hablarles a sus familias respectivas del morboso comportamiento de Gustavo Freisen, lo que le permitió a Odile Kerouan exigirle a su marido poner fin a aquellas abominaciones. Además *el Manco* había tomado cartas en el asunto y, sin más tardar, se había precipitado a la casa de su primo para descubrir estupefacto las pruebas aún visibles del espectáculo que tanto había impresionado a Maruja. Conociendo a Gustavo Freisen, *el Manco* no iba a perder su tiempo hablándole de sentimientos humanitarios ni nada por el estilo, simplemente le explicó que, a pesar de su ceguera racista, la alta sociedad de Barranquilla se componía de dos grupos de personas, los verdaderos señores, descendientes, en efecto, de hidalgos españoles que se instalaron en la región durante la época de la Colonia, para quienes un acto gratuito de crueldad era prueba de cobardía inadmisible, y los otros, los que habían ido subiendo en la escala social a fuerza de arribismo y perseverancia, pero considerados siempre por los primeros como individuos de poca clase cuyo trato debía evitarse en la medida de lo posible reduciéndolo a formalidades mundanas. Ahora bien, Gustavo Freisen podía elegir: entrar en el buen campo y ser objeto de una protección eficaz y silenciosa que se traducía por noticias dadas a tiempo, proyectos gubernamentales conocidos de antemano, invitaciones a fiestas de las cuales los periódicos nunca hablaban; eso, o quedar asimilado a los nuevos ricos que, no obstante ser socios del «Country Club» o agitarse en los períodos electorales en busca de nombramientos que les daban la ilusión de ejercer el poder, estaban excluidos de aquella secreta sociedad de señores donde el verdadero poder se ocultaba y a la cual él y su primo no pertenecerían jamás del todo por ser extranjeros, pero bajo cuya ala podían perfectamente prosperar.

Al parecer, el discurso hizo su efecto. Nunca se supo a ciencia cierta si Gustavo Freisen tuvo dudas sobre la homogeneidad de la burguesía barranquillera descubriendo las sutiles divisiones descritas por su primo, pero si las mundanidades nada le importaban, no quería ver a sus hijos descender de nivel social. Odile Kerouan había vuelto nuevamente a amenazarlo con cerrar la cuenta bancaria y él, tal vez, empezaba a sentirse cansado de tantas tensiones: tenía más de cincuenta y cinco años y, en cierta forma, podía considerarse vencido; como le hizo notar *el Manco*, resultaba incongruente que a su edad se permitiera semejante comportamiento repitiendo los errores que habían causado su ruina; fuesen cuales fuesen las razones ideológicas de su adhesión al nazismo, debía, al menos, evitarse un segundo fracaso y pensar en el porvenir de sus hijos, a quienes había privado ya de su país y de la herencia acumulada por generaciones de Freisen: si algún día los mayores regresaban a Francia, los menores, a no dudarlo, se quedarían allí, se volverían barranquilleros, y, contra esa fatalidad, de nada le serviría a Gustavo Freisen rebelarse. Él, *el Manco*, lo sabía; no le importaba, pues tal había sido su propósito al instalarse en aquella ciudad calcinada por el sol: había visto, sin embargo, a muchos extranjeros, alemanes, españoles o italianos, formar ghettos a fin de impedirle a sus hijos relacionarse con la gente de Barranquilla, creando clubes y colegios, obligándoles a practicar el idioma del país abandonado, y consiguiendo tan sólo precipitarlos en la clase media que los nivelaba a todos en una consternante mediocridad. *El Manco*, gracias a su matrimonio, había podido ofrecerle a los suyos la oportunidad de frecuentar los círculos más elevados de aquella burguesía, pero si Gustavo Freisen insistía en educar a sus hijos como rufianes, podía estar seguro de no verlos nunca acceder a ella. Y poco importaba el dinero o la eterna evocación de paraísos perdidos: la cohesión de una identidad necesaria para imponerse en la vida pasaba a veces por la muerte del pasado.

A partir de entonces, los rigores se atenuaron en la familia de Gustavo Freisen. Gracias a la intervención del *Manco*, quien se tomó la pena de ir a explicarle las cosas a la abuela de Lina, ella y Maruja volvieron a visitar a Anne. Pero mientras vivieron en la ciudad, los hermanos mayores despertarían en Lina una aprensión incontrolable. Cada vez que encontraba en un salón aquellos jóvenes asténicos, de pupilas yertas, recordaba el horrible espectáculo que le habían ofrecido: le parecía verlos aún junto a Gustavo Freisen, los ojos iluminados por un brillo malévolo, enfrentándose a la pobre gata que enloquecida de dolor intentaba proteger su cría; ni siquiera habían tratado de matarla a ella primero para evitarle el sufrimiento de ver torturar a sus hijos uno tras otro hasta la muerte, porque el placer, y eso Lina lo había comprendido al instante, estaba justamente en contemplar su desesperación; y, mientras los hermanos Freisen golpeaban cada gatico de tal modo que su agonía durara el mayor tiempo posible, Gustavo Freisen se encargaba de rechazar a punta de palazos las embestidas de la madre, aquella gata callejera que había tenido la desgracia de parir en el desván de la casa; seguramente lo había hecho ya otras veces obteniendo la protección del antiguo propietario; así pues, no comprendía lo que pasaba: sus hijos, los ojitos recién abiertos, intentaban aterrados escapar a aquellos certeros golpes que les iban fracturando los huesos uno a uno: maullaban en un tono tan agudo que se volvía gemido, desesperanza ciega, y ella, la gata, ensangrentada por los porrazos recibidos, un ojo desprendido, el hocico destrozado, volvía a la carga como si toda la energía del mundo se hubiese concentrado en su maltratado cuerpo. Lina no supo jamás cuánto tiempo ella y Maruja contemplaron la masacre antes de reaccionar cogiendo unos palos olvidados en el desván y lanzarse contra los hermanos Freisen. Ellas dos eran pequeñas, pero el horror parecía haberles comunicado la fuerza del animal: un trastazo dado en plena nuca puso fuera de circulación a uno de los hermanos Freisen distrayendo la atención del padre y permitiéndole a la gata clavarle a otro las garras en la cara. Entonces Gustavo Freisen dio la impresión de volverse loco: con un aullido inhumano mató allí mismo a la madre y arrojó violentamente contra la pared los animalitos que todavía quedaban vivos. Maruja lo miró lívida de odio. Nazi, le gritó, cochino nazi. Y tomando a Lina de la mano echó a correr hacia la puerta.

Eran las seis de la tarde. Corrían llorando por las calles del Prado llevando aún en los oídos el lacinante maullido de la gata. A Lina le parecía haber salido del infierno; las onces comidas media hora antes se le habían vuelto piedra en el estómago y el aire le llegaba con dificultad a los pulmones. Finalmente se detuvo extenuada junto a un árbol para devolver. Entre las lágrimas observó a Maruja: había dejado de llorar recobrando la expresión de ira que tenía su cara al insultar a Gustavo Freisen. Qué es un nazi, le preguntó. Acabas de verlo, le oyó responder.

Sin Lina saberlo, eso que la gente llama ética o moral, eso que lleva a una persona a rechazar la violencia con su cuerpo, y su instinto y su cerebro, sin ambigüedades ni compromisos, se había incrustado en ella para siempre. La llegada de los Freisen a la ciudad había modificado la trayectoria de su vida. Y, años después, modificaría la de Beatriz.

IV

Cuando Lina se acostumbró a ir sola a la Torre del italiano y a orientarse en su dédalo de pasillos y corredores, empezó a acordarse de la forma y contenido de sus sueños: las imágenes que durante la noche la habían acosado para desvanecerse como el rocío a la primera claridad de la mañana, volvían ansiosamente a su memoria apenas se abría la gran puerta de hierro del jardín y sentía el intenso perfume que despedían los jazmineros subidos a restos de glorietas o enredados entre ramas de caobas. Ese olor a jazmín le daba la impresión de ser el umbral de un mundo imprevisible en el cual todo podía ocurrir, desde recordar los sueños de la noche anterior, hasta creer ver a su tía errando bajo verdes cascadas de helechos mientras del interior de la torre llegaban las notas de la sonata que la propia tía Irene estaba quizás interpretando. El jardín de la torre, con sus avenidas dispuestas de manera caprichosa y aquel obsesivo olor de jazmines, se prestaba a cualquier juego de la imaginación insinuando las más peregrinas alucinaciones; había tantos árboles que sus follajes se entrecruzaban y ningún rayo de luz lograba disipar la húmeda penumbra donde florecían plantas de colores crepusculares; había estatuas de mujeres cuyos rostros parecían llevar una máscara, cubiertas desde hacía muchos años por un ensortijado desorden de vegetación; había fuentes sin agua que de repente comenzaban a gotear y grutas artificiales que el tiempo había trabajado hasta convertirlas en interminables subterráneos a través de los cuales se deslizaban iguanas de crestas iridiscentes y salamandras albinas que detestaban el sol. Pero sobre todo había esa atmósfera de irrealidad creada por la ilusión de percibir la sombra de tía Irene en varios lugares a la vez; y, también, el recuerdo de los sueños, cuya importancia su tía le enseñaría a descubrir al incitarla gradualmente a hablarle de ellos. Escuchándose a sí misma, frente al silencio de aquella tía inescrutable y, sin embargo, indudablemente atenta, Lina tenía la sensación de abrir puertas que en otras condiciones habría juzgado sensato dejar cerradas; de desvelar emociones oscuras o llenas de violencia hasta entonces disimuladas entre los cautelosos pliegues de su memoria. Los sueños se le antojaban un anzuelo lanzado sobre aguas de superficie serena y fondos revueltos en las cuales se agitaban sentimientos parecidos a las lagartijas que de tanto vivir en la oscuridad habían perdido el color. Lina los convertía en palabras con una mezcla de fascinación y espanto: eran el espejo donde su verdadera imagen se reflejaba dejándola inerme frente a sus contradicciones. Sin advertirlo, había caído en un vértigo interior del cual jamás emergería, ni siquiera cuando divertida pudo nombrarlo años después, y no obstante haber aprendido ya a canalizarlo en la Torre del italiano. Porque eso también iba a enseñarle tía Irene, a utilizar los sueños con el propósito de modificar sus reacciones ante los conflictos de la vida: si sabía controlar la respiración y relajar el cuerpo, si cerraba los ojos y siguiendo un pausado ritual de concentración y olvido, salía de una parte de su conciencia para entrar en otra, los sueños, como van y vienen las olas sobre una playa, empezaban a regresar; entonces su memoria los recobraba aventurándose en sus secretos hasta conducirlos a la solución deseada: así la huida se transformaba en combate o el fracaso en victoria; así se realizaban sus deseos más embozados. A partir de aquel momento, y contra toda lógica, los sueños dejaban de ser la expresión pasiva de su inquietud, porque, o bien la inquietud desaparecía, o bien cambiaba su manera de aprehenderla, como si el hecho de actuar sobre los efectos pudiera modificar las causas.

Pero la lógica formal no tenía cabida en la Torre del italiano y menos aún en el parque que la rodeaba reproduciendo su estructura; ambos carecían de sentido, salvo si se renunciaba a la noción misma de racionalidad para extraviarse en los ensueños de la ilusión. Y el jardín los ofrecía a quien quisiera encontrarlos: en sus rincones más umbríos se erguían gigantescos caobas bajo los cuales crecían hongos macilentos y de frágil apariencia: cuando se acostaba entre ellos, Lina caía de inmediato en un sopor tan profundo que al cabo de unos instantes se sentía salir de su cuerpo dormido y deambular por regiones desconocidas; a veces su espíritu —o ese fragmento de sí misma desprendido de su persona— encontraba seres venidos de otras partes, desprovistos de cualquier forma de envoltura, que la arrastraban en un viaje vertiginoso a ciertos puntos del espacio, no a fin de hacerle grandes revelaciones, sino de transmitirle conceptos de una desconcertante banalidad. Lina no comprendía por qué esas entidades se empeñaban en grabarle en la mente la noción de su propia insignificancia, la suya y la de todos los habitantes del minúsculo planeta donde su cuerpo reposaba y la vida, como un milagro, había surgido: allí estaba, parecían decirle, un simple alfiler entre la infinita constelación de astros, y de allí podía desaparecer sin que su ausencia cambiara gran cosa en la fulgurante pulsación de la materia. Quizás, al igual que tía Irene, aquellas voces intentaban comunicarle el eco de un mensaje olvidado desde hacía miles de años, pero no destruido mientras hubiese alguien que lo escuchara en el secreto de un jardín, sabiendo que a alguien debería entregarlo cuando sintiera aproximarse los primeros pasos del silencio; por confusa que fuera, su percepción ponía en marcha un mecanismo que nada ni nadie podía detener, como un reloj destinado a marcar las horas hasta la hora de la muerte o un tercer ojo de repente abierto y para siempre en vela: pues a partir de entonces no había tregua ni reposo, sino una interrogación continua, un eterno peregrinaje en los trasfondos del inconsciente. Obligada a cada momento a dudar de sí misma, de las justificaciones con las cuales trataba de encubrir sus deseos. Lina veía su narcisismo replegarse desorientado. Su orgullo también: ninguna reacción podía preverse, ni en ella ni en los demás, cuando la realidad humana se revelaba irreductible a los esquemas de la razón. Con los años Lina comprendería que el simple hecho de vislumbrar aquellos espejismos había modificado su concepción de la vida al sugerirle la existencia de la incertidumbre. Tía Irene y el jardín, los sueños y sus sombras terminarían haciendo añicos la estructura de reflexión que su abuela le había ofrecido como modelo. Mucho más tarde.

Las grietas que anunciaban la inevitable ruptura habían aparecido, sin embargo, en Barranquilla, cuando nada lo dejaba esperar. Y surgieron a propósito de Javier Freisen, o mejor dicho, de su matrimonio con Beatriz. A pesar de las reservas de Lina, su abuela había acogido la noticia favorablemente, y haciendo poco caso de sus objeciones, había afirmado que en él Beatriz había encontrado el marido a su medida y la Nena podía, de allí en adelante, remplazar sus oraciones de súplica por un tedéum. Contenta de imaginar a Beatriz encarrilada en la vía de un matrimonio sin historias, no quería interrogarse sobre los motivos que conducían a un hombre de veinticuatro años, desbordante de salud y con la fogosidad de un toro de lidia a interesarse en aquella criatura mineral cuya aridez hacía pensar en los helados desiertos de algún planeta lejano. Pues el carácter de Beatriz, y eso le constaba a Lina, no había cambiado al contacto de las monjas canadienses: seguía siendo inexorable y puritana, y si algo había aprendido, era a fabricarse una imagen de persona impasible a quien nadie lograba sacar de su serenidad. Los hermanos Avendaño consideraban que al fin había entrado en razón superando los conflictos de una adolescencia demasiado prolongada. El doctor Agudelo le hablaba a Lina de psicopatía en tal estado de concentración que hasta podía guardar el control de sus manifestaciones. Y en su fuero interno Lina se decía que más le valía a Beatriz entregarle su mano al diablo antes que a aquel hombre desgarrado por dos fuerzas antinómicas que al interior de su conciencia se libraban un combate sin cuartel. Aun advirtiendo la vacuidad de su afirmación, Lina sólo encontraba esa fórmula para explicar la dilogía que marcaba la personalidad de Javier Freisen. Era impulsivo a la manera de Benito Suárez, menos loco tal vez, pero animado por el mismo furor de imponer su voluntad a cualquier precio. Una voluntad caprichosa, que durante años había podido afianzarse gracias a Odile Kerouan, quien utilizaba los deseos de su hijo, no sólo a fin de humillar a Gustavo Freisen, sino además, y, sobre todo, de explorar a través de ellos sus propios deseos reprimidos. A Javier la abundancia y la libertad, las cosas con las cuales había soñado la niña medio paralítica y, más tarde, la jovencita confinada en un convento. Poco importaba la cantidad de bicicletas rotas o de raquetas de tenis perdidas; Javier tenía derecho a salir y entrar en su casa a cualquier hora sin rendirle cuenta de sus actos a nadie. Pero ella, Odile Kerouan, recogía sus confidencias: con él saboreaba el placer de lanzarse en el rugiente estampido de su moto o contemplar entre las nubes las alas plateadas del pequeño avión personal que había comprado después de obtener la licencia de piloto falsificando su fecha de nacimiento. Había otras cosas de las cuales Javier seguramente no le hablaba y que, sin embargo, ella podía muy bien imaginar cuando lo veía irse de noche en compañía de sus amigos, los bolsillos llenos de un dinero destinado a extraviarse en medio de mucha música y alcohol. Esos billetes, ofrecidos a manos llenas, le habían permitido a Javier frecuentar desde joven a hombres mayores que él, de quienes había aprendido el arte de emborracharse en los burdeles y conducirse correctamente con las muchachas que allí encontraba. Petulia, cuyos juicios eran implacables, le había tomado cariño asegurando que tenía temperamento y amaba de veras a las mujeres. Lo del temperamento, Maruja y sus hermanas lo sabían a ciencia cierta, pues cuando visitaban a Ana debían asegurarse de no permanecer a solas en un cuarto so pena de verlo entrar de repente, cerrar la puerta y echárseles encima, los azules ojos encendidos por un brillo que no dejaba la menor duda sobre sus intenciones; sólo a punta de gritos y de golpes le habían enseñado con el tiempo a ser más respetuoso. También era cierto que Javier parecía hallarse a gusto entre las mujeres: desde su llegada a la ciudad se había integrado a la pandilla de Lina aceptando el pacto de no abusar de su fuerza en los juegos un poco masculinos, y luego, cuando su padre compró la mejor casa de Puerto Colombia, se iba a buscarlas temprano al caserón de Divina Arriaga para montar a caballo o bañarse con ellas en el mar. Todo eso habría hecho de él un personaje bastante aceptable, si no hubiera estado doblado de un Freisen que de tanto en tanto hacía su aparición desvelando una violencia insospechada. Lina lo comprobó por primera vez en la plaza del pueblo, justamente, viéndolo demoler a puños a un chófer que había detenido su bus a fin de soltarles una carretada de obscenidades: en menos de un dos por tres Javier se subió al vehículo, sacó al conductor de su puesto echándolo a tierra y, de no haber intervenido ellas y algunos pasajeros aterrados, el hombre habría terminado en el cementerio. Contaba entonces diecisiete años, pero era ya tan alto como su padre y, a diferencia de éste, sus huesos sostenían una formidable masa de músculos. Tal vez Odile Kerouan lo había deseado así, un verdadero descendiente de esos marinos bretones a quienes el coraje no les impedía escuchar el tañido de campanas hundidas en el mar. En todo caso, ella había protegido siempre su espíritu de rebeldía: a la primera vejación de los jesuitas lo había trasladado al Biffi, y como tampoco la disciplina de los Hermanos Cristianos parecía convenirle, decidió hacerlo educar en un colegio laico donde insultar a los profesores no suscitaba en los alumnos ningún sentimiento de culpabilidad. Sin embargo, Javier debía afrontar la antipatía de su padre; aun si no quería realmente su fracaso, Gustavo Freisen lo esperaba así fuera para recuperar un poco de confianza en sí mismo y en la eficacia de sus propios métodos pedagógicos: de sus tres primeros hijos instalados en Francia, sólo uno había logrado tallarse una posición conveniente; no se sabía mayor cosa del otro, y el tercero se había vuelto comunista, después de haber militado clandestinamente en un partido de extrema derecha, y, colmo del ultraje a la familia, pasaba los domingos voceando el *Humanité Dimanche* en la Place Maubert. El único de esa camada que se había quedado en Barranquilla, Jean-Luc, mostraba signos de desequilibrio pasando de crisis de total apatía, durante las cuales permanecía acostado en su cama quejándose de agotamiento, a una actividad febril dirigida contra la supuesta pereza de los obreros de la fábrica. Gustavo Freisen perdía buena parte de su tiempo deshaciendo los entuertos de Jean-Luc y calmando a los enfurecidos dirigentes de un sindicato que, gracias a su habilidad, no había sido hasta entonces infiltrado por los comunistas. Aparte de los problemas que le causaba aquel hijo, en cuya educación Odile Kerouan no había participado ni de lejos, ni de cerca, Gustavo Freisen debía resistir a la sorda, pero tenaz venganza de los judíos.

La colonia israelita de la ciudad era un modelo de organización. A su cabeza el rabino y tres millonarios que se distinguían por la fineza de su diplomacia ante los políticos locales y su estricta obediencia a los preceptos bíblicos; se les decía hombres de palabra, aun si muy raras personas lograban hablar con ellos, y se las habían ingeniado para hacer entrar en el país a centenares de sus correligionarios entre las dos guerras mundiales. Los recién llegados habían aprendido desde el comienzo que si querían prosperar debían abandonar rencillas y discusiones inútiles por una solidaridad a toda prueba; si no tenían dinero estaban obligados además a sufrir una especie de iniciación, cuyo principio consistía en aceptar los infortunios de simple vendedor de tela en los almacenes judíos de la calle Comercio, fuesen cuales fuesen sus conocimientos o diplomas, a fin de demostrar su capacidad de sobrevivir, es decir, de crear una fortuna en condiciones paupérrimas. La gente los miraba con una mezcla de admiración y desconfianza, pues si bien resultaba ejemplar ver convertido en magnate a un pobre tipo que diez años atrás ponderaba a punta de altavoz el mérito de sus mercancías subido a un taburete, a nadie se le escapaba el carácter exclusivo y excluyente de aquella comunidad, diferente de las otras, no tanto porque tuviese iglesias clubes y colegios particulares —las otras los tenían— sino por su irreductible oposición al matrimonio de sus miembros con personas que no profesasen la misma fe. Aquella regla, fuente de tantos conflictos, había protegido durante milenios la unidad de un pueblo sin patria, le explicaba su padre a Lina, pero también, les permitía a los judíos conservar intacta la memoria, el recuerdo de las ofensas recibidas o de la bondad mostrada a su encuentro. Como prueba, Lina le oía citar el caso de Divina Arriaga, cuyo extraño mal ningún médico de la ciudad comprendía, y que unos años después de su regreso había recibido inesperadamente la visita de un neurólogo judío de gran renombre con el cual la sirvienta medio asiática sostendría una correspondencia médica hasta su muerte. Divina Arriaga no había solicitado sus servicios y ni siquiera lo conocía. Y todo cuanto de ella sabía el neurólogo era que durante la ocupación alemana en Francia, ella había ayudado a escapar a un cierto número de judíos de la garra nazi. Hasta donde estaba enterado el padre de Lina, ningún miembro de la comunidad israelita había entrado en contacto con aquel médico ni se había percatado de su breve pasaje por Barranquilla. Y el neurólogo no le explicó a él, su padre, quién le había informado de las actividades de Divina Arriaga en la guerra y, más tarde, de su extraña enfermedad. Pero atravesó el Atlántico para asistirla y, desde entonces, siguió la evolución de su mal a través de las cartas que le escribía la sirvienta, y mandaba por correo cajas llenas de medicinas, unos polvos en cápsulas de diferentes colores destinados a prolongarle la vida el mayor tiempo posible. Así pues, a su padre no le sorprendió en absoluto que los judíos se prometieran la ruina de Gustavo Freisen. Amigo del *Manco* y, para algunos negocios, su abogado personal, se vio confiar la delicada misión de ir a solicitarle al rabino el perdón de aquel canalla. Él y el rabino discutieron toda una tarde sacando ambos sus argumentos de la Biblia, libro que afortunadamente su padre conocía de memoria, como conocía las sutilezas del alma semita, heredadas, quizá, de aquel abuelo suyo por cuyo asesinato Cartagena había estado a punto de ser destruida. Y después hubo una pausa de algunos años durante los cuales los negocios de Gustavo Freisen parecían irse a pique y sólo vendiéndole con pérdida telas a los gringos lograba hacer marchar su fábrica. A veces, de regreso de la Sinagoga, el rabino se detenía a hablar con su padre en el sardinel, y de nuevo volvían las rebuscadas interpretaciones que los llevaba a conversar a la manera de exegetas en medio de los mosquitos del atardecer. Pero un día de gran perdón el rabino le comunicó al fin la decisión tomada por los jefes de la colonia: ellos, los judíos, estaban dispuestos a olvidar los crímenes de Gustavo Freisen en nombre de su familia, con la condición de que diera una prueba tangible de su arrepentimiento, en ese caso, una donación al Estado de Israel. Al oír la noticia, Gustavo Freisen casi se muere de rabia. *El Manco* contaba que se había quedado sin respiración y de repente los huesos del cuerpo le habían empezado a temblar; medio congestionado lo llevó a una clínica donde el médico de guardia tuvo la buena idea de hacerle respirar oxígeno en vez de inyectarle cualquier remedio que hubiera terminado desbaratándole el ya averiado sistema nervioso. De aquella reacción, naturalmente, los judíos se enteraron y, si después de recibir el presente ofrecido por la sensata Odile Kerouan al Eretz Israel, aceptaron comerciar con su marido, fue sólo a fin de no traicionar la palabra comprometida en un día de perdón. Pero Gustavo Freisen debería acordarse cada seis meses de que su prosperidad dependía del buen querer de la colonia, cuando las nuevas fábricas de confección judías hacían sus pedidos a los productores de telas, y, mientras a su primo, *el Manco*, le llovían los encargos, él, obligado a esperar, se comía las uñas maldiciendo en secreto a los hijos de Sion. Su suerte no podía ser más dura: haber abandonado su país, esa Francia cuyo dulce recuerdo parecía diluido ya en su memoria, sentirse envejecido prematuramente por la erosión de un clima que sólo le convenía a las fieras, saberse aislado sin remedio de los medios culturales donde una sinfonía se escuchaba con solemnidad y la aparición de un libro provocaba una brillante explosión de discusiones. Y todo eso para estar a la merced de los mismos hombres contra los cuales había luchado hasta el punto de aliarse a los enemigos de su patria convirtiéndose en un renegado. Al cabo de diez años pasados en Barranquilla Gustavo Freisen no sabía muy bien a qué atenerse y el mundo se le antojaba un completo disparate. Lo peor, le repetía *el Manco*, su eterno confidente, era el hecho de estar tan hundido en la mediocridad que ni siquiera llegaba a reconocerla: como no fuera para estudiar, sus hijos menores jamás habían abierto un libro y nada querían saber del pasado; no les interesaba la pintura, ni la música salvo los horribles ritmos afrocubanos y el no menos insoportable *rock* de los gringos. Gustavo Freisen se decía fatigado; tanto había intentado en vano inculcarle a sus vástagos el respeto de los valores europeos, tanta energía consumía trabajando en su fábrica y conteniendo las insensateces de Jean-Luc, que Odile Kerouan había tomado sin dificultad el control de los asuntos familiares y reinaba en su casa a la manera de las mujeres barranquilleras, a cuyo mando se había integrado en un santiamén.

Porque Odile Kerouan había descubierto que a partir de un cierto nivel social, y siempre y cuando las esposas pusieran en sordina ciertas exigencias o se fingieran ponerlas, el patriarcado se volvía en aquella ciudad una pantomima; a los hombres se les dejaba la ilusión de conservar el poder: se consentía a sus caprichos y nunca se discutían sus opiniones. Pero entre la madre y los hijos había una infinita red de complicidades de las cuales el padre estaba excluido. Una vez casadas, las mujeres se descargaban de las faenas domésticas sobre sus criadas y entraban en la feliz ociosidad de tardes pasadas en el «Country» jugando cartas hasta el anochecer, mientras cedían a los antojos de su apepito encargando *sandwiches*, tazas de té y algunos tragos disimulados en «Coca-Colas». Esa ordenada monotonía parecía sentarles perfectamente bien; repetían una y otra vez los gestos de la tarde anterior, de miles de tardes idénticas, hasta que sus mentes se adormecían y sus cuerpos funcionaban como entidades ávidas de jamón y queso caliente entre dos rebanadas de pan, engordándose poco a poco, y también poco a poco aumentando la cantidad de ginebra que los sirvientes del «Country» mezclaban a las «Coca-Colas» con exquisita discreción. Odile Kerouan había descubierto en aquel orden una libertad inimaginable para sus hermanas europeas, siempre sometidas a la presión del marido o de la familia, privadas de las mismas satisfacciones, y sin recibir la menor compensación. Allí, al revés, las mujeres se arrogaban un número considerable de prerrogativas: soberanas en su casa, diosas para sus hijos, empezaban a rasguñar los poderes del marido desde el matrimonio y terminaban poseyéndolos del todo cuando la edad o la fatiga disminuía en los hombres la combatividad. Y nadie discutía una situación que a ojos de Odile Kerouan formalizaba el más sutil de los compromisos, un acuerdo tácito entre los dos sexos a fin de vivir y morir en paz. Lo que ese pacto sacrificaba no le parecía importante a Odile Kerouan, quien incluía la sexualidad dentro del salvajismo humano que era necesario inhibir si quería conjurarse el peligro de caer en la animalidad. Ella conocía de sobra los funestos resultados de la violencia y había logrado extirparla del comportamiento de Gustavo Freisen. Sin embargo se mostraba indulgente con respecto a la vida galante de sus hijos varones diciendo que la experiencia le había demostrado cuán contraproducente podía resultar el exceso de represión. Si había ambigüedad en sus propósitos, a nadie le importaba gran cosa: nacidas allí o no, sus amigas estaban casadas, como ella, con extranjeros ricos instalados en la ciudad, y formaban un grupito cerrado sobre el cual flotaba una ligera brisa de liberalismo; además de jugar brigde, leían las noticias del periódico local y algunos libros no siempre recomendables, y si poseían mucho temperamento, tenía breves depresiones o se permitían aventuras secretas y sin eco. Fuese cual fuese su nacionalidad, todas respiraban con alivio el aire de Barranquilla y no prestaban mucha atención a los prejuicios del pasado que saltaban de pronto en sus conversaciones como sapos salidos de una laguna negra. Enteradas de lo que habían sido las relaciones conyugales de Odile Kerouan, se alzaban de hombros al oír sus absurdos comentarios sobre el sexo, sin comprender que, en' realidad, traducían el sentimiento profundo de una mujer para quien durante años todo cuanto escapara al dominio de la producción era desperdicio, postulado del que a veces se acordaba ofuscadamente observando su propia vagancia y los derroches de Javier.

Su hijo mimado se había vuelto cada vez más exigente, y las sumas de dinero gastadas en burdeles y nuevos antojos, más exorbitantes. Odile Kerouan continuaba abriéndole su bolsa, siempre complacida de penetrar con él en el mundo deslumbrante de los hombres. Javier era bello y libre: había remplazado su moto por un automóvil deportivo que corría por la carretera de Puerto Colombia levantando espirales de polvo y andaba encaprichado por un velero bautizado *Odile*, a bordo del cual desafiaba las tormentas del Caribe haciendo gala de tanto coraje, que los pescadores de alta mar no sabían si tratarlo de valiente o de temerario. A juicio de Lina, su copiloto cuando se entrenaba para las carreras de auto, Javier merecía ambos calificativos. Por su parte, Odile Kerouan sólo veía en aquel gusto del peligro la herencia de muchos marinos bretones que durante generaciones habían aprendido a entregarse al mar como a los brazos de una amante. A veces ella misma lo acompañaba a navegar y los recuerdos de su infancia regresaban en tropel a su memoria: se sentía joven, le decía a Rosario, la esposa del *Manco*, feliz de que la brisa alborotara sus cabellos y el aire trajera excitantes olores de algas y yodo; mar adentro, las aguas del Caribe se abrían en una infinita variedad de verdes hasta llegar a pequeñas islas desiertas donde podía evocarse el paraíso; allí Javier y ella atracaban a fin de pasar la noche y dormían juntos bajo un mosquitero oyendo el acompasado latido de las olas. En esos momentos el pasado regresaba a su memoria y Odile Kerouan advertía cuán malsana había sido su educación, encerrada entre el puritanismo de las monjas y la vanidad de sus padres; su vida le parecía triste, sus sacrificios se le antojaban vanos; la acosaba el deseo de saber por qué nunca había pensado en el amor cuando era bonita —no obstante la luxación de la cadera— y su presencia en los salones de sus tíos despertaba miradas de admiración; entonces habría podido descubrir los placeres de la juventud en lugar de querer confinarse en un convento hasta perder toda voluntad y dejar a sus padres casarla con aquel hombre yerto como un pulpo abandonado por la marea sobre la playa. Sus reflexiones la conducían a las humillaciones sufridas en la mansión de Lille, donde la suegra mil veces odiada se había aprovechado de su ingenuidad para ridiculizarla ante los ojos del marido, quien a su turno sólo veía en ella a la matriz reproductora de la familia Freisen. Así le hablaba Odile Kerouan a la esposa del *Manco*. Gracias a Dios tenía a Javier, le decía, Javier era su única recompensa frente a tantas amarguras.

Y Javier amaba a su madre; le gustaba saberla contenta, ayudarla a borrar esos recuerdos. Desde niño había encontrado en ella un aliado incondicional contra la violencia de Gustavo Freisen y sus hermanos mayores, que se complacían en mortificarlo, un poco por envidia, pero también, porque su falta defensa les aguijoneaba la crueldad. Cuando lo encontraban solo, le confiaría un día a Lina en la playa de Puerto Colombia, le hundían la cabeza en una bañera de agua fría hasta casi asfixiarlo, una y otra vez, exigiéndole un acto cualquiera de degradación a fin de destruir su confianza en sí mismo. Lina le oyó referir aquello aterrada. Javier la miró sonriendo. Nunca lo lograron, dijo. Y su voz le pareció a Lina tan peligrosa y desafiante como las astas de un toro en la arena. Pero al referirse a su madre, sus palabras envolvían siempre una secreta ternura: pensando en ella había decidido adquirir el velero y al descubrir su felicidad en las pequeñas islas deshabitadas, la había convencido de comprarse una. Por esos días, Odile Kerouan y su hijo vivían en completa fusión: él le confiaba sus emociones y experiencias, y ella accedía a todos sus deseos. De tanto irla a buscar al «Country» al atardecer, Javier había terminado conociendo a sus amigas y se había convertido en el galán de aquellas mujeres un poco marchitas, quienes encontraban delicioso permitirse un flirt, inocente, claro, con uno de los hombres más atractivos de la ciudad. Él las conducía en el «MG» a sus casas o las invitaba a bailar en las fiestas alborotando fantasmas de juventud que ellas creían enterrados; de repente descubrían el placer de oler un cuerpo joven, de poderse abandonar a los músculos de un brazo, y empezaban a olvidar la flacidez de sus muslos y las horas pasadas frente al espejo intentando ocultar la injuria de los años hasta que la estricta indiferencia de Javier volvía a abrirles la vieja herida; entonces, y después del tiempo necesario al duelo, tomaban hacia él actitudes maternales protegiéndolo con celos de gallina clueca: se disputaban su compañía, lo invitaban a sus cócteles más selectos, a los cuales sólo asistían personas mayores, muy ricas y de buena cuna. Aquellas relaciones le permitían a Javier aumentar el número de clientes de la agencia de viajes que Odile Kerouan había adquirido para él a fin de ofrecerle un medio decoroso de ganarse la vida sin entrar en la fábrica de su padre. Cuando la compra se realizó, Javier acababa de obtener a duras penas su diploma de bachillerato y la agencia estaba a punto de quebrar; tres años más tarde el negocio iba viento en popa, pues detrás del aparatoso despacho de un gerente que sólo de tarde en tarde pasaba por allí, la astuta Odile había colocado un hombre de confianza, casado y con cinco hijos a cuestas, es decir, obligado realmente a ganarse la vida.

Nada había dejado Odile Kerouan al azar en su inconsciente propósito de poseer a su hijo; siempre dispuesta a darle cuanto de lejos o de cerca se le antojara, anticipándose inclusive a sus caprichos, había deformado su carácter hasta tal punto que Javier no toleraba renuncias ni contrariedades. Pero el gran error de Odile Kerouan fue el de creerlo ligado a ella eternamente, como si un hombre joven y en perfecta salud aceptara mucho tiempo quedarse en ese estado de simbiosis uterina, negándose otros amores y contentándose con la triste rutina de los burdeles. Allí, y por expertas que fueran, las mujeres no presentaban mayor interés; Javier aseguraba conocerlas de sobra: las sabía frígidas y forzadas a satisfacer los fantasmas de sus clientes por dinero, nunca por perversión; si se les presentaba la suerte de elevarse al rango de queridas, trataban de constituirse una dote compuesta de una cama o un refrigerador para hacerse olvidar después en el anonimato de un matrimonio modesto. No, los burdeles no favorecían, en verdad, la aparición de grandes amores y, mientras Javier los frecuentara, Odile Kerouan estaba segura de monopolizar su afecto; a veces, en sus momentos de depresión, lo imaginaba casado con una muchacha de buena familia y sentía su corazón atravesado por alfileres; a fin de consolarse, echaba mano, entonces, a la concepción europea del matrimonio, simple operación económica destinada a acrecentar la fortuna y perpetuar el apellido. Pero suponer a Javier enamorado no entraba en sus elucubraciones, la sola idea le parecía una pesadilla. ¿No eran felices juntos, no se dedicaba a complacerlo?, le preguntaba a la esposa del *Manco*; ninguna persona podía amarlo como ella, dándole todo y sin nada exigirle, ninguna sería capaz de minimizar sus defectos arrancando con las uñas las piedras de su camino. Sin embargo Javier se enamoró. Y no del doble de Odile Kerouan, es decir, de una mujer rendida de admiración a sus pies, sino de Victoria Fernán de Núñez y otros tantos ilustres apellidos, quien desde su infancia había tenido una madre, cuatro tías y un enjambre de criadas pendientes de sus antojos, los cuales eran muchos e imprevisibles, como lo comprobó el pobre caldense que la desposó creyendo encontrar el Dorado para, a la nada, descubrirse convertido en el sacerdote principal de una deidad impetuosa ante la cual debía inclinarse si quería conservar el privilegio de administrar su inmenso patrimonio. El caldense era atravesado, pero Victoria, nacida bajo el signo de Leo y envuelta en el aura de su riqueza, no se dejaba impresionar por nadie; de su madre y de sus tías había aprendido a jamás abandonarle a un hombre el control de su persona y, menos aún, el de su fortuna; así pues, de regreso del viaje nupcial, juzgado por ella poco exaltante, el caldense empezó a rendirle cuentas de su gestión todos los meses, y ya fuese a causa de esa vigilancia susceptible de merecerle elogios o reproches, ya de su dificultad para seguir el ritmo de los ardores de Victoria, su personalidad pareció escindirse con el tiempo, transformándose hacia el exterior en un formidable hombre de negocios y, en la vida privada, en un niño apasionado por las colecciones de soldaditos de plomo. Aquellos soldaditos, Victoria se los traía de sus viajes a Europa, donde los compraba o los encargaba a artesanos retirados del oficio por sumas colosales, mientras su amante del momento la transportaba a esas cumbres de pasión en las cuales se abrían las mil flores de su temperamento insaciable y siempre en busca de nuevas emociones. Las señoras de Barranquilla le tenían horror, pues aunque no era refinada y bella como Divina Arriaga, poseía el mismo don de fascinar a los hombres; quizá no se trataba de fascinación, sino de algo parecido a la lujuria, porque su absoluta falta de inhibiciones y una pizca de vulgaridad aprendida vaya a saberse dónde, los incitaba a despojarse de la última capa de su coraza desvelando fantasmas cuya exhibición carecía de picante en los burdeles o resultaba inadmisible ante las esposas. Junto a ella, en cambio, las formas más truculentas del amor podían desplegarse sin vergüenza y de manera gratuita: Victoria rechazaba los regalos, convencida, le confiaría una vez a Lina, de que cualquier obsequio constituía en sí una compensación asociada al descenso del erotismo, y que recibirlo, significaba admitir la lasitud en el comportamiento amoroso del hombre, signo precursor de monotonía y, a la larga, de aburrimiento. Cuando muchos años después Lina la encontró por casualidad en París acompañada de un joven *play-boy* alemán, sin lugar a dudas su gigoló, le sostuvo el mismo razonamiento con una ligera modificación: entonces ella pagaba, cierto —la edad tenía cara de hereje— pero sus amantes debían hacer gala de fantasía, so pena de ser puestos de patitas en la calle, es decir, de abandonar automóviles deportivos y suntuosos apartamentos en hoteles de lujo; mientras la oía hablar, divertida de su cinismo y su fulminante sentido del humor, Lina no podía abstenerse de pensar en la otra, la Victoria Fernán todavía grácil a pesar de sus años, esbelta a fuerza de ejercicios, de la cual Javier se había enamorado causando la desdicha de Odile Kerouan y la ruina de sus relaciones.

Ni ella ni sus amigas del «Country» habían sospechado un segundo el impacto que la fogosa personalidad de aquella amazona entrada en años produciría en Javier, cuando Victoria le venía como anillo al dedo a cualquier Freisen no del todo neurótico, en fin, más o menos desembarazado de esas religiones o ideologías donde su sexualidad había ido siempre a congelarse. Odile Kerouan sucumbió a los celos y por primera vez en su vida tuvo una crisis de depresión; de no haberse opuesto a los amores de Javier habría conservado al menos su complicidad; pero, como los designios de Dios, decía *el Manco*, los vaivenes del desequilibrio mental resultaban impenetrables. Proyectada en su hijo, ella se había afirmado contra el tiempo y la muerte, ofreciéndole la abundancia, se había vengado de las privaciones sufridas y, al volverlo independiente, había obtenido una parcela de libertad. Justamente Javier había sido concebido poco después de la muerte de la suegra aborrecida, cuando Odile Kerouan dejó de sentirse inferior en aquella casa de Lille; el embarazo no se había presentado acompañado de malestares y el alumbramiento había durado muy poco, asociado menos al dolor, que a una turbadora y hasta entonces desconocida sensación de voluptuosidad. Odile le decía a la esposa del *Manco* haber tenido miedo de que Gustavo Freisen rechazara aquel bebé de cabellos negros, pues no obstante su virtud, había salido encinta durante unas vaca-

ciones en las cuales algunos miembros de la familia Kerouan estaban
en su casa, entre otros, una prima casada con un pariente, por el que
ella, Odile, sentía un gran interés. Y además de ser fornido, el pariente
tenía los cabellos negros. Odile Kerouan parecía haber desplazado su
deseo de aquel hombre sobre el espermatozoide del marido que la
fecundó, contrariando de algún modo las leyes de la genética y de algún
modo considerando el nuevo bebé como realmente suyo, ajeno a su
verdadero progenitor y diferente de los otros hijos formados en su
matriz por deber o vanidad y expulsados entre sufrimientos atroces y
hemorragias incontrolables. Su amor por Javier no fue nunca ambiguo,
más aún, para ser consecuente con él, aceptó modificar sus convicciones
hasta convertirse en una madre tolerante y generosa imponiéndole a
sus propios principios morales la elasticidad de trapecistas; en el fondo,
ese sentimiento nada tenía de exclusivo ni limitaba la sexualidad de
Javier, pues a través de él Odile conocía el placer por procuración y,
según creyó intuir Lina años más tarde, realizaba los fantasmas inhibidos durante una época que probablemente se situaba en la infancia,
cuando vivía en compañía de tres primas hermanas suyas, Jeanne, la
futura esposa del pariente de los cabellos negros, y otras dos a quienes
Lina encontraría instaladas en Cannes, todavía unidas en los últimos
destellos de un amor etéreo y precavido. Fue Maruja quien le sugirió
a Lina pasar con·ellas un verano en el cual, habiendo perdido su empleo
de traductora, se hallaba en una situación harto difícil; y las señoritas
Breville la guardaron a su lado varios meses hasta conseguirle, gracias
a sus amistades, un trabajo capaz de permitirle seguir errando por
París. A Lina le parecieron adorables desde el principio, como dos cirios
en una iglesia vacía y frente a una estatua velada que se espiaban el
uno al otro a fin de consumirse a la misma cadencia según un tácito
acuerdo de apagarse juntos. A veces hablaban del pasado y, no obstante
la circunspección de su lenguaje, Lina comprendió que Odile Kerouan
habría podido conocer un destino semejante con la prima Jeanne, personaje al cual las señoritas Breville se referían no sin aprensión, utilizando la palabra intrigante como eufemismo, porque eran demasiado bien educadas para llamarla «garce». En todo caso, una indiscreción
premeditada de aquella Jeanne había decidido a los padres de Odile
Kerouan a internarla en un colegio de religiosas, donde terminaron de
morir sus sueños de descubrir un día la piedra maravillosa que la
volvería invisible o la Dama del Lago y su fortaleza de oro habitada
por diez mil mujeres vestidas de seda que no habían conocido el hombre ni las leyes del hombre. Mientras tanto Jeanne, huérfana y confiada
al cuidado de los Kerouan, iba ganando su cariño hasta remplazar a
Odile en el corazón de su madre. Esa fue la primera traición de Jeanne
Breville en una larga carrera de ignominias cuyos episodios habrían
suministrado a Balzac el material de una novela y, más modestamente,
le ofrecerían a Lina algunos elementos para comprender los celos patológicos de Odile Kerouan al saber a Javier enamorado de una mujer
tan semejante en apariencia a la prima que después de iniciarla en
ciertos juegos prohibidos la había delatado a sus padres condenándola
al destierro. Todo eso, extraviado quizás en los meandros más oscuros
de su memoria, debió de dar un brinco cuando fue remplazada por

Victoria Fernán de Núñez, justamente la única mujer que no podía amar so pena de sacar a flote angustias olvidadas. Así, de un día para otro, Odile pasó de la comprensión al despotismo; convertida en madre dolorosa empezó a fastidiar a Javier con recriminaciones y súplicas, y al descubrir de cuán poco le servían sus escenas de celos, terminó esgrimiendo la amenaza de suspender sus larguezas, sin tener en cuenta que, no obstante sus confusos sueños de partogénesis, Javier seguía llevando en las venas la sangre de Gustavo Freisen y mejor era dejar tranquilo el demonio dormido en él. Odile había cometido además la imprudencia de poner las acciones de la agencia a su nombre, lo cual le permitió a Javier, no sólo cortar de un tajo el cordón umbilical, sino también, saborear las delicias de la independencia económica descubriéndose al mismo tiempo una formidable capacidad de ganar dinero; del turismo, pasó a negocios de construcción y luego a operaciones financieras tan fructuosas que Gustavo Freisen empezó a abrir los ojos. Más de un ultraje había recibido de aquel hijo: de niño se permitía despreciarlo burlándose de sus represalias, y en cuanto llegó a la adolescencia y supo a cabalidad cuál había sido su comportamiento frente a los nazis, el desdén se transformó en repulsión hiriente y sin matices llevando la osadía hasta tratarlo de cobarde. Esa fue la última vez que Gustavo Freisen intentó abofetearlo porque Javier se le echó encima, lo inmovilizó con un brazo y le deslizó al oído que su mayor deseo era tener un pretexto para reventarle la cabeza contra la pared. Desde entonces dejaron de hablarse, o, mejor dicho, Gustavo Freisen soportó en silencio los comentarios mordaces que Javier hacía en la mesa sobre la traición de los colaboradores y la imbecilidad de quienes se dejaban atrapar por cualquier ideología, repitiendo al pie de la letra las indignadas opiniones de Maruja. Pero cuando Odile comenzó a hacerle la vida imposible y Javier demostró ser un as de los negocios, Gustavo Freisen vio formarse la brecha a través de la cual podía obtener, no el afecto, sino la cooperación de un hijo a quien en el fondo respetaba por su coraje, en todo caso, superior a ese psicópata de Jean-Luc cuyos delirios de persecución habían alcanzado con los años proporciones inquietantes. El tiempo, en cambio, y los sinsabores sufridos en aquella ciudad endemoniada habían agudizado la capacidad de cálculo de Gustavo Freisen; conocía ya el arte sutil de la paciencia y podía adivinar el lento, pero inevitable desarrollo de los acontecimientos; algún día Victoria Fernán se cansaría de Javier y, herido en su amor propio, ese hijo turbulento buscaría el poder como compensación, un poder que sólo él, Gustavo Freisen, estaría en condiciones de ofrecerle dándole un cargo importante en su fábrica, destinada a convertirse, gracias a su esfuerzo personal y a pesar del rencor de los judíos, en un imperio de múltiples ramificaciones. A Jean-Luc le faltaba la talla para imponerse y Javier lograría orientarlo, mientras el único hijo en el cual confiaba de verdad Gustavo Freisen, Antonio, terminaba sus estudios en la Harvard Business School. En cuanto la situación le quedó bien clara, Gustavo Freisen empezó a mostrarse de una exquisita galantería hacia Victoria Fernán y, cuando estaba seguro de que sus comentarios sobre ella llegarían a Javier, explicaba, confidencialmente, por supuesto, que prefería saber a su hijo en compañía de una dama de alcurnia, en lugar de imaginarlo frecuentando a esas arrastradas de los prostíbulos donde pululaban los virus de las enfermedades venéreas. Desarmado ante aquellos propósitos, Javier, cuya inteligencia parecía a veces inversamente proporcional a su vigor, resolvió probar la buena voluntad de su padre pidiéndole alquilarle durante unos meses su casa de Puerto Colombia, y cuál no sería su sorpresa al verse citado por un notario para registrar el acta según la cual Gustavo Freisen le hacía donación de la misma, pagando de su bolsillo los impuestos necesarios al traspaso y arreglando las cosas de tal manera que sus otros hermanos no sufrieran el menor perjuicio. Javier estaba feliz: adiós Odile Kerouan y sus condenaciones, la constante impresión de sentirse vigilado, la obligación de mostrarse siempre agradecido. Seguía queriéndola, le afirmaría a Lina, pero ya no soportaba vivir bajo su dependencia, sobre todo, si a fin de complacerla debía renunciar a la mujer deseada. Y Victoria Fernán colmaba sus deseos más allá de lo esperado; no sólo azuzaba su hombría, sino también, le enseñaba los secretos del placer femenino: con ella decía aprender la ciencia de los ritmos, el arte de atreverse, la alquimia del tiempo; más se entregaba al amor, más sentía afirmarse su personalidad, pues curiosamente, el Freisen del placer asumido revelaba una fuerza idéntica a la del castrado, como si sólo en los extremos, ya de voluptuosidad, ya de ascetismo, pudieran alcanzar ese brío que les había conducido a dominar a los hombres desde cuando lograron encender un leño en las salvajes y heladas riberas del Báltico. Nunca antes Javier se había mostrado tan eficaz, dirigiendo con dinamismo varios negocios a la vez; semejante a un torbellino amarillo su «MG» se desplaza de los Bancos del paseo Bolívar a las fábricas de la Zona Industrial, del aeropuerto, donde iba a recibir a los hombres de negocios norteamericanos, al hotel del Prado cuyos bares bañados por una penumbra climatizada servían para hablar de dinero en inglés. Y apenas anochecía el «MG» zumbaba hacia Puerto Colombia con un Javier ansioso de volverse a extraviar entre los ávidos, tibios, jugosos muslos de Victoria, quien a fin de guardar las apariencias se había hecho declarar enferma y obligada a recuperarse en la soledad de una cura marina. Aquella pasión duró lo que debía durar: Victoria no podía prolongarla mucho tiempo so pena de provocar un escándalo demasiado difícil de digerir para la buena sociedad de Barranquilla, y como el caldense se inquietaba de verla tan ojerosa, aceptó irse a Miami a hacerse un *check-up* en una clínica privada, donde conoció a un joven médico absolutamente irresistible y empezó a vivir un nuevo amor que la mantuvo alejada de la ciudad más de seis meses.

Durante ese tiempo Javier pasó por toda clase de estados de ánimo hasta instalarse en la personalidad abrupta de los Freisen. Al estupor inicial había sucedido un violento sentimiento de cólera que lo llevó a reventar a patadas, y en plena lucidez, el mobiliario de la casa de Puerto Colombia, y a hacer añicos el «MG», en un verdadero accidente del cual salió ileso por milagro. Cuando se cansó de emborracharse, pelearse en los prostíbulos y maldecir a Victoria Fernán, trató dolorosamente de reflexionar sobre las cosas de la vida utilizando como interlocutoras a Lina y Maruja, sus mejores amigas, quienes en vano intentaron disuadirlo de librarse a una actividad para lo que no estaba preparado. Pero él se empeñó: quería descubrir la escala de valores susceptible de influenciar a una mujer de casi cincuenta años haciendo abstracción de los sutiles compromisos que a esa edad cualquier mujer debía realizar con la vida a fin de proteger su integridad psíquica y material. Como no comprendió nada, optó por renunciar a los embrujamientos de la pasión dedicándole toda su energía a la conquista de una sólida posición económica y entrando, sin darse cuenta, en el terreno donde su padre lo esperaba. Gustavo Freisen no le impuso restricciones precisas, seguro de que las nuevas responsabilidades de Javier terminarían calmando su espíritu truculento. Y en efecto, al director de los servicios comerciales del complejo industrial Freisen le estaban prohibidas muchas cosas, desde vestirse con desenvoltura hasta armar escándalos en los prostíbulos. Su vida mundana se redujo a asistir a los cócteles donde era importante ser encontrado, pero el *play-boy* que hacía soñar a esposas aburridas y niñas casaderas se había convertido en hombre de negocios calculador y un poco cínico al referirse a las mujeres. Trabajar junto a su padre ensombreció su personalidad; resultaba imposible reconocer al Javier del velero en ese estricto ejecutivo que a duras penas sonreía. La paranoia lo acechaba: algún día le contaría a Maruja cómo durante aquellos años había tenido la impresión de ser perseguido. Pero, en lugar de acoquinarlo, el miedo lo impulsaba a reducir a polvo a sus enemigos reales o imaginarios. Gustavo Freisen juzgaba preferible dejarlo en paz. Incapaz de prudencia, Jean-Luc se le enfrentó cometiendo así el error fatal de su vida.

Javier odiaba a Jean-Luc, personificación de los otros hermanos mayores que tanto lo habían hecho sufrir en su infancia y portador insigne de la tara familiar. Mientras el uno crecía bajo la bondadosa protección de su madre, Jean-Luc sólo se reconocía en Gustavo Freisen; si se había quedado en Barranquilla era, no tanto a fin de ayudarlo en los negocios, como para estar cerca de esa hosca y feroz voluntad cuyo ejemplo le permitía estructurar la suya. *El Manco* afirmaba que no obstante los años vividos en el trópico se negaba a comer frutas y ensaladas o a beber agua sin hervir y que llevaba siempre en el bolsillo un frasquito con alcohol para frotarse los dedos cuando alguien le daba la mano; jamás había ido a un burdel ni se había permitido una aventura porque las mujeres le producían horror: entre sus piernas se escondían todos esos virus y bacterias que lo amenazaban y por sus almas se deslizaban las culebras del mal. Al miedo de los microbios se añadía la más singular aversión hacia los obreros, seres inferiores debido al mestizaje y naturalmente inclinados a la bajeza; como era de esperarse, imaginaba a los obreros animados por sentimientos implacables contra él y sufría lo indecible creyéndose víctima de sus conjuras. Su delirio de persecución había alcanzado tales extremos que de pronto se negaba a salir de su despacho y Gustavo Freisen debía ir a sacarlo a punta de gritos y amenazas. Fue por esa época cuando Javier entró en la fábrica con un cargo muy superior al suyo ganándose de inmediato la simpatía general: los empleados preferían a un patrón que hablaba sin acento, bebía ron blanco y sabía bailar la cumbia; en los matrimonios y bautizos a los cuales lo invitaban, Javier abandonaba todo sentido de la jerarquía para recuperarlo al día siguiente sin el menor embarazo. De tanto frecuentar mecánicos y pescadores se había familiarizado con la gente del pueblo y no era él quien iba a amilanarse, a la manera de Jean-Luc, por un insulto murmurado a su paso o una mirada sombría; conociendo la mentalidad costeña le bastaba llamar al resentido a su despacho a fin de hablarle cara a cara y así zanjar las dificultades. Además se mostraba generoso, inclinado al diálogo; su reputación de deshacedor de entuertos corrió muy pronto por la fábrica y los obreros empezaron a plantearle a él sus reivindicaciones sin recurrir al sindicato. Eso y dos o tres innovaciones acertadas en los circuitos de producción le habían ganado el reconocimiento de Gustavo Freisen, para quien rentabilidad constituía la palabra sagrada por excelencia. Jean-Luc, en cambio, se sentía disminuido; de nada le servía pronosticarle a su padre la ruina si seguía aceptando los métodos de Javier. Las manos crispadas, los blancos cabellos mojados de sudor como plomo derretido sobre la nuca, Gustavo Freisen contemplaba fríamente aquella cara recorrida de tics, cuya barbilla, otrora enérgica, se había ido esfumando con el tiempo. Y Jean-Luc, humillado, se retiraba en puntas de pie. Humillado y confuso: la sensación de haber perdido sus puntos de referencia, decía *el Manco*, lo había invadido mucho antes, cuando al venir de Europa su padre pareció doblegarse a la voluntad de Odile Kerouan y otra escala de valores se impuso en la familia; además, en aquella ciudad no podía tener amigos: los jóvenes de su edad se mofaban de él porque no iba a los burdeles ni le gustaba emborracharse y la primera vez que asistió a un baile de carnaval en el «Country»» juró no poner allí los pies jamás: aberrante, fue su comentario; las mujeres de la alta sociedad maquilladas, bailando a ritmos de música negra los hombres pintarrajeados como payasos. Aquel mundo de luz y desenvoltura rechazaba cada célula de su cuerpo demasiado blanco, demasiado sensible al sol; la partida de sus hermanos mayores y un desdichado equívoco con un peluquero, a quien imaginaba capaz de comprenderlo porque tenía modales exquisitos y hablaba francés, terminaron de precipitarlo en la soledad; como el heremita que corre despavorido a su cueva al percibir la tentación, buscó desesperadamente refugio en el trabajo: su despacho era limpio, su secretaria eficaz y vieja; con su sola presencia, Gustavo Freisen le indicaba la vía a seguir, camino real que conducía al poder: a una orden suya decenas de personas se ponían en movimiento, aumentaba la cadencia de las máquinas, se contrataban o despedían obreros. Desde su escritorio tenía la impresión de ser el delfín de un rey, el visir de un sultán, y mientras no lo aterraran las pesadillas el mundo se le antojaba un formidable campo de batalla. Ay, ese sufrimiento existía, pesadillas, lo había bautizado su padre: era algo localizado en la garganta, una garra que de repente le impedía respirar para en seguida dejarlo sentir su sangre debatiéndose angustiosamente por las arterias del pecho como si su corazón la expulsara en torbellinos desordenados. La crisis venía acompañada de una irresistible diarrea y estaba asociada a las persecuciones de las cuales era víctima y que nadie tomaba en serio. Durante años Jean-Luc había intentado descubrir la relación de causalidad entre los dos primeros fenómenos, es decir, saber si la arritmia cardíaca provenía de dificultades intestinales o lo contrario, pero de nada le había valido visitar médicos ni enviar a los laboratorios sus heces en busca del innoble gusano o las repugnantes amibas que le provocaban aquellos cólicos, pues los especialistas de la ciudad insistían en afirmarle, contra toda evidencia, que sus intestinos se hallaban limpios y su corazón en perfecta salud. Uno de ellos, el doctor Agudelo, había llevado la incredulidad hasta hacerle preguntas sobre su vida íntima insinuándole acabar con su castidad, y desde entonces los médicos le habían inspirado más desconfianza que los obreros. A juicio del *Manco* el doctor Agudelo no había sabido medir sus palabras: Jean-Luc debía permanecer casto durante toda su vida so pena de terminar enloquecido, pues ningún Freisen podía entrever su sexualidad sin caer en un pozo de tormentos. Y así sucedió: privado del único contacto humano que le quedaba, del alivio de esperar de la medicina una solución a sus problemas, las crisis de Jean-Luc se intensificaron. Temblaba acordándose del doctor Agudelo y sus preguntas malévolas que tanta confusión habían sembrado en su espíritu: sus malestares no eran de origen nervioso, gemía cuando empezaba a agarrarlo la paranoia y la vieja secretaria corría a anunciarle a Gustavo Freisen que su hijo había vuelto a encerrarse con llave en el despacho. No obstante, aquella asociación de ideas produjo a corto término un efecto curioso: Jean-Luc pareció advertir de pronto que si iba al «Country» al anochecer podía encontrar a las amigas de su hermana Ana y conversar con ellas dándole así a todo el mundo la impresión de entrar en la norma. De ese modo conoció a Beatriz y, por primera vez, sintió sin espanto latir su corazón.

Beatriz ni siquiera se dio cuenta, anestesiada todavía por los sueños concebidos en el colegio de las monjas canadienses. Ella nunca supo cómo había ido a parar allí y, si alguna vez se lo preguntó, debió de imaginar que sus padres habían seguido pasivamente la moda de enviar a las jóvenes de buena familia a terminar sus estudios de bachillerato al extranjero; tampoco le fue posible especular mucho sobre el asunto, creyó comprender Lina oyéndola hablar años después de su viaje al Canadá, ya que apenas descendió del avión y sintió las navajas de aquel aire glacial rasgándole los pulmones, el recuerdo de Barranquilla pareció huir de su memoria. Ese olvido fue lo que más la impresionó: tuvo conciencia de él mientras miraba arremolinarse el viento cargado de nieve contra las ventanillas del automóvil que la conducía al convento y se frotaba los azulados dedos lentamente temiendo despertar la burla de la otra condiscípula sentada a su lado; era una amnesia curiosa, pues si bien se acordaba de todo, podía inclinarse sobre su pasado sin experimentar la menor emoción; en seguida advirtió cómo ese pasado se transformaba en un ayer impotente que ella recuperaba o devolvía a la sombra según su voluntad, y tuvo la impresión de estar a salvo escapando de un peligro que la había acechado desde la infancia y cuya definición le era imposible formular. Entonces sintió algo parecido a la dicha, aunque la palabra se le antojaba excesiva en español y prefería el término *bonheur* para expresar un estado de ánimo del cual estaba ausente toda forma de zozobra. Le dijo a Lina que era como haber pasado la vida enferma sin saberlo y, repentinamente, descubrir la salud. Al parecer, en aquel colegio sus viejas angustias no tenían cabida: nadie conocía a los Avendaño y hasta resultaba de mal gusto tratar de imponerse siempre en las con-

versaciones. Colombia era una superficie rosada en el mapamundi de
la clase, Barranquilla un punto junto a la línea azul de un río, y ella, Beatriz, una latinoamericana a quien nadie creía capaz de aprender a hablar
dos idiomas en menos de seis meses, traduciendo a Horacio del latín
al francés y resolviendo en inglés ejercicios de cálculo diferencial. Pero
su aplicación al estudio le merecía allí elogios y, entre aquellas muchachas ricas, su rigor moral tendía a atenuarse; para ellas el divorcio no
era un drama ni el destino de la humanidad una obsesión: querían
ser felices, casarse con los amigos de sus hermanos, que se convertirían
en médicos de renombre, directores de grandes empresas, políticos importantes; deseaban tener dos o tres niños y, como sus madres, vivir
en hermosas mansiones de Boston o Montreal viajando todos los años
a Europa a comprarse vestidos y conocer ciudades y museos. Beatriz había sido desconcertada por la simplicidad con la cual acogían las
cosas de la vida; cuando iba a pasar vacaciones donde ellas y observaba el lujo apacible de sus casas, la transparencia de sus relaciones, esa
sensación de honestidad que se desprendía de cada uno de sus actos,
se preguntaba por momentos si no se habría atormentado sin razón;
entonces sus proyectos de cambiar el mundo se le antojaban utópicos,
utópicos y desmesurados: toda aquella armonía era el resultado de un
largo proceso de civilización seguido por los pueblos del hemisferio
norte, y no la realización de una voluntad individual. Después de muchas reflexiones empezó a asimilar su nacimiento en Barranquilla a
una farsa del destino y terminó integrándose completamente a la sociedad anglosajona. Sus propias amigas, que Lina conocería gracias a
ella al comenzar a vender los cuadros de Divina Arriaga, seguían afir-
mándolo años más tarde: Beatriz se había adaptado muy bien a las
costumbres norteamericanas: la recordaban como una jovencita de refinados modales a quien no se le conocían *boy-friends*, pero que siempre
estaba rodeada de admiradores en las fiestas; se acordaban, sobre todo,
de sus breves relaciones con el hijo de un senador republicano, inte-
rrumpidas por su regreso a Barranquilla: aquel muchacho, alumno de
West Point, se había enamorado de Beatriz viendo una fotografía de ella
que su hermana guardaba, y al instante le había enviado la más loca
declaración de amor; cuando se encontraron, después de meses de correspondencia, Beatriz hablaba de convertirse al protestantismo. El
muchacho quería casarse, pero ella, y eso nadie lo entendía, quiso so-
meterlo a prueba y cometió la imprudencia de irse dejándolo tan desorientado que al cabo de un tiempo empezó a salir con su mejor amiga. Aquella historia, juzgada por Lina inverosímil, terminaría revelán-
dose decisiva en un momento crucial de la vida de Beatriz: su abor-
tada tentativa de separación. Explicaba ya muchas cosas, esa indiferencia hacia la gente que había mostrado al volver a la ciudad y la
sonrisita un poco displicente detrás de la cual parecía ocultar un secreto: Davy, el hijo del senador, seguía escribiéndole y ella podía imaginarse muy lejos de Barranquilla. Su reserva, que el doctor Agudelo
llamaba psicopatía, era simplemente la radiante contemplación de un
sueño donde vestida de novia marchaba junto a Davy bajo la bóveda
de acero formada por las brillantes espadas de los cadetes de West
Point.

Entre sonrisas y flashes, descendiendo las gradas de la iglesia, arrojando el ramo de flores a sus amigas, Jean-Luc y los otros muchachos del «Country» pasaban seguramente desapercibidos. Beatriz sólo iba al club para complacer a su madre; la vida mundana de Barranquilla le producía un hastío que nunca intentó disimular; no sabía ni quería aprender a bailar la música costeña y al primer signo de vulgaridad regresaba a su casa. Pero la elegancia de sus maneras no provocaba la sorna de la gente, como en el caso de Isabel, porque se hallaba respaldada por la fortuna de los Avendaño. La niña despreciada podía al fin tomar su desquite: era bella y rica y tenía una nube de pretendientes a su alrededor. Sus antiguas condiscípulas de «La Enseñanza» estaban ya casadas con hombres de clase media y las pocas que por su nacimiento frecuentaban la gran burguesía intentaban ganar su amistad. En vano: Beatriz se mostraba impenetrable. Se la había visto llegar del extranjero envuelta en aquel halo de misterio que tanto excitaba la curiosidad, con sus rubios cabellos recogidos en la nuca, su perfil muy fino y la mirada vagamente ausente de los miopes; se había admirado su aire majestuoso en el baile de presentación en sociedad ofrecido por sus padres, y luego, esperando que se interesara en alguno de los mejores partidos del momento, casi nadie había observado cómo su discreción se transformaba en hermetismo. Los Avendaño sí, la Nena, sobre todo. Ella, que tanto había sufrido por su hija, no llegaba a creer en el milagro de los viajes; habiendo envejecido con el corazón cargado de tristezas, sólo captaba el lado oscuro de las cosas; la muerte de uno de sus nietos y el irremediable alcoholismo de su esposo habían reforzado en su espíritu la convicción de que el mundo era un valle de lágrimas; de hecho lloraba todas las noches recordando las calamidades habidas e imaginando las por haber y únicamente cuando Beatriz decidió volver a Barrranquilla aceptó el consejo dado por un médico de someterse a un tratamiento contra el insomnio; entonces se mejoró de manera sensible y hasta aceptó renovar su guardarropa y teñirse los cabellos de un blanco uniforme. Pero sus aprensiones seguían al acecho: aun si la serenidad de Beatriz la había sorprendido favorablemente, no pensó un instante que fuera a durar mucho tiempo y desde el principio se puso a aguardar los signos anunciadores de la tormenta.

La tormenta fue apenas un tono más oscuro en un cielo cargado siempre de nubes, algo casi imperceptible como la desaparición de una vaga, muy vaga sonrisa. Lina pensaría después que al dejar de recibir las cartas de aquel novio cuya existencia nunca reveló, Beatriz seguramente miró alrededor suyo descubriendo una perspectiva desoladora. El diploma de colegio obtenido en el Canadá, que le abría las puertas de las mejores Universidades norteamericanas, de poco le serviría en una ciudad donde las muchachas de su posición no realizaban estudios superiores ni trabajaban a menos de ser muy pobres o estar animadas por un franco espíritu de rebeldía. Como no entraba en ninguna de las dos categorías sólo podía elegir entre quedarse solterona o casarse y, comparados con el romántico oficial de West Point, los hombres de Barranquilla debían parecerle de triste figura. En todo caso, dejó de frecuentar las fiestas gradualmente inventando un pretexto tras otro para no salir de su casa y, a fin de calmar las angustias de la Nena, se descubrió una

repentina vocación por el dibujo. Recibía los cursos por correspondencia, de los Estados Unidos, y pasaba el día entero encerrada en su cuarto frente a un caballete pintando al carboncillo rostros y paisajes que
al principio reproducían el modelo original y luego, a medida que los
trabajaba, iban tomando un aire atormentado; tenía facilidad para el
dibujo, pero pintaba poco, pues en el fondo sólo quería aislarse con su
dolor. De él no le hablaba a nadie, ni siquiera a Lina cuando iba a visitarla por petición de la Nena. Los raros muchachos que insistían en
cortejarla terminaron cansados de su indiferencia y al final sólo Jean-
Luc le quedó de pretendiente.

En realidad, Jean-Luc no quería nada, salvo disipar las dudas sobre
su equilibrio mental pasando ante su familia como el supuesto novio
de una linda heredera cuya alcurnia y distinción no tenía necesidad
de demostrarse. Gustavo Freisen no cabía en sí de contento: las predicciones del *Manco* estaban a punto de realizarse y sus concesiones
a aquella ciudad que aborrecía, pero de la cual dependía su bienestar,
iban a dar al fin los mejores frutos: uno de sus hijos, el menos agra-
ciado, como si fuera poco, lograría afianzar su posición social entrando en el clan de los Avendaño. De golpe resolvió nombrar a Jean-Luc
director de producción duplicándole el salario para indignación de Javier, quien estaba lejos de imaginar entonces todo lo que Beatriz representaba para su padre. La propia Odile Kerouan se mostraba inclinada a ponerles una sordina a sus resentimientos conyugales aliándo-
se a su marido en la empresa de seducir a aquella muchacha de buena
familia que, además, presentaba la ventaja de ser blanca ciento por
ciento y hablar un francés irreprochable; así que incitó a Ana a invitarla con más frecuencia a la casa ganándose poco a poco su simpatía.
Donde los Freisen, Beatriz se sentía a gusto: encontraba un ambiente agradable, practicaba su idioma favorito y era objeto de las más delicadas atenciones. Sacando a relucir su sutileza, Odile convenció a su
hija que se interesara también en la pintura y convirtió en taller uno
de los salones de su casa contratando a un estudiante de Bellas Artes
para que les diera a ambas lecciones de perspectiva. Al cabo de poco
tiempo Ana y Beatriz eran las mejores amigas del mundo y salían juntas a todas partes en el automóvil que Gustavo Freisen había puesto a
su disposición, con chófer uniformado. De noche Jean-Luc las acompañaba al cine o invitaba a Beatriz a comer al «Country». Allí los encontraba a veces Lina, sentados a una mesa del grill, muy serios, casi sin
hablarse. Sus relaciones seguían siendo las mismas, las de dos personas solitarias y un poco hoscas, que preferían no expresar sus sentimientos; Beatriz arrastraba todavía los jirones de su nostalgia y Jean-
Luc no parecía decidido a dar un paso hacia delante: inquieto por el
giro que habían tomado las cosas, insistía en ponderar las virtudes de
una amistad sin equívocos permitiéndose a veces ciertos comentarios
sobre las intenciones de su familia, que se querían chistosos y terminarían resultándole a Beatriz intolerables. El único en notar la ambigüedad de la situación fue Javier. Apenas comprendió lo que estaba en
juego resolvió conquistar a Beatriz matando varios pájaros de un solo
tiro: recuperar los favores de su padre, vengarse de su hermano y adquirir una esposa conveniente que podría mostrar en público y no le

haría las bellaquerías de Victoria Fernán. Pero no sabía tratar a las muchachas de su clase, más aún, detestaba la hipocresía de los noviazgos, con su cohorte de visitas, serenatas y declaraciones de amor. Así que se puso a observar a Beatriz como se examina una plaza fuerte, pidiéndole consejo a Maruja, que no quería intervenir en el asunto pues consideraba aquel proyecto un disparate. Casi al mismo tiempo Lina empezó a recibir las confidencias de Beatriz.

Ella había advertido el interés que despertaba en Javier con una reticencia no exenta de turbación; ante aquellos ojos azules que recorrían descaradamente su cuerpo sentía la sangre afluirle a las mejillas y la terrible impresión de perder su individualidad para caer en el viscoso anonimato de la especie, allí donde todas las hembras humanas llegaban un día a esperar el deseo del hombre descubriendo en su vientre un latido hasta entonces ignorado. Percibía eso y otras cosas, la dificultad de expresarse en su presencia, una somnolencia que no lograba definir; creía a la gente capaz de adivinar sus emociones y, a veces, permanecía clavada en una silla imaginando su falda manchada por el hilo de humedad que le corría entre las piernas cuando al otro lado de la mesa Javier se obstinaba en mirarla. Aquella experiencia había cambiado brutalmente los ritmos de su cuerpo: el período le duraba más de la cuenta, los sueños eróticos la despertaban sobresaltada a media noche impidiéndole volverse a dormir; a la menor variación de temperatura pasaba de estremecimientos de frío a tufaradas de calor. De no hallarse confundida de vergüenza le habría pedido ayuda a un médico, pues asimilaba las manifestaciones de su estado amoroso a síntomas de una enfermedad, y, si se confiaba a Lina, era a fin de oírle repetir mil veces que no debía asustarse ni sentirse degradada recuperando así un poco de confianza en ella misma. Un poco, solamente: sus resoluciones de jamás volver donde los Freisen se hacían añicos cada mañana en un remolino de sentimientos contradictorios: un día decía querer desairar a Javier, otro, cortar por lo sano sus atrevimientos o demostrarle que no la intimidaban.

Mientras tanto Javier vivía su deseo a la manera de un corsario, sin sospechar los complicados sentimientos de Beatriz. No muy inclinado a la reflexión y más bien ignorante de ciertas complejidades del espíritu, seguía simplemente los impulsos de su inconsciente que se había ido revelando de una rara perspicacia. Aquella muchacha parecía enamorada de él pero si la trataba con corrección, le afirmaba a Maruja, podía estar seguro de verla erguirse como una diosa inviolable; los labios desdeñosos, los ojos irascibles sugerían en verdad un puritanismo irreductible a los avances masculinos y hasta a cualquier proyecto de reproducción atribuible a la naturaleza. No obstante, al menor contacto Javier obtenía de ella una respuesta animal: le bastaba acariciarla a la fuerza en un corredor para sentirla languidecer entre sus brazos con la voluptuosidad de una gata electrizada por el celo; ni siquiera necesitaba recurrir a las artimañas aprendidas junto a Victoria Fernán, pues Beatriz reaccionaba, menos al refinamiento de la caricia, que a la violencia empleada al imponérsela, y vivía el placer en una embriaguez sombría y solitaria de la cual salía animada por un odio insensato contra él. A Javier le molestaba su incapacidad de compartir los sentimientos, pero se excitaba violando una y otra vez las murallas de su pudor. Era una diversión curiosa, llena de sorpresas, como entrar en el tren fantasma de una ciudad de hierro. Cada paso lo conducía inexorablemente a otro más osado sin que él supiera de antemano cuál sería la reacción de Beatriz. Le gustaba crear situaciones donde ella quedaba en la imposibilidad de defenderse so pena de provocar un escándalo. Una vez, por ejemplo, un grupo de amigos había organizado una fogata en las playas de Sabanilla; Beatriz había llegado en el «Buick» de Jean-Luc y Javier se había ido a caminar entre la oscuridad. Era una noche intranquila, con relámpagos que brillaban mar adentro; a la luz de la luna las olas se deshacían sobre la ribera en ondulaciones de plata y la brisa parecía traer ruidos de voces como ecos de un antiguo naufragio; los pies hundidos en la arena, sentados alrededor del fuego donde se asaban mazorcas y trozos de carne, escuchaban los boleros que alguien cantaba acompañándose de una guitarra, cuando de pronto se levantó un viento fresco que decidió a Beatriz a ir a buscar su chal en el automóvil. Javier, a quien todos habían olvidado, debía de haber previsto su reflejo pues la esperaba escondido en el asiento trasero del «Buick» y, apenas la oyó entrar, la inmovilizó frente al volante manteniéndola sujeta a la silla con un brazo, mientras deslizaba rápidamente la otra mano entre sus piernas y empezaba a acariciarle el sexo siguiendo el alevoso ritmo del cual hablaba doña Eulalia del Valle. Beatriz ni siquiera intentó debatirse: el pánico, la ira le nublaban el espíritu y miraba a través del vidrio el resplandor de la fogata pensando solamente que si una persona los descubría se moriría ahí mismo de vergüenza. Pero nadie se acercaba y aquella mano continuaba hurgando en su intimidad sin que su cuerpo la rechazara; más aún, al cabo de unos minutos que le parecieron siglos, diría después, había sentido en plena ofuscación cómo sus piernas se entreabrían solas y sus caderas se agitaban en un vaivén que no podía controlar hasta sentir su vientre descongestionarse en una oleada de placer. El peor ultraje vino enseguida, cuando Javier descendió del automóvil y en silencio encendió un cigarrillo.

En realidad, Javier había salido al aire libre a fin de sofocar su propia excitación. Estaba un poco asustado; para él, hacer gozar a una mujer equivalía a poseerla; un segundo antes la altanera virgen había sido suya, más suya que si la hubiese penetrado, y ante aquel pensamiento su sensación de triunfo cedía el paso a una ternura que no se atrevía a expresar; sin saber la razón le parecía que de allí en adelante las cosas cambiarían para los dos y de repente tuvo deseos de tomarla entre sus brazos diciéndole cuánto la quería; tiró el cigarrillo a la arena y se volteó a mirarla, pero a través de la oscuridad tropezó con sus ojos encendidos por un brillo feroz, y entonces, recuperando su insolencia, le afirmó que en la próxima ocasión la haría suya y si la encontraba intacta le pediría su mano a los Avendaño. La respuesta no tardó en llegar: un escupitajo lanzado en plena cara. Javier no se esperaba eso: al oírla abrir la portezuela del automóvil creyó que iba a abofetearlo y en su fuero interno habría reconocido una cachetada como harto merecida; que Beatriz lo escupiera era otra cosa, era una declaración de guerra. Viéndola correr hacia la fogata se juró no volverla a tocar jamás y se fue sin despedirse de nadie.

Aun si su resolución no duró mucho tiempo, el simple hecho de haberla concebido indicaba que tarde o temprano Javier se alejaría de Beatriz. Él no tenía la virilidad tan agresiva, no hasta ese extremo; quizá consideraba normal vencer las resistencias femeninas pues estaba convencido de que, comparado con el de los hombres, el deseo de las mujeres tardaba más en encenderse; luego, los dos sexos eran iguales ante el placer y a cada miembro de la pareja le correspondía sincronizarse a las exigencias del otro. Aquella concepción de las relaciones amorosas, inusitada para cualquier latinoamericano de su época y que sin embargo pondría en práctica años más tarde, dejaba de lado la perversividad susceptible de apoderarse de él frente al comportamiento de Beatriz. A su pesar o no, seguía siendo atraído por el juego que ella le imponía: las escenas similares a la del día de la fogata volvieron a repetirse: Javier no perdía ninguna ocasión de hacerla gozar contra su voluntad y en las circunstancias más comprometedoras. Cuando se cansó de tanto perseguirla como un fauno en fiestas y jardines, de tantos placeres arrancados entre forcejeos de fiera resolvió poner las cosas en claro poseyéndola de una vez por todas. Su decisión sería precipitada por la gran trifulca que lo enfrentó a Jean-Luc.

Jean-Luc, que al parecer prefería pasar por sordo y ciego, descubrió un día en la página social de *El Heraldo* una fotografía donde se veía a Javier y Beatriz saliendo juntos del «Country» y de pronto volvió a sentir la vieja garra de su ansiedad: lo engañaban, se burlaban de él, todos, incluso Gustavo Freisen se habían unido en contra suya para favorecer los intereses de su hermano. Después de destrozar el periódico en pedacitos ante los alarmados ojos de su secretaria, se dirigió como una tromba a la oficina de Javier a fin de exigirle explicaciones y la promesa de dejar tranquila a Beatriz. Esa fue la única frase coherente que pudo articular. Enseguida perdió el control de sí mismo: se puso a recorrer la oficina agitando los huesos de su cuerpo en un movimiento desordenado y, enfurecido por el espectáculo de su propia impotencia, terminó lanzándole a Javier un cenicero. Así se armó el zafarrancho. Los dos hermanos se pelearon a puño limpio mientras empleados y secretarias corrían como gallinas buscando donde esconderse; los papeles volaban, se desparramaban los archivos cuyos documentos servían de proyectiles. La crisis le había comunicado a Jean-Luc una fuerza descomunal y, después de romper una silla y volcar contra el suelo el escritorio de Javier, se había apoderado de un cortapapeles atacando a su hermano con mañas de cuchillero. Pero a Javier parecía divertirle la situación; no sólo no perdía su sangre fría, sino que además, azuzaba la furia de Jean-Luc tratándolo de loco y de frustrado sexual. Ni siquiera la llegada de Gustavo Freisen logró apaciguar los ánimos; siguieron batiéndose en nombre de un odio acumulado durante años y en el cual Beatriz era apenas el pretexto; luchando, hiriéndose, insultándose hasta que Javier logró desarmar a Jean-Luc y de una última trompada dejarlo inerte entre un revoltillo de papeles.

Ana y Beatriz dibujaban los tejados de Barranquilla cuando vieron a Javier entrar en el salón, el saco desgarrado, una contusión en la mejilla, los nudillos de los dedos cubiertos de sangre. Le oyeron decir fríamente que Jean-Luc se había enloquecido y debían ir a buscar a Odile Kerouan al «Country» para conducirla a la clínica donde lo habían encerrado. Sobre lo que ocurrió después habría tantas versiones como testigos y protagonistas. Ana afirmaba haber salido corriendo de la pieza y, al notar la ausencia de Beatriz a su lado, haber mirado hacia atrás sorprendiéndola en brazos de Javier. Por su parte, Javier sólo reconocía haberle cerrado el paso unos instantes, pero sin intentar abrazarla: se sentía sucio y empapado en sudor; así que le dio la espalda y se dirigió a su cuarto para tomar un baño. Después de quitarse la camisa, metió la cabeza bajo la ducha percatándose entonces de que el cenicero lo había golpeado brutalmente: tenía una herida cerca de la oreja y, al coagularse, la sangre le había empegostado los cabellos; se los lavó haciendo poco caso del ardor que le producía el contacto del champú y luego de secárselos con una toalla empezó a peinarse frente al espejo del lavamanos: su cara se le antojó irreconocible: bajo las mejillas enrojecidas, los labios estaban pálidos y como recogidos hacia adentro dejando aparecer la punta de sus dientes. Eso mismo dijo Beatriz, que su cara tenía la expresión de un diablo. Según ella, Javier la habría arrastrado a su cuarto a la fuerza y, antes de entrar en el baño, la había arrojado violentamente a la cama; mientras oía el ruido de la ducha volvió a ser poseída por esa horrible sensación de existir en un cuerpo privado de voluntad; haciendo un esfuerzo se puso en pie y caminando hacia la puerta fue sorprendida por esa cara maléfica que se reflejaba en el espejo. No pudo dar un paso más: Javier se le echó encima y botándola de nuevo a la cama le arrancó a tirones el vestido. Beatriz estaba paralizada de miedo: a su mente venía una y otra vez el rostro de su padre; comprendía que iba a ser violada y no quería perder su virginidad. Cuando oyó rodar por el suelo los botones de su falda, gritó. Entonces Javier le dió una bofetada.

Javier observó aparecer en sus ojos un brillo que harto conocía. Había llegado a desnudarla de la cintura a los pies, pero no lograba separarle las piernas. Pensó que su victoria consistía, no en violarla, sino en obligarla a compartir el placer. Pensó eso, y de repente supo cómo podría conseguirlo. Rasgando la falda en dos pedazos, ligó con uno las manos de Beatriz y con el otro sujetó el nudo a la cabecera de la cama; así inmovilizada, terminó de desabotonarle la blusa dejando sus senos al aire. Ni siquiera tuvo necesidad de acariciárselos, le contaría esa misma noche a Maruja: sentirse amarrada, los senos descubiertos, le producía a Beatriz una oscura excitación que el temblor de su cuerpo traicionaba. Lentamente Javier se desvistió contemplando con orgullo su sexo erguido: otros hombres se quejaban de no poder conservar la erección largo tiempo, pero a él, ese tipo de problemas jamás se le había presentado. Aquella visión aumentó más todavía la rigidez de Beatriz: sus abstractos conceptos de virtud y doncellez se disolvieron ante la amenaza del sufrimiento físico. Aterrada le oyó decir a Javier que su sexo iba a abrirse solo, a convertirse en una gruta por la cual ese miembro entraría sin encontrar la menor resistencia. Entonces vio el cinturón y al instante sintió en las muñecas un dolor muy fuerte: Javier la había volteado boca abajo metiendo entre la cama y su vientre una almohada; por eso apenas si percibió el primer latigazo: ella, le diría a Lina, estaba tratando de mover las manos hasta donde se lo permitía la firmeza del nudo a fin de cambiarlas de posición; después sí, cuando pudo olvidarse de las muñecas, sus nalgas empezaron a dolerle y entendió lo que Javier le murmuraba: cada golpe del cinturón venía acompañado por la orden de abrirse bien, de abrirse a él, delante de él. Y poco a poco, sofocada de humillación, sintió el deseo apoderarse de su vientre a pesar de los latigazos, quizás a causa de ellos, mientras sus piernas obedecían a las instrucciones de aquella voz altanera con una voluptuosidad que allanaba cualquier esfuerzo de reflexión; ni siquiera advirtió en qué momento Javier le desató las manos y la hizo voltearse, siempre sobre la almohada, para contemplar su sexo ya apremiante, latiendo entre los vellos dorados del pubis como la diminuta boca de un animalito hambriento: la penetró lentamente, alzándole las piernas con los brazos a fin de mejor deslizarse en la tibieza de su intimidad: la membrana tan defendida cedió al primer asalto, pero tampoco de eso Beatriz se dio cuenta: un gozo fulgurante, parecido a una explosión, la había lanzado más allá del tiempo y del espacio, al borrascoso vértigo donde la conciencia se extraviaba y el paroxismo del placer encontraba las sombras de la muerte.

V

Durante mucho tiempo tía Irene había sido para Lina una sombra frente a la cual su pensamiento se convertía en palabra, un espacio donde las palabras le eran devueltas en forma de eco interrogante y sin fin, como serpentinas flotando al infinito; luego esa presencia se fue volviendo ausencia dejando tras de si la nostalgia de un cambio abandonado que alguna vez condujo al mar. Lina la había sentido alejarse progresivamente en una soledad consciente de sí misma y fascinada por la plenitud de su propio silencio: había terminado la sonata en cuya composición trabajaba desde hacía varios meses y sus ojos contemplaban con una serenidad distante un mundo donde los recuerdos volaban ya en cenizas. Recogidas en su hermetismo, la Torre del italiano parecía prepararse a dormir un largo sueño: los viejos muebles, los espejos de Venecia, los suntuosos óleos y tapices iban desapareciendo de las habitaciones y guardados en sus antiguos embalajes partían a una dirección desconocida; el comején descendía sus negros túneles sobre los frisos cuyo lenguaje Lina había intentado tanto y casi siempre en vano descifrar; de repente envejecidos, los animales se ocultaban en los rincones más oscuros del jardín. Sólo el piano, reflejado mil veces por los espejos de la pieza circular, se erguía majestuoso y perenne, como si el corazón de la torre latiera todavía y la partida de tía Irene fuese una simple ilusión. Curiosamente, los criados parecían ignorar que aquel cascarón estaba condenado a la ruina: ya el coquito se lanzaba al asalto de la escalera principal cuyas gradas habían socavado las últimas lluvias; ningún albañil había sido llamado para reparar las grietas de los muros y un soplo de humedad corría por los salones carcomiendo maderas y poniendo sobre las cortinas racimos de hongos. Pero ellos trabajaban con una paciente determinación: lavaban los pisos y otra vez olía a creolina, aceitaban los goznes y cesaba el chirrido de las puertas. Se hubiera dicho que estaban a la espera de un acontecimiento ineludible, sugiriendo a través de aquel incesante trajín que, no obstante su aspecto de abandono, la torre se preparaba a una última ceremonia antes de derrumbarse secretamente, sin estrépito, sobre la inexorable voracidad del olvido. La abuela de Lina debió probablemente adivinarlo: ella, que ahora salía muy raras veces a la calle y tenía dos años sin ver a su hermana, le envió un día una carta cuyo contenido tía Irene ni siquiera intentó conocer, pues, después de mirar el sobre sonriendo, se limitó a decirle a Lina que por supuesto la respuesta era afirmativa y dentro de poco le indicaría a su abuela cuándo debería venir. Otros indicios anunciaban la llegada de sombras imprecisas, pero cada vez más cercanas; si de las aguas muertas del jardín subía ahora un olor de fiebres, la gran puerta de la entrada había sido arrancada a su herrumbre y los árboles que bordeaban la alameda estaban podados y abiertos en flores; nueve sillas y varios candelabros de plata recién lustrada habían aparecido en el salón de los espejos. Siempre impenetrable, tía Irene no daba explicaciones y Lina se abstenía de pedírselas; el color muy blanco de su rostro y el excesivo brillo de su mirada indicaban que no era precisamente al extranjero adonde se disponía a partir; pero de eso, como de tantas otras cosas, habría resultado inapropiado hablarle. Así, Lina nunca aludía a la sonata que durante los últimos meses había sido el centro de su interés; si conocía algunos trozos de memoria, no lograba articularlos de manera coherente: ciertas líneas melódicas le parecían destinadas a otro instrumento, ciertas modulaciones se le antojaban incomprensibles. Sin embargo no osaba formular el deseo de oírsela interpretar de corrido y hasta se había resignado a jamás escucharla en su totalidad. De ahí su sorpresa cuando un anochecer, regresando de la torre justamente, su abuela la acogió con la noticia de que esa noche tía Irene tocaría la sonata para ellas. Lina se sintió invadida por un mal presentimiento: su abuela llevaba un largo vestido de seda negra, se había puesto las pocas joyas rescatadas de innumerables naufragios, y ya fuese a causa de su inusitado atavío, ya del velillo de encaje oscuro que le disimulaba el rostro, tenía el mismo aire de irrealidad con el cual tía Irene le había aparecido muchos años antes entre las nieblas de una fiebre. De un gesto, su abuela le indicó dirigirse hacia su cuarto: sobre la cama la esperaba un vestido de baile y sus guantes de cabritilla; junto a ellos, una esquela de tía Irene invitándolas a presentarse esa noche a las diez y media en la Torre del italiano.

Cuando vio a los sirvientes uniformados de librea roja y las teas alumbrando la avenida principal del jardín, Lina tuvo la impresión de haber retrocedido en el tiempo y penetrar por primera vez en el recinto donde, hacía más de cien años, un grupo de hombres y mujeres venidos de muy lejos y ajenos a las vanidades del mundo habían deseado en apariencia establecer relaciones diferentes con la vida, en busca de un ideal que nunca trataron de imponer, que ni siquiera intentaron formular, limitándose a sugerirlo a través de muy pocas cosas, la forma de una torre y los curiosos dibujos de unos frisos, allí, precisamente, en aquellos parajes de desolación, donde todo era destruido por el desenfreno de la naturaleza y el mercantilismo de los hombres, como si aceptaran con una lucidez irónica la irrisión de cualquier empresa humana. Quizá nunca pensaron que la torre duraría tanto tiempo, que otras personas animadas por su misma sensibilidad la habitarían, legándola a sus descendientes hasta cuando uno de ellos, sintiendo aproximarse su fin, mirara a su alrededor y no encontrase nadie digno de merecerla; y que entonces, en homenaje a quienes la habían construido, creara una composición musical de belleza alucinante y decidiera interpretarla ante nueve desconocidos, una sola vez, desgarrando luego en diminutos trozos la partitura.

Eso, presentir que sólo una noche podría escucharse aquella sonata para piano y violín, despertaba en el espíritu extrañas resonancias; había como un recuerdo de algo perdido, de antiguos rituales destinados a la sosegada contemplación de una conciencia en otra, a la aprehensión fugaz del absoluto. Los invitados de tía Irene, semejantes a máscaras venecianas detrás de sus antifaces de terciopelo blanco, parecían compartir la misma disposición al recogimiento; permanecían inmóviles en sus sillas, silenciosos, en una actitud que traducía la inquebrantable resolución de ocultar su identidad; de espaldas a ellos y muy cerca del piano, el violinista hojeaba rápidamente la partitura colocada sobre un atril de caoba; su afán de recorrerla a toda prisa indicaba que la leía por primera vez. Nunca el salón de los espejos le había parecido a Lina tan inquietante y secreto; de repente volvía a encontrar allí los temores de su infancia, la turbadora aprensión de sentirlo rondado por presencias invisibles, pero al acecho de cuanto ocurría en él. Aquella impresión se hizo más intensa cuando tía Irene entró sigilosamente y tomó asiento frente al piano. Las primeras notas anunciaron el tono general de la sonata: una meditación profunda, un tono grave amplificando su lenta progresión a través de variaciones que el violín recogía encadenando cada nueva frase con el punto culminante de la anterior; nada en ella permitía asociarla a un estilo conocido porque parecía existir fuera del tiempo y más allá del tiempo, sondear el infinito; su argumento había surgido como un punto de luz en un cielo oscuro, había alcanzado la dimensión de un astro en un estallido de rara intensidad, y luego, poco a poco, después de explorar los más variados contrastes de la melodía, se había condensado sobre él mismo hasta volverse inaudible, inaccesible, a la manera de una estrella que guarda su luz para ella a partir de su implosión.

Cuando tía Irene cerró la tapa del piano hubo un silencio atónito. Bajo el sortilegio de aquella música todavía presente, que había sugerido la aterradora expresión de la eternidad, el más ligero ruido habría resultado inaudito. Extenuado, con el antifaz cubierto de sudor, el violinista bajó los brazos y se inclinó profundamente ante tía Irene. Siguiendo su ejemplo, los otros invitados se levantaron e hicieron una reverencia. Lina notó que su abuela estaba a punto de llorar. De pronto se sintió abrumada por un peso intolerable, como si la atmósfera de otro mundo hubiese invadido el salón de los espejos. Durante unos instantes cerró los ojos y trató de controlar la respiración; al abrirlos, todo le pareció diferente: el violinista y los invitados habían desaparecido; apoyada con una mano en su bastón, su abuela alargaba el brazo en un gesto de súplica hacia una de las piezas vecinas, donde tía Irene, frente a la ventana abierta, rompía la partitura cuyos trozos se llevaban las brisas de diciembre. Pero era inútil; el espectáculo había terminado y, a su manera, tía Irene se despedía.

Lina ignoraba entonces que en cambio de escuchar aquella sonata su abuela había aceptado organizar el más increíble simulacro de velatorio alrededor de un féretro vacío: a ella le tocaría recibir las visitas de pésame, acompañar tristemente la carroza fúnebre hasta el cementerio y contemplar el ataúd descendiendo a su tumba entre coronas y flores. Luego, movida por una tardía, pero obstinada curiosidad, buscaría en vano a los sirvientes que ahora apagaban las bujías y recogían sillas y candelabros mientras tía Irene se dirigía paso a paso hacia los subterráneos seguida por Lina y la fatigada pareja de dobermans que nunca quiso reproducirse. Caminaban en silencio. Habían dejado atrás habitaciones y corredores sumidos en tinieblas; habían descendido escaleras y cruzado los sótanos donde muchos años antes, Lina, descubriendo las cajas de vidrio donde reposaron animales de aguijón fatal, había vislumbrado cómo podían amarse todas las formas de la vida. Con una vela en la mano, tía Irene seguía avanzando de un modo tranquilo y resuelto a través de escalinatas y túneles cada vez más húmedos, cuya existencia Lina no había sospechado nunca. Olía a tierra y a hongos, y el aire empezaba a rarificarse. Al final de un largo pasillo se detuvo y acercó la vela al friso que recorría la pared. Lina se acercó a mirarlo. Lo que vio no lo olvidaría jamás: vio una cavidad ovalada, y en su interior, y sin nada susceptible de sostenerlo, un objeto de metal brillante formado por dos especie de espirales que parecían compartir un mismo centro y cuyas curvas se desplazaban en sentido contrario hasta reunirse en su punto más extremo; la dualidad era sugerida porque sucesivamente cada espiral adquiría una fosforescencia azulada cuando se encontraba con la otra dejando imaginar un movimiento de pulsación perpetua o la ilusión de estar animada por una energía propia e indestructible. Lina introdujo la mano a fin de descubrir si el objeto se hallaba o no conectado con algo, para encontrar solamente el frío inhumano, inconcebible y feroz que lo rodeaba. Entonces tía Irene le pasó la vela sonriendo. Y mientras aquella cosa palpitaba ante sus ojos fascinados, Lina oyó sus pasos alejándose en la oscuridad, el chirrido de una puerta al girar sobre sus goznes y el terrible silencio que de ahí en adelante caería sobre la Torre del italiano.

Al día siguiente se celebraron los funerales de tía Irene. Entre la multitud de personas que acudieron a darles el pésame entrando por primera vez en la torre, Lina vio desfilar a Javier y Beatriz. Qué lejana le pareció entonces la época en que Beatriz intentaba encontrarle un sentido a la vida y cuán inútil hablarle ahora de subterráneos y frisos a esa mujer apagada cuyo único interés consistía en pasar por una esposa ejemplar. Beatriz era ya otra persona; después de atravesar los huracanes de la pasión se había refugiado en la granítica virtud de su adolescencia perdiendo toda viveza de espíritu. Aquel repliegue había conocido diferentes etapas y de él Javier era en cierta forma responsable. Beatriz lo atribuía simplemente al matrimonio. Para ella el problema había comenzado a las doce horas de haber perdido su virginidad, cuando empezó a sentir dolor de cabeza y náuseas inconcebibles. Saberse embarazada, le había dicho por esos días a Lina, y obligada a casarse contra su voluntad, había bloqueado en ella toda capacidad de deseo y hasta el deseo mismo de vivir. Algo de verdad había en su afirmación, pues doce horas después de violarla, Javier recibía una llamada telefónica de los hermanos Avendaño a fin de fijar la fecha de un matrimonio que debía realizarse lo más pronto posible y en la más estricta intimidad. A la gente le sorprendió que dos familias ricas casaran a sus herederos con tanto sigilo, pero como los Avendaño se las arreglaron para que el nacimiento del bebé fuese anunciado a los nueve meses de la boda, las especulaciones no duraron mucho tiempo. El propio Gustavo Freisen ignoró siempre los arcanos de aquel matrimonio cuya ausencia de fausto tanto lo defraudó: él hubiese querido una gran ceremonia precedida de cócteles, despedidas de soltera, en fin, de todos los actos sociales que proclamaran su triunfo contra el secreto rechazo de la ciudad, y no esa discreta recepción ofrecida por los Avendaño a las diez de la mañana y una novia de párpados enrojecidos saludando a los raros invitados sin ocultar su desolación. Gustavo Freisen no sabía a qué atenerse: por ella Jean-Luc se había enloquecido, y ahora desposaba entre lágrimas al hermano responsable de que Jean-Luc pasara el resto de su vida en un manicomio. La boda en sí se le antojaba una especie de reparación que el destino le brindaba y, al mismo tiempo, un ultraje al recuerdo de su hijo. De todos modos, estaba bastante impresionado por la distinción de aquella casa, y al descubrir la hilera de retratos desde los cuales generaciones de Avendaño lo miraban con soberbia, su espíritu burgués se regocijó humildemente: a pesar de su fortuna, le dijo al *Manco*, la familia Freisen no tenía ancestros de tanta alcurnia ni capaces de erguirse frente a un pintor como si estuviesen acostumbrados a tutear a los monarcas. Quizá fue entonces cuando advirtió haber olvidado el regalo de boda y deslizó sin ostentación un cheque de doscientos mil pesos entre los presentes exhibidos sobre una mesa cubierta por un mantel bordado; que Beatriz ni siquiera se acercara a darle las gracias aumentó su perplejidad: o bien esa joven desconocía el valor del dinero y era una irresponsable, o bien no sentía la menor consideración hacia él y era una pretenciosa. *El Manco* disipó momentáneamente sus reservas aludiendo a la timidez de las recién casadas y otras tonterías por el estilo. Con el tiempo Gustavo Freisen se adaptaría a los humores de Beatriz, le agradecería haberle dado dos nietos rubios, de ojos azules, pero el fantasma de Jean-Luc quedaría siempre entre ellos cargado de rencor.

De Jean-Luc volvería a hablarse cuando Javier resolvió abandonar a Beatriz. Mientras tanto, sólo su padre iba a verlo una vez por semana a la clínica de Álvaro Espinoza. Esa visita le merecía atenciones especiales, porque si Gustavo Freisen lo encontraba sucio, drogado en exceso o quejándose de promiscuidad, ponía el grito en el cielo amenazando con enviarlo a un establecimiento de Medellín y, ante el temor de perder al más rentable de sus pacientes, Álvaro Espinoza hacía entrar a sus enfermeras en orden. El resto de la familia no se interesaba mucho por su suerte, ni Odile Kerouan, quien atrapaba una jaqueca apenas decidía ir a verlo, ni Ana, que parecía creer la locura contagiosa. En cuanto a Javier, el encierro de su hermano le procuraba una secreta satisfacción; como haberse casado con la novia que sus padres le suponían y añadir a las suyas las antiguas funciones de Jean-Luc en la empresa. Una vez vengadas las crueldades que ese miserable le había infligido en la infancia, el futuro se abría ante él lleno de promesas. De buen grado o no, Gustavo Freisen le estaba confiando un número cada vez mayor de responsabilidades, y si su hermano Antonio empezaba a mostrarse un perfecto gerente, no tenía todavía la experiencia ni la talla necesarias para dirigir a los hombres. Él, en cambio, conocía el arte de mandar y hacerse obedecer. Sabía hablarle a sus empleados y, magnetizándolos por la palabra, hacerles compartir sus objetivos; sabía movilizar a sus obreros; así, había establecido un ingenioso sistema de primas repartidas entre las unidades de producción que hubieran alcanzado la cuota fijada cada trimestre; una canasta de juguetes en Nochebuena y tres cajas de ron blanco la víspera de Carnaval esperaban a quienes hubieran fichado con puntualidad diariamente, sin contar el acceso a la cooperativa de la empresa, en la cual se compraban los artículos de base a un precio inferior al del mercado. Si Javier buscaba acrecentar su poder, nunca perdía de vista el aspecto humano de las cosas; su paternalismo provenía, menos de un cálculo frío, que de una cierta sensibilidad social adquirida cuando pasaba el tiempo entre mecánicos, prostitutas y pescadores; para él, los desheredados no merecían la vida que llevaban, simplemente les había tocado el mal número de la lotería. Javier no enjuiciaba la sociedad, más aún, su temperamento belicoso lo llevaba a admitir sin complicaciones la existencia de vencedores y vencidos, pero si podía ayudar a alguien lo hacía con la misma combatividad que había empleado para demoler a Jean-Luc y conquistar a Beatriz. Ahora parecía un guerrero, más inclinado a la acción que a la reflexión, aburrido ante la rutina, aguijoneado por la dificultad y capaz de intuiciones geniales en el combate. El mundo de los negocios le ofrecía un terreno ideal para ejercer sus facultades de mando y organización, ocultándole, de paso, las frustraciones ocasionadas por su matrimonio; de ellas no le hablaba a nadie en esa época y, a lo mejor, ni siquiera las percibía; debía de ser un confuso sentimiento de insatisfacción que se expresaba a través de repentinos accesos de cólera contra Beatriz, de los cuales se arrepentía en seguida fastidiado de sí mismo y un poco inquieto de verla caer en esas horribles crisis de depresión nerviosa, cuando, dejando de comer, se encerraba en un cuarto días enteros sin ocuparse de los niños, mientras la Nena lloraba a su lado y el doctor Agudelo intentaba sacarla de su postración con drogas de efectos imprevisibles. El doctor Agudelo le había dicho que Beatriz era frágil, y detrás de esa vaporosa explicación se escudaban ambos para fingir el olvido del pasado: actuaban como si entre ellos la pasión no hubiese existido nunca, como si el deseo no los hubiera empujado uno hacia otro con tormentos de fiera; jamás aludían al acontecimiento que había precipitado su matrimonio y aquel silencio tenía el aire de un ahogado descomponiéndose en el fondo del agua; a él se adherían los hilos de una amargura a la cual Javier le oponía la resistencia del trabajo, pero en la cual Beatriz se hundía cada mañana apenas veía levantarse el sol por la ventana de su cuarto abandonando otra noche de insomnio para soportar el aburrimiento de una nueva jornada idéntica a la anterior en esa casa de Puerto Colombia donde Javier se había obstinado en vivir; allí muy pocas personas iban a visitarla, las sirvientas eficaces no querían trabajar; no había aire acondicionado y hasta el agua era a veces racionada. En su diaria lucha contra el polvo que cubría los pisos y la humedad que carcomía las paredes salía siempre vencida; el deseo de darle a aquella morada un aspecto elegante, la había abandonado rápidamente; su frenética necesidad de mantenerla en orden y muy limpia, no. La limpieza era para Beatriz una obsesión: lavaba las maderas, perseguía los insectos, restregaba bandejas y cacerolas. Odiaba esos sábados y domingos, cuando la familia de Javier llegaba de visita y en sus idas y venidas al mar destruía su trabajo de toda una semana; odiaba la arena que insidiosamente se infiltraba por las rendijas de ventanas y puertas; y las lluvias de agosto porque anegaban el jardín salpicando de barro la terraza; y las brisas de diciembre que ponían un sabor de sal sobre la vajilla. Los quehaceres domésticos poseían la curiosa facultad de calmar su ánimo y exacerbarlo simultáneamente: podía pasar días tranquilos luchando contra la suciedad e inculcándole a sus hijos buenos modales; entonces se encargaba de ellos con paciencia, les lavaba y planchaba sus baticas, de un blanco siempre inmaculado, arreglaba una y otra vez sus juguetes. Y, de pronto, todo aquel trajín se le antojaba de una intolerable vacuidad: cualquier sirvienta podía remplazarla, cualquier aya ocuparse de los niños. ¿A dónde la habían conducido sus sueños de juventud? A esa rutina fatigante que ningún elogio le merecía. Había descubierto ya cuán injusta era la ausencia de recompensa para las amas de casa que trabajaban día y noche sin recibir el menor salario y cuya devoción se daba por sentada. Pura hipocresía, le afirmaba a Lina: la sociedad quería tener buena conciencia ocultando el hecho de que la mitad de sus miembros podían asimilarse a los esclavos de antaño. Ese plural, que de mantenerlo presente le hubiese abierto la vía a una cierta liberación, se desvanecía muy pronto bajo el peso de sus angustias: era desdichada, no iba a pasar su vida entre los cuatro muros de una casa y la lidia de los niños; sufría, quería morirse; así, lentamente, iba entrando en la depresión; un buen día dejaba de alimentarse y permanecía acostada en su cama hasta que la debilidad la reducía a un estado de larva en el cual parecía encontrar la paz. En vano el doctor Agudelo se empeñaba en decirle a Javier que la soledad de Puerto Colombia contribuía a formar las crisis; inútil explicarle cómo una vida social más armoniosa las alejarían. Javier se había ranchado: en su fuero interno creía a Beatriz desequilibrada y si no osaba decirlo francamente era porque el drama de Jean-Luc estaba todavía demasiado vivo en la memoria de su familia. Además, no quería admitir ninguna responsabilidad en el comportamiento de Beatriz, ninguna discusión susceptible de acercarlo al recuerdo de sus primeros amores. Él se había casado por deber, le afirmaba a Maruja, pero el matrimonio le daba ciertos derechos. Y he aquí que su esposa le había negado durante meses el acceso al lecho conyugal pretextando su temor de perder el bebé en un aborto; luego, a los cuarenta días del nacimiento de Nadia, cuando intentó nuevamente gozar de sus prerrogativas, encontró un cuerpo contraído y glacial cuya posesión terminó maltratándole su propio miembro y provocando un segundo embarazo que volvió a reducirlo a la castidad. Las dificultades no se habían detenido allí: Beatriz aceptó tomar la píldora porque su ginecólogo se lo ordenó, pero él no podía poseerla so pena de causarle dolores atroces, cistitis e infecciones vaginales que le obligaban a llevarla al médico sintiéndose profundamente avergonzado. Ésa no era la conducta de una mujer normal, se atrevió a comentar una vez ante Maruja. Y Maruja, con su habitual desparpajo, le había recordado cómo antes sabía acariciar el mismo cuerpo hasta enloquecerlo de placer. Indignado, Javier la trató de depravada, y durante dos años dejaron de hablarse.

Fueron dos años difíciles para Javier: se había adelgazado y empezaba a adquirir ese aire de ave de presa característico de los Freisen; a veces se quejaba de mala digestión o de cansancio, y sentía su rostro recorrido por contracciones nerviosas que no lograba controlar. Sus pulsiones sexuales se habían reducido como las de un monje postrado por mucho tiempo de ayuno y penitencia. Ya ni siquiera intentaba entrar en el cuarto de Beatriz y, curiosamente, y a su manera, se sentía celoso. Por celos la había encerrado desde el principio en su casa de Puerto Colombia buscando evitarle la tentación de ceder a las caricias de otro hombre capaz de adivinar el complejo mecanismo de su deseo. Así lo dejaba entrever cuando la insultaba en sus momentos de cólera, confusamente, rozando apenas la zona prohibida del fantasma; un fantasma frente al cual retrocedía, chocado de infligirle semejantes vejaciones a la madre de sus hijos, le había dicho a Maruja el día de la discusión, pero, en el fondo, furioso de deber recurrir a artimañas para obtener lo que en principio le pertenecía por obra y gracia del matrimonio. Beatriz terminó comprendiendo la verdad: lo que estaba en juego era la muerte definitiva de su placer. Lo comprendió asimilándolo a una mutilación, y así se lo repitió a Lina llorando toda una tarde hasta la caída del sol mientras recapitulaba la historia de su vida con una lucidez lacerante y agónica, como una flor que revienta en mil colores cuando sus pétalos empiezan a caer; recordó su infancia bajo la férula de la tía botada de dos conventos, esos horribles atardeceres durante los cuales temblaba de miedo oyéndola hablar de almas en pena, su dicha apenas veía entrar a su padre y corría a estrecharse entre sus brazos: él era la paz y la ternura, el más amable de los refugios; recordó, también, lo ocurrido en los Altos del Prado y su juramento de jamás exponerse a sufrir los tormentos de la Nena. En aquella especie de psicoanálisis salvaje y doloroso, cuando por primera y última vez intentó aprehender el nudo de sus conflictos con la vida, reconoció haber huido del cadete de West Point porque representaba al padre amado y sin mácula, el símbolo de una respetabilidad de la cual el sexo estaba excluido: ella sólo podía desear a los hombres que por una razón u otra le resultaran innobles, como lo había sido Jorge Avendaño al abandonarla en el automóvil de Lina para proteger a su amante, y Javier cuando a fuerza de caricias le arrancaba el placer engañando sin escrúpulos a su hermano. Habló de todo eso en un estado de tensión extrema, la voz quebrada de emoción, el cuerpo sacudido por rápidos espasmos que anunciaban cada nueva crisis de lágrimas, reacia a cualquier palabra de consuelo, a cualquier explicación susceptible de banalizar su masoquismo incluyéndolo en el lote común de generaciones de mujeres maltratadas por siglos de patriarcado. Rendida de fatiga, aceptó al fin acostarse en su cama, donde durmió de corrido la noche entera. A la semana siguiente se entregaba a Víctor, un supuesto revolucionario de mala ley, volviendo a extraviarse en la voluptuosidad que su marido le negaba.

Víctor era hijo natural de un importante ganadero de Bolívar, cuyas tierras cruzaban la frontera a partir de la cual los hombres dejaban de insultarse para batirse a cuchilladas. Reconocido ante la ley por su padre, de quien había heredado el carácter alevoso, Víctor cursó los estudios secundarios en Cartagena, y sus calificaciones indujeron al ganadero a enviarlo a la capital a fin de hacer de él un abogado que se encargaría de defender gratuitamente sus propiedades contra la invasión de campesinos. Pero Víctor ni siquiera pasó los exámenes del primer año de Derecho, pues encontraba más divertido frecuentar bares y mujeres de vida ligera que asistir a los cursos de la Universidad. De todos modos, sus profesores y condiscípulos prefirieron muy pronto evitar su trato: en la pensión donde se alojaba tenía fama de ladrón, y luego se le acusó de haber matado a sangre fría a un viejo usurero que le exigía el pago de una deuda. Aunque no fue denunciado, Víctor juzgó prudente alejarse un tiempo de Bogotá; en los Llanos Orientales oyó hablar de guerrillas, en la selva amazónica ayudó a organizar expediciones para cazar indios; allí atrapó la curiosa enfermedad que lo dejó impotente, unos decían que por haber hecho el amor con una india muerta, otros que por haber recibido en delicadas partes una flecha vengativa; el caso fue que regresó a Bogotá lleno de dinero y enfermo de un mal rebelde a los antibióticos conocidos. Contaba unos veintitrés años, pero parecía mucho mayor a causa de las arrugas de su cara; estaba casi calvo y tenía los dientes podridos: los dentistas le producían horror. Cuando el ganadero se enteró de sus andanzas lo amenazó con irlo a buscar él mismo a la capital acompañado de un guardaespaldas reputado por su destreza en el manejo del fuete. Sin más tardar, Víctor se inscribió en la Universidad Libre: allí aprendió el marxismo de cartilla, se descubrió víctima de la sociedad y encontró en las manifestaciones estudiantiles un modo honorable de soltarle la brida a su violencia. En otras circunstancias se habría convertido en hampón, la gracia del marxismo lo había vuelto revolucionario. Sus condiscípulos jóvenes lo consideraban un héroe, los líderes estudiantiles lo miraban con desconfianza. Naturalmente el partido comunista decidió enrolarlo, pero Víctor no aceptaba ninguna forma de disciplina y, cuando sus camaradas de célula le pidieron formular una autocrítica, aprovechó la primera oportunidad para tratar en público a los pacos de cobardes gritando por un micrófono que la revolución era asunto de hombres, y de hombres con cojones, olvidando el averiado estado de los suyos. Poco importaba, nadie se habría atrevido a recordárselo. Por entonces había adquirido una reputación de matamoros y conducía en las manifestaciones a los estudiantes más exaltados y dispuestos a enfrentarse con cuchillos a la Policía. Lo ficharon, acusó a los comunistas de delación y pasó de la Libre a la Nacional. Durante un tiempo se le perdió de vista, y luego entró a formar parte de un grupo de trotskistas virulentos cuyas ideas adoptó en un santiamén. Como la lucha armada tenía necesidad de fondos asaltó la pequeña sucursal de un Banco y se vio obligado a refugiarse en la clandestinidad; entonces sus nuevos camaradas descubrieron un aspecto singular de su carácter: el placer de seducir a sus mujeres aprovechándose de la hospitalidad que le ofrecían y de la miseria sexual a la cual las condenaba el puritanismo de la revolución. Lo creían lisiado, olvidaban que era astuto. El primer incidente se produjo cuando fue alojado en el apartamento de un profesor de filosofía cuya esposa había abandonado sus estudios a fin de dedicarse a la causa y a las faenas domésticas. Se llamaba Mirian y vivía encerrada en un mutismo resignado, sin acordarse ya de sus sueños de estudiante decidida a obtener un diploma que le hubiese asegurado su independencia y el sentimiento de abrirse paso en la sociedad por sus propios méritos. Aquel profesor de filosofía que parecía tan seguro de sí mismo, tan imponente en su convicción de poseer la verdad absoluta, cambió el rumbo de su vida; junto a él iría a combatir por un mundo mejor creando una sociedad sin clases y la fraternidad universal; más le hubiera valido interesarse en la reducción que el término fraternidad sufría en la práctica, porque una vez casada y con tres hijos a cuestas, su existencia se limitó a la de todas las mujeres excluidas de esa asociación de hermanos cuyo objetivo seguía siendo el mismo no obstante los cambios introducidos a nivel de la ideología y el lenguaje. Intransigente en materia de principios, el profesor le impedía contratar a una sirvienta; moralista, se negaba a ciertas fantasías eróticas que calificaba de vicios burgueses. Mirian languidecía sacando en máquina los textos revolucionarios de su marido y ocupándose de lavar y planchar camisas, zurcir medias y atender a los niños. Era casi una sombra cuando el profesor trajo a Víctor al modesto apartamento donde vivían. Ella lo recibió pasivamente, aunque no sin reticencia, pensando, tal vez, en la carga que representaba la presencia de otro hombre. Si Víctor lo advirtió, nada dijo, y como aquel refugio le parecía agradable después de tantas pensiones de mala muerte, de tanto correr de un lado a otro huyendo de la Policía, resolvió mostrarse bien educado lavando él mismo su ropa, ayudándola en los quehaceres domésticos y, poco a poco, volviéndose su confidente. Nada más fácil: las mujeres soportaban demasiadas frustraciones como para no ceder a la tentación de hablar si encontraban a alguien dispuesto a escucharlas: por eso, él, Víctor, les impediría en su organización el acceso a posiciones importantes; por eso, y a su manera, las amaba. Cada mujer, le confiaría a un amigo de Lina en un extraño momento de debilidad, le recordaba a su madre, viviendo en una choza, cortando leña en el monte para encender el fogón, curvada ante el ganadero que le hacía el amor como un caballo después de haberlo separado de ella a puntapiés; su madre lo quiso enormemente; había sido bonita, pero a fuerza de trabajar a pleno sol y alimentarse mal había muerto cuando él tenía ocho años, desdentada, la piel renegrida; la esposa del ganadero se había encargado entonces de su educación hasta que fue enviado a Cartagena, y también de ella conservaba un buen recuerdo. A ese esbozo de conmiseración que las mujeres le inspiraban, su propia impotencia había sumado el arte de saberlas amar; privado de erección, pero no de deseo, descubrió muy pronto ciertos secretos del placer femenino: una mujer satisfecha, decía, se mostraba siempre generosa olvidando el físico del hombre y hasta bendiciendo la ausencia de penetración que le obligaba a recurrir a procedimientos más sofisticados sin retroceder ante la complejidad de los juegos eróticos. El día que el profesor lo sorprendió en su propia cama, desnudo, acostado sobre su esposa, la boca de cada uno de ellos hundida golosamente en el sexo del otro, casi le dio un ataque de apoplegía. Víctor lo vio de reojo en la puerta, congestionado e incapaz de reaccionar; así que continuó sus quehaceres hasta oír el ahogado gemido de Mirian, y luego se levantó y empezó a vestirse, indiferente a la escena que estallaba entre los dos esposos.

Reunidos a toda prisa a fin de analizar aquel terrible incidente bajo la luz de la dialéctica, sus amigos concluyeron que el camarada Víctor había sido víctima de la seducción de una falsa revolucionaria y con la complicidad de un médico comunista internaron a Mirian en un asilo de locos de donde jamás saldría. Alojado de nuevo en la casa de un sociólogo, Víctor volvió a las andadas; después le tocó el turno a un estudiante de economía, y así, entre escándalos y discusiones, el grupo se fue disolviendo. Mientras tanto, Víctor se había ganado la confianza de un liberal muy rico y ya anciano, antiguo partidario de Gaitan y exilado político durante la dictadura conservadora. Era un hombre educado en Inglaterra, que había heredado una fortuna en haciendas diseminadas a lo largo del país; tenía modales distinguidos y los ojos muy pálidos; su hijo menor se le parecía: como él, se sentía culpable de poseer tanto dinero y aquel remordimiento lo había llevado a ingresar en el partido comunista; siempre a la cabeza de las manifestaciones, exponiéndose a fin de hacerse perdonar sus orígenes, recibía los porrazos de los policías que lo odiaban particularmente por ser comunista y millonario y terminaba en la cárcel, donde los camaradas lo dejaban pudrir para enseñarle cómo se templa el acero; de allí salía gracias a la intervención de algún senador liberal amigo de su padre, y allí regresaba apenas el partido decidía organizar una nueva manifestación. Diez años de porrazos y prisiones lo habían dejado tan perturbado que se dejó enredar por Víctor, y cuando al fin logró ponerse a salvo de ese demonio entregándole un millón de pesos como rescate, sólo encontró la paz convirtiéndose a la secta de Krishna; envejecería vestido de salmón, tocando panderetas por las calles y pelado a la bola con una sola mechita de cabellos blancos sobre la cabeza. Sí, Víctor fue una verdadera pesadilla para don José Antonio del Corral y su hijo.

Los Del Corral eran propietarios de una gran hacienda cerca de la Sierra Nevada de Santa Marta; de acceso difícil, la habían dejado al cuidado de un capataz con quien los indios de la región se entendían bastante bien porque respetaba sus costumbres y sabían sacar el mejor partido posible de la lentitud de su trabajo; entre mestizos y descendientes de guerreros, aquellos indios habían perdido su legendaria belicosidad gracias al consumo de una marihuana que cultivaban en la ladera de la Sierra y que años después alcanzaría notariedad en los Estados Unidos bajo el nombre de la Golden; mientras tanto llevaban una vida apacible laborando la tierra a su manera; recibían como salario el tercio de la producción y el resto les volvía en forma de inventos introducidos por ese blanco de mirada diáfana que de vez en cuando se llegaba hasta allí precediendo animales y mulas cargadas de abonos y semillas desconocidos; en signo de deferencia hacia ellos, el blanco no les daba sus instrucciones directamente, sino el capataz, quien en seguida les explicaba cómo ese nuevo semental ayudaría a crear una raza de vacas cuya leche sería más abundante o porqué valía la pena plantar esos árboles de frutos muy dulces y muy apreciados en el mercado de Santa Marta. Y así ocurría. Durante años, don José Antonio del Corral había hecho de la Carmela su refugio y el principal laboratorio de sus innovaciones, y ahora la hacienda se abastecía a sí misma con buenos pastos y una ganadería de excelentes rendimientos. De no sufrir del corazón, habría pasado su vejez contemplando aquellos cielos imponentes donde masas de nubes azules corrían hacia el nevado pico de la montaña. Pero a su edad el simple viaje a la Carmela lo dejaba exhausto y, salvo los indios, ninguna alma viviente merodeaba por los alrededores. Eso, la soledad de la hacienda, fue lo primero que retuvo la atención de Víctor cuando don José Antonio le habló de su propiedad preferida; nadie conocía su situación exacta y el mapa del país aparecía como cubierta de selva y abandonada a la buena de Dios. Víctor decidió que era el lugar ideal para entrenarse a la vida guerrillera y a la nada convencía a José Antonio hijo de prestarle la Carmela a su padre y seguirlo allí en compañía de un grupo de revolucionarios que se definían maoístas.

Fue el infierno: llevaban libros del *Che* y de Mao y las mejores intenciones del mundo: levantarse al alba, lavarse en las aguas frías del río, escalar la sierra cargando fusiles y mochilas, en fin, practicar todos los ejercicios necesarios al endurecimiento del cuerpo y del carácter hasta formar una guerrilla operacional e irse al monte. Pero a los seis meses fusilaban al capataz y, convertidos en déspotas, trataban como esclavos a los pocos indios que no habían podido huir, olvidando los sabios consejos de sus guías revolucionarios. Aquel amigo de Lina que años después le hablaría de Víctor, atribuía el fracaso del proyecto a las condiciones objetivas en las cuales trataron de realizarlo: los compañeros eran demasiado pobres: el lujo y las comodidades los habían pervertido, Víctor había hecho el resto. De él vino la idea de alojarse en la mansión de los Del Corral en lugar de acampar en pleno monte y comenzar así el verdadero entrenamiento; luego, y pretextando el frío de la noche, se hizo traer un cargamento de whisky de contrabando; entre el alcohol y la falta de adoctrinamiento político, que Víctor prohibió por juzgarlo inútil, el grupo terminó desmoralizándose; pasaban el día entero durmiendo la borrachera o cometiendo las más increíbles arbitrariedades; asaban una ternera a cada almuerzo para consternación del capataz y escándalo de los peones que nunca habían visto tamaño despilfarro; devoraban gallinas y lechoncillos, plátanos y mazorcas con una glotonería desvergonzada. Como toda tiranía empieza a justificarse antes de ser ejercida, Víctor se convenció de que aquellos indios tenían el alma taimada y sólo podría educárseles después del triunfo de la revolución; entretanto, debían servirlos a ellos, representantes del proletariado, contribuyendo con sus bienes y trabajo a la causa; era evidente que tarde o temprano atacarían las propiedades de los peones pues al ritmo con el cual pillaban ningún animal comestible seguiría vivo mucho tiempo en la Carmela. Ni siquiera dejaban a las bestias reproducirse y hasta mataban a las hembras embarazadas. Eso fue lo que sacó de quicio al capataz, quien una tarde entró armado en el cuarto donde Víctor roncaba en su cama y lo despertó a puntapiés ordenándole largarse de allí con su pandilla de bandoleros. Víctor comprendió al instante la gravedad de la situación: aquel energúmeno parecía dispuesto a matarlo y él ni siquiera limpiaba su fusil desde hacía tres meses; prometió irse el mismo día, al anochecer, asegurando que sus hombres estaban ya en condiciones de abrir un nuevo foco guerrillero; unas horas después el capataz era juzgado por un tribunal revolucionario que Víctor presidía y ejecutado en seguida como traidor a la causa del pueblo. Aterrados, los indios escondieron a sus mujeres y trataron de huir abandonando el trabajo de toda una vida; hubo tiros y muertos; los que no pudieron refugiarse en la selva, tuvieron que someterse a los fusiles. Poco a poco la Carmela se fue arruinando y José Antonio cayó en un estado de neurastenia agudo. Víctor le había hecho saber a su padre que lo fusilaría si se atrevía a alertar al ejército y las cosas siguieron así hasta cuando recibió un millón de pesos a cambio de su liberación. Después de enriquecerse con el tráfico de la marihuana, se instaló en Barranquilla dedicándose al contrabando de drogas más duras.

Para entonces hacía ya casi veinte años que Beatriz había muerto y Víctor se reía recordando los proyectos de sus antiguos amigos maoístas: durante los primeros meses de su estadía en la Carmela, y antes de la deserción de los verdaderos revolucionarios que inicialmente lo habían acompañado en la aventura, había recibido armas e instrucciones de un misterioso comandante para quien el terrorismo era el mejor medio de desestabilizar a la burguesía. Así, había decidido organizar una ola de atentados el día del aniversario del asesinato de Gaitan: los explosivos serían desembarcados en las playas de Puerto Colombia y Víctor debía encontrar un lugar seguro donde ocultarlos. Fue entonces cuando descubrió la casa de Javier, bien alejada del pueblo y tan lujosa que a ningún policía se le habría ocurrido husmear en ella. La habitaba una linda muchacha de ojos azules, seguramente desdichada, porque salía a caminar por la playa a la caída del sol, abatida y siempre sola, con el aire de haber llorado todo el día. Víctor resolvió tentar su suerte: peluca y elegantes vestidos de lino blanco le confirieron el aspecto de un *play-boy*; a fin de no asustarla, se sentaba al atardecer sobre un tronco mirando melancólicamente hacia el mar, entre las manos un libro de Sartre o de Marcuse. Algún día la abordó y desde entonces pasaron muchas horas discutiendo de existencialismo, maoísmo y liberación sexual. Si Beatriz ignoraba que antes de cada entrevista Víctor se aprendía de memoria la explicación banalizada de los textos filosóficos, el carácter vulgar de aquel hombre no se le escapaba: un gesto, un comentario, y el supuesto intelectual le cedía el puesto al hijo natural del ganadero. Al advertirlo, Víctor modificó su táctica: le habló de su infancia infeliz y de los infortunios que había padecido en su niñez; le declaró su amor recitándole en voz queda poemas de José Asunción Silva; luego pasó a Neruda, en cuyo nombre se disponía a sacrificarse por la revolución. De vez en cuando, y en total contradicción con el romanticismo de su lenguaje, le imponía osadas caricias sumiéndola en pantanos de confusión: ese desconocido le inspiraba deseo y repugnancia al mismo tiempo, y de ambos sentimientos se sentía avergonzada. Para escapar al dilema se creyó enamorada de él. Cuando al fin hicieron el amor descubrió las delicias de una voluptuosidad sin freno, no inhibida por el bochorno de revelarla ante un hombre de su misma clase que la condenaría invocando sus propios principios. Durante quince días vivió una orgía de placer en medio de falsos juramentos de amor y verdaderas lágrimas de arrepentimiento. Más seguro de sí mismo, Víctor dejó caer una tras otra sus máscaras de intelectual refinado hasta asquear a Beatriz. Recordaron entonces sus deberes: a él lo esperaba la lucha armada, a ella, sus hijos; de mutuo acuerdo y no sin lamentaciones decidieron separarse, pero como Beatriz se sentía culpable de su secreta aversión por un hijo del pueblo que partía a combatir por el movimiento revolucionario, aceptó ocultar en el sótano de su casa los explosivos destinados a destruir la sociedad capitalista. Víctor había realizado brillantemente su misión.

De aquellos amores Beatriz salió animada por una repugnancia total hacia el sexo. El placer del orgasmo, le diría a Lina, no compensaba las humillaciones a las cuales debía someterse para obtenerlo: era demasiado breve, venía precedido de angustia y la abandonaba en plena culpabilidad; odiaba en el erotismo lo que justamente Dora y luego Catalina habían descubierto un día fascinadas: una manera de afirmarse a través de la transgresión, un momentáneo silencio de la voluntad para encontrar el fulgurante silencio del absoluto. Pero Beatriz vivía su sexualidad como los hombres, entre el miedo del instinto cuya aparición les recordaba la parte aborrecida de su esencia, y el odio irracional frente a las simples verdades de la carne; asimilaba el deseo a una posesión diabólica que la privaba de su libre arbitrio, y el placer, a una aterradora desintegración de su conciencia. Temiendo volverse a exponer a tales degradaciones intentó conformarse con su suerte y organizar toda una estrategia para escapar a la depresión que le provocaba su vida conyugal; así, recurrió a la vaselina y a ciertos ejercicios de decontracción aconsejados por su ginecólogo, apaciguando al fin los celos de Javier; en seguida, lo convenció de que la llevara todos los días a casa de la Nena, donde podía dejar a los niños mientras iba al salón de belleza o a jugar bridge al «Country»; a las siete de la noche empezaba a atiborrarse de calmantes y Javier encontraba una esposa plácida y como indiferente a cuanto ocurriera a su alrededor.

Incapaz de imaginar los trasfondos de aquel cambio, Javier se sentía contento: tenía una posición respetable, dos niños hermosos, una mujer sumisa; ahora podía hacer el amor cada noche sin que el rechazo de aquel cuerpo viniera a contrariar sus apetitos; a veces, en el transporte del placer, le preguntaba si también ella gozaba, y Beatriz, embrutecida por los calmantes, le respondía invariablemente que lo quería. A su manera, decía la verdad; un sentimiento extraño había venido a encubrir su amargura; lo llamaba amor a falta de otro nombre, y se manifestaba por el temor incesante de perder al único hombre con el cual creía poder contar en la vida. Después de conocer a Víctor, Javier le parecía un dechado de virtud: era bueno y generoso, jamás mentía ni se aprovechaba de la debilidad de nadie; no sería él quien amenazaría a un pobre anciano con fusilarle a su hijo, como Víctor le había contado que se proponía hacer en un alarde de poder. Javier adoraba a los niños, y, desde que ella había descubierto las ventajas de la vaselina, formaban una pareja feliz; le había regalado un perrito chihuahua, collares y anillos de gran valor; estaba decidido a comprarle un apartamento en Barranquilla y los sábados por la tarde salían juntos a encargar muebles que empezaban a amontonarse en su cuarto de soltera; de un viaje a Miami habían traído alfombras y porcelanas, en un catálogo francés habían elegido la vajilla de Limoges; la gente los envidiaba, eran invitados a las mejores fiestas, y para su cumpleaños, Gustavo Freisen le había ofrecido un automóvil. Pasar el tiempo donde las modistas o alrededor de una mesa de bridge, era aburrido, cierto, pero González, el más avispado mesero del «Country», sabía ya que al pedirle una «Coca-Cola» debía servírsela con dos dedos de ginebra. Y entre la ginebra y los calmantes no podía reflexionar. No quería, tampoco.

Al cabo de un tiempo, cuando asistió a los funerales de tía Irene, estaba convencida de amar sinceramente a su marido: lo llamaba por teléfono varias veces a su oficina y sufría lo indecible si se retrasaba. Javier insistía en que se fuera a Puerto Colombia en su propio automóvil, ella prefería esperarlo en casa de la Nena exagerando los peligros de conducir acompañada de dos niños a esa hora de la noche. Su madre, la única persona en advertir cómo al llegar del «Country» se lavaba la boca o masticaba pastillas de menta, le daba razón. Y de tanto sentirse mimada y protegida, de tanto inhibir su rebeldía y negar su sexualidad, Beatriz había terminado infantilizándose; ahora temblaba a la vista de un ratón y hacía venir al médico si uno de sus hijos estornudaba. La salud de los niños era otra de sus grandes preocupaciones, por lo que Gustavo Freisen le estaba profundamente reconocido. Él adoraba a esos nietecitos rubios en los cuales encontraba la justificación de sus esfuerzos. Así se lo repetía al *Manco*: salvo Antonio, sus otros hijos no valían mayor cosa; Ana había desposado un verdadero mestizo, y los menores, Miguel y Jaime, frecuentaban a los intelectuales de Barranquilla, una partida de homosexuales y marihuaneros. Postrado en la silla de ruedas a la cual lo había condenado un ataque cerebral, Gustavo Freisen los oía llegar de noche acompañados de sus amigos y encerrarse en un salón refrigerado a beber y a fumar chimbos hasta la madrugada. Iracundo, pero temiendo un nuevo ataque que daría al traste con su vida, intentaba desde entonces distraerse armando un gigantesco puzzle de mil piezas minúsculas: era la reproducción de un cuadro de Degas y nunca lo pudo terminar. Por su parte, Odile Kerouan

se mostraba más conciliadora; el afeminamiento de Miguel y la marihuana de Jaime eliminaban las últimas huellas de la personalidad
Freisen, esa horrible hosquedad agazapada en todos sus hijos que de
pronto surgía alejándolos de ella como le había ocurrido con Javier.
Jamás Odile Kerouan había imaginado que la vida le reservaría semejante decepción: ver al consentido de sus ojos caer tontamente en la
trampa destinada a conseguirle una esposa a Jean-Luc. Javier, que gracias a su cuenta en Suiza habría podido acompañarla a recorrer el
mundo entero, visitar países maravillosos, conocer los mejores restaurantes, los más famosos hoteles, se había convertido en el esposo de
una muchacha insignificante cuyo único mérito consistía en haberle
dado a la familia dos niños rubios, de ojos azules. Sólo en ese punto
Odile Kerouan compartía los sentimientos de Gustavo Freisen; sus nietecitos la llenaban de ternura y de un inconfesado orgullo: eran bellos,
amables y, sobre todo, blancos. Beatriz se ocupaba de ellos con abne-
gación y no mostraba reparos en dejarlos a su cuidado manifestando
así el deseo de reforzar los lazos que la unían a su familia política. En
el fondo, Odile Kerouan no tenía nada que reprocharle, salvo el hecho
de haberse casado con Javier.

Las críticas comenzaron cuando Javier quiso abandonarla sin apiadarse en lo más mínimo de su desesperación. Viéndolo a distancia, Lina
pensaría que en realidad la había abandonado el mismo día de su matrimonio, o más exactamente, la primera vez que intentó poseerla ignorando los laberintos de su deseo. Javier no estaba maduro entonces
para seguir violando impunemente los valores Freisen, esa subordinación a la moral sexual y al trabajo que lo había conducido a la exal-
tación de mandar y ser obedecido, de decidir y sentirse importante,
enajenando como Álvaro Espinoza su libertad en el ejercicio del poder.
Poco inclinado a la introspección, no lo había advertido durante años,
pero ahora, cuando ninguna voluntad se oponía a la suya, se sorprendía, de repente, en medio de empleados respetuosos y secretarias eficaces, añorando el sonido de la brisa entre las lonas desplegadas de su
velero. Había hecho las paces con Maruja, y como sus respectivas
fábricas estaban cerca, la invitaba a almorzar casi todos los días; ya
no le hablaba de sus problemas conyugales, arreglados, ni de sus negocios, en pleno auge, sino de los fulgurantes verdes del Caribe o de ese
sol que le cubría el cuerpo de un sudor salino y centelleaba como
el reflejo de un dios sobre las aguas. Navegar a su antojo, viendo retroceder los manglares costeros, dejando atrás la zona donde todavía se
perfilaban algunos botes y volaba el alcatraz o la gaviota, era su deseo
más profundo. Allí, frente al horizonte, vivía en el presente sin pensar
en el ayer ni en el mañana; allí sólo podía contar consigo mismo, y
su capacidad de burlar las corrientes marinas o de advertir el más
ligero cambio de viento, su vigor para izar o descender las velas en
el momento oportuno, le daban la impresión de vivir intensamente
descubriendo la plenitud de su fuerza y la sagacidad de sus reflejos.
Recordaba el crujido de los cabos bajo la lluvia, las constelaciones que
brillaban en el cielo permitiéndole orientarse de noche; y ciertas algas
cuya fosforescencia creaba la ilusión de ciudades dormidas al fondo
del mar; y ciertos arrecifes encendidos de corales; y esos momentos

en los cuales sentía su miembro endurecerse al contacto del sol, cuando tirado sobre cubierta veía el cielo desvanecerse en una luminosidad dorada. Quería ser libre y escapando a la rutina del trabajo volver a encontrar en la Naturaleza el reflejo de su virilidad. Pero Beatriz se lo impedía; Beatriz representaba todo lo que de pronto había empezado a despreciar, la monotonía, el convencionalismo, el aterido amor de los burgueses. Cuán lejos estaba ese plácido sexo untado de vaselina de los estremecimientos a los cuales aspiraba el suyo. Y cuán miserable se le antojaba su espíritu de esposa posesiva ante las pasiones cuya existencia percibía ya su corazón.

Embriagado por las imágenes vistas en un viaje alucinógeno, cuando sus hermanos menores le prepararon un cóctel de drogas que le permitió vislumbrar el paraíso, Javier no aceptaba las protestas de Maruja; tampoco las rechazaba; simplemente se limitaba a afirmar su derecho de vivir, asociando el pasado a un error de juventud. Beatriz era frígida, y sus celos, delirantes; no lo dejaba tranquilo un minuto y se obstinaba en esperarlo cada anochecer donde los Avendaño a fin de obligarlo a regresar con ella a Puerto Colombia privándolo así de contactos viriles; los hombres, le afirmaba a Maruja gravemente, tenían necesidad de reunirse entre ellos, contarse chistes y encontrarse en los prostíbulos. De haber sido más culto habría aludido a esas chozas cuyo acceso le estaba vedado a las mujeres o al enrolamiento de juventudes en épocas más cercanas. Pero su adoración del sol o su nostalgia de la horda salvaje no indicaba en él una homosexualidad naciente, como lo presumía Maruja, sino las primeras manifestaciones de un deseo todavía incierto y sin objetivo, que recurría a fantasmas difusos esperando la ocasión de cristalizarse en un muelle del Club de Pesca y sólo trabajando en él los fines de semana lograría volverlo apto para la navegación. Beatriz debió resignarse, pues, a permanecer sola sábados y domingos sin advertir lo que estaba germinando en el espíritu de Javier, o, mejor dicho, atribuyéndolo a un pasajero estado de ánimo. Desde hacía un tiempo su marido se mostraba irritable y la menor tontería lo sacaba de quicio; había abandonado, al parecer, su proyecto de comprarle un apartamento en la ciudad, los niños lo exasperaban, el último tubo de vaselina ni siquiera había sido abierto. Todo eso pudo sobrellevarlo aumentando la ración de ginebra y de calmantes. Pero los interminables domingos de Puerto Colombia, en una casa desierta porque la ausencia de Javier ahuyentaba familiares y amigos, la llevaban a reflexionar poniendo en tela de juicio su vida y los diversos avatares que la habían reducido a aquella situación. La falta de lecturas y discusiones había embotado su mente y sus pensamientos derivaban de anécdotas a recriminaciones; a medida que Javier se volvía más hiriente y agresivo, ella trataba en vano de concentrarse sobre *El Segundo Sexo* o los recientes escritos de las feministas norteamericanas; en lugar de consolarla, aquellos libros le dejaban un gusto de amargura y la impresión de ser responsable de su suerte; además, no comprendía muy bien ciertos postulados que aludían a autores o a teorías cuya existencia ignoraba, y las soluciones ofrecidas se le antojaban irrisorias o imposible de realizarse en el contexto de Barranquilla; la liberación sexual, tan en boga por entonces, la remitía a las angustias de su propia experiencia, y Víctor le había mostrado la faz más negra de la revolución. Cerró los libros declarándole a Lina estar cansada de tantas utopías y complicaciones. Javier volvería, se puso a esperarlo.

Entre tanto Javier descubría la verdad del viejo adagio según el cual sólo es difícil el primer paso. Salvada la quilla del *Odile* gracias a una labor de varios meses, encontró absurdo regresar a Puerto Colombia los sábados al atardecer, cuando podía seguir reparando los instrumentos de a bordo en compañía de un electricista que aceptaba trabajar hasta medianoche. Y luego, irse a beber a ese salón oscuro y refrigerado por cinco aparatos de aire acondicionado donde marihuana y cocaína circulaban en bandejas de plata y sus hermanos recibían a la gente más interesnte de la ciudad. A la nada decidía que la fábrica podía prescindir de él los viernes, reduciendo así a cuatro los días consagrados al trabajo y a Beatriz, pues desde el jueves por la noche se instalaba en la casa de sus padres tomando posesión de su antiguo cuarto de soltero para tortuosa felicidad de Odile Kerouan. Anonadada, Beatriz se había replegado sin rebelarse por miedo de despertar en Javier esos ataques de ira en los cuales la insultaba con ferocidad acusándola de querer castrarlo, de ser frígida y de impedirle vivir; ya no sabía a qué atenerse: el menor comentario de su parte provocaba una andanada de gritos e injurias; además, la lógica de Javier era tan somera y de mala fe que no admitía razonamiento alguno y ella, le diría a Lina, se sentía invadida por una extraña lasitud. Su depresión había tomado otro camino: en vez de expresarse a través de la anorexia recibiendo al instante atenciones y tratamientos destinados a combatirla, permanecía agazapada astutamente mientras se acumulaban los acontecimientos que justificarían su explosión. Con los años, Lina la compararía a un virus de sorprendente sagacidad, que después de conocer todos los antibióticos susceptibles de neutralizarlo, hubiera resuelto mantenerse invisible a la espera de la más completa degradación del organismo en el cual se alojaba para arrojarse contra él cuando ninguna defensa fuese posible. Pues a partir del momento en que Javier se puso a frecuentar a sus hermanos menores, su grosería se fue acrecentando sin encontrar en Beatriz la menor resistencia. Ahora se presentaba a la casa de Puerto Colombia a cualquier hora de la madrugada en compañía de sus amigos para continuar sus juergas descomunales; hablaba mal de los Avendaño burlándose en público de su supuesta alcurnia; le imponía a Beatriz el trato de personas vulgares, hombres de vocerrones fuertes y olores agrios, que vomitaban en el jardín, y sus esposas, unas mujeres de clase media, más bien serviles y dispuestas a minimizar las peores humillaciones de sus maridos con tal de conservarlos. También le tocaba recibir a las amigas de Jaime, esas nuevas jovencitas salidas de su mismo medio, pero en sorda rebelión contra los valores establecidos, que adoraban la marihuana y practicaban una cierta forma de liberación sexual. Pioneras de la emancipación femenina se mostraban desafiantes en sus actitudes, excesivas en sus opiniones y sin ninguna indulgencia hacia las personas que aceptaban compromisos; casi todas terminarían sus estudios universitarios, se casarían, se divorciarían, tendrían amantes y, con la aparición de las primeras canas, estimarían preferible envejecer junto al último amor de sus vidas. Pero entonces, en plena juventud, su intransigencia les impedía comprender a Beatriz y sólo veían en ella una réplica de la madre que las esperaba en la casa y cuya cólera deberían afrontar a punta de refunfuños o mentiras. Javier estimulaba su insolencia frente a Beatriz para mortificarla, y porque la exigencia de libertad de aquellas muchachas respondía como un eco a la suya; en su compañía se sentía rejuvenecido, no tiranizado por los límites del matrimonio. Ellas, le explicaba a Maruja, olían a fresco y, contrariamente a Beatriz, estaban llenas de vitalidad. Ahora que el *Odile* había sido arreglado, las llevaría a navegar con él durante las vacaciones hasta enseñarles a conocer el mar y dirigir un velero; irían a San Andrés y a Santo Domingo, a la pequeña isla que años atrás su madre le había comprado; aprenderían a bucear explorando los restos de naufragios célebres, cuya posición creía poder localizar gracias a la lectura de Exmelin y de los relatos de viejos pescadores. Van a descubrir el tesoro de Morgan, comentaba Maruja divertida y sin prestarle mayor importancia a los proyectos de Javier, que juzgaba infantiles y de ninguna manera amenazantes para la seguridad de Beatriz, pues ella conocía de sobra a aquellas muchachas, amigas íntimas de María Eugenia, su hermana menor, y las sabía desenvueltas, sí, pero poco inclinadas a comprometerse con un hombre casado. Sin embargo, sería justamente a través de su hermana como las cosas se complicarían.

María Eugenia era quizá la más inteligente de los Frasen y, sin lugar a dudas, la más rebelde. Desde los quince años había resuelto pasar las vacaciones alejada de su familia yéndose a recorrer el país en compañía de hippies norteamericanos en busca de hongos alucinógenos. Un viaje a San Andrés le descubrió la existencia de una parienta suya, de su misma edad, que ya entonces había acumulado tantas experiencias eróticas como para hacer palidecer de envidia al propio Casanova. Se llamaba Leonor y era la hija de Lucila Castro. De su madre había heredado el temperamento, varios edificios en Miami y el mejor almacén de la isla especializado en la venta de productos de lujo. Ayudada por una tía viuda y dos hermanas del fiel Lorenzo, Leonor se mantenía al frente de su almacén, decidida a gozar de los placeres de la vida sin jamás prostituirse. Parecía habitada por dos personajes diferentes, uno diurno, disciplinado, verdadero as de los negocios, que vestido como un muchacho discutía a pie firme con los traficantes de la isla, y otro nocturno y sensual eligiendo a sus amantes según criterios que nadie conocía. En su contacto, María Eugenia se vio obligada a modificar radicalmente sus opiniones: los estudios garantizaban la independencia, a la larga aquellos hongos embrutecían, y la liberación sexual no liberaba en nada a las mujeres, sino que las colocaba a todas en condición de disponibilidad total para los hombres, quienes seguían haciendo el amor a su manera, indiferentes al erotismo femenino, y ahora, gracias a las nuevas teorías, evitándose el trabajo de seducir o la humillación de pagar. María Eugenia quedó pasmada de admiración y le propuso pasar en su casa los próximos Carnavales. No muy interesada por los hombres del continente, pero husmeando en el viaje la posibilidad de vender un cargamento considerable de mercancías de contrabando, Leonor aceptó su invitación y se instaló donde los Frasen.

Conocerla Javier y enamorarse de ella, fue sólo uno: la encontraba
bella, fascinante y, curiosamente, inaccesible. En efecto, Leonor tenía
algo que atraía a los hombres y los asustaba al mismo tiempo, un poco
a la manera de Divina Arriaga, le oiría comentar Lina a uno de sus
tíos, quien se preguntaba, no sin asombro, cómo podía ser tan culta
y elegante si había crecido entre una madre de conducta dudosa y un
negro casi analfabeto en aquella isla donde sólo se veían cocoteros y
turistas. Pero la realidad había sido bien diferente, comprobaría Lina
años después, al encontrar casualmente a Leonor en Siena cenando
frente a la Plaza del Campo en compañía de un conde italiano. Leonor
la invitó a su mesa, luego a la casa de su amigo, situada no muy lejos
de la plaza, y estuvieron hablando durante horas; tenían en común la
amistad con Maruja y la nostalgia del Caribe; abandonando una parte
de su reserva, Leonor evocó su pasado, desde la época en que Lucila
Castro se instaló en San Andrés enviándola a ella a estudiar en Alemania por consejo de uno de sus amantes, hasta su funesta estadía donde
los Frasen. Le dijo a Lina haber vivido en varios países de Europa, cambiando de colegio al grado de los caprichos de Lorenzo, quien todos los
años, cuando ella la regresaba a la isla a pasar vacaciones, realizaba una
extraña ceremonia tirando caracoles sobre el mapa del viejo continente
y decidiendo entonces a qué lugar debería partir; después de terminar sus estudios se había quedado en San Andrés porque allí reposaban
simbólicamente los restos de Lorenzo y de su madre, perecidos juntos
en un mismo naufragio. Pero a raíz de la historia con Javier, había
instalado su comercio en Miami y, más tarde, en Balí, adonde se disponía a volver apenas hubiera terminado de concluir algunos negocios.
Al igual que Catalina, Leonor no había cambiado: seguía siendo muy
bella, con sus cortos cabellos peinados hacia atrás y sus ojos, de un
negro profundo, iluminados de inteligencia; no llevaba maquillaje sobre el rostro, y aunque en sus ademanes y en sus gestos no había ninguna coquetería deliberada, tenía un aura* de seducción, una especie
de voluptuosidad adherida a la piel, íntima y penetrante como un
perfume. Se la adivinaba sensual, y sin embargo lúcida, capaz de una
frialdad terrible si sus intereses estaban en juego. A un movimiento
de sus cejas, casi imperceptible, su amigo se retiró; entonces, pasando del francés al español, le pidió a Lina noticias de Javier. Oyó el
relato sin inmutarse: Javier buscándola desesperado en su velero, recorriendo una tras otra las islas del Caribe y, cinco años después,
golpeado por la enfermedad fatal que le produjo el sol, cubierto de
vendas como un leproso, gritando todavía su nombre en el *Odile* cuando pasaba frente a los pescadores de alta mar, que temblaban de espanto ante aquella figura esquelética y su velero de lonas desgarradas,
ambos, el hombre y el barco considerados ya muertos, y su aparición,
fantasmas de mal presagio. Jamás le dije que viviría con él fue el
único comentario de Leonor cambiando de tema.

Lina no puso en duda un instante la veracidad de aquella afirmación. En la pasión de Javier había habido hasta el final algo de excesivo
y ella sabía ya que el amor por una mujer servía a veces de pretexto
para destruir a otra. Le dolió, sí, no haberlo adivinado a tiempo, cuando todavía Beatriz reaccionaba a los argumentos de la lógica y acep-

taba discutir analizando los diferentes aspectos de la situación, sus posibilidades y consecuencias. Pero a ninguna de las dos se le había
ocurrido pensar que los sentimientos de Javier no fuesen correspon-
didos; ignoraban incluso quién era la mujer por la cual estaba dispuesto a abandonarlo todo y cuyo deseo lo obsesionaba hasta el punto de
hablarle de ella a Beatriz pidiéndole salir como fuera de su vida; de
saber entonces que los fuegos de aquella pasión existían únicamente en
su imaginación sin ser compartidos por su amante, el drama se habría
vuelto irrisorio: pueriles sus ansias de libertad, sus comparaciones
sarcásticas, su aire triunfante cuando regresaba a la casa de Puerto
Colombia después de haber desaparecido una semana en su velero.
Pero una vez provocado el escándalo, Javier no podía dar un paso
atrás so pena de caer en el ridículo. De ahí su reticencia a revelar la
identidad de su gran amor y la risa de Maruja cuando la conoció. Lo
cierto fue que todo el mundo se rió, aunque no por los mismos motivos: pensando en Lucila, los hombres mayores creían a Leonor prostituta; sorprendidos por su desparpajo, los amigos de Javier la ima-
ginaban ninfómana. Sólo muy pocas personas en la ciudad, Maruja entre otras, descubrieron sobre qué bases reposaba el comportamiento
amoroso de Leonor: ella no aceptaba ese erotismo centrado alrededor
de un órgano que se erguía y se evacuaba con rapidez dejando en las
mujeres un sentimiento de frustración y en los hombres un gusto de
tristeza; ella buscaba a los raros hombres que habían aprendido a hacer el amor de manera distinta, haciendo suyo uno tras otro cada
orgasmo de la mujer, controlando su propio deseo, manteniendo la
erección el mayor tiempo posible, no a fin de seguir principios religiosos ni de ejercer un poder más o menos impregnado de sadismo,
sino de erotizar la totalidad de sus cuerpos hasta sumergirse en una
voluptuosidad intemporal y vibrar a la cadencia de los ritmos feme-
ninos. En resumen, le comentó Maruja a Lina sin dejar de reír, un
tantrismo ateo. Y al observar que ella seguía mirándola aterrada,
añadió: no te preocupes, ya debe estar hasta la coronilla de Javier.

Pero incluso entonces, era ya demasiado tarde. Lina lo comprobó
al llegar una hora después a la casa de Puerto Colombia y encontrar a
Beatriz postrada en un rincón de la terraza mirando con una expresión
ausente la última reverberación del sol sobre el mar. Estaba muy pálida; miró a Lina como si no la reconociera y luego, haciendo un esfuerzo para expresarse, le pidió ocuparse de los niños. Acurrucados
junto a la puerta, abrazados uno al otro, Nadia y el pequeño Javier parecían haber llorado todo el día: tenían todavía sus baticas de dormir
y nada habían comido desde el desayuno. Lina los bañó, les preparó
una cena y se quedó con ellos en su cuarto hasta dejarlos dormidos.
Cuando volvió a la terraza, Beatriz seguía en la misma postura, sentada en el suelo, los brazos enlazados a las rodillas, los ojos vacíos de
expresión, fijando la oscuridad; su cuerpo era sacudido por leves estremecimientos, tenía la frente ardiente y las manos heladas. Un chal y
un vaso de ginebra la hicieron reaccionar al fin. ¿Tú sabías que soy
loca?, le preguntó de sopetón a Lina. Entonces, bebiendo pequeños sor-
bos de ginebra, fumando un cigarrillo tras otro, le contó lo ocurrido:
en una crisis de rabia, Javier le había revelado el nombre de su aman-

te y ella había creído perder la razón; en todo caso había perdido la
noción del tiempo; recordaba haberle gritado, ¿por qué ella, por qué
ella, justamente?, antes de que todo empezara a girar a su alrededor y
se derrumbara sobre la cama. Al volver en sí, Javier había desaparecido, los niños seguían durmiendo. Sin pensar en la hora, se había ido
en su automóvil a la ciudad a buscar el apoyo de su familia, a llorar
entre los brazos de su madre. Sólo al ver a la Nena en bata de noche,
se dio cuenta de que estaba amaneciendo. Llamados por Jorge Avendaño sus hermanos fueron llegando a la casa; ella oía el murmullo de sus
voces en la galería, pero no se atrevía a moverse, le dijo a Lina, no podía ni siquiera articular una palabra. Curiosamente, en medio del tu-
multo de su espíritu, tampoco entendía por qué la revelación de Javier
la hacía sentir tan desgraciada, si desde hacía tres meses él no perdía
una ocasión para ofenderla hablándole de su amante. Se lo recordaron,
y de manera más bien brutal, sus hermanos, cuando pronunció el nombre de Leonor. Desde el momento en que entraron en el cuarto donde
ella sollozaba abrazada a la Nena, sus hermanos habían parecido apiadarse de su suerte: escucharon su relato indignados contra Javier y su
infame comportamiento. Pero al decirles quién era la querida, Beatriz
observó en ellos un cambio extraño: empezaron a mirarse unos a otros
de reojo y a hacerle preguntas incomprensibles sobre su estado de ánimo y si tenía la impresión de ser perseguida o espiada. Beatriz intuyó
la verdad y a fin de tantearlos los acusó de creerla loca para no verse
obligados a afrontar a Javier. Y entonces uno de los hermanos estalló
recordándole cómo años atrás los había mortificado espiando a esa
misma Leonor e inventando historias absurdas sobre una marimonda
que se masturbaba y un negro que besaba el sexo de una niña. Beatriz
le dijo a Lina haber sentido por primera vez su corazón: lo sintió latir, detenerse un instante, marchar de nuevo; un dolor horrible le cortaba la respiración, como si de repente un animal se le hubiera incrus-
trado en el pecho y extendiera los tentáculos hacia su nuca. Ya no deseaba la ayuda de nadie y sólo quería permanecer sola consigo misma;
mil pensamientos se agitaban en su mente, pero el dolor le impedía reflexionar; con alivio vio a sus hermanos salir del cuarto, tomó aspiri-
nas y tranquilizantes hasta que al fin pudo recuperar el control de su
cuerpo y, después de calmar a la pobre Nena, regresó a Puerto Colombia. Recordaba haberle dado el desayuno a los niños, y, luego, más
nada.

Por una vez en su vida, Lina intentó colocarla frente a la realidad.
De acuerdo, sus hermanos la habían creído desequilibrada desde la
historia de *Merlín*, ese monito malicioso que también había tratado de
impresionarla a ella; así mismo, la habían enviado al Canadá siguiendo
los consejos del doctor Agudelo. Javier la engañaba con Leonor, quien
a su turno había sido iniciada a la sexualidad por Lorenzo en su infancia. Pero ella, Beatriz, podía reaccionar, decirle adiós al pasado y comenzar una vida diferente en otra parte; tenía dinero y salud, nadie
la obligaba a quedarse allí sufriendo pasivamente las injurias de Javier. Finalmente Lina se ofreció a aclararle las cosas a los Avendaño,
y, al día siguiente, hubo una reunión en casa de la Nena a la cual asistió toda la familia, inclusive Beatriz, quien, más segura de sí misma,

logró expresarse con coherencia anunciando su deseo de dejar a su esposo e instalarse en Miami con sus hijos. Tranquilizados por sus propósitos, los hermanos Avendaño le pusieron cita a Javier, después de haberle pedido a un abogado analizar los aspectos jurídicos del problema y preparar el documento necesario para permitirle a los niños salir del país. Para sorpresa general, Javier no opuso la menor resistencia: firmó los papeles que le presentaron, aceptó comenzar los trámites a fin de obtener la separación de cuerpos, y por su propia iniciativa propuso pasarle una pensión a Beatriz.

En apariencia, todo estaba solucionado. Y, no obstante, Beatriz seguía en Puerto Colombia, postrada por la apatía, rumiando los fracasos de su vida sentimental. Y, sin embargo, Javier no podía reprimir su deseo de verla y hablarle de Leonor. Una relación morbosa se había creado entre ambos: él tenía necesidad de hacer alarde de sus proezas amorosas como si quisiera fijarlas en la memoria de alguien y, más precisamente, en una memoria de la cual jamás se borrarían. Así lo captaba la parte lúcida de Beatriz, la que surgía en presencia de Lina, cuando debía expresarse razonablemente y encontrarle a cada cosa su verdadera explicación. Esa misma Beatriz admitía la existencia de la otra, incapaz de sustraerse a la influencia de Javier porque le suministraba una justificación a lo que en circunstancias distintas habría debido admitir como un delirio de su mente: ahora vivía llena de miedo; la asustaba salir de la casa o quedarse en ella, permanecer en un lugar donde a no dudarlo la gente se reía de sus infortunios o irse a Miami a afrontar mil problemas desconocidos; la aterraba pasar la noche en vela estremecida de angustia o dormir gracias a los somníferos entrando en el horrible universo de las pesadillas. De repente se sorprendía oyendo ruidos en el jardín, voces extrañas que venían del mar; a veces creía ver el rostro de un hombre a través de las persianas. Y lo peor era que esas alucinaciones podían encontrar un eco en la realidad: así, cuando empezaban los ruidos, su perrito chihuahua aullaba arañando la puerta; del mismo modo, Lina había visto al hombre. En efecto, una noche Lina había visto el brillo de unos ojos por la ventana y salió al jardín armada de un palo; pero el hombre ni siquiera se movió: siguió contemplando a Beatriz como hipnotizado y sólo se fue al oírla amenazarlo con la policía; por sus facciones y su manera de caminar parecía un tipo del interior; era joven y más bien guapo, y probablemente se había sentido atraído por una mujer bonita que vivía en una casa aislada. Beatriz razonaba de otro modo: ese hombre debía de ser un amigo de Víctor, informado de sus perversiones sexuales, dispuesto a violarla y a recuperar los explosivos que hasta entonces nadie había reclamado. Cuando aquel pobre diablo armó un escándalo desnudándose en las playas de Puerto Colombia, su fotografía apareció en la Prensa acompañada de una nota según la cual había sido encerrado en el manicomio por demente: inofensivo, precisaba el artículo. Lejos de tranquilizarse, Beatriz encontró un nuevo motivo de preocupación: los asilos no eran seguros, se escaparía, vendría a buscarla; más de tres veces volvió a verlo frente a la persiana, y tres veces Lina debió telefonear al asilo haciéndose pasar por periodista para comprobar que el hombre no se había fugado. Contra las voces, en cambio, nada podía:

de pronto, en medio de una conversación, Beatriz parecía desconec-
tarse de la realidad y permanecía muy atenta a algo que sólo ella percibía; en seguida se echaba a llorar como si se le partiera el alma. Nunca le hablaba de eso a Lina, pero en un momento de lucidez, le había
explicado cómo las voces venidas del mar le decían que la vida no tenía
sentido y sólo en la muerte encontraría la paz. Ahora bien, sus hijos
le impedían morir; no podía confiárselos a su madre, demasiado enve-
jecida, ni a Odile Kerouan, que desde el principio había tomado el
partido de Javier con una fiereza inexplicable; la única vez que Beatriz
intentó buscar su ayuda, Odile dejó salir la hiel acumulada en su corazón acusándola a medias palabras de haber seducido a su hijo sin tener
en cuenta los sentimientos de Jean-Luc; su mala fe la condujo a la más
increíble paradoja: así, le reprochó ser una esposa indigna, puesto
que Javier quería dejarla, y al mismo tiempo, de no saberse adaptar
al liberalismo de la época aferrándose a Javier en nombre de principios
desuetos; si no se lo dijo directamente, le dio a entender que sólo la
consideraba por haberle dado dos niños a la familia, repitiendo, quizá
sin darse cuenta, el comportamiento de la suegra de Lille cuyos sarcas-
mos la habían hecho sufrir tanto en su juventud. Aquella entrevista había consternado a Beatriz: toda la amabilidad que los Freisen habían
mostrado a su encuentro, era pura hipocresía, porque la veían como un
simple reproductora. Jamás les entregaría sus hijos, ni a ellos, ni a la
amante de Javier. Ya no se atrevía a confiar en nadie: su esposo le era
infiel, su familia política la despreciaba, sus hermanos le creían demente. Y su propia razón, sacudida por la angustia, perdía cada vez más el
contacto con la realidad. Lina se ofreció a llamar nuevamente al doctor
Agudelo puesto que a él podría hablarle sin el temor de ser traicio-
nada.

La visita del doctor Agudelo duró tres horas y produjo un resultado
inmediato. Beatriz resolvió no volverle a servir de confidente a Javier y
comenzar en seguida los trámites para irse a Miami. El miedo de verse
rechazar la visa a causa de sus relaciones con Víctor, se disipó apenas
entró en el Consulado americano y encontró un secretario amigo de su
familia. Por primera vez, después de un mes de encierro, osó ir al salón
de belleza, donde Angélica, la peinadora, la acogió cordialmente afir-
mándole que toda la ciudad estaba de su lado y aplaudía su decisión de
partir. Llamadas por ella, acudieron Isabel, Maruja y Lina, y armaron
la fiesta destapando una botella de champaña. Alguien trajo *sandwiches* calientes del «Country» y Lina telefoneó a Rosario Miranda, una
parienta suya instalada en Miami, que al instante ofreció salir a buscar
a Beatriz al aeropuerto y alojarla en su casa mientras conseguía trabajo. Eran las tres de la tarde cuando se separaron un poco mareadas y
más bien contentas, prometiendo ir esa noche a Puerto Colombia. Beatriz debía comprar los pasajes, algunos dólares al cambio negro y,
luego, pasar donde la Nena para levantarle el ánimo y recoger a los
niños. Allí las esperaría, les dijo subiendo a su automóvil. Al pasar
frente a Lina, le sonrió. Lina tuvo una impresión extraña; siempre
había visto ese rostro tendido por la severidad o la tristeza, contraído
de rabia o de dolor, pero nunca sonriendo; durante unos segundos recordó con inquietud los frisos de la Torre del italiano. Tonterías, se

dijo encendiendo el motor de su nuevo carrito, he bebido demasiado champaña.

Henk la esperaba en el «Hotel del Prado» a fin de presentarle a un coleccionista inglés interesado en un Van Gogh de Catalina. Estuvieron discutiendo hasta las siete. Cuando Lina se despidió de ellos y llegó a casa de la Nena encontró un ambiente de caos: Isabel tenía la expresión de sus peores días, Maruja insultaba a Odile Kerouan que parecía haber perdido el uso de la palabra y la Nena lloraba abrazada a un álbum de fotografías desgarrado; en un corredor, Javier se debatía, ya sin fuerzas, contra los certeros puños de uno de los hermanos Avendaño. A Lina le tomó más de media hora hacerse explicar lo ocurrido, y el relato de lo ocurrido le hizo presentir la catástrofe. Gustavo Freisen había aceptado sin muchas reticencias la ruptura del matrimonio de su hijo limitándose a comentar que a causa de esa boda el pobre Jean-Luc vegetaba en un manicomio, pero nadie se había atrevido a revelarle el contenido de las transacciones efectuadas entre los Avendaño y Javier. Durante el último mes se había resignado a la ausencia de sus nietos, a quienes creía enfermos de tosferina, y había hecho venir a un abogado a fin de examinar la situación. La situación no podía ser peor: su hijo tenía una amante con la cual se exhibía en público, su nuera no había abandonado el domicilio conyugal en ningún momento. Furioso, Gustavo Freisen le ordenó al abogado contratar a dos ex policías como detectives, cuya misión sería vigilar la casa de Puerto Colombia hasta demostrar, o inventar, si era el caso, la infidelidad de Beatriz. Pero, salvo el loco aquel, y un médico que había pasado con ella tres horas la tarde anterior, ningún hombre había intentado verla. La presencia del médico intrigó a Gustavo Freisen: sus nietos tenían la tosferina y nadie los atendía. Beatriz llamaba a un doctor reputado por su habilidad para tratar las enfermedades nerviosas. La estrategia estaba decidida: le arrancaría sus nietos a esa mujer pretextando su desequilibrio mental. El abogado renunció ahí mismo a comprometerse en semejante proceso y prometió enviarle la cuenta de sus honorarios al día siguiente. Pero Gustavo Freisen no iba a dejarse desarmar así no más: llamó a Javier para exigirle terminar su aventura amorosa y recuperar a sus hijos, y, al enterarse del pacto establecido con los Avendaño, lo maldijo jurando desheredarlo, expulsarlo de su casa, exigirle de inmediato el pago del dinero que había sacado de la fábrica a título de préstamo. Javier salió dando un portazo; poseído por la cólera bajó en su nuevo «MG» la Avenida Olaya Herrera a velocidad, y al llegar al Paseo Bolívar vio estacionado frente a una agencia de viajes el automóvil, de Beatriz. Paró en seco y descendió: ante los ojos aterrados de Beatriz, rompió el vidrio de la ventanilla, abrió la portezuela y se apoderó de sus papeles, todos, los pasaportes y visas, los dólares que acababa de comprar, el documento por medio del cual la autorizaba a sacar los niños del país. Y cuando Beatriz corrió a detenerlo, le dio una violenta bofetada gritándole su intención de quitarle los niños y encerrarla en la misma clínica de Jean-Luc.

¿Por qué hiciste eso?, le preguntaba ahora Federico Avendaño moliéndolo a patadas. Y Javier, encogido en el corredor, la cara desfigurada por los porrazos respondía débilmente: no lo sé. Tampoco Odile Kerouan comprendía la razón por la cual le había dado la espalda a Beatriz al descubrirla en su casa sacando de los portarretratos las fotografías de ella y de sus hijos. Desde el «Club de Pesca», Javier le había telefoneado para contarle cómo se había apoderado de los documentos y poder explicarle a Gustavo Freisen que todo estaba solucionado. Después de darle el mensaje a su marido, Odile bajó las escaleras para irse al «Country» donde la esperaba una mesa de bridge. Encontró a Beatriz en el salón arrancando las fotos con una resolución tranquila que resaltaba el aire alucinado de sus ojos. Odile creyó que Beatriz no la veía hasta que la oyó tartamudear. ¿Usted no hará nada? Y en seguida, como si se hablara a sí misma, dijo, no, ella no hará nada. Entonces había perdido el control de sus actos, le decía Odile Kerouan a Maruja: se había ido al «Country», y, en lugar de reunirse con sus amigas, permaneció durante horas sentada en su automóvil hasta que, de pronto, se le ocurrió venir donde la Nena. Sólo tomó conciencia de la gravedad de la situación cuando advirtió que también allí los álbumes y portarretratos habían sido despojados de las fotografías.

Lina las escuchaba hablar paralizada de odio; de haber tenido un revólver en la mano lo habría vaciado sobre Javier y su madre sin el menor remordimiento. Todos, inclusive los hermanos Avendaño, parecían incapaces de pensar con inteligencia: se preguntaban adónde habría ido a refugiarse Beatriz, si debían o no llamar a la Policía, si a lo mejor estaba en el consultorio del doctor Agudelo. Imbéciles, les gritó Lina acordándose de repente de los explosivos, ¿por qué diablos creen que destruyó las fotografías? Maruja comprendió en el acto. Mi carro es más veloz que el tuyo, le dijo a Lina alcanzándola en el jardín. Y arrancaron hacia Puerto Colombia mientras los hermanos Avendaño se precipitaban a sus automóviles seguidos por Javier y Odile Kerouan. Jamás un trayecto se le antojaría a Lina tan largo; en ningún momento Maruja dejaba de apoyar el pie sobre el acelerador, pero Lina tenía la impresión de no avanzar. Respiraba con dificultad el aire caliente de la noche maldiciendo su falta de imaginación; durante aquel terrible mes no se le había ocurrido pensar en el peligro que representaban los explosivos: Víctor le había explicado a Beatriz cómo colocarlos para evitar un accidente, enseñándole en consecuencia el modo de provocarlo. Más rápido, le suplicaba a Maruja escudriñando las sombras del horizonte, tratando de adivinar los pensamientos de Beatriz, instalada ya en esa conciencia no dejarle sus hijos a nadie. A medida que se acercaban a Puerto Colombia, sentía en su propia mente la desesperación de Beatriz: gracias a los consejos del doctor Agudelo había realizado un esfuerzo descomunal para salir de su apatía, había ido al Banco, al Consulado, al salón de belleza, y, cuando las dificultades parecían allanarse y el camino de la vida abrirse otra vez frente a ella con la figura del cadete de West Point surgiendo tímidamente en su memoria, Javier había destruido sus pálidos sueños azuzado por ese padre maléfico, Gustavo Freisen.

Finalmente llegaron a Puerto Colombia y tomaron el estrecho camino que conducía a la casa. Alcanzaron a ver la casa durante un instante, oscura y fantasmal, alzándose al lado del mar sobre dunas de arenas cuchicheantes de grillos, frágil y momentáneamente arrebatada a las tinieblas por el resplandor de los faros. Alcanzaron a verla antes de que aquella horrenda deflagración estremeciera el automóvil, les abofeteara la cara, les rasgara los tímpanos y les hiriera las retinas con una inmensa ampolla de fuego que arrancó de cuajo, desde adentro, puertas y ventanas y lanzó por los aires el tejado en pedazos, de una manera pavorosa e irreal como algo no visto, sino soñado. Y luego las llamas se alzaron al cielo en una súplica muda y desesperada.

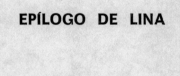

EPÍLOGO DE LINA

Los años han pasado y no he vuelto a Barranquilla, aquel lugar donde nuestras abuelas llegaron trayendo a lomo de mula, en un hervidero
de polvo, sus muebles y añoranzas de las ciudades más antiguas del
litoral Caribe: entonces Barranquila sólo era un ardiente caserío sin
historia, salvo la muy triste de haber agravado las dolencias de Bolívar
cuando iba al encuentro de su muerte.

A veces, en la noche, creo oír el paso fatigado de las mulas que car-
garon sus enseres y pienso en el mundo que las abuelas dejaban atrás
con patios florecidos de enredaderas y alcobas donde se desteñían da-
guerrotipos. Ellas traían recuerdos, montones de recuerdos. Nosotras las
oíamos hablar de aquel mundo que fue el suyo sin pensar que el nues-
tro, ligero y fácil, girando siempre en torno a la piscina de un club y a
los bailes de carnaval, entraría también en la nostalgia de la memoria.

A veces, cuando en las noches la fiebre vuelve a subirme, pienso
que como las abuelas yo habito en medio de recuerdos. Todos estos
años vividos en París no han logrado borrarlos; al contrario, las fiebres
y hasta el frío que saca sus navajas a la salida del Metro cuando regreso del hospital, parecen devolverme con obstinación a la ciudad del
Prado, a las brisas que siempre llegaban en diciembre, a las tardes en
que sentadas a una mesa del «Country Club», con el sol reverberando ahí
afuera en los campos de golf, mis amigas y yo nos divertíamos adivinando nuestros posibles destinos con ayuda de un naipe.

Del mío y del de las otras, menos aún del de Benito Suárez, ningún
naipe habría pronosticado entonces sus inauditos caprichos. Mi propia
abuela, que parecía dueña de una actitud premonitoria capaz de hallar
en cada vida los inexorables y secretos trazados, no llegaría a vivir lo
suficiente para ser sorprendida una vez más por Benito Suárez o en

todo caso por las noticias que acerca de él llegaban, de un año a otro, de la selva, primero, de los confines del Orinoco, después, y finalmente del desierto de la Goajira donde habría de morir. Quería ver el mar por última vez, le contó una india del caserío donde había ido a refugiarse al antropólogo que a su vez me lo contó a mí. El antropólogo no entendía por qué me interesaba tanto aquel pobre diablo, un eremita, un buen hombre, decía, con el pelo ya blanco de canas que iba por el desierto curando a los indios sin cobrarles un centavo y que escribía versos y de noche sollozaba en su hamaca o deliraba llamando a Dora, la mujer que alguna vez había amado.

Pienso a veces —siempre al anochecer cuando llega la fiebre y se apaga el cuchicheo de las palomas en los tejados— que los laberintos de la vida contienen enigmas sin descifrar como las piedras de la Torre del italiano. Yo, que había ayudado a mi abuela a morir siguiendo sus instrucciones, diluyendo en agua el polvo contenido en todas las cápsulas que sólo podía tomar a razón de una por día, y remplazándolo por talco para no alertar al doctor Agudelo, me sorprendí cuando supe como tía Eloísa había decidido celebrar su propio fin: en plena fiesta, alzando una copa de champaña para brindar con sus hijas mientras en torno suyo estallaban cohetes y sonaban sirenas saludando un nuevo año.

En cambio nada de lo ocurrido a Catalina era imprevisible. Cuando la veo fotografiada en *Vogue* con esa hija suya de fulgurantes ojos dorados que parece su hermana, en *Regine* o en cualquier otro lugar neoyorquino de moda, resplandeciente y fría como un témpano, junto a hombres mundanos tan inmunes como ella a las fragilidades del corazón, pienso que está cumpliendo el destino que había previsto para ella Divina Arriaga en aquella alcoba crepuscular donde buscó refugio hasta olvidarse del pasado.

Muchas cosas han cambiado al parecer en la ciudad que dejé para siempre después de la muerte de mi abuela. Muchas cosas. Nuestras casas desaparecieron por la misma época en que llegaron a Barranquilla, en camionetas de vidrios azules, los marimberos, hombres del desierto de la Goajira, enriquecidos con el tráfico de la marihuana y de la cocaína, que levantarían palacetes de mármol y en nombre de viejas vendettas tribales se dispararían tiros en las calles, antes de ser absorbidos también por la ciudad, como muchos años atrás lo fueron inmigrantes, buhoneros y prófugos de Cayena.

A París llegarían con el tiempo los hijos de esos marimberos, ricos, jóvenes, hermosos, hablando un inglés purificado en Harvard y llevando en las fiestas de gala del verano smokings blancos y una rosa roja en la solapa, con la misma soltura con que sus padres se movían por los arenales, una pistola ametralladora bajo el brazo. Los acompañaban las nuevas muchachas de Barranquilla, ya liberadas y un poco indulgentes al dirigirse a mí porque sabían vagamente que alguna vez escribí un libro denunciando la opresión que sufrían sus madres. Ellas ignoraban la sumisión: no se maquillaban y en sus polveras había casi siempre unos gramos de cocaína, y hacían el amor con desenvoltura para tormento de sus amantes que se sentían como cerezas tomadas con distracción de un plato. Quizá sólo yo comprendía que ese frenético consumo de hombres elegidos y devorados sin ternura ni compasión, era simplemente la venganza que una generación de mujeres ejercía, sin saberlo, en nombre de muchas otras. Las jovencitas carnívoras pasaron, pues, por París, pasaron y se fueron y volvieron a Barranquilla. Con los años descubrirían el miedo a la soledad: entonces aceptarían vivir junto a un solo hombre. Quizá sus hijas aprendan que el amor no se encuentra en la promiscuidad ni el erotismo en la droga y, como Divina Arriaga, sepan distinguir el uno del otro reconociéndole a ambos su carácter sagrado de iniciación en el largo peregrinaje que permite vislumbrar el infinito: y ser entonces más humilde, y reconciliarse alguna vez con la vida.

El tiempo me haría comprender muchas cosas, el silencio de tía Irene, ciertas palabras de mi abuela, la sonrisa de tía Eloísa. Una vez quise morir, en Deyá, un pueblo de Mallorca. Era de noche y el viento helado del invierno me secaba las lágrimas burlándose de mi tristeza. Decidida a ponerle fin a todo atravesaba las calles desiertas de aquel pueblo de fantasmas cuando de pronto oí la música de un violín: en un caserón de postigos cerrados alguien repetía incansablemente una frase musical de la sonata de tía Irene. Me detuve un instante y apenas el instrumento se calló canté en voz alta la frase siguiente que el violinista, después de un momento de vacilación, de estupor quizá, se apresuró a recoger. Huí de allí corriendo en vano porque nadie me siguió, porque, como yo, el violinista sabía que esa sonata había sido compuesta para ser escuchada una sola vez y extraviarse luego en las sombras del olvido. Pero ya mi decisión se me antojaba un sueño absurdo: acababa de recordar que todos tenemos una cita en Samarcanda.

Los años han pasado. No he vuelto ni creo que vuelva nunca a Barranquilla. A mi alrededor nadie conoce siquiera su nombre. Cuando me preguntan cómo es, me limito a decir que está junto a un río, muy cerca del mar.

Impreso
en los talleres de Diagráfic, S. A.
Constitución, 19
Barcelona, 14